Y0-BIR-499

Programación en Linux

CON EJEMPLOS

KURT WALL

Programación en Linux

CON EJEMPLOS

Argentina • Bolivia • Brasil • Colombia • Costa Rica • Chile • Ecuador • Salvador • España • Guatemala • Honduras • México • Nicaragua • Panamá • Paraguay • Perú • Puerto Rico • República Dominicana • Uruguay • Venezuela

Amsterdam • Harlow • Londres • Menlo Park • Miami • Munich • Nueva Delhi • Nueva Jersey • Nueva York • Ontario • París • Singapur • Sydney • Tokio • Toronto • Zurich

datos de catalogación bibliográfica

519.68 WAL

Wall, Kurt
Programación en Linux con ejemplos – 1ª ed. – Buenos Aires: Prentice Hall, 2000
568 p.; 24x19 cm

Traducción de: Jorge Gorín

ISBN: 987-9460-09-X

I. Título – 1. Programación

Editora: María Fernanda Castillo
Armado de interior y tapa: Pérez Villamil & Asociados
Traducción: Jorge Gorín
Producción: Marcela Mangarelli

Traducido de:
Linux Programming by example, by Kurt Wall, published by QUE.

Published by arrangement with the original publisher,
PRENTICE HALL, inc, A Pearson Education Company.
ISBN: 0-7897-2215-1

Edición en Español publicada por Pearson Education, S.A.

ISBN: 987-9460-09-X

Av. Regimiento de Patricios 1959 (1266), Buenos Aires,
República Argentina

Queda hecho el depósito que dispone la ley 11.723
Impreso en Perú. Printed in Perú.
Impreso en Quebecor Perú, en el mes de noviembre de 2000

Primera edición: Diciembre de 2000

Associate Publisher
Dean Miller

Executive Editor
Jeff Koch

Acquisitions Editor
Gretchen Ganser

Development Editor
Sean Dixon

Managing Editor
Lisa Wilson

Proyect Editor
Tonya Simpsons

Copy Editor
Kezia Endsley

Indexer
Cheryl Landes

Proofreader
Benjamin Berg

Technical Editor
Cameron Laird

Team Coordinator
Cindy Teeters

Interior Design
Karen Ruggles

Cover Design
Duane Rader

Copy Writer
Eric Borgert

Production
Dan Harris
Heather Moseman

El contenido de un vistazo

Tabla de contenidos

Acerca del autor

Kurt Wall ha estado empleando UNIX desde 1993 y ha estado interesado en Linux por casi la misma cantidad de tiempo. Actualmente es el encargado de mantener la sección de FAQ (*Frequently Asked Questions o Preguntas formuladas con frecuencia*) de Informix y es presidente de la sección Linux del Grupo de Usuarios de Informix. Es también vicepresidente del Grupo de Usuarios de Linux de Salt Lake City, Utah, EE.UU.

Le agrada, sin que la enumeración represente un orden de preferencias, el café, los gatos, la programación, la cocina, levantarse tarde e irse a dormir aún más tarde. No le agrada escribir sobre sí mismo en tercera persona.

Anteriormente estuvo empleado en la US West. En la actualidad Kurt Wall se dedica por completo a escribir y editar publicaciones. Recientemente acaba de completar su primer libro, *Linux Programming Unleashed.*

Dedicatoria

A Mamá (Eleanor Claire Fleming Wall):

La estoy pasando muy bien, me gustaría que hubieses estado aquí.

Reconocimientos

Ashleigh Rae y Zane Thomas se resignaron de manera valiente y estoica a jugar con su Nintendo y mirar dibujos animados durante el tiempo que me llevó escribir este libro. También me ayudaron a ponerle nombres a algunos de los programas de muestra cuando mi imaginación llegaba a su límite. Papá no hizo nada en especial, pero sin su confianza, apoyo y aliento yo no podría haber tenido la motivación necesaria como para emprender la tarea de escribir un libro. Mamá, te extraño y hubiese deseado que estuvieras aquí para poder compartir esto contigo. De alguna manera, sin embargo, sé que tú sabes. Rick, Amy, Morgan Leah y el joven maestro Isaac Benjamín son sencillamente el mejor hermano, cuñada, sobrina y sobrino que cualquiera pudiese tener. Gracias a la pandilla de El Paso por entretenerme por e-mail y por permitirme mezclar en sus vidas cuando necesito aire fresco. Marty me mantuvo trabajando, preguntándome cómo iba todo. Mi perro Nudge hizo honor al significado en Yiddish de su nombre haciéndome compañía a las 4:00 de la mañana, calentando mi regazo, ayudándome a tipear e insistiendo en requerir mi atención justo cuando no se la podía brindar. Finalmente, los amigos de Bill Wilson contribuyeron a mantenerme lo suficientemente cuerdo como para poder escribir; si se debe conceder algún crédito, éste va para Dios.

Mi editor técnico, Cameron Laird, me brindó sugerencias que mejoraron la calidad general del original, señalaron un alarmante número de errores realmente estúpidos, evitaron que el libro sonase a página de manual, y en general lograron evitar que el autor de estas líneas pareciese un perfecto imbécil. Gracias, Cameron.

El equipo de Macmillan fue estupendo. A Gretchen Ganser hay que concederle el mérito de que este libro siquiera exista –te debo un almuerzo *todavía,* Gretchen, y te agradezco por no entrar en pánico cuando nos retrasábamos–. Gretchen y Sean Dixon, mi editor de desarrollo, ambos se las arreglaron para ayudarme volver a los tiempos previstos (¡gracias a todos!). Ni siquiera *quiero* saber cuantas reglas pasaron por alto. Sean se merece un almuerzo, también, si alguna vez aparece por Salt Lake City. Kezia Endsley llevó a cabo un excelente trabajo de edición del original y se las arregló para leer mi mente cuando lo que yo había escrito parecía prosa bizantina. Sara Bosin, otra editora, fue gratamente paciente durante la etapa de edición, especialmente cuando yo mutilaba su nombre. ¿Lo escribí bien esta vez? Gracias a Sara, ahora sé la diferencia entre un guión eme y un guión ene. Tonya Simpson, la reemplazante de Sara, se merece un agradecimiento adicional por su paciencia conmigo.

Gracias a todos los ciudadanos de la red y a los miembros de la comunidad de usuarios de Linux que, con paciencia y gentileza, respondieron mis preguntas y me brindaron sugerencias. En particular, Thomas Dickey, actual mantenedor de la sección dedicada a ncurses, revisó una versión preliminar de los capítulos sobre ncurses y corrigió varios errores tontos y multitud de errores de tipeo. Michael Olson, de Sleepycat Software, fabricantes de la base de datos Berkeley, gentilmente revisó el capítulo sobre la API para base de datos, resultando un capítulo mucho mejor que lo que hubiera sido de otra manera. La lista de correo `linux-sound` me ayudó con el capítulo sobre la API de sonido. Aprecio especialmente la colaboración de Hannu Solavainen, el autor original de esta API, por su ayuda.

Las empresas que realizan negocios con, y para, la comunidad Linux también me brindaron apoyo. Red Hat Software y Caldera Systems me aportaron copias con asistencia plena de sus Distribuciones de Linux, ahorrándome muchísimo tiempo de descarga y todavía más frustración. Holly Robinson de Metro Link Incorporated me obsequió entusiastamente copias de sus productos Motif y OpenGL. Holly, *cubriremos* este material en el próximo libro. Chris Dibona, Asistente de Vaguedades de VA Research (o como quiera que se llamen esta semana), me prestó un excelente sistema con el cual desarrollar el código empleado en este libro. Chris no se sobresaltó, ni siquiera pestañeó, cuando le expliqué que prefería colgar el sistema de algún otro que exponer el mío a los caprichos de algunos punteros bribones. Sirva como testimonio de la increíble estabilidad y robustez de Linux: el mismo nunca se colgó, aunque me cansé de examinar archivos centrales de Linux; las teclas “g”, “d”, y “b” de mi teclado quedaron lisas y sin marcas.

Si me he olvidado de alguien, le ruego que acepte mis más sentidas disculpas y me envíe un e-mail a kwall@xmission.com, de modo que pueda remediar la omisión. A pesar de toda la asistencia que he tenido, asumo la plena responsabilidad por cualquier error y dislate que haya podido quedar en pie.

Programación en Linux con ejemplos

¡Bienvenido a *Programación en Linux con ejemplos*! Pareciera que uno apenas pudiese encender el televisor, escuchar la radio, navegar por Internet o leer un periódico o revista sin escuchar o ver alguna mención al "sistema operativo gratuito denominado Linux, similar a UNIX y creado por Linus Torvalds..." Aunque el resto del mundo parece recién haber descubierto Linux, este sistema operativo ha sido muy conocido en Internet desde 1991, cuando Linus hizo pública por primera vez una de las primeras versiones del núcleo (*kernel*) de su creación.

Yo descubrí a Linux por primera vez en 1993, mientras trataba de localizar una versión de UNIX que pudiera utilizar en casa para aprender lo suficiente sobre UNIX como para mejorar mis perspectivas laborales. Quedé asombrado de sus prestaciones y fui inmediatamente atacado por el virus de Linux. Sin embargo, mi computadora mantuvo una doble vida durante más de dos años mientras iba cambiando entre Windows y Linux. Finalmente, profundamente disgustado con Windows en 1995, lo retiré completamente de mi sistema y comencé a utilizar Linux y programar para el mismo todo el tiempo. Desde entonces no he tenido oportunidad de arrepentirme.

Acerca de este libro

De modo que, ¿para qué existe *Programación para / en entorno Linux con ejemplos*? La respuesta, simplemente, es para llenar una clara necesidad. Durante sus primeros tres o cuatro años, la base de usuarios de Linux estaba constituida por programadores técnicamente muy sofisticados y conocedores, que además se encontraban familiarizados con UNIX.

A medida que Linux fue ganando popularidad, su comunidad de usuarios ha ido cambiando notablemente. El número de nuevos usuarios no familiarizados con los desarrollos de software en un entorno UNIX pero que querían programar en y para Linux creció desmesuradamente. Por desgracia, ha habido una evidente falta de información dirigida hacia los programadores principiantes de Linux. Hay, por supuesto, libros que le enseñan a uno cómo utilizar las herramientas individuales y que cubren temas específicos, pero *Programación para / en entorno Linux con ejemplos* reúne todo el material relevante a este sistema operativo en un único libro.

Para quién está pensado este libro

Este libro da por sentado que el lector sabe cómo utilizar Linux y que sabe cómo programar en el lenguaje C. Debería estar en condiciones de abrirse camino por el filesystem, leer páginas de manuales, emplear un editor de texto y ejecutar comandos. Le será útil, aunque no sea excluyente, contar con una conexión a Internet. Como programador de C, deberá saber como redactar un programa que compile sin mayores inconvenientes, comprender los fundamentos del uso de punteros y estar familiarizado con los dialectos de C. En cambio no se requiere contar con conocimientos avanzados.

Escribí este libro con dos grupos de personas en mente. El primer grupo está compuesto por gente que se encuentra en la posición en que me encontraba yo en 1993.

Yo había utilizado y programado en varias versiones de DOS y de Windows, pero cuando tuve que compilar un programa en Linux, me sentí perdido. La plétora de herramientas me abrumó, lo mismo que la terminología y, hasta cierto punto, la propia filosofía de UNIX: todo es un archivo, unir entre sí multitud de pequeñas herramientas para formar programas más grandes, la línea de comandos es algo apasionante. De modo que, si el lector sabe cómo programar utilizando el lenguaje C, pero no tiene idea sobre las herramientas y utilidades que tiene a su servicio y se siente abrumado por la complejidad espartana del entorno de programación de Linux, este libro es para usted.

El otro grupo de lectores son los usuarios de Linux que desean saber cómo redactar aplicaciones que funcionen sin problemas en el entorno de Linux. Este grupo ya se ha dado cuenta de cómo escribir y compilar programas y puede de hecho comprender algo de lo que consta en las páginas de los manuales, pero no tiene ninguna idea sobre lo que es un proceso, cómo escribir un handler de señal, o inclusive de por qué razón habría que preocuparse por ello. Si el lector encuadra en la descripción formulada en este párrafo, este libro también es para usted.

Si, por otro lado, lo que desea el lector es manipular el kernel, éste definitivamente no es el libro adecuado porque todo el material presentado aquí es código de aplicaciones que se basa en el kernel y utiliza servicios que provee justamente el kernel. Otro tema no cubierto en este libro es la programación en X Window. La programación de las GUI (*Graphic User Interface* o Interfaz Gráfica de Usuario) es una cuestión compleja y más allá del alcance de este libro, que está dirigido principalmente al programador principiante. La programación en X Window merece su propio libro; hasta un compendio de material introductorio puede fácilmente abarcar un par de cientos de páginas.

Programación en entorno Linux con ejemplos, Capítulo por Capítulo

La primera parte del libro introduce al lector al entorno de programación en Linux. El capítulo 1, "Compilación de Programas", le enseñará a utilizar el compilador de C de GNU, gcc. El lector podrá explorar sus opciones y características y aprenderá algunas de las extensiones al lenguaje C que admite `gcc`. El capítulo 2, "Control del proceso de compilación: el make de GNU" analiza el programa make, que automatiza el proceso de construcción de software. El capítulo final de esta parte del libro, capítulo 3, "Acerca del proyecto" trata sobre el programa que el lector tendrá construido al final del libro, un administrador de base de datos de CD musicales. El proyecto de programación empleará muchas de las técnicas y herramientas cubiertas en el libro.

EL CÓDIGO UTILIZADO EN ESTE LIBRO

Para ver el código utilizado en este libro, dirigirse a `www.mcp.com/info` y tipear `0789722151` (el código ISBN de este libro) para acceder al sitio Web de Programación en Linux por ejemplos.

La segunda parte, "Programación de sistemas", dedica cinco capítulos a la programación de bajo nivel para Linux. El primer tema son los procesos, porque los mismos constituyen la clave para entender cómo funciona cualquier programa que corre bajo Linux. En el capítulo 4, "Procesos", el lector aprenderá qué es un proceso, cómo crearlo, manipularlo y eliminarlo, y cómo interactúan los procesos con la propiedad de archivos y el acceso a los recursos del sistema. El capítulo 5, "Señales" explica qué son las señales, cómo crear sus propios handlers personalizados de señales y cómo hacer para poder ignorar señales.

La programación de sistemas a menudo requiere interactuar con el kernel y requerir servicios del mismo. Las *system calls* proveen la interfaz entre el código de su aplicación y el kernel, de modo que esto se cubre en el capítulo 6, "Llamadas a sistema". Tanto el capítulo 7 ("Administración básica de archivos en Linux") como el capítulo 8 ("Administración avanzada de archivos en Linux") están dedicados a la administración de archivos con Linux. Todo, o casi todo, lo que existe en Linux es un archivo, de modo que todos los programas, excepto los más simples, necesitarán de servicios de archivos. El primero de dichos capítulos (el capítulo 7) suministra información básica sobre los servicios de archivos, incluyendo la creación, apertura, cierre y eliminación de archivos, y la obtención de información sobre archivos.

El capítulo 8 incursiona en temas avanzados sobre administración de archivos, tales cómo interactuar con el filesystem de Linux, ext2, E/S (entrada/salida) de alta velocidad mediante el empleo de mapas de memoria, y bloqueo de archivos. Para terminar esta parte hay un capítulo sobre redacción de daemons, que son programas que corren de manera no interactiva en segundo plano y proveen servicios a pedido o realizan otras tareas. Los daemons tienen requerimientos especiales y el capítulo 9 ("Daemons") le mostrará lo que son y cómo abordarlos.

La tercera parte del libro, "Las APIs (interfaces de programación de aplicaciones) de Linux", lo conducirá a través de algunas de las interfaces clave de programación de aplicaciones (APIs) disponibles en Linux. El primer tema a tratar será la API de base de datos, porque la mayoría de las aplicaciones necesitan almacenar datos de una manera ordenada y que permita una recuperación sencilla. La base de datos Berkeley satisface esa necesidad, y se comenta en el capítulo 10 ("La API de base de datos").

El capítulo 11 ("Manipulación de pantalla con ncurses") y el capítulo 12 ("Programación avanzada de ncurses") se concentran en la administración de pantallas en modo texto utilizando la API para ncurses. El capítulo 11 analiza los usos básicos de los ncurses: inicialización, terminación, entrada y salida. El capítulo 12 comenta las prestaciones avanzadas que proveen los ncurses, tales como el empleo de color, administración de ventanas, interacción con ratones y creación y utilización de formularios y menús.

El capítulo 13 ("La API de sonido: OSS/Free") cubre la API de sonido integrada en el kernel de Linux. Finalmente, el capítulo 14, "Creación y utilización de bibliotecas de programación", clausura esta sección del libro. Todas las APIs discutidas aquí son implementadas mediante el empleo de bibliotecas, de modo que saber cómo emplearlas resulta esencial. Además, a medida que escriba más programas para Linux, el lector se encontrará redactando el mismo código una y otra vez; la solución es almacenar ese código en sus propias bibliotecas.

La cuarta parte del libro cubre varias maneras de realizar la comunicación entre procesos que hay disponibles con Linux. El tema del primer capítulo de esta parte, el capítulo 15 ("Pipes y FIFOs"), lo constituyen los pipes, después de los cuales sigue el capítulo 16 ("Memoria compartida"), y el capítulo 17 ("Semáforos y colas de mensajes"). Como Linux es un producto de Internet y cuenta con sofisticadas prestaciones para trabajar en red, no lo debería sorprender que el último capítulo de esta sección, el capítulo 18 ("Programación de TCP/IP y sockets") esté consagrado a los fundamentos de la programación para redes empleando TCP/IP.

La última sección del libro, "Utilidades de programación para Linux", cubre herramientas que el lector encontrará útiles a medida que vaya ganando experiencia en programar para Linux. El capítulo 19 ("Seguimiento de cambios en códigos fuente: El sistema de control de revisiones") cubre el control del código fuente utilizando el venerable Sistema de Control de Revisiones. Cualquier código de programación indefectiblemente contendrá errores, de modo que el capítulo 20 ("Un toolkit de depuración") le enseñará cómo utilizar el depurador de código fuente `gdb` y cómo emplear un par de toolkits de depuración de memoria, Electric Fence y `mpr`.

Cuando el lector haya finalmente completado alguna vez esa aplicación imbatible que tiene pensada, seguramente la querrá distribuir. El capítulo 21 ("Distribución de software") cubre los métodos principales de distribución de software: `tar` y el Administrador de Red Hat Package, RPM.

El capítulo final del libro, el capítulo 22 ("Proyecto de programación: una base de datos de CDs de música") es un programa completo y de aplicación cotidiana, un administrador de una base de datos de CD de música. Además de listar el código fuente completo del proyecto, este capítulo explica cómo funcionan en conjunto las diversas partes componentes del mismo.

Ese proyecto de programación da término al libro, y por ende a su introducción a la programación para Linux. Si le quedan deseos de continuar aprendiendo, el primero de los dos apéndices, el Apéndice A ("Recursos adicionales") provee bibliografía e información adicional sobre programación para Linux. El Apéndice B ("Herramientas adicionales de programación") provee información sobre material adicional: lenguajes, herramientas, empresas y programas de certificación. A esta altura del libro el lector contará con una sólida base de programación para Linux. La experiencia, el maestro por ejemplo más importante, contribuirá a nutrir aún más su versación en la materia.

Lo que viene

El capítulo 1, "Compilación de programas," da comienzo a su viaje a través de la programación para Linux mostrándole cómo utilizar el compilador de C `gcc` de GNU. Después que aprenda a utilizar el compilador pasará a conocer `make`, el cual, en cierta medida, automatiza el uso de `gcc`, trabajando duramente de modo que no lo tenga que hacer usted.

El entorno de programación de Linux

1. Compilación de programas
2. Control del proceso de compilación
3. Acerca del proyecto

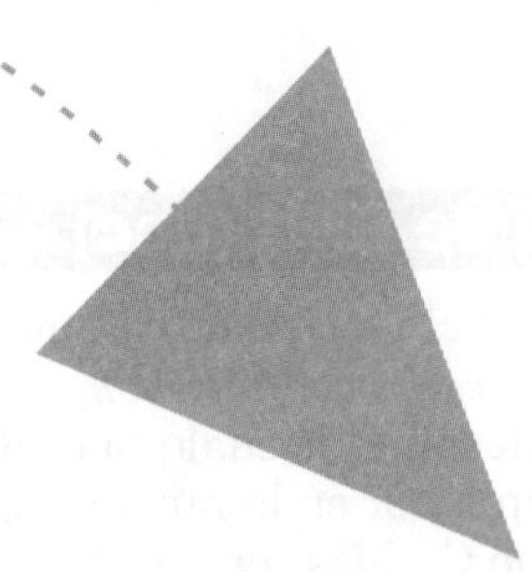

1

Compilación de programas

El GNU cc (gcc) es el conjunto de programas que comprenden el compilador del proyecto GNU. Compila programas escritos en C, C++, o C dirigido a Objetos. El gcc también compila FORTRAN (con apoyo de g77). Este capítulo se concentra en el compilador de C porque C es la lengua nativa de Linux. El capítulo también cubre las diferencias entre gcc y egcs versión 1.1.2, el conjunto experimental de programas del compilador GNU.

Este capítulo abarca los siguientes temas:

- Invocación del gcc
- Opciones y argumentos para controlar la conducta del gcc
- Compilación de múltiples archivos fuente
- Utilización de las prestaciones de optimización de gcc
- Utilización de las prestaciones de depuración de gcc
- Administración de errores de compilación
- Extensiones del GNU al lenguaje C
- El nuevo compilador de C, egcs

Todos los programas de este capítulo pueden ser encontrados en el sitio web `http://www.mcp.com/info` bajo el número de ISBN 0789722151.

Utilización del compilador de código de GNU (gcc)

El gcc le da al programador un amplio control sobre el proceso de compilación. Este último comprende cuatro etapas: *preprocesado, compilación, ensamblaje* y *vinculación*. Uno puede detener el proceso después de cualquiera de dichas etapas para examinar el rendimiento del compilador en la misma. El gcc también puede administrar los diversos dialectos de C, tales como el ANSI C o el C tradicional (el de sus desarrolladores, Kernighan y Ritchie). Se puede controlar la cantidad y el tipo de información de depuración, si se la deseara emplear, que se incrustará en el archivo binario resultante y, como la mayoría de los compiladores, gcc puede llevar a cabo también optimización de código.

El gcc incluye más de treinta advertencias individuales y tres niveles de advertencia tipo "captura todo". El gcc es también un compilador cruzado, de modo que se pueda desarrollar el código en una arquitectura de procesador y correrlo en otra. La compilación cruzada es importante porque Linux corre en muchos tipos diferentes de sistema, tales como el x86s de Intel, las PowerPC, las Amiga y las SCN Sparcs. Cada chip de procesador tiene una arquitectura física diferente, de modo que la manera en que se debe construir un binario varía para cada sistema. Cuando se utiliza como un compilador cruzado, el gcc permite que se compile un programa diseñado para correr en una PowerPC en, digamos, un sistema Intel x86.

Finalmente, el gcc acepta una lista larga de extensiones a C. La mayoría de estas extensiones mejora el desempeño, contribuye a la tarea del compilador tendiente a la optimización del código, o hace más sencillo el trabajo del programador. El precio a pagar a cambio es la disminución de la portabilidad. Mencionaremos algunas de las extensiones más comunes, porque las mismas se pueden encontrar en los archivos de encabezamiento del kernel, pero lo ideal es que el lector evite su uso en los programas que redacte.

Invocación de gcc

Para utilizar gcc, suministre un nombre de archivo fuente de C y utilice la opción -o para especificar el nombre del archivo de salida. gcc preprocesará, compilará, ensamblará y vinculará (*link*) el programa, generando un archivo ejecutable, a menudo denominado binario. La sintaxis más simple se ilustra aquí:

```
gcc archivo_entrada.c [-o archivo_salida]
```

archivo_entrada.c es un archivo de código fuente en C y -o establece que el nombre del archivo de salida será archivo_salida. Los corchetes ([ ]) indican a lo largo de este libro argumentos opcionales. Si el nombre del archivo de salida no se especifica, gcc lo denominará a.out como opción predeterminada.

EJEMPLO

Ejemplo

Este ejemplo utiliza gcc para crear el programa hola a partir del código fuente hola.c. Primero, el código fuente:

```
/* Nombre del programa en Internet: hello.c */
/*
 * Listado 1.1
```

```
 * hola.c - Programa canónico "¡Hola, mundo!"
 */
#include <stdio.h>

int main(void)
{
puts("¡Hola, mundo de programadores de Linux!");
return 0;
}
```

para compilar y correr este programa, tipee

```
$ gcc hola.c -o hola
```

Si todo anduvo bien, `gcc` realiza su trabajo en silencio y luego regresa a la señal de petición de comandos del sistema operativo. `gcc` compila y linkea el archivo fuente `hola.c`, creando el archivo binario que fue especificado mediante el argumento `-o`, o sea `hola`.

El comando `ls` (que vendría a ser algo así como la contraparte UNIX del comando DIR de DOS) muestra que existe un nuevo programa, `hola`. El último comando ejecuta el programa, y produce la siguiente salida:

SALIDA

```
$ ls
hola.c        hola*
$ ./hola
¡Hola, mundo de programadores de Linux!
```

PRECAUCIÓN

El comando que ejecutó el programa `hola` incluía específicamente el directorio corriente, representado con un punto (.), porque incluir el directorio corriente en la ruta representa un riesgo para la seguridad. Es decir, si el directorio corriente fuese un subdirectorio del último directorio incluido en la ruta, en lugar de utilizar una sentencia $PATH semejante a `/bin:/usr/bin:/usr/local/bin:.` (con el punto al final), la sentencia debería ser `/bin:/usr/bin:/usr/local/bin`, de modo que ningún hacker pudiera colocar en el directorio corriente, un comando dañino del mismo nombre del comando normal que uno verdaderamente desea ejecutar.

¿Cómo sabe `gcc` cómo procesar los archivos? Se basa en las extensiones de los mismos para determinar cómo procesar correctamente cada archivo. Las extensiones más comunes y sus interpretaciones se listan en la tabla 1.1.

Tabla 1.1. *Cómo interpreta gcc las extensiones de archivo*

Extensión	Tipo de archivo
`.c`	Código fuente de lenguaje C
`.C`, `.cc`	Código fuente de lenguaje C++
`.i`	Código fuente de C preprocesado

continúa

Tabla 1.1. continuación

Extensión	Tipo de archivo
.ii	Código fuente de C++ preprocesado
.S, .s	Código fuente de lenguaje ensamblador
.o	Código objeto compilado
.a, .so	Código de biblioteca compilado

Invocación de gcc paso a paso

En el primer ejemplo, hubo muchas cosas que tuvieron lugar de manera encubierta y el lector no las vio. `gcc` primero corrió `hola.c` por el preprocesador, `cpp`, para expandir cualquier macro que pudiese haber e insertar los contenidos de los archivos incluidos mediante `#include`. Luego compiló el código fuente preprocesado, convirtiéndolo en código objeto. Finalmente el linker, `ld`, creó el archivo binario `hola`. El proceso completo de vinculación se ilustra en la figura 1-1.

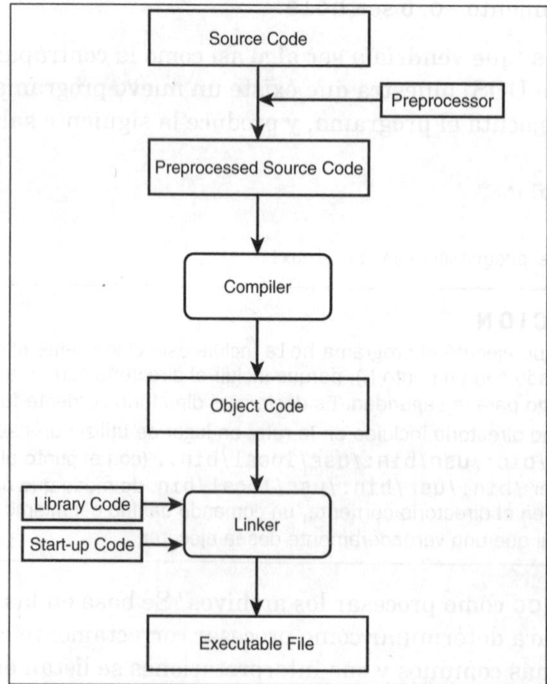

***Figura 1.1.** La compilación de un programa consiste de varias etapas.*

Uno puede recrear estas etapas manualmente, avanzando por el proceso de compilación un paso por vez. Para indicarle a `gcc` que detenga la compilación luego del preprocesado, utilice la opción -E de `gcc`, como se indica a continuación:

```
$ gcc -E archivo_entrada.c -o archivo_salida.cpp
```

El paso siguiente consiste en compilar el archivo preprocesado para convertirlo en código objeto, utilizando la opción `-c` de `gcc`. La opción `-x` se utiliza para indicarle a `gcc` que comience la compilación a partir de cierta etapa La sintaxis correcta para esta etapa es:

```
$ gcc -x cpp-output -c archivo_entrada.cpp -o archivo_salida.o
```

Linkeando el archivo objeto, finalmente, se obtiene su imagen binaria. El comando que llevaría a cabo la etapa de vinculación sería algo así como la siguiente:

```
$ gcc archivo_entrada.o -o archivo_salida
```

Ejemplo

Volviendo al programa `hola` del ejemplo anterior, avance paso a paso a través del proceso de compilación tal como lo ilustra el ejemplo siguiente.

Primero, preprocese `hola.c`:

```
$ gcc -E hola.c -o hola.cpp
```

Si el lector examina `hola.cpp` con un editor de texto, verá que el contenido del archivo de encabezamiento `stdio.h` ha sido efectivamente insertado en el código fuente, junto a otros símbolos de preprocesado. El listado siguiente es un extracto de `hola.cpp`:

```
extern int fgetpos  (FILE *  stream, fpos_t *_ pos)    ;

extern int fsetpos  (FILE *__stream, const fpos_t *__pos)    ;
# 519 "/usr/include/stdio.h" 3
# 529 "/usr/include/stdio.h" 3

extern void clear_err  (FILE *__stream)    ;

extern int feof  (FILE *__stream)    ;

extern int ferror  (FILE *__stream)    ;

extern void clearerr_unlocked  (FILE *__stream) ;
extern int feof_unlocked  (FILE *__stream)    ;
extern int ferror_unlocked  (FILE *__stream)    ;

extern void perror  (__const char *__s)    ;

extern int sys_nerr;
extern __const char *__const sys_errlist[];
```

El paso siguiente es compilar `hola.cpp` para convertirlo en código objeto:

```
$ gcc -x cpp-output -c hola.cpp -o hola.o
```

Se debe utilizar la opción `-x` para indicarle a `gcc` que comience la compilación a cierta altura, en este caso, a partir del código fuente preprocesado. Cuando se efectúa el linkeo del código objeto, finalmente, se crea un archivo binario:

```
$ gcc hola.o -o hola
```

Espero que con esto el lector pueda advertir que es mucho más sencillo utilizar la sintaxis "abreviada", `gcc hola.c -o hola`. El ejemplo paso a paso demostró que uno puede detener y comenzar la compilación en cualquier etapa, si surgiese la necesidad.

Una situación en la cual uno puede realizar la compilación paso a paso es cuando se está creando bibliotecas. En este caso, uno solo desea crear archivos objeto, de modo que la etapa final de linkeo resulta innecesaria. Otra circunstancia de realizar el proceso de compilación paso a paso es cuando un archivo incluido mediante `#include` produce conflictos con el código que el lector ha redactado, o tal vez con otro archivo insertado con `#include`. Recorrer el proceso paso a paso permitirá ver con mayor claridad cuál es el archivo que genera el conflicto.

Utilización de múltiples archivos de código fuente

La mayoría de los programas de C consiste de múltiples archivos de código fuente, de modo que cada archivo fuente debe ser compilado a código objeto antes del paso final de linkeo. Este requerimiento se satisface con facilidad. Sólo se requiere proveer a `gcc` del nombre de cada archivo de código fuente que se deba compilar. `gcc` se hace cargo del resto del proceso. La invocación de `gcc` sería similar a la siguiente:

```
$ gcc archivo1.c archivo2.c archivo3.c -o nombre_programa
```

`gcc` primero crea `archivo1.o, archivo2.o` y `archivo3.o` antes de linkearlos entre sí para crear `nombre_programa`.

Ejemplo

Supongamos que se desee compilar `nuevo-hola`, que utiliza código proveniente de dos módulos, `mostrar.c` y `mensajes.c`, y un archivo de encabezado, `msg.h`:

```
/* Nombre de programa en Internet: showit.c
/* nuevo_hola.c */
/* ————————————————————————————————————————mostrar.c——
—————————————————————————————————————— */
/*
* mostrar.c _ Controlador de pantalla
 */
#include <stdio.h>
#include "mensaje.h"
int main(void)
{
        char mensaje_bienvenida[] = {"¡Hola, programador!"};
        char mensaje_despedida[] = {"¡Adiós, programador!"};
```

```
        printf("%s\n", mensaje_bienvenida);
        imprimir_mensaje(mensaje_despedida);
        return 0;
}
/* ------------------------------------- mensaje.h
------------------------------------. */

/*
* mensaje.h - Encabezado de mensaje.c
 */

#ifndef MENSAJE_H_
#define MENSAJE_H_

void imprimir_mensaje(char *mensaje);

#endif /* MENSAJE_H */
/* ------------------------------------- mensaje.c
------------------------------------- */
/*
* mensaje.c - Funcion definida en mensaje.h
 */
#include <stdio.h>
#include "mensaje.h"

void imprimir_mensaje(char *mensaje)
{
        printf("%s\n", mensaje);
}
```

El comando para compilar estos programas, y por lo tanto para crear `nuevo_hola`, es:

```
$ gcc mensaje.c mostrar.c -o nuevo_hola
```

Al correr este programa, su salida será la siguiente:

SALIDA

```
$ ./nuevo_hola
¡Hola, programador!
¡Adios, programador!
```

`gcc` recorre las mismas etapas de preprocesado-compilación-linkeo que antes, esta vez creando archivos objeto para cada archivo fuente antes de proceder a crear el archivo final binario, nuevo_hola. Tipear comandos largos como éste puede volverse tedioso, sin embargo. En el capítulo 2, "Control del proceso de compilación: el make de GNU", se verá cómo resolver este problema. La próxima sección presentará las muchas opciones de línea de comando de gcc.

Opciones y argumentos

La lista de opciones de línea de comando que acepta gcc ocuparía varias páginas, de modo que la tabla 1.2 presenta sólo las más comunes.

Tabla 1.2. *Opciones de línea de comando de gcc*

Opción	Propósito
-o nom_archivo	Designa el archivo de salida nom_archivo (no necesariamente cuando se compila código objeto). Si no se especifica el nombre de este archivo, la opción predeterminada es a.out.
-c	Compilar sin *linkear.*
-Dfoo=bar	Define un macro de preprocesador foo con un valor bar en la línea de comandos.
-Iruta_dir	Sitúa la ruta de acceso al directorio especificado en ruta_dir al comienzo de la lista de directorios en que gcc busca los archivos a incluir por la presencia de directivas #include.
-Lruta:dir	Sitúa la ruta de acceso al directorio especificado en ruta_dir al comienzo de la lista de directorios en que gcc busca archivos de biblioteca. Como opción predeterminada, gcc linkea bibliotecas compartidas.
-static	Linkea bibliotecas estáticas.
-lfoo	Linkea la biblioteca foo.
-g	Incluye en el archivo binario información estándar de depuración.
-ggdb	Incluye en el archivo binario muchísima información de depuración que sólo puede interpretar el depurador del GNU, gdb.
-O	Optimiza el código compilado. Esto es equivalente a especificar -01.
-On	Especifica un nivel de optimización n, 0<=n<=3.
-ansi	Coloca el compilador en modo ANSI/ISO C, no permitiendo extensiones GNU que generen conflictos con dichos estándares.
-pedantic	Muestra todas las advertencias que requiere el ANSI/ISO C estándar.
-pedantic-errors	Muestra todos los errores que requiere el ANSI/ISO C estándar.
-traditional	Habilita el apoyo para la sintaxis del C de Kernighan y Ritchie (si el lector no comprende lo que significa esto, no se preocupe por ello; basta con saber que Kernighan y Ritchie fueron los diseñadores del C original).
-W	Suprime todos los mensajes de advertencia.
-Wall	Exhibe todas las advertencias generalmente aplicables que puede proveer gcc. Para ver advertencias específicas, utilice -Wwarning.

Continúa

Tabla 1.2. *Continuación*

Opción	Propósito
`-werror`	En lugar de generar advertencias, `gcc` convertirá las advertencias en errores, deteniendo la compilación.
`-MM`	Emitirá una lista de dependencia compatible con `make`. útil para crear una `makefile` en un proyecto complicado.
`-v`	Muestra los comandos utilizados en cada etapa de la compilación.

El lector ya ha visto cómo operan `-c` y `-o`. Si no se especifica `-o`, sin embargo, para un archivo de entrada denominado `nom_archivo.ext` (donde `ext` representa cualquier extensión de hasta tres caracteres), la acción predeterminada de `gcc` será denominar al archivo ejecutable `a.out`, al archivo objeto `nom_archivo.o`, y al archivo en lenguaje ensamblador `nom_archivo.s`. La salida del preprocesador va al dispositivo que se encuentre establecido como `stdout` (dispositivo estándar de salida).

ARCHIVOS DE BIBLIOTECA Y DE INCLUSIÓN

Si se dispone de archivos de biblioteca o de inclusión situados en ubicaciones no estándar, las opciones `-Lruta_dir` y `-Iruta_dir` permiten especificar dichas ubicaciones y asegurar que se busquen los respectivos archivos en esas ubicaciones antes de hacerlo en las estándar (las asignadas por el compilador como predeterminadas). Por ejemplo, si se almacenan los archivos de inclusión habituales en `/usuario/local/mis_inclusiones`, para que gcc los encuentre la invocación a gcc debería ser algo parecido a:

```
$ gcc infile.c -I/usuario/local/mis_inclusiones
```

De manera similar, supongamos que el lector esté comprobando una nueva biblioteca de programación, `libnueva.a`, que está corrientemente almacenada en `/usuario/local/mis_bibliotecas`, antes de instalarla como biblioteca estándar de sistema. Supongamos también que los archivos de encabezado están almacenados en `/usuario/local/mis_inclusiones`. Consecuentemente, para linkear `libnueva.a` y ayudar a `gcc` a encontrar los archivos de encabezado, el comando `gcc` de línea de comandos debería ser similar al siguiente:

```
$ gcc mi_aplicacion.c -I/usuario/local/mis_inclusiones -L/usuario/local/mis_bi-
bliotecas -lnueva
```

La opción -l le indica al linker que tome código objeto desde la biblioteca especificada. El ejemplo anterior vincularía `libnueva.a`.

CONSEJO

Una convención UNIX de vieja data requiere que las bibliotecas se denominen `lib{algún nombre}`, y `gcc`, al igual que la mayoría de los compiladores de UNIX y de Linux, se basa en dicha convención. Si el lector no utiliza la opción -l cuando vincula bibliotecas o no provee una ruta de acceso a la biblioteca a ser vinculada, la etapa de linkeo no tendrá éxito y gcc emitirá un mensaje de error aduciendo referencias sin definir a “nombre_de_función”.

Como opción predeterminada `gcc` utiliza bibliotecas compartidas, de modo que si el lector necesitara vincular bibliotecas estáticas, deberá utilizar la opción `-static`. Esto significa que sólo se utilizarán bibliotecas estáticas. El siguiente ejemplo crea un archivo ejecutable vinculado contra la biblioteca estática *ncurses*:

```
$ gcc aplic_curses.c -lncurses -static
```

✔ Para aprender a programar con ncurses, ver “Una interfaz API de usuario en modo texto”, pág. 219.

Cuando uno vincula bibliotecas estáticas, el archivo ejecutable que se obtiene resulta mucho más grande que cuando se utilizan bibliotecas compartidas. ¿Para qué utilizar una biblioteca estática, entonces? Una razón habitual es para garantizar que los usuarios puedan utilizar el programa: en el caso de las bibliotecas compartidas, el código que necesita un programa para poder correr se linkea al mismo dinámicamente durante su ejecución, en lugar de serlo estáticamente durante su compilación. Si la biblioteca compartida que requiere el programa para poder ser corrido no se encuentra instalada en el sistema del usuario, el mismo obtendrá errores y no podrá correr el programa.

El navegador Netscape constituye un ejemplo perfecto de este problema. Netscape se basa fuertemente en Motif, un costoso toolkit de programación en X. La mayoría de los usuarios de Linux no pueden afrontar el costo de instalar Motif en sus sistemas porque el mismo cuesta demasiado dinero, de modo que Netscape en la práctica instala dos versiones de su navegador en su sistema; una que linkea bibliotecas compartidas, `netscape-dynMotif`, y una que vincula bibliotecas estáticas, `netscape-statMotif`. El propio archivo ejecutable de Netscape es en realidad un *script* de interfaz que determina si el usuario posee instalada la biblioteca compartida de Motif y activa uno u otro de los archivos binarios, según sea requerido.

EJEMPLO

Ejemplos

1. Este ejemplo crea una biblioteca estática, `libmensajes.a`. Los comandos requeridos para hacer esto son:

```
$ gcc -c mensajes.c -o libmensajes.o
$ ar rcs libmensajes.a libmensajes.o
```

Recuérdese en un parágrafo anterior de este capítulo que `-c` le indica a `gcc` crear un archivo objeto denominado, en este caso, `libmensajes.o`. la segunda línea utiliza el comando ar para crear una biblioteca estática denominada `libmensajes.a` a partir del módulo objeto, `libmsg.o`. El ejemplo siguiente utiliza esa biblioteca.

✔ Para aprender más sobre el comando ar, ver "El comando ar", pág. 301.

EJEMPLO

2. Ahora el lector dispone de una biblioteca para poder ser linkeada. Le deberá informar a gcc dónde encontrar el archivo de inclusión, utilizando `-I`, dónde encontrar la biblioteca, empleando `-L`, y el nombre de la biblioteca, utilizando `-l`, como se ilustra aquí:

```
$ gcc mostrar.c -o nuevo_hola_lib -I. -L. -lmensajes
```

Un ejemplo anterior creaba `nuevo_hola` compilando juntos `mostrar.c` y `mensajes.c`. Esta vez, creamos `nuevo_hola_lib` linkeando la biblioteca estática `libmensajes.a`. Este ejemplo creó un archivo ejecutable denominado `nuevo_hola-lib` (el nombre fue elegido aquí para distinguirlo del que se empleaba en el otro ejemplo) vinculando a `libmensajes.a`, (`-lmensajes`) ubicado en el directorio de trabajo corriente (`-L.`). El punto (.) situado al lado de la letra L representa el directorio corriente. La salida de este programa se lista a continuación:

```
$ ./nuevo_hola_lib
¡Hola, programador!
¡Adiós, programador!
```

VERIFICACIÓN DE ERRORES Y AVISOS

`gcc` ofrece toda una gama de opciones de línea de comando para verificación de errores y generación de avisos. Éstas incluyen `-ansi`, `-pedantic`, `-pedantic-errors`, y `-Wall`. A modo de comienzo, `-pedantic` le indica a gcc emitir todas las advertencias requeridas por el estricto ANSI/ISO C estándar. Todo programa que utilice extensiones prohibidas, tales como los aceptados por gcc, será rechazado. `-pedantic-errors` se comporta de manera similar, excepto que emite mensajes de error en lugar de advertencias. -ansi deshabilita las extensiones GNU que no se ajusten al estándar. Ninguna de esas opciones, sin embargo, garantiza que un código fuente, aun cuando compile sin errores al utilizar algunas o todas estas opciones, sea ciento por ciento concordante con ANSI/ISO.

La opción `-Wall` instruye a `gcc` a que exhiba todas las advertencias generalmente relevantes que pueda en relación al código que está siendo compilado. `-Wall` emite avisos sobre código que la mayoría de los programadores consideran objetables y/o que sean sencillos de modificar para evitar la generación de la advertencia. Un ejemplo de mala práctica de programación es declarar una variable pero no emplearla. Otro es declarar una variable sin establecer explícitamente su tipo.

Ejemplos

Consideremos el siguiente ejemplo, que muestra una muy mala práctica de programación. En el mismo se declara `main` como retornando `void`, cuando de hecho `main` retorna `int`, y utiliza la extensión GNU `long long int` para declarar un entero de 64 bits.

```
/* Nombre del programa en Internet: pedant.c */
/*
* pedant.c - Compilar sucesivamente utilizando primero
* -ansi, luego -pedantic y finalmente  -pedantic-errors
 */
#include <stdio.h>

void main(void)
{
    long long int i =  0l;
    puts ("Este no es un programa que cumpla con las reglas de C");
}
```

1. Primero, trate de compilarlo utilizando verificación de no conformación:

```
$ gcc pedant.c -o pedant
```

```
pedant.c:  In function `main':
pedant.c:8: warning: return type of `main' is not `int'
```

2. Luego, compile utilizando el especificador `-ansi`:

```
$ gcc -ansi pedant.c -o pedant
```

```
pedant.c: In function `main':
pedant.c:8: warning: return type of `main' is not `int'
```

Lo que muestra esta salida es que `-ansi` obliga a `gcc` a emitir los mensajes de diagnóstico requeridos por el estándar. No garantiza que su código responda a las normas de ANSI C. El programa compilará a pesar de la incorrecta declaración de `main`.

3. Ahora, utilice `-pedantic`:

```
$ gcc -pedantic pedant.c -o pedant
```

```
pedant.c: In function `main':
pedant.c:9: warning: ANSI C does not support `long'
pedant.c:8: warning: return type of `main' is not `int'
```

Nuevamente el programa compilará, a pesar de las advertencias emitidas.

4. Finalmente, utilice `-pedantic-errors`:

```
$ gcc -pedantic-errors pedant.c -o pedant
```

```
pedant.c: In function `main':
pedant.c:9: ANSI C does not support `long long'
pedant.c:8: return type of `main' is not `int'
```

Esta vez el programa no se compila. `gcc` se detiene después de exhibir los diagnósticos de error requeridos.

A riesgo de parecer reiterativo, las opciones de compilador `-ansi`, `-pedantic` y `-pedantic-errors` no aseguran que se produzca un código que cumpla con las normas ANSI/ISO. Las mismas meramente lo guían durante la compilación. Resulta instructivo señalar el comentario que aparece en la documentación de `gcc` sobre el uso de `-pedantic`:

"Esta opción no se pretende que sea útil; existe solo para satisfacer a pedantes que de no ser así alegarían que GNU CC no responde al estándar ANSI. Algunos usuarios tratan de utilizar `-pedantic` para verificar la estricta adherencia de sus programas al ANSI C. Pronto encuentran que no hace del todo lo que desean: detecta algunas prácticas no ANSI, pero no todas; solo aquellas para las cuales ANSI C requiere un diagnóstico."

OPCIONES DE OPTIMIZACIÓN

La optimización del código es una tentativa de mejorar el desempeño de un programa. La desventaja consiste en mayores tiempos de compilación, mayor empleo de la memoria durante la compilación y, tal vez, mayor tamaño de código. Actualmente, `gcc` tiene tres niveles de optimización. La opción `-O` sin aditamentos le indica a `gcc` que reduzca tanto el tamaño del código como el tiempo de la ejecución. Es equivalente a `-O1`. Los tipos de optimización realizados a este nivel dependen del procesador al que se apunta, pero siempre incluyen por lo menos optimización de hilos de comandos `jump` (*saltar a*) y diferimiento de comandos `pop` (*retorno de valores de registros*) desde la pila (*stack*). Las optimizaciones de hilos de comandos `jump` intentan reducir el número de este tipo de operaciones. Los diferimientos de `pops` desde la pila tienen lugar cuando el compilador permite que los argumentos se acumulen en la pila a medida que las funciones retornan valores y luego los regresa simultáneamente, en lugar de ir retornando los argumentos de a uno por vez, cuando retorna cada función llamada.

Las optimizaciones de nivel `-O2` incluyen todas las optimizaciones de nivel `O1` más toques adicionales que se vinculan con la manera en que se llevan a cabo los comandos del procesador. En este nivel de optimización, el compilador intenta garantizar que el procesador cuente con comandos para ejecutar mientras espera por los resultados de otros comandos. El compilador también intenta compensar por la tardanza de datos, que es la demora ocasionada por el tiempo que requiere obtener datos desde el "escondite" o la memoria principal. La implementación de esta optimización depende en gran parte del tipo de procesador sobre el que se realice.

Las opciones `-O3` incluyen todas las optimizaciones `-O2`, desenrollo de lazos y otras prestaciones muy vinculadas con el tipo de procesador.

Según sea la cantidad de conocimiento a bajo nivel que uno tenga sobre una familia dada de CPU, podrá utilizar la opción `-fflag` para requerir las optimizaciones específicas que se desea llevar a cabo. Tres de esos indicadores (*flags*) merecen consideración: `-ffastmath`, `-finline-functions` y `-funroll-loops`. `-ffastmath` genera optimizaciones sobre las operaciones matemáticas de punto flotante que aumentan la velocidad, pero violan estándares IEEE y/o ANSI. `-finline-functions` expande todas las funciones "simples" durante la compilación de un programa, de manera similar a los reemplazos de los macros en el preprocesador. Es el compilador, sin embargo, el que decide cuál constituye una función simple y cuál no.

`-funroll-loops` instruye a gcc para que desenrolle todos los lazos que tengan un número fijo de iteraciones, siempre y cuando dicho número de iteraciones pueda ser determinado durante la compilación. Desenrollar un lazo significa que cada iteración del mismo se convertirá en una sentencia individual. Así, por ejemplo, un lazo que conste de cien iteraciones se convertirá en cien bloques secuenciales de código, con cada uno de ellos ejecutando las mismas sentencias. La figura 1-2 ilustra gráficamente un desenrollo de lazos.

Obsérvese que la figura simplemente muestra el principio general del desenrollo de lazos. El método que emplee `gcc` puede ser drásticamente diferente.

Las optimizaciones que habilitan `-finline-functions` y `-funroll-loops` pueden mejorar en forma notable la velocidad de ejecución de un programa porque evitan la acumulación de llamadas a funciones y búsquedas de variables, pero el precio es habitualmente un gran incremento en el tamaño del archivo ejecutable o el archivo objeto. Es cuestión de experimentar para determinar si el aumento de velocidad de ejecución justifica el aumento del tamaño del archivo. Ver las páginas de información de `gcc` para obtener más detalles sobre los indicadores (*flags*) `-f` para el procesador.

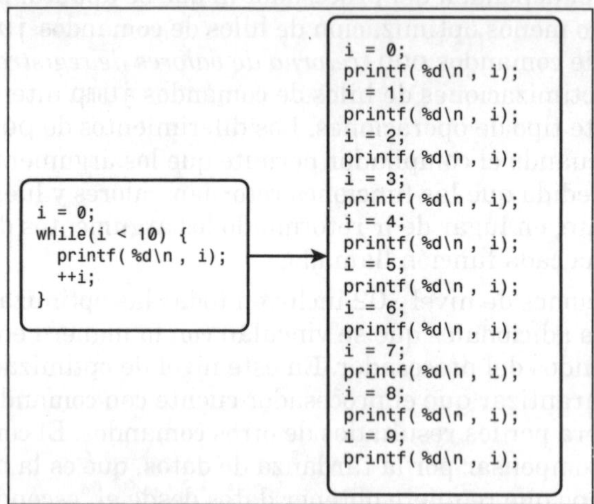

Figura 1.2. *El desenrolle de lazos expande los lazos de manera similar a la que el preprocesador expande los macros.*

CONSEJO

Generalmente, con un nivel de optimización `-O2` resulta suficiente. Aún en programas pequeños, tales como el de la primera sección "Ejemplo" al comienzo de este capítulo, el lector apreciará pequeñas reducciones en el tamaño del código y pequeños incrementos en el desempeño.

Ejemplo

EJEMPLO

Esta situación utiliza el máximo nivel de optimización, O3, para compilar los listados 1.2, 1.3, y 1.4. Compare el tamaño del programa optimizado con el tamaño del programa no-optimizado.

SALIDA

```
$ gcc -O3 mensajes.c mostrar.c -o nuevo_hola
$ ls -l nuevo_hola
-rwxr-xr-x   1 kurt_wall  usuarios     12091 Jul 13 21:06 nuevo_hola*
$ gcc -O0 mensajes.c mostrar.c -o nuevo_hola
$ ls -l nuevo_hola
-rwxr-xr-x   1 kurt_wall  usuarios     12107 Jul 13 21:07 nuevo_hola*
```

La opción `-O0` desactiva toda optimización. Aunque la diferencia es pequeña, solo 16 bytes, debería resultar sencillo comprender que programas más grandes producirán mayores ahorros de espacio en disco.

OPCIONES DE DEPURACIÓN

Los errores (*bugs*) son tan inevitables como la muerte o los impuestos. Para sobrellevar esta triste realidad, utilice las opciones -g y -ggdb de gcc para insertar información de depuración en sus programas compilados. Estas opciones facilitan las sesiones de depuración.

La opción -g admite tres niveles, 1, 2 o 3, que especifican cuánta información de depuración incluir. El nivel predeterminado es 2 (-g2), que incluye gran cantidad de tablas de símbolos, números de líneas e información sobre variables locales y externas. La información para depuración de nivel 3 incluye toda la información del nivel 2 y todas las definiciones de macros presentes. El nivel 1 genera sólo la información suficiente para crear rastreos hacia atrás y volcados de pila. No genera información de depuración para variables locales ni para números de línea.

Si el lector piensa emplear el depurador GNU, gdb (cubierto en el capítulo 20, "Un toolkit de depuración"), el empleo de la opción -ggdb crea información adicional que facilita las tareas de depuración bajo gdb. La opción -ggdb acepta el mismo nivel de especificaciones que -g, y éstas producen los mismos efectos sobre la salida del depurador. La utilización de cualquiera de las dos opciones de habilitación del depurador incrementará notablemente, sin embargo, el tamaño de su archivo ejecutable.

Ejemplo

Este ejemplo le muestra cómo compilar con información de depuración e ilustra el impacto que los símbolos, que controlan la depuración, pueden tener en el tamaño de un archivo ejecutable. Una compilación y linkeo comunes del Listado 1.1 produjo un archivo binario de 4089 bytes en mi sistema. Los tamaños obtenidos cuando compilé el mismo código fuente con las opciones -g y -ggdb pueden llegar a sorprenderlo:

```
$ gcc -g hola.c -o hola_g
$ ls -l hola_g
- r w x  r - x  r -x  1 kurt_wall   usuarios    6809 Jul 13 21:09 hola_g*
$ gcc -ggdb hola.c -o hola_ggdb
$ ls -l hola_ggdb
- r w x  r - x  r - x  1 kurt_wall   usuarios   354867 Jul 13 21:09 hola_ggdb*
```

Como se podrá apreciar, la opción -g incrementó el tamaño del archivo binario resultante en un cincuenta por ciento, ¡mientras que la opción -ggdb infló el mismo archivo casi un novecientos por ciento! A pesar del aumento de tamaño, se debería proveer a los archivos ejecutables con símbolos estándar de depuración (creados utilizando -g) para el caso de que alguien encuentre algún problema y trate de depurar el código en lugar suyo.

CONSEJO

Como regla general, depure primero, optimice después. No interprete, sin embargo, que "optimizar después" signifique "no tener en cuenta la eficiencia durante el proceso de diseño". La optimización, en este contexto, se refiere a las prestaciones que introduce el compilador, comentadas en esta sección. Un buen diseño y algoritmos eficientes tienen mucho mayor impacto en el desempeño global que lo que pueda lograr cualquier tipo de optimización lograda por el compilador. En verdad, si uno se toma el tiempo necesario para crear un diseño adecuado y utiliza algoritmos rápidos, puede no llegar a necesitar optimizar, aun cuando probar esto último nunca viene mal.

Extensiones del GNU C

La implementación del GNU C extiende el ANSI C estándar de diversas maneras. Si al lector no le importa escribir un código que abiertamente no responda al estándar ANSI/ISO, algunas de estas extensiones pueden ser muy útiles. Para encontrar un tratamiento completo de las extensiones del proyecto GNU, el lector con inquietudes puede referirse a las páginas de información de gcc (en especial, pruebe el comando `info gcc "C Extensions"`). Las extensiones cubiertas en esta sección son las que se ven frecuentemente en los encabezados del kernel y el código fuente de Linux.

PRECAUCIÓN

El problema con el código no estándar es doble. En primer lugar, si uno está utilizando extensiones GNU, su código sólo compilará adecuadamente, si es que directamente compila, con `gcc`. El otro problema es que los códigos no estándar no adhieren a las normas ANSI/ISO. Muchos usuarios utilizan en sus compiladores la menor cantidad posible de especificadores de compilación, de modo que los códigos fuente que no conformen a los estándares ANSI/ISO no compilarán. La política más inteligente, si uno desea incluir características no estándar en el código de su programa, es encerrarlas entre directivas `#ifdef` para permitir su compilación condicional. En el grupo de noticias comp.lang.c lo pondrían poco menos que en la lista negra por utilizar código no estándar.

Para proveer unidades de almacenamiento de 64 bits, por ejemplo, `gcc` ofrece el tipo long long int, utilizado en el Listado 1.5:

```
long long var_entera_larga;
```

NOTA

El tipo `long long int` forma parte del borrador del nuevo estándar ISO para C. Este último es todavía un borrador, sin embargo, al cual muy pocos compiladores adhieren por ahora.

En la plataforma x86, esta definición da como resultado una ubicación de 64 bits en memoria denominada `long_int_var`. Otra extensión `gcc` que se encontrará en los archivos de encabezado de Linux es el empleo de funciones *inline*. Siempre que sea lo suficientemente corta, una función *inline* se expande en el código compilado casi de la misma forma en que lo hace un macro, eliminando así el costo de una llamada a una función. Las funciones *inline* son mejores que los macros, sin embargo, porque el compilador verifica su tipo durante la compilación. Para utilizar funciones *inline*, las tiene que compilar con, por lo menos, una optimización -O y preceder la definición de la función con la palabra reservada inline, como se ilustra aquí:

```
inline int incrementar(int *a)
{
    (*a)++;
}
```

La palabra reservada attribute le suministra a gcc mayor información sobre su código y ayuda al optimizador de código a realizar su tarea. Para utilizar un atributo de función, la regla general es agregarle __attribute__ ((attribute_name)) después del paréntesis de cierre de la declaración de la función en que se lo emplee.

Por ejemplo, las funciones estándar de biblioteca, tales como exit y abort, nunca retornan, así que el compilador puede generar un código ejecutable ligeramente más eficiente si se le informa que esas funciones no retornan. Por supuesto, los programas a nivel de usuario pueden definir también funciones que no retornen. gcc le permite a uno especificar el atributo noreturn para dichas funciones, que actúa como una señal para que el compilador optimice la función.

Así, supongamos que se tiene una función denominada terminar_si_error, que nunca retorna. Su declaración tendría el siguiente aspecto:

```
void terminar_si_error(void) __attribute__ ((noreturn));
```

Normalmente se la definiría así:

```
void terminar_si_error(void)
{
    /* el codigo va aqui */
    exit(1);
}
```

También se pueden aplicar atributos a las variables. El atributo aligned instruye al compilador para que alinee la ubicación en memoria de una variable sobre un límite de byte especificado. A la inversa, el atributo packed le indica a gcc que utilice la mínima cantidad de espacio requerida por variables convencionales o de tipo struct. Utilizado con variables de tipo struct, packed eliminará cualquier tipo de relleno que gcc normalmente insertaría con propósitos de alineación.

Una extensión terriblemente útil es la de rangos para las sentencias case. La sintaxis es similar a la siguiente:

```
case VALOR_INFERIOR ... VALOR_SUPERIOR:
```

Obsérvese que se requiere de al menos un espacio antes y después de los puntos suspensivos. Los rangos para `case` se utilizan en las sentencias `switch` para especificar valores que caen entre `valor_inferior` y `valor_superior`, como lo ilustra el siguiente fragmento de código:

```
switch(var_entera) {
    case 0 ... 2:
        /* el codigo va aqui */
        break;
    case 3 ... 5:
...
}
```

Este fragmento es equivalente a:

```
switch(var_entera) {
    case 1:
    case 2:
        /* el código va aqui */
        break;
    case 3:
    case 4:
    case 5:
...
}
```

Obviamente, el rango de `case` es simplemente una notación abreviada para la sintaxis tradicional de la sentencia `switch`, pero es realmente conveniente.

Ejemplos

1. Este ejemplo ilustra el empleo de la palabra reservada `inline`. El programa itera por un lazo 10 veces, incrementando una variable con cada iteración.

```
/* Nombre del programa en Internet: inline.c */
/*
 * inline.c - Utilizacion de la palabra reservada inline, que permite
 * generar funciones expandibles durante la compilacion
 */
#include <stdio.h>
inline int incrementar(int *a)
{
```

```
    (*a)++;
}

int main(void)
{
    int i = 0;
    while(i < 10) {
        incrementar(&i);
        printf("%d ", i);
    }
    printf("\n");

    return 0;
}
```

En un ejemplo tan simple, es posible que no vea incrementos o disminuciones significativos en la velocidad o el tamaño del código, pero el ejemplo sirve para ilustrar cómo utilizar la palabra reservada `inline`.

2. Este ejemplo muestra cómo utilizar la palabra reservada `attribute` y el atributo `noreturn` y también cómo utilizar rangos para `case`.

```
/* Nombre del programa en Internet: noret.c */
/*

 * no_retorno.c - Empleo del atributo noreturn
 */
#include <stdio.h>

void terminar_ahora(void) __attribute__ ((noreturn));
int main(void)
{
    int i = 0;

    while(1) {
        switch(i) {
        case 0 ... 5:
            printf("i = %d\n", i);
            break;
```

```
            default:
                terminar_ahora();
            }
            ++i;
        }
        return 0;
}
void terminar_ahora(void)
{
        puts("terminando ahora");
        exit(1);
}
```

Tenga cuidado, cuando redacte un código que tenga un lazo infinito como el lazo `while` de este programa, que exista un punto de salida, tal como salir del lazo cuando el contador del mismo alcance cierto valor. Para nuestros propósitos actuales, sin embargo, el ejemplo ilustra perfectamente cómo funciona la extensión que permite especificar el rango de `case`. La salida de este programa es:

SALIDA

```
$ ./no_retorno
i = 0
i = 1
i = 2
i = 3
i = 4
i = 5
terminando ahora
```

La extensión para la especificación del rango de `case` se comporta de la misma manera en que lo haría una sentencia `case` normal. Cuando `i` alcanza el valor 6, el flujo del programa llega al bloque `default`, se ejecuta `terminar_ahora`, y el programa termina.

EJEMPLO

3. El ejemplo final ilustra el efecto de utilizar el atributo `packed` con una estructura. El programa meramente imprime el tamaño de las estructuras y sus miembros constitutivos.

```
/* Nombre del programa en Internet: packme.c */
/*
 * compactar.c - Utilizacion del atributo packed de gcc
 */
```

```
#include <stdio.h>

/* una estructura "compactada" */
struct COMPACTADA {
     short primer_arreglo[3];
     long l;
     char segundo_arreglo[5];
} __attribute__ ((packed));

/* una estructura normal sin compactar */
struct NORMAL {
     short primer_arreglo[3];
     long l;
     char segundo_arreglo[5];
};

int main(void)
{
     struct COMPACTADA packed;
     struct NORMAL unpacked;

     /* imprimir el tamaño de cada miembro para propositos de comparacion */
     fprintf(stdout, "el tamaño de char segundo_arreglo[5] = %d bytes\n",
sizeof(char) * 5);
     fprintf(stdout, "          el tamaño de  long = %d bytes\n", sizeof(long));
     fprintf(stdout, "   el tamaño de short primer_arreglo[3] = %d bytes\n",
sizeof(short) * 3);

     /* tamaños comparativos de las dos estructuras */
     fprintf(stdout, "      el tamaño de la estructura compactada = %d bytes\n",
sizeof packed);
     fprintf(stdout, "   el tamaño de la estructura sin compactar = %d bytes\n",
sizeof unpacked);

     return 0;
}
```

Para utilizar cualquiera de las extensiones de GNU al lenguaje C no se requiere ningún comando especial de compilación. Compilada y ejecutada, la salida de este programa es la siguiente:

```
$ gcc compactar.c -o compactar
$ ./compactar
el tamaño de char segundo_arreglo[5] = 5 bytes
       el tamaño de long = 4 bytes
el tamaño de short primer_arreglo[3] = 6 bytes
     el tamaño de la estructura compactada = 15 bytes
   el tamaño de la estructura sin compactar = 20 bytes
```

Los dos elementos fueron definidos con miembros idénticos. La única diferencia fue el agregado del atributo `packed` a la estructura `P`. Como lo deja en claro la estructura del programa, los miembros de cada una de las estructuras requieren 15 bytes de espacio de almacenamiento. En una arquitectura x86, la estructura normal, sin compactar, `UP`, aumenta en sólo 5 bytes, mientras que el tamaño de la estructura compactada, `P` es simplemente la suma de los tamaños de sus miembros. Aunque unos simples 5 bytes de memoria ahorrada en este caso puede no parecer demasiado, imagínese el lector que tuviera un arreglo de 1.000.000 de estructuras (caso posible en algunas aplicaciones): esto arrojaría casi 5 megabytes de ahorro de memoria RAM. La memoria ahorrada no sería poca en este caso, evidentemente.

NOTA

Los bytes de relleno en la estructura normal fueron probablemente el resultado de alinear `str` y `s` sobre límites adecuados, mediante el agregado de tres y dos bytes, respectivamente, a los tamaños verdaderos. ANSI permite a los que programan en lenguaje C rellenar todas las estructuras hasta hacerlas arrancar desde los orígenes naturales de los datos cuyas longitudes sean múltiplos de palabras en la arquitectura que los aloja. O sea que, aunque el atributo `packed` ofrece algunos beneficios obvios, los brinda a expensas de la portabilidad del programa.

Utilización de egcs

`egcs` es el conjunto experimental (o mejorado) de programas del compilador GNU. Originalmente fue un emprendimiento experimental tendiente a acelerar el desarrollo del `gcc` y a expandir el entorno operativo del `gcc`. Otros objetivos del proyecto egcs (pronunciado asimismo `eggs`, sin la c) fue añadir nuevos lenguajes, nuevas optimizaciones y arquitecturas de procesador a `gcc`.

En abril de 1999, el proyecto GNU designó formalmente al comité ejecutivo del `egcs` como responsable oficial del mantenimiento del `gcc`. Este último ha sido desde entonces denominado Colección de Compiladores GNU. La cuestión clave de esta clase de historia es sugerir que, en algún momento, egcs puede muy bien fusionarse con `gcc`. Entretanto, sin embargo, `egcs` es un producto separado. Es también el compilador predeterminado para C/C++ en por lo menos dos distribuciones, de modo que resulta importante comprender sus diferencias y mejoras respecto de gcc. Para obtener más información sobre `egcs`, visite su sitio web en `http://egcs.cygnus.com/`.

NOTA

Parecería que la versión actual de `egcs`, la 1.1.2, sería la última versión de `egcs` como programa autónomo. El siguiente lanzamiento, de acuerdo con la información obtenible en el sitio web de `egcs`, será la versión 2.95 de `gcc`.

`egcs` es totalmente compatible hacia atrás con `gcc`, de modo que todo lo que se dijo en este capítulo sobre `gcc` también es de aplicación para `egcs`. En verdad, aunque esto no ha sido oficialmente establecido por el equipo de desarrollo del kernel, uno puede compilar el kernel del Linux 2.2.x con `egcs` sin experimentar mayores problemas y el archivo ejecutable que se obtendría debería funcionar bien. `egcs` representa una mejora significativa sobre el compilador estándar `gcc`, versión 2.7.2.3. El próximo punto cubre algunas de estas mejoras.

Mejoras a gcc

La mayoría de las mejoras de `egcs` respecto de `gcc` afecta la operación del propio compilador en lugar de la de su interfaz de línea de comandos, de modo que se hallan mucho más allá del alcance de este libro. Sin embargo se han efectuado también algunos cambios en la interfaz de línea de comandos, los cuales se cubren en este punto.

Se añadieron varias advertencias nuevas. `-Wundef` y `-Wno-def` generan advertencias cuando una directiva #if de preprocesador intenta evaluar un identificador no definido. `-Wsign-compare` hace que `egcs` (y `gcc`) generen una advertencia cuando el código compara un valor con signo con otro sin signo. El indicador de `-Wall` ha sido extendido de modo de hacer que egcs emita advertencias cuando los valores enteros son declarados implícitamente. De manera análoga, el indicador de advertencia `-Wimplicit-function-declarations` advierte en los casos de declaración implícita de funciones.

Se han efectuado también mejoras a la depuración y a la optimización. Por ejemplo, además de los argumentos numéricos del especificador de optimización, `-O`, se puede ahora utilizar `-Os` para asignar prioridad a las optimizaciones de tamaño de código sobre las optimizaciones de velocidad. La selección entre optimizaciones entre tamaño y velocidad depende en su mayor parte de si necesita un alto desempeño o conservar espacio en disco. En estos días, en que tanto el costo de la memoria RAM y de los discos rígidos es relativamente económico, resulta tarea sencilla seleccionar velocidad por sobre tamaño. El tamaño de un programa, sin embargo, debe ser considerado en término de sus requerimientos de almacenamiento en disco tanto como la memoria que requiere para ser ejecutado. En situaciones donde, tanto el tamaño de almacenamiento en disco como la memoria RAM utilizada se deben administrar prudentemente, seleccione reducir el tamaño en lugar de aumentar la velocidad porque el programa más rápido del mundo será inútil si no llegase a caber en el disco o no contase con memoria RAM suficiente en la computadora.

El especificador `-fstack-check` comprueba desbordes de pila en sistemas que carecen de una prestación de ese tipo. Para mejorar la capacidad de depuración se han agregado nuevos indicadores para reseñas de desempeño. Las reseñas de desempeño le permiten al programador determinar con precisión la rapidez con que se ejecuta su programa, a cuáles funciones llama más seguido, qué variables utiliza con mayor frecuencia e identificar secciones o variables del código que no sean empleadas (a menudo denominadas código muerto). Con esa información, uno puede modificar su código fuente a fin de lograr que su programa sea más eficiente. `egcs` también incluye apoyo integrado para la herramienta de verificación de memoria Checker. A continuación se listan algunos indicadores (flags) adicionales que son específicos de cada procesador empleado:

- `-fprofile-arcs` — Permite a `egcs` contar el número de veces que se ejecuta una función.
- `-ftest-coverage` — Crea archivos de datos para la herramienta de análisis de cobertura de código `gcov`.
- `-fbranch-probabilities` — Mejora la predicción por parte de `egcs` de las ramificaciones de código.

Finalmente, la salida que producen las opciones `—help` ha sido sumamente mejorada.

Lo que viene

En este capítulo, el lector ha aprendido cómo utilizar el compilador de C de GNU, `gcc`, y debido a su similitud con `gcc`, cómo utilizar `egcs`. La mayoría de los programas que uno construya, aun cuando sean programas de archivo único, van a necesitar de largos tiempos de compilación. Esta flexibilidad puede ser por otra parte cansadora y tediosa de tipear, de modo que el próximo capítulo le mostrará cómo automatizar el proceso de construcción de software utilizando otra gran herramienta de UNIX/Linux, `make`. Con un entendimiento básico de ambas herramientas, el lector estará en condiciones de continuar hacia los temas de programación de sistemas que le permitan comenzar a programar en Linux con ejemplos.

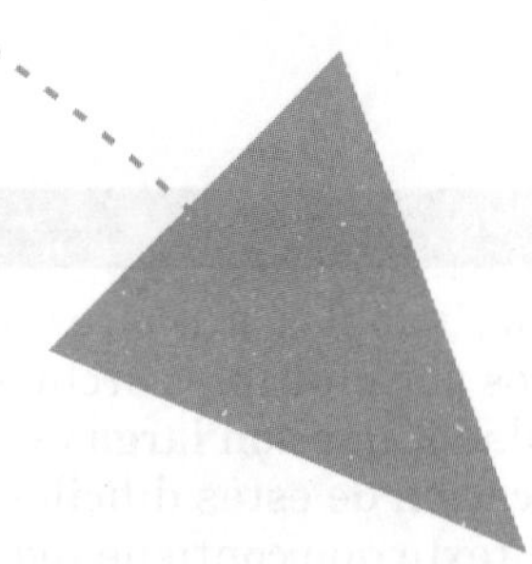

2

Control del proceso de compilación: el make de GNU

make es una herramienta utilizada para controlar los procesos de construcción y revisión de software. make automatiza el tipo de software que se crea, cómo y cuándo se lo desarrolla, permitiendo al programador concentrarse exclusivamente en la redacción del código fuente. Además permite ahorrar muchísimo tipeo, ya que contiene decisiones lógicas integradas que invocan el compilador de C con las opciones y argumentos que sean adecuados.

Este capítulo cubre los siguientes temas:

- Cómo invocar a make
- Las opciones de línea de comando y los argumentos de make
- Creación de makefiles
- Redacción de reglas para make
- Utilización de las variables de make
- Administración de errores en make

Todos los programas de este capítulo pueden ser encontrados en el sitio Web http://www.mcp.com/info bajo el número de ISBN 0789722151.

¿Qué uso tiene make?

Para todos los proyectos de software excepto los más simples, make resulta esencial. En primer lugar, los proyectos compuestos por múltiples archivos de código fuente requieren invocaciones del compilador que son largas y complejas. make simplifica esto mediante la invocación de estas difíciles líneas de comandos en un makefile, un archivo de texto que contiene todos los comandos requeridos para desarrollar proyectos de software.

make resulta conveniente para todo aquel que quiera desarrollar un programa. A medida que se van haciendo modificaciones al programa, ya sea que se le agreguen nuevas prestaciones o se incorporen correcciones a errores (bugs) detectados, make le permite a uno reconstruir el programa con un único y breve comando, reconstruir sólo un único módulo, tal como un archivo de biblioteca, o personalizar el tipo de desarrollo que se desee, según las circunstancias. make resulta también conveniente para otra gente que podría desarrollar el programa. En lugar de crear documentación que explique en penoso detalle cómo desarrollarlo, uno simplemente les debe indicar que tipeen make. El programador original apreciará las ventajas de tener que escribir menor cantidad de documentación, y los demás colaboradores apreciarán la conveniencia de comandos de desarrollo que sean simples.

✔ Para obtener mayor información acerca de la distribución de software, ver "Distribución de software", página 445.

Finalmente, make acelera el proceso de edición-compilación-depuración. Minimiza los tiempos de recompilación porque es lo suficientemente inteligente como para determinar qué archivos han cambiado, y por lo tanto sólo reconstruye los archivos cuyos componentes han cambiado. El makefile también constituye una base de datos de información sobre *dependencias* entre archivos para los proyectos de un programador, permitiéndole verificar automáticamente que todos los archivos necesarios para compilar un programa estén disponibles cada vez que uno inicia una compilación. A medida que el lector vaya ganando experiencia con la programación en Linux, apreciará esta característica de make.

Utilización de make

Esta parte explica cómo utilizar make. En particular, explica cómo crear makefiles, cómo invocar a make, cómo desmenuzar su plétora de opciones, argumentos y especificadores, y cómo administrar los inevitables errores que ocurren por el camino.

Creación de makefiles

Así que, ¿cómo logra realizar make sus mágicas proezas? Utilizando un makefile que es una base de datos en formato texto que contiene reglas que le indican a make qué construir y cómo construirlo. Cada regla consiste de lo siguiente:

- Un target, la "cosa" que en definitiva make trata de crear.
- Una lista de una o más *dependencias,* generalmente archivos, requeridas para construir el target.
- Una lista de comandos a ser ejecutados con el fin de crear el target a partir de las *dependencias* entre archivos especificadas.

Cuando se lo invoca, el make de GNU busca un archivo denominado GNUmakefile, makefile, o Makefile, en ese orden. Por alguna razón, la mayoría de los programadores de Linux utiliza esta última forma, Makefile.

Las reglas de un makefile tienen la siguiente forma general:

```
objetivo : dependencia [dependencia] [...]
         comando
         [comando]
         [...]
```

PRECAUCIÓN

El primer carácter de un comando debe ser el carácter de tabulación; ocho espacios no son la misma cosa. Esto a menudo toma a la gente desprevenida, y puede resultar un problema si su editor preferido convierte "servicialmente" cada tabulador en ocho espacios. Si uno trata de emplear espacios en lugar de tabuladores, make exhibirá el mensaje "Missing separator" y se detendrá.

Target es habitualmente el archivo binario o el archivo objeto que uno quiere crear. *Dependencia* es una lista de uno o más archivos requeridos como fuente con el fin de crear target. Los comandos son los diversos pasos, tales como la invocación del compilador o los comandos de interfaz, necesarias para crear el target. A menos que se lo especifique de forma expresa, make realiza todo su trabajo en el directorio corriente de trabajo.

"Todo muy bien", debe estar pensando probablemente el lector, "¿pero cómo logra saber make cuándo reconstruir un archivo?" La respuesta es sorprendentemente simple: si un target especificado no se encuentra presente en algún lugar donde make pueda hallarlo, make lo (re)construye. Si el target no existe, make compara la fecha y hora del objetivo (target) con la fecha y hora de los archivos de los cuales éste depende. Si al menos una de dichos archivos es más nueva que el target, make reconstruye el target, interpretando que el hecho de que ese archivo sea más nuevo es señal de que debe incorporarse al mismo algún cambio de código.

Ejemplo

Este makefile de muestra permitirá que la explicación sea más concreta. Sería el makefile necesario para desarrollar un editor de textos al que, haciendo gala de imaginación, hemos denominado `editor`. Los signos de numeral (#) inician las líneas de comentarios, tal como se comenta en la página 50. `gcc` es el comando que activa el compilador. `rm` (ver tabla 2.3, página 47) es una variable predefinida que activa un programa de eliminación de archivos.

```
#
# Makefile de muestra
#
editor : editor.o pantalla.o teclado.o
        gcc -o editor editor.o pantalla.o teclado.o
editor.o : editor.c editor.h teclado.h pantalla.h
        gcc -c editor.c
pantalla.o : pantalla.c pantalla.h
        gcc -c pantalla.c
teclado.o : teclado.c teclado.h
        gcc -c teclado.c
prolijar :
        rm editor *.o
```

Para compilar `editor`, se debería tipear sencillamente make en el directorio donde se encuentre el makefile. Así de simple.

Este makefile tiene cinco reglas. El primer target, `editor`, se denomina *target predeterminado;* este es el archivo que `make` en definitiva trata de crear. `editor` tiene tres archivos de los cuales depende: `editor.o`, `pantalla.o` y `teclado.o`; estos tres archivos deben existir para que se pueda construir `editor`. La línea siguiente consiste en el comando que debe ejecutar `make` para crear `editor`. Como se recordará del capítulo 1, "Compilación de programas", esta invocación del compilador construye un archivo ejecutable denominado `editor` a partir de los tres módulos objeto, `editor.o`, `pantalla.o` y `teclado.o`. las tres reglas que vienen después le indican a `make` cómo construir cada uno de los módulos objeto. La última regla le indica a make que haga limpieza, eliminando todos los archivos objeto que contribuyen a formar editor.

Aquí es donde el valor de `make` se hace evidente: normalmente, si uno tratase de construir `editor` utilizando el comando de compilador de la línea 2, si los archivos de los cuales éste dependiera no existiesen `gcc` produciría un tajante mensaje de error y terminaría. `make`, en cambio, después de haber determinado que `editor` requiere esos archivos para ser compilado, primero verificaría que existiesen y, si no fuera así, ejecutaría los comandos necesarios para crearlos. Luego retornaría a la primera regla y crearía del archivo ejecutable de `editor`. Por supuesto, si a su vez las respectivas dependencias para los componentes, `teclado.c` o `pantalla.h`, no existiesen, make renunciaría también, porque no dispondría de los targets denominados, en este caso, `teclado.c` y `pantalla.h`.

Invocación de make

Invocar a make sólo requiere tipear `make` en el directorio donde se encuentre el makefile. Por supuesto, igual que la mayoría de los programas de GNU, `make` acepta una considerable cantidad de opciones de línea de comandos. Las opciones más comunes se listan en la tabla 2.1.

Tabla 2.1. *Opciones comunes de línea de comandos de make.*

Opción	**Propósito**
`-f nom_archivo`	Utiliza el makefile denominado `nom_archivo` en lugar de uno de los de nombre estándar (GNUmakefile, makefile o Makefile).
`-n`	Exhibe los comandos que ejecutaría `make` sin en realidad ejecutarlos. útil para comprobar un makefile.
`-Inombre_dir`	Añade nombre_dir a la lista de directorios donde buscará `make` los makefiles incluidos.
`-s`	Ejecución silenciosa, sin imprimir los comandos que va ejecutando make.
`-w`	Imprime nombres de directorios cuando make cambia de directorios.
`-Wfile`	Ejecuta make como si `nom_archivo` hubiese sido modificado. Igual que `-n`, muy útil para comprobar makefiles.
`-r`	Deshabilita todas las reglas integradas en make.
`-d`	Imprime gran cantidad de información para depuración.
`-i`	Normalmente, make se detiene si un comando retorna un código de error distinto de cero. Esta opción deshabilita este comportamiento.
`-k`	Seguir ejecutándose aun si uno de los targets no se lograra construir. Normalmente, si uno de los targets no se lograra construir, make terminaría.
`-jN`	Correr `N` comandos en paralelo, donde `N` es un valor entero pequeño y distinto de cero.

make puede generar mucha salida, de modo que si el lector no se encuentra interesado en analizarla, utilice la opción `-s` para limitar la salida producida por `make`.

Las opciones `-W` y `-n` le permiten a uno hacer un análisis del tipo "¿qué pasaría si el archivo X cambiase?"

La opción `-i` existe porque no todos los programas retornan 0 cuando terminan sin inconvenientes. Si uno utilizara un comando así como parte de una regla de un makefile, necesitaría emplear `-i` a fin de que el proceso de compilación continuara.

La opción `-k` resulta particularmente útil cuando uno está construyendo un programa por primera vez. Dado que le indica a `make` que continúe aun si uno o más de los targets no se pudiesen construir, la opción `-k` le permite a uno ver cuáles targets se construyen sin problemas y cuáles no, permitiéndole concentrar sus esfuerzos de depuración en los archivos con problemas.

Si se está frente a una compilación muy larga, la opción `-jN` instruye a `make` de que ejecute `N` comandos simultáneamente. Aunque esto puede reducir el tiempo total de compilación, también puede imponer una pesada carga sobre el sistema. Esto probablemente resulte tolerable en un sistema autónomo o en una estación de trabajo individual, pero es totalmente inaceptable en un sistema de producción que requiera rápidos tiempos de respuesta, tal como por ejemplo en un servidor de red o de base de datos.

Ejemplos

Estos ejemplos emplean todos ellos el siguiente makefile, que es el makefile para la mayoría de los programas del capítulo 1. El código fuente asociado también está tomado del capítulo 1. No se preocupe si no comprende algunas de las características de este makefile, porque las mismas se cubren más adelante en este capítulo. Para ver una explicación de cada término, refiérase según el caso a la tabla 1.2 de la página 14, a la tabla 2.2 de la página 46 o a la tabla 2.3 de la página 47. Los comentarios van precedidos en este makefile por el signo numeral (#), tal como se comenta en la página 50. Los signos $ se utilizan para expandir variables de usuario y predefinidas (ver páginas 42 y 47, respectivamente). Los términos en letras mayúsculas corresponden todos a nombres de variables, en inglés las predefinidas y en español las definidas por usuario. El signo := representa asignación de valores a variables de expansión simple (ver página 43). Para .PHONY ver "Targets ficticios", página 40. Finalmente, el target .c.o: es una regla implícita, es decir que make la empleará, de ser necesario, esté la misma presente o no en el listado. Las reglas implícitas se comentan en la página 48.

```
#
# Makefile
#
LDFLAGS :=
# Cambie de linea el caracter de comentario que hay en una de
# las dos lineas siguientes segun sea lo que desee optimizar
CFLAGS := -g $(CPPFLAGS)
#CFLAGS := -O2 $(CPPFLAGS)
PROGRAMAS =      \
        hola \
        pedant \
        nuevo_hola \
        nuevo_hola-lib \
        no_retorno \
        inline \
            compactar
all: $(PROGRAMAS)
.c.o:
        $(CC) $(CFLAGS) -c $*.c
.SUFFIXES: .c .o
hola: hola.c
pedant: pedant.c
```

```
nuevo_hola: mostrar.c mensajes.c
	$(CC) $(CFLAGS) $^ -o $@

nuevo_hola-lib: mostrar.c libmensajes.a
	$(CC) $(CFLAGS) $< -o $@ -I. -L. -lmensajes

libmensajes.a: mensajes.c
	$(CC) $(CFLAGS) -c $< -o libmensajes.o
	$(AR) rcs libmensajes.a libmensajes.o

no_retorno: no_retorno.c

inline: inline.c
	$(CC) -O2 $< -o $@

compactar: compactar.c

.PHONY : prolijar zip

prolijar:
	$(RM) $(PROGRAMAS) *.o *.a *~ *.out

zip: prolijar
	zip 2151ølcd.zip *.c *.h Makefile
```

1. El primer ejemplo ilustra cómo simular una compilación utilizando las opciones `-W` y `-n`.

```
$ make -Wmensajes.c -Wmostrar.c -n nuevo_hola-lib
cc -g  -c mensajes.c -o libmensajes.o
ar rcs libmensajes.a libmensajes.o
cc -g  mostrar.c -o nuevo_hola-lib -I. -L. -lmensajes
```

La opción `-Wnom_archivo` le indica a make que actúe como si `nom_archivo` hubiese cambiado, en tanto que `-n` exhibe los comandos que serían ejecutados, pero sin ejecutarlos. Como se puede apreciar a partir de la salida producida, `make` construiría primero el archivo biblioteca, `libmensajes.a`, luego compilaría `mostrar.c` y lo linkearía con la biblioteca para crear `nuevo_hola-lib`. Esta técnica constituye una excelente manera de comprobar las reglas del makefile.

2. Este ejemplo compara la salida normal de make con el resultado que se obtiene cuando se emplea la opción -s para suprimir dicha salida.

```
$ make all
cc -g     hola.c   -o hola
cc -g     pedant.c   -o pedant
cc -g mostrar.c mensajes.c -o nuevo_hola
cc -g  -c mensajes.c -o libmensajes.o
ar rcs libmensajes.a libmensajes.o
pedant.c: In function 'main':
pedant.c:8: warning: return type of 'main' is not 'int'
cc -g     no_retorno.c    -o no_retorno
cc -O2 inline.c -o inline
cc -g     compactar.c   -o compactar
cc -g mostrar.c -o nuevo_hola-lib -I. -L. -lmensajes
$ make -s all
pedant.c: In function 'main':
pedant.c:8: warning: return type of 'main' is not 'int'
```

Como el lector puede ver, -s suprime toda la salida generada por make. El mensaje de advertencia sobre el valor que retorna main constituye un diagnóstico generado por gcc, el cual make, por supuesto, no puede suprimir.

Creación de reglas

Esta sección analiza con mayor detalle la redacción de reglas para makefile. En particular, comenta los targets ficticios, las variables de makefile, las variables de entorno, las variables predefinidas, las reglas implícitas y las reglas de patrón.

Targets ficticios

Además de los archivos target normales, make permite especificar targets *ficticios*. Los targets ficticios se denominan así porque no se corresponden con archivos reales y, al igual que los targets normales, tienen reglas que listan comandos que make deberá ejecutar. El último target del makefile del ejemplo anterior, prolijar, era un target ficticio. Sin embargo, como prolijar no exhibía ninguna *dependencia,* sus correspondientes comandos no fueron ejecutados automáticamente.

Este comportamiento de make se desprende de la explicación sobre su funcionamiento convencional: cuando encuentra el target prolijar, make determina si existen o no *dependencias* y, como prolijar no tiene dependencias, make interpreta que ese target se encuentra actualizado. Para construir dicho target, uno tiene que tipear make prolijar. En nuestro caso, prolijar eliminaría el archivo ejecutable editor y los archivos objeto que le dan origen. Uno podría crear un target de este tipo si se propusiera crear un *tarball* (archivo *tar*) de código fuente, que es el archivo compactado creado utilizando el comando tar, o si quisiese comenzar una compilación ya en marcha nuevamente desde cero.

✔ Para obtener una explicación detallada del comando tar, ver "Utilización de tar", página 446.

Si efectivamente existiera, sin embargo, un archivo denominado prolijar, make lo detectaría. Pero, como carecería de *dependencias,* make supondría que el mismo se encuentra ya actualizado y no ejecutaría los comandos asociados con el target prolijar. Para administrar adecuadamente esta situación, utilice el target especial de make .PHONY. Todas las *dependencias* del objetivo (*target*) .PHONY serán evaluadas como habitualmente, pero make no tomará en cuenta la presencia de un archivo cuyo nombre coincide con el de una de las *dependencias* de .PHONY y ejecutará de todos modos los comandos correspondientes.

Ejemplos

1. Referirse para este ejemplo al makefile anterior. Sin el target .PHONY, si en el directorio corriente existiera un archivo denominado prolijar, el target prolijar no funcionará correctamente.

```
$ touch prolijar
$ make prolijar
make: 'prolijar' is up to date.
```

Como se puede apreciar, sin el comando especial .PHONY, make evaluó las dependencias del target prolijar, vio que éste no tenía ninguna y que ya existía un archivo denominado prolijar en el directorio corriente, dedujo que el target ya estaba actualizado y no hizo ejecutar los comandos establecidos en la regla.

2. Sin embargo, con el comando especial .PHONY, el target prolijar funciona perfectamente, como se muestra a continuación:

```
$ make prolijar
rm -f hola pedant nuevo_hola nuevo_hola no_retorno inline compactar *.o *.a *~
```

El comando especial .PHONY prolijar obligó a make a pasar por alto la presencia del archivo denominado prolijar. En circunstancias ordinarias, lo mejor sería no tener estos archivos de nombres conflictivos en un árbol de directorio de fuente. Como resulta inevitable, sin embargo, que tengan lugar errores y coincidencias, .PHONY constituye un excelente resguardo.

Variables

Con el fin de simplificar la edición y mantenimiento del makefile, make le permite a uno crear y utilizar variables. Una *variable de make* es simplemente un nombre definido en un makefile y que representa una cadena de texto; este texto se denomina *valor* de la respectiva variable. make puede distinguir entre cuatro tipos de variables: variables definidas por usuario, variables de entorno, variables automáticas y variables predefinidas. Su empleo es idéntico.

VARIABLES DEFINIDAS POR USUARIO

Las variables de un makefile se definen empleando la forma general:

```
NOMBRE_DE_VARIABLE = valor [...]
```

Por convención, las variables de un makefile se escriben todas en mayúsculas, pero esa no es una condición necesaria. Para obtener el valor de NOMBRE_DE_VARIABLE, encierre el nombre entre paréntesis precedido con un signo $:

```
$(NOMBRE_DE_VARIABLE)
```

NOMBRE_DE_VARIABLE se expande de modo de hacer disponible el texto almacenado en valor, el valor colocado del lado derecho de la sentencia de asignación. Generalmente las variables se definen al comienzo de un makefile.

La utilización de variables en un makefile es antes que nada una conveniencia. Si el valor cambia, uno debe efectuar sólo un cambio en lugar de muchos, simplificándose así el mantenimiento del makefile.

EJEMPLO

Ejemplo

Este makefile muestra cómo funcionan las variables definidas por el usuario. Utiliza el comando echo de la interfaz a fin de demostrar cómo se expanden las variables.

```
PROGRAMAS = prog1 prog2 prog3 prog4
.PHONY  volcar
volcar :
        echo $(PROGRAMAS)
```

SALIDA

```
$ make -s volcar
prog1 prog2 prog3 prog4
```

Como se puede ver, cuando fue empleada con el comando echo, PROGRAMAS se expandió a sus valores como si fuese un macro. Este ejemplo ilustra también que los comandos presentes en una regla pueden ser cualquier comando válido de interfaz o utilidad o programa de sistema, no solamente invocaciones de compilador. Resulta necesario utilizar la opción -s porque make muestra en pantalla los comandos a medida que las va ejecutando. En ausencia de -s, la salida hubiera sido:

SALIDA

```
$ make volcar
echo prog1 prog2 prog3 prog4
prog1 prog2 prog3 prog4
```

EXPANSIÓN RECURSIVA CONTRA EXPANSIÓN SIMPLE DE VARIABLES

make en realidad emplea dos tipos de variables, recursivamente expandidas y simplemente expandidas. Las *variables recursivamente expandidas* son expandidas tal cual cuando son referenciadas, o sea, si la expansión contuviese otra referencia a una variable, esta última será asimismo expandida. La expansión continúa hasta que no queden más variables por expandir, a lo que se debe el nombre de esta modalidad, expansión recursiva. Por ejemplo, consideremos las variables DIR_SUPERIOR y DIR_FUENTE, definidas como sigue:

```
DIR_SUPERIOR = /home/kurt_wall/mi_proyecto
DIR_FUENTE = $(DIR_SUPERIOR)/fuente
```

Así, DIR_FUENTE tendrá el valor /home/kurt_wall/mi_proyecto/fuente. Esto funciona como se lo esperaba y deseaba. Sin embargo, uno no puede agregar texto al final de una variable definida con anterioridad. Consideremos la definición de la siguiente variable:

```
CC = gcc
CC = $(CC) -g
```

Claramente, lo que en definitiva se desea es obtener CC = gcc -g. Esto no es lo que se obtendrá, sin embargo. Cada vez que se la referencia $(CC) es expandida recursivamente, de modo que uno termina con un lazo infinito: $(CC) insistirá en expandirse a $(CC), y nunca se llegará a la opción -g. Afortunadamente, make detecta esto e informa un error:

```
*** Recursive variable 'CC' references itself (eventually). Stop.
```

La figura 2-1 ilustra el problema presente con la expansión recursiva de variables.

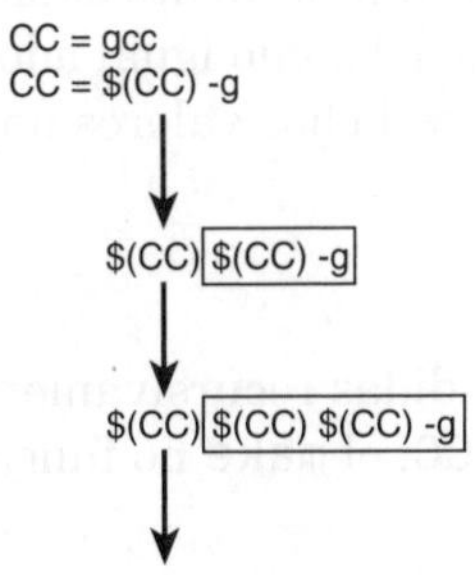

Figura 2.1. *Los peligros de las variables de make expandidas recursivamente.*

Como se puede advertir en la figura, cada vez que se trata de agregar algo a una variable previamente definida que se expanda recursivamente se da comienzo a un lazo infinito. El texto recuadrado representa el resultado de la expansión previa, mientras que el elemento recursivo se representa por el agregado de $(CC) al comienzo de esa expansión. Como se ve con claridad, la variable CC nunca resultará evaluada.

Para evitar este problema, `make` también utiliza *variables de expansión simple*. En lugar de ser expandidas cuando se las referencia, las variables de *expansión simple* son examinadas una vez cuando se las define; todas las referencias internas a variables son procesadas inmediatamente. La sintaxis de la definición es ligeramente diferente:

```
CC := gcc
CC += -g
```

La primera definición utiliza `:=` para hacer `CC` igual a `gcc` y la segunda emplea += para añadir `-g` a la primera definición, de modo que el valor final `CC's` sea `gcc -g` (+= opera en `make` de la misma manera en que lo hace en C). La figura 2-2 ilustra gráficamente cómo funcionan las variables de expansión simple. Si se presentan problemas cuando utiliza variables de make o aparece el mensaje de error "`NOMBRE_DE_VARIABLE se referencia a si misma`", es tiempo de comenzar a utilizar variables de expansión simple. Algunos programadores emplean sólo variables de expansión simple con el fin de evitar problemas no previstos. ¡Como esto es Linux, no le costará nada elegir por sí mismo!

```
CC := [gcc] ——> [gcc]
CC := $(CC) [-g] ——> [gcc] [-g]
CC := $(CC) [-02] ——> [gcc] [-g] [-02]
```

Figura 2.2. *Las variables de expansión simple son procesadas completamente la primera vez que son examinadas.*

La figura 2-2 muestra que cada vez que se referencia por primera vez una variable de expansión simple, ésta resulta totalmente expandida. Las asignaciones de variables del lado izquierdo del signo igual adoptarán los valores que se encuentran del lado derecho, y dichos valores no contendrán referencias a otras variables.

Ejemplos

1. Este makefile utiliza variables expandidas recursivamente. Como se hace referencia repetidamente a la variable `CC`, el `make` no funcionará. El archivo `hola.c` está tomado del capítulo 1.

```
CC = gcc
CC = $(CC) -g
hola: hola.c
        $(CC) hola.c -o hola
```

```
$ make hola
Makefile:5: *** Recursive variable 'CC' references itself (eventually). Stop.
```

Como sería de esperar, `make` detectó el empleo recursivo de `CC` y se detuvo.

2. Este makefile utiliza variables de expansión simple en lugar de las variables de expansión recursiva del primer ejemplo.

```
CC := gcc
CC += -g

hola: hola.c
	$(CC) hola.c -o hola
```

```
$ make hola
gcc -c hola.c -o hola
```

Esta vez, el programa compila normalmente.

VARIABLES DE ENTORNO

Las *variables de entorno* son las versiones de `make` de todas las variables de entorno de la interfaz. Cuando se inicia, `make` lee todas las variables definidas en el entorno de la interfaz y crea variables con los mismos nombres y valores. Sin embargo, las variables del mismo nombre presentes en el `makefile` invalidan las variables de entorno, de modo que tenga cuidado.

Ejemplo

Este makefile utiliza la variable `$HOME` que hereda de la interfaz como parte de una regla para construir el target `foo`.

```
foo : $(HOME)/foo.c
	gcc $(HOME)/foo.c -o $(HOME)/foo
```

```
$ make all
make: *** No rule to make target '/home/kurt_wall/foo.c', needed by 'foo'.  Stop.
```

El mensaje de error exhibido es un tanto engañoso. Cuando `make` no pudo encontrar `/home/kurt_wall/foo.c`, listado como dependencia del target `foo`, interpretó que debía de alguna manera construir primero `foo.c`. Sin embargo, no pudo encontrar una regla para ello, de modo que exhibió el mensaje de error y terminó. Lo que se pretendía, sin embargo, era demostrar que `make` heredó la variable `$HOME` del entorno de la interfaz (`/home/kurt_wall`, en este caso).

VARIABLES AUTOMÁTICAS

Las *variables automáticas* son variables cuyos valores son evaluados cada vez que se ejecuta una regla, basándose en el target y en las *dependencias* de esa regla. Las variables automáticas se emplean para crear *reglas patrón*. Las reglas patrón son instrucciones genéricas, tales como una regla que indique cómo compilar un archivo `.c` arbitrario a su correspondiente archivo .o. Las variables automáticas tienen un aspecto bastante críptico. La tabla 2.2 contiene una lista parcial de variables automáticas.

✔ Para ver con mayor detalle todo lo referido a reglas patrón, ver "Reglas patrón", página 49.

Tabla 2.2. *Variables automáticas*

Variable	Descripción
`$@`	Representa el nombre de un archivo target presente en una regla
`$*`	Representa la porción básica (o raíz) de un nombre de archivo
`$<`	Representa el nombre de archivo de la primera *dependencia* de una regla
`$^`	Se expande para dar lugar a una lista delimitada por espacios de todas las *dependencias* de una regla
`$?`	Se expande para dar lugar a una lista delimitada por espacios de todas las dependencias de una regla que sean más nuevas que el target
`$(@D)`	Si el target designado se encuentra en un subdirectorio, esta variable representa la parte correspondiente a los directorios de la ruta de acceso al mismo
`$(@F)`	Si el target designado se encuentra en un subdirectorio, esta variable representa la parte correspondiente al nombre del archivo de la ruta de acceso al mismo

Ejemplo

El fragmento de makefile que viene a continuación (del makefile del capítulo 4, "Procesos") utiliza las variables automáticas `$*`, `$<`, y `$@`.

```
CFLAGS := -g
CC := gcc
.c.o:
        $(CC) $(CFLAGS) -o $*.c
imprpids: imprpids.c
        $(CC) $(CFLAGS) $< -o $@
ids: ids.c
        $(CC) $(CFLAGS) $< -o $@
```

```
$ make imprpids ids
gcc -g imprpids.c -o imprids
gcc -g ids.c -o ids
```

El primer target es una regla implícita o predefinida. (Las reglas implícitas se explican en detalle más adelante en este mismo capítulo.). Establece que, para cada nombre de archivo que tenga la extensión .c, se creará un archivo objeto de extensión `.o`, utilizando el comando `$(CC) $(CFLAGS) -c`. El término `$*.c.` representa cualquier archivo del directorio corriente que tenga la extensión `.c`; en este caso, `prpids.c` y `ids.c`.

Como lo mostraron los comandos volcados al dispositivo estándar de salida (que, salvo advertencia en contrario, consideraremos siempre la pantalla del monitor), `make` reemplazó `$<` con la primera *dependencia* presente en cada regla, `prpids.c` y `ids.c`. De manera similar, la variable automática `$@` presente en los comandos destinados a construir `prpids` y `ids` es reemplazada por los nombres de los targets para estas reglas, `prpids` y `ids`, respectivamente.

VARIABLES PREDEFINIDAS

Además de las variables automáticas listadas en la tabla 2.2, el `make` de GNU pre-define cierto número de otras variables que son utilizadas ya sea como nombres de programas o para transferir indicadores y argumentos a esos programas. La tabla 2.3 lista las variables predefinidas de `make` de empleo más frecuente. El lector ya ha visto algunas de ellas en los makefiles de ejemplo de este capítulo.

Tabla 2.3. *Variables predefinidas para nombres de programa e indicadores*

Variable	Descripción	Valor predeterminado
AR	Nombre de archivo del programa de mantenimiento de archivos compactados	ar
AS	Nombre de archivo del ensamblador	as
CC	Nombre de archivo del compilador de C	cc
CPP	Nombre de archivo del preprocesador de C	cpp
RM	Programa para eliminar archivos	rm -f
ARFLAGS	Indicadores para el programa de mantenimiento de archivos compactados	rv
ASFLAGS	Especificadores de opciones para el ensamblador	No hay
CFLAGS	Especificadores de opciones para el compilador de C	No hay
CPPFLAGS	Especificadores de opciones para el preprocesador de C	No hay
LDFLAGS	Especificadores de opciones para el linker	No hay

El último ejemplo de un makefile utilizó varias de estas variables predefinidas. El lector puede redefinir estas variables en su makefile, aunque en la mayoría de los casos sus valores predeterminados son razonables. Redefínalas cuando el comportamiento predeterminado no satisfaga sus necesidades, o cuando sepa que un programa presente en un sistema determinado no tiene la misma sintaxis para las llamadas.

Ejemplo

El makefile de este ejemplo rescribe la del ejemplo anterior de modo de utilizar solamente variables automáticas y predefinidas donde sea posible, y no redefine los valores predeterminados de las variables predefinidas que provee `make`.

```
prpids: prpids.c
        $(CC) $(CFLAGS) $< -o $@ $(LDFLAGS)

ids: ids.c
        $(CC) $(CFLAGS) $< -o $@ $(LDFLAGS)
```

La salida que genera este makefile es levemente diferente de la del ejemplo anterior:

```
$ make
cc  prpids.c -o prpids
cc  ids.c -o ids
```

Esta salida muestra que `make` utilizó el valor predeterminado de `CC`, `cc`, en lugar de `gcc`. En la mayoría de los sistemas de Linux, sin embrago, `cc` constituye un vínculo simbólico con `gcc` (o `egcs`), de modo que la compilación funcionó correctamente.

Reglas implícitas

Hasta ahora, los makefiles de este capítulo han utilizado reglas explícitas, reglas que redacta el propio programador. `make` incluye un extenso conjunto de reglas implícitas, o predefinidas, también. Muchas de ellas son para propósitos especiales y tienen un empleo limitado, de modo que este capítulo cubre sólo unas pocas de las reglas implícitas más comúnmente utilizadas. Las reglas implícitas simplifican el mantenimiento de los makefiles.

Supongamos que un makefile tuviese estas dos reglas:

```
prog : prog.o

prog.o : prog.c
```

las dos reglas listan *dependencias,* pero no reglas para construir sus targets. En lugar de terminar su ejecución, sin embargo, `make` intentará encontrar y utilizar reglas implícitas que le permitan construir los targets (el lector puede verificar que `make` busca reglas implícitas observando la salida generada por el depurador cuando se utiliza la opción –d).

Ejemplo

El/la makefile de aspecto sumamente breve que viene a continuación creará `prpids` utilizando dos de las reglas implícitas de `make`. La primera define cómo crear un archivo objeto a partir de un archivo de código fuente de C. La segunda define cómo crear un archivo binario (o ejecutable) a partir de un archivo objeto.

```
prpids : prpids.o

prpids.o : prpids.c
```

SALIDA

```
$ make
cc      -c prpids.c -o prpids.o
cc    prpids.o   -o prpids
```

make invoca dos reglas implícitas para construir imprpids. La primera regla establece, en esencia, que para cada archivo objeto este_archivo.o, se deberá buscar el correspondiente archivo fuente este_archivo.c y construir el archivo objeto con el comando cc -c este_archivo.c -o este_archivo.o. De modo que make buscó un archivo fuente en C denominado imprpids.c y lo compiló para obtener el archivo objeto imprpids.o. Para construir el target predeterminado, imprpids, make utilizó otra regla implícita que establece para cada archivo objeto cuyo nombre sea este_archivo.o, efectuar el *linkeo* necesario para obtener el archivo ejecutable final utilizando el comando cc este_archivo.o -o este_archivo.

Reglas patrón

Las reglas patrón proveen una manera de que uno defina sus propias reglas implícitas. Las reglas patrón tienen el aspecto de reglas normales, excepto que el target contiene exactamente un carácter (%) que representa cualquier cadena no vacía. Las *dependencias* de una regla de este tipo también emplean % con el fin de coincidir con el target. Así, por ejemplo, la regla:

```
%.o : %.c
```

Le indica make que construya cualquier archivo objeto este_archivo.o a partir de un archivo fuente correspondiente denominado este_archivo.c. Esta regla patrón también resulta ser una de las reglas patrón predefinidas de make pero, igual que lo que sucede con las variables predefinidas, uno puede redefinirlas para acomodar sus propias necesidades.

```
%.o : %.c
        $(CC) -c $(CFLAGS) $(CPPFLAGS) $< -o $@
```

EJEMPLO

Ejemplo

El makefile que viene a continuación es similar al anterior, excepto que utiliza una regla patrón para crear una regla implícita personalizada, definida por el usuario, para compilar y *linkear* código fuente en C, y emplea una regla implícita predefinida para *linkear* el archivo objeto a fin de crear el archivo binario final.

```
CFLAGS := -g -O3 -c
CC := gcc
#
# Redefine la regla patron predeterminada
# %.o : %.c
#
```

```
%.o : %.c
	$(CC) $(CFLAGS) $< -o $@

#
# Este comentario va aqui solo por colocar un comentario
#
imprpids : imprpids.o

imprpids.o : imprpids.c
```

SALIDA

```
$ make
gcc -g -O3 -c imprpids.c -o imprpids.o
gcc   imprpids.o  -o imprpids
```

La regla patrón definida por el usuario efectuó varias cosas:

- Cambió CC a gcc.
- Añadió el especificador de depuración de gcc's, -g, y el especificador de optimización, -O3, a CFLAGS.
- Utilizó las variables automáticas $< y $@ para reemplazar los nombres sucesivos de la primera dependencia y el target cada vez que la regla fue aplicada.

Como se puede ver a partir de la salida de make, la regla personalizada fue aplicada al makefile tal como se la especificó, dando origen a un archivo ejecutable sumamente optimizado que contiene, además, información integrada en el mismo sobre su depuración.

Comentarios

Se pueden insertar comentarios en un makefile precediendo el comentario con el signo de numeral (#). Cuando make encuentra un comentario, no procesa ni el signo de numeral ni el resto de la línea donde éste se encuentra. En un makefile los comentarios pueden ir colocados en cualquier lado. Se debe otorgar especial consideración a los comentarios que aparecen en los comandos, porque la mayoría de las interfaces tratan a # como metacarácter (generalmente como un delimitador de comentarios). Por lo que concierne a make, una línea que contiene sólo un comentario equivale, para todo propósito práctico, a una línea en blanco. El ejemplo anterior ilustró el empleo de comentarios. make ignoró totalmente las cuatro líneas que consistían sólo el delimitador de comentarios y las dos líneas que contenían sólo texto y no comandos.

Targets útiles para un makefile

Además del target prolijar ilustrado anteriormente en este capítulo, en los makefiles habitan generalmente varios otros targets. Un target denominado install desplaza el archivo final ejecutable, cualquier biblioteca o *script* de interfaz requeridos y la documentación que pudiese existir a sus alojamientos finales en el *filesystem* y establece adecuadamente permisos de archivos y de propiedad.

El target `instalar` también típicamente compila el programa y puede, además, correr una sencilla comprobación para verificar que el programa se haya compilado correctamente. Un target `uninstall` suprime los archivos instalados por el target `install`.

Un target `dist` es una manera conveniente de preparar un paquete de distribución. Como mínimo absoluto, el target `dist` elimina archivos antiguos, tanto ejecutables como objeto, del directorio donde se llevó a cabo la construcción, y crea un archivo comprimido, tal como un archivo tar o tarball realizado con gzip, listo para ser colocado en páginas de la World Wide Web y en sitios FTP.

NOTA

El programa `gzip` es un compresor y descompresor multipropósito de archivos que es compatible con la utilidad clásica de compresión de UNIX. Es uno de los programas más populares de los proyectos GNU y se encuentra disponible para prácticamente todos los sistemas operativos en uso.

EJEMPLO

Ejemplo

El siguiente makefile ilustra cómo crear los targets `install`, `dist`, y `uninstall`, utilizando el ya sumamente trillado programa `hola.c`.

```
hola : hola.c

install : hola
	install $< $(HOME)

.PHONY : dist uninstall

dist :
	$(RM) hola *.o core
	tar czvf hola.tar.gz hola.c Makefile

desinstalar :
	$(RM) $(HOME)/hola
```

SALIDA

```
$ make install
cc     hola.c   -o hola
install hola /dir_principal/kurt_wall
$ make dist
rm -f hola *.o core
tar czvf hola.tar.gz hola.c Makefile
hola.c
```

```
Makefile
$ make uninstall
rm -f /dir_principal/kurt_wall/hola
```

`make install` primeramente compila `hola` y lo instala en el directorio especificado. Esto ilustra una de las ventajas de utilizar variables de `make`: `$HOME` evalúa al valor correcto en cualquier sistema en que corra `make`, y por lo tanto no requiere ser especificada explícitamente en el makefile. `make dist` elimina todos los archivos residuales que pueda haber dejado la construcción, tales como módulos objeto y otros archivos temporarios, y crea lo que equivale a una distribución de código fuente lista para ser publicada en Internet. El target `uninstall`, finalmente, elimina en segundo plano el programa instalado.

Administración de errores

Si el lector llegase a tener problemas cuando utiliza `make`, la opción `-d` le indica a `make` que imprima gran cantidad de información adicional para depuración, además de mostrar los comandos que se encuentre ejecutando. La salida obtenida mediante esta opción puede ser abrumadora porque la información volcada mostrará qué es lo que hace `make` internamente y por qué. La salida generada por la opción de depuración incluye la siguiente información:

- Qué archivos evalúa `make` para efectuar una reconstrucción.
- Qué archivos están siendo comparados y cuáles son los resultados de la comparación.
- Qué archivos son los que verdaderamente necesitan ser reconstruidos.
- Qué reglas implícitas considera `make` que va a utilizar.
- Qué reglas implícitas decide utilizar `make`, y los correspondientes comandos que ejecutará.

La siguiente lista contiene los mensajes de error más comunes que pueden ser encontrados cuando se utiliza `make` y sugiere cómo resolverlos. Para obtener la documentación completa, referirse al manual de make o, mejor aún, a las páginas de información de `make` (utilice el comando `info "GNU make"`).

- `No rule to make target 'target'. Stop-make` no pudo encontrar una regla adecuada en el makefile que le permitiera construir el target designado y no puede hallar reglas predeterminadas que le sean de utilidad. La solución es ubicar el target causante del problema y añadir una regla que permita crearlo, o modificar la regla existente.
- `'target' is up to date`. Las *dependencias* para el *target* designado no han cambiado (son más viejas que el target). Esto no es realmente un mensaje de error, pero, si el lector quisiera forzar la reconstrucción del target, sencillamente usa la utilidad `touch` para modificar la fecha y hora del archivo. Esto logrará que `make` reconstruya el target en cuestión.

- `Target 'target' not remade because of errors`. Tuvo lugar un error mientras se construía el target designado. Este mensaje sólo aparece cuando se utiliza la opción `-k` de `make`, que obliga a éste a continuar aunque ocurran errores (ver tabla 2.1, página 37). Cuando aparece este error existen diversas soluciones posibles. El primer paso sería tratar de construir sólo el target en cuestión y, basándose en los errores generados, determinar el siguiente paso apropiado.

✔ La opción `-k` de `make` se halla cubierta en mayor detalle en la tabla 2.1, "Opciones comunes de línea de comandos de `make`", página 37.

- `nom_programa: Command not found`-`make` no pudo encontrar `nom_programa`. Esto ocurre habitualmente porque `nom_programa` ha sido mal tipeado o no se encuentra incluido en la variable de entorno `$PATH`. Indistintamente utilice el nombre completo del programa, incluyendo su ruta de acceso, añada la ruta completa de acceso a `nom_programa` a la variable `$PATH` de makefile.
- `Illegal option - option`. La invocación de `make` incluía una opción que `make` no reconoció. No utilice la opción que ocasionó el conflicto o verifique su sintaxis.

Lo que viene

Este capítulo le presentó al lector el comando `make`, explicándole por qué resulta útil y cómo utilizarlo. El lector cuenta ahora con la suficiente base como para comenzar a escribir y compilar programas simples en el entorno de desarrollo de Linux. Luego de presentarle una vista preliminar del programa que habrá construido cuando haya completado este libro (capítulo 3, "Acerca del proyecto"), la Parte II le permite comenzar a programar concretamente al enseñarle cómo programar Linux a nivel de sistema. El lector comenzará con el modelo de proceso de Linux, cubierto en el capítulo 4, "Procesos."

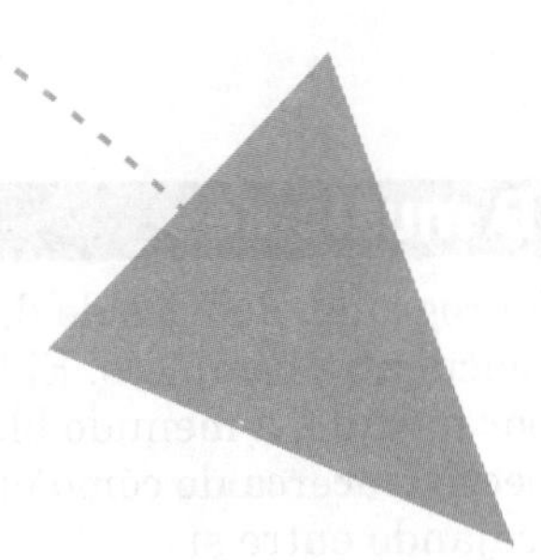

3

Acerca del proyecto

Al final de este libro se encuentra el código fuente completo de un programa de base de datos para CD musicales, totalmente operativo y funcional. El mismo fue diseñado con el fin de reunir en un único proyecto muchas de las técnicas que se aprenden en el libro, de modo que el lector pueda ver cuántos de estos tópicos, tales como el manejo de archivos, la salida a pantalla en modo texto y la API de base de datos, encajan entre sí y funcionan como un todo coherente.

Una de las limitaciones de muchos libros de programación de nivel básico es que, aunque realizan un trabajo excelente al mostrarle al lector todo tipo de técnicas, herramientas y detalles, no muestran cómo todos esos elementos encajan entre sí. Eso no es culpa del autor, sino del material, que necesariamente tiene que cubrir demasiado terreno. También refleja el formato del género, que supone, de forma correcta, que uno quiere aprender cómo hacer X, Y y Z, pero que habitualmente pasa por alto, debido a las restricciones de espacio y que impone la industria editorial, la necesidad de relacionar entre sí todo ese material. Mi esperanza es que este proyecto de programación ofrezca una solución a ese defecto potencial.

El programa de base de datos de CD musicales

El proyecto que se completará en este libro es un programa de base de datos para CD musicales. En realidad, el mismo ya se encuentra completo. El lector irá recorriendo su diseño y creación módulo por módulo, a menudo bloque por bloque, para ir ganando una mejor perspectiva acerca de cómo el material que va aprendiendo en este libro va encajando entre sí.

He tratado de hacer este programa lo más modular que fuese posible, separando por lo tanto la interfaz de usuario del administrador de base de datos y colocando el código que no fuese transportable en tan pocos módulos como me resultó posible. Además, el código alojado en bibliotecas, tal como el de las ncurses y bibliotecas de base de datos, se encuentra rodeado por el código de la aplicación, de modo que aunque la implementación varíe la interfaz permanezca igual. El proyecto es altamente personal, al menos desde mi perspectiva. Ya existen muchos programas semejantes dando vueltas por allí, algunos de ellos mucho más ricos en prestaciones y atractivos de ver que éste. Pero ninguno de ellos hace lo que quiero que hagan y de la manera en que quiero que lo hagan. O sea, este programa satisface un anhelo, lo cual constituye una de las motivaciones que alientan todos los trabajos de código fuente abierto, tal como argumenta Eric Raymond en su excelente artículo, *La catedral y el bazar*. Para obtener el texto completo de este trabajo fundamental, dirigirse a `http://www.tuxedo.org/~esr/writings/_cathedral-bazaar/cathedral-bazaar.html`.

Componentes y subsistemas

A su nivel más simple, el proyecto consiste de un programa ejecutable desde la línea de comandos, `cliente_cdm.c`, adecuado para ser empleado en guiones de interfaz, un cliente interactivo de GUI, `interfaz_usuario_cdm.c`, y tres módulos de ayuda, `cdm_pantalla.c`, `gestor_db_cdm.c` y `utilidades_db_cdm.c`. Las relaciones entre cada uno de esos módulos se encuentran ilustradas en la figura 3-1.

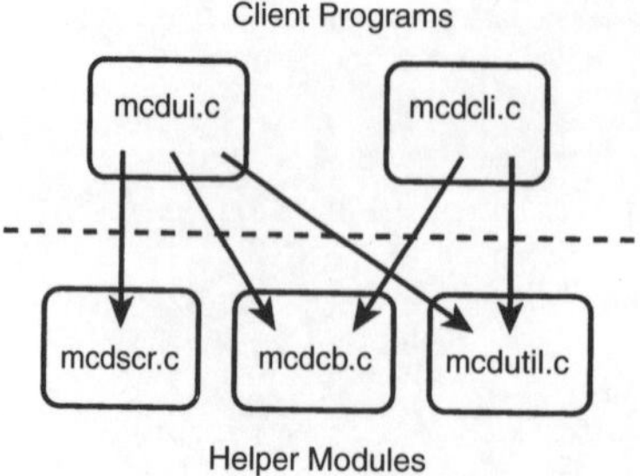

Figura 3.1. *Relaciones entre los programas y el código de ayuda.*

Como se puede apreciar en la figura 3-1, los programas cliente se basan en las rutinas, o servicios, que proveen `cdm_pantalla.c`, `gestor_db_cdm.c` y `utilidades_db_cdm.c`.

cliente_cdm.c recorre y separa las opciones de línea de comandos y sus argumentos asociados de agregar eliminar, procurar y buscar registros de la base de datos de CD. La totalidad de su diseño se halla centrada en que sea una utilidad de línea de comandos adecuada para su empleo en guiones de interfaz. No es interactiva y retorna códigos de error adecuados que puedan ser utilizados en un escrito de interfaz. cliente_cdm.c llama rutinas definidas en gestor_db_cdm.c para que efectúen el trabajo de acceder a la base de datos y desplazarse por la misma.

Además de utilizar el administrador de base de datos gestor_db_cdm.c y las funciones utilitarias de _db_cdm.c, interfaz_usuario_cdm.c también llama funciones presentes en cdm_pantalla.c.cdm_pantalla.c encapsula la funcionalidad provista por la biblioteca de ncurses, otorgándole a interfaz_usuario_cdm.c la capacidad de pincelar la pantalla, interpretar pulsaciones de tecla y exhibir datos la base de datos.

Los módulos de apoyo, a su vez, se basan fuertemente en llamadas a sistema y otras bibliotecas de referencias. gestor_db_cdm.c *sintetiza,* o encapsula, toda la funcionalidad de base de datos que requiere cliente_cdm.c. El módulo de base de datos consiste de envoltorios de funciones que interactúan con la base de datos. Sin embargo, cliente_cdm.c, fuera de emplear unas pocas declaraciones específicas de bases de datos, no necesita saber nada sobre la interfaz de la base de datos para utilizar la API de base de datos. Al implementar los detalles menores de funcionalidad de la base de datos en un módulo separado, la implementación principal puede cambiar sin necesidad de modificar el código de la aplicación. Este tipo de modularidad resulta esencial para poder escribir programas que sean fácilmente mantenibles.

El código de administración de pantalla de cdm_pantalla.c lleva a cabo una función similar para el cliente GUI, interfaz_usuario_cdm.c. Aísla el código del módulo principal de los detalles de la respectiva biblioteca de ncurses de administración de pantalla, lo que permite modificar la implementación de esta última sin afectar a la aplicación. cdm_pantalla.c también permite a interfaz_usuario_cdm.c concentrarse en transferir datos desde la base de datos hacia la pantalla, lo que es su propósito primario, en lugar de tener que ocuparse también de redibujar la pantalla o exhibir un cuadro de diálogo.

Lo que viene

Este capítulo le ha suministrado al lector una breve introducción al proyecto de programación que encontrará al final de libro.

✔ El código fuente completo para este proyecto de programación, junto con su texto explicativo, se puede encontrar en "Proyecto de programación: una base de datos de CD de música".

Entre este momento y aquel, sin embargo, le queda al lector mucho terreno por cubrir. La Sección II, "Programación de sistemas" comienza con un análisis de los procesos de Linux, seguido por un capítulo sobre señales y su manipulación. Pocas aplicaciones pueden obtener algún resultado significativo sin tener que administrar procesos y manipular señales, de modo que dicho material constituye una buena base sobre la cual construir sus conocimientos de la programación en Linux.

Programación de sistemas

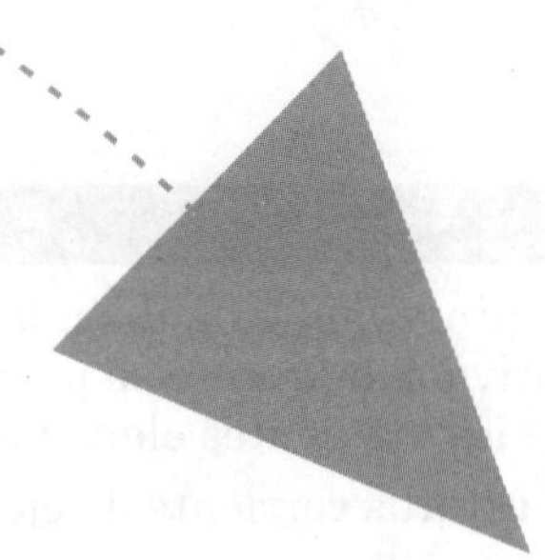

Procesos

La comprensión del modelo de los procesos de Linux resulta esencial para comprender la mayor parte de su comportamiento a bajo nivel. La noción de proceso subyace en la mayoría de los derechos de acceso a archivos, las señales y el control de tareas.

Este capítulo cubre los siguientes temas:

- Qué es un proceso
- Información de procesos
- Identificadores de procesos
- Creación de procesos
- Supresión (*killing*) de procesos
- Manipulación de procesos

Todos los programas de este capítulo pueden ser encontrados en el sitio Web `http://www.mcp.com/info` bajo el número de ISBN 0789722151.

Qué es un proceso

Un *proceso* es una instancia de la ejecución de un programa y también la unidad básica de programación del sistema operativo. Un proceso se puede asimilar a un programa en ejecución y consiste de los siguientes elementos:

- El *contexto* del programa en curso, que es el estatus corriente de ejecución del programa.
- El directorio corriente de trabajo del programa.
- Los archivos y directorios a los cuales tiene acceso el programa.
- Las *credenciales* o derechos de acceso del programa, tales como su modo de archivo y propiedad.
- La cantidad de memoria y otros recursos del sistema asignados al proceso.

Los procesos son también la unidad básica de programación de Linux. El kernel utiliza procesos para controlar el acceso a la CPU y a otros recursos del sistema. Los procesos en Linux determinan qué programas correrán en la CPU, por cuánto tiempo y con qué características. El fijador de tiempos del kernel distribuye los tiempos de ejecución a cargo de la CPU, denominados cuotas, entre todos los procesos, apropiándose de cada uno de ellos, sucesivamente, cuando su *cuota de tiempo* expira.

Las cuotas de tiempo son lo suficientemente pequeñas como para que, en un sistema que cuente con un solo procesador, dé la impresión de que varios procesos se están ejecutando simultáneamente. Cada proceso contiene también la suficiente información sobre sí mismo como para que el kernel pueda activarlo y desactivarlo según sea necesario.

Atributos de un proceso

Los procesos tienen atributos o características que los identifican y definen su conducta. El kernel también guarda internamente una gran cantidad de información acerca de cada proceso y contiene una *interfaz* o grupo de llamadas a funciones que le permitan obtener dicha información. Las secciones siguientes analizan qué es esa información y las interfaces que le permiten al kernel obtenerla y manipularla.

Identificadores de procesos

Los atributos básicos de un proceso son su identificador o ID, abreviado *PID*, y el identificador o ID de su proceso padre, *PPID*. Tanto el PID como el PPID son enteros positivos y distintos de cero. Un PID identifica a un proceso de manera unívoca, y por lo tanto inequívoca. Cuando un proceso crea un nuevo proceso se dice que ha creado un proceso hijo. Recíprocamente, el proceso que creó un *proceso hijo* se denomina *proceso padre*.

Se puede trazar la ascendencia de todos los procesos hasta llegar, en última instancia, al proceso que tiene el PID 1, que se denomina proceso `init`. El proceso `init` es el primer proceso que tiene lugar después que arranca el kernel. `init` pone en funcionamiento el sistema, comienza los daemons y ejecuta los programas que se deban correr.

Aunque los detalles específicos del proceso de arranque (boot) de una computadora exceden el alcance de este libro, es importante recalcar que `init` viene a ser el padre de todos los demás procesos.

Las funciones que permiten que un proceso obtenga su PID y su PPID son `getpid` y `getppid`. Están declaradas en el archivo de encabezado de sistema `<unistd.h>`, y sus prototipos son:

```
pid_t getpid(void);
pid_t getppid(void);
```

`getpid` retorna el PID del proceso que efectuó la llamada, mientras que `getppid` retorna el PPID de quien la llamó, que vendría a ser el PID del padre del proceso que llamó a `getpid`.

¿Por qué razón necesita un proceso conocer su PID o el PID de su padre? Un empleo común de un PID es crear archivos o directorios que sean únicos. Luego de una llamada a `getpid`, por ejemplo, el proceso podría utilizar su PID para crear un archivo temporario. Otra tarea típica es escribir el PID en un archivo de registro de actividades de un programa, como parte de un mensaje del mismo, para dejar en claro qué proceso fue el que grabó el mensaje del registro. Un proceso puede utilizar su PPID para enviar una señal u otro mensaje a su proceso padre.

Ejemplo

Este breve programa imprime el PID y el PPID del mismo:

```
/* Nombre del programa en Internet : prpids.c */
/*
 * imp_proc_ids.c - Imprime el PID y el PPID
 */
#include <stdio.h>
#include <unistd.h>
#include <stdlib.h>

int main(void)
{
    printf("PID = %d\n", getpid());
    printf("PPID = %d\n", getppid());
    exit(EXIT_SUCCESS);
}
```

La salida de este programa, en el sistema del autor, fue:

```
$ ./imp_proc_ids
PID = 15249
PPID = 15214
```

Por supuesto, los valores exhibidos serán diferentes en su sistema.

NOTA

<unistd.h> declara muchas funciones que son parte del estándar POSIX. Sucintamente, POSIX, que se deriva de *Portable Operating System Interface eXtensions*, es una familia de normas que define los servicios y capacidades que debe proveer un sistema operativo para que se lo considere "conforme a POSIX". Sin embargo, POSIX define solamente el estándar de la interfaz, pero no ninguna implementación. Muchos sistemas operativos no-UNIX, tales como el Windows NT de Microsoft, aducen conformar a POSIX.

El acatamiento a POSIX es importante porque, al menos en teoría, hace que las aplicaciones escritas para funcionar en un tipo de sistema sean sencillas de transportar a otro sistema. Al utilizar la interfaz POSIX estándar para obtener su ID, por ejemplo, el programa no tendría que ser rescrito para correr en otro sistema. En cambio, el programa debería simplemente ser recompilado en el nuevo sistema. Finalmente, dado que POSIX es un estándar generalmente aceptado, muchas empresas requieren que el software que adquieren sea conforma a POSIX.

Identificaciones reales y efectivas

Además de sus PIDs y sus PPIDs, cada proceso tiene varios otros atributos de identificación, que se listan en la tabla 4.1 junto a su tipo en el lenguaje C y las funciones que los retornan. Para utilizar las funciones listadas en la tercera columna de la tabla 4.1 se debe incluir en el código tanto `<sys/types.h>` como `<unistd.h>`.

Tabla 4.1. *Atributos de procesos.*

Atributo	Tipo	Función
ID de proceso	pid_t	getpid(void);
ID de padre de proceso	pid_t	getppid(void);
ID de usuario real	uid_tg	getuid(void);
ID de usuario efectivo	uid_t	geteuid(void);
ID de grupo real	gid_t	getgid(void);
ID de grupo efectivo	gid_t	getegid(void);

Cada proceso tiene tres IDs de usuario (UIDs) y tres IDs de grupo (GIDs). Los mismos son empleados principalmente por razones de seguridad, tales como asignar permisos de accesos a archivos y limitar quién puede ejecutar ciertos programas. El ID de usuario real y el ID de grupo real especifican quién es el usuario concreto. Son leídos de `/etc/passwd` cuando uno ingresa al sistema. Constituyen las representaciones numéricas del nombre de acceso y la principal pertenencia a un grupo del usuario que está ingresando.

Por ejemplo, en mi sistema, mi UID es 500, que corresponde a kwall, mi nombre de acceso. Mi GID es 100, que corresponde al grupo denominado usuarios. Las funciones `getuid` y `geteuid` retornan el UID real y el efectivo, respectivamente, del proceso desde el cual fueron llamadas. Similarmente, las funciones `getgid` y `getegid` retornan los GIDs efectivos del proceso que efectuó la llamada. Los IDs efectivos de usuario y grupo son utilizados principalmente con propósitos de seguridad pero, en la mayoría de las circunstancias, coinciden con los IDs reales de usuario y de grupo. La diferencia entre IDs reales y efectivos tienen importancia principalmente con programas que son `setuid` o `setgid`, que representan un tópico a ser comentado en la próxima sección.

Ejemplos

1. Utilizando las funciones listadas en la tabla 4.1, este programa muestra los UIDs y GIDs reales y efectivos del proceso.

```
/* Nombre del programa en Internet: ids.c */
/*
 * identificadores.c - Imprime los UIDs y los GIDs
 */
#include <stdio.h>
#include <unistd.h>
#include <stdlib.h>

int main(void)
{
	printf("ID de usuario real: %d\n", getuid());
	printf("ID de usuario efectivo: %d\n", geteuid());
	printf("ID de grupo real: %d\n", getgid());
	printf("ID de grupo efectivo: %d\n", getegid());
	exit(EXIT_SUCCESS);
}
```

La salida de este programa, en el sistema del autor, es la siguiente:

```
$ ./identificadores
ID de usuario real: 500
ID de usuario efectivo: 500
ID de grupo real: 100
ID de grupo efectivo: 100
```

2. Como se hizo notar antes, en circunstancias normales, los UIDs y GIDs reales y efectivos coinciden, y la salida del programa anterior ilustra eso. Para confirmar que esto es verdaderamente así, utilice el comando `su` (*substitute user*) para convertirse en otro usuario y luego ejecute el programa. Los UIDs y GIDs seguirán coincidiendo, como lo muestra el siguiente ejemplo:

SALIDA

```
i$ su un_lector
Password:
$ id
uid=502(un_lector) gid=100(usuarios) groups=100(usuarios)
$ ./identificadores
```

```
ID de usuario real: 503
ID de usuario efectivo: 503
ID de grupo real: 100
ID de grupo efectivo: 100
```

El comando `id` imprime los UIDs y GIDs reales y efectivos del usuario que lo ejecuta (ver `man id` para más información). Cuando el usuario `lector` ejecuta `identificadores`, la salida coincide con la del comando `id` del sistema. Más importante todavía, a pesar de la propiedad del usuario y del grupo sobre `identificadores`, tanto los UIDs como los GIDs efectivos y reales son los del usuario que lo ejecuta.

El tercer conjunto de IDs lo constituye el UID guardado y el GID guardado. Estos identificadores se denominan IDs guardados porque son guardados por la función `exec`, cubierta en la sección "Manipulación de procesos," cuando ejecuta programas. Generalmente los programadores sólo deben tener en cuenta los IDs reales y efectivos.

Programas `setuid` y `setgid`

Como se comentó anteriormente, una situación en la cual los IDs reales y efectivos de un proceso difieren entre sí tiene lugar cuando el programa que se está ejecutando es `setuid` o `setgid`. Los programas `setuid` y `setgid` se llaman así porque el UID y el GID real y efectivo que se establecen se hacen iguales al UID y GID del archivo en lugar de a los del propietario o grupo del usuario que se encuentra ejecutando el programa. El propósito de los programas `setuid` y `setgid` es otorgarle permisos especiales al usuario que esté ejecutando el programa.

Por ejemplo, consideremos el programa `passwd`, utilizado para modificar contraseñas (*passwords*). La mayoría de los sistemas de Linux almacenan las contraseñas en `/etc/passwd`. Este archivo puede ser leído por todos los usuarios pero escrito sólo por el usuario raíz. Se puede apreciar esto con suma claridad cuando se corre `ls -l /etc/passwd`, como sigue:

```
$ ls -l /etc/passwd
- rw- r-- r--   1 root    bin    703  Aug 10 16:44  /etc/passwd
```

Como resultado, el programa `passwd` debe ser propiedad del usuario root. Sin embargo, como passwd debe poder ser ejecutado por cualquier usuario, en condiciones normales no podría actualizar el archivo `/etc/passwd`. La solución a este dilema es que `passwd` sea un programa con `setuid root`; es decir, que cuando se ejecute, su UID efectivo sea el UID de usuario root, permitiéndole por lo tanto actualizar `/etc/passwd`.

NOTA

En realidad, la mayoría de los sistemas Linux modernos utilizan contraseñas ocultas (shadow passwords), por lo que la contraseña se encuentra almacenada en `/etc/shadow`, que puede ser leída y escrita sólo por los usuarios root. El campo correspondiente a la contraseña en `/etc/passwd` es la letra `x`.

Un programa con `setuid` tiene una `s` en lugar de una `x` en el bit de ejecución para el propietario, como lo muestra el siguiente listado:

```
$ ls -l /usr/bin/passwd
-rws r-x r-x   1 root     bin    24577  Aug 10 16:44  /usr/bin/passwd
```

De manera similar, un programa con `setgid` tiene una `s` en su bit de ejecución para el grupo. Para hacer que un programa sea con `setuid` se deberá ejecutar el siguiente comando:

```
$ chmod u+s mi_binario
```

El siguiente comando hace que un programa sea `setgid`:

```
$ chmod g+s mi_binario
```

PRECAUCIÓN

Los programas de root con `setuid` o `setgid` constituyen riesgos para la seguridad porque, aunque sean ejecutables por simples usuarios del común de los mortales, los mismos son corridos con privilegios de superusuarios y por lo tanto tienen total acceso al sistema. Pueden acceder a cualquier parte del sistema. Ejerza extremo cuidado cuando ejecute o cree un programa de root con `setuid`.

Información de usuario

Aunque las computadoras se desempeñan muy bien con los números, los seres humanos trabajan mucho mejor con nombres. Afortunadamente, existen dos maneras de convertir los UIDs en nombres legibles para los usuarios. La función `getlogin` retorna el nombre de acceso del usuario que ejecuta un proceso. Cuando uno suministra su nombre de acceso, se lo puede pasar a la función `getpwnam`, que retorna el dato completo presente en `/etc/passwd` que corresponda a ese nombre de acceso. El otro método consiste en transferir el UID de un proceso dado a la función `getpwuid`, que asimismo retorna el dato adecuado presente en `/etc/passwd`.

Getlogin se encuentra declarada en `<unistd.h>` y su prototipo es el siguiente:

```
char *getlogin(void);
```

Esta función retorna un puntero a una cadena que contiene el nombre de acceso del usuario que se encuentra corriendo el proceso o `NULL` si la información no se encuentra disponible. getpwnam está declarada en `<pwd.h>`. Su prototipo es:

```
struct passwd *getpwnam(const char *name);
```

`name` (nombre) debe ser un puntero a una cadena que contenga el nombre de acceso en cuestión. `getpwnam` retorna un puntero a una estructura de patrón `passwd`. El puntero hacia la estructura `passwd` que fue retornada apunta hacia una posición de memoria asignada estáticamente que será sobrescrita por la próxima llamada a `getpwnam`, de modo que si se necesita disponer de esta información más adelante se deberá guardar la información de la estructura antes de llamar de nuevo a getpwnam.

EJEMPLO

Ejemplo

Este ejemplo ilustra el comportamiento tanto de `getlogin`'s como de getpwname:

```
/* Nombre del programa en Internet: getname.c */
/*
 * obt_nombres.c - Obtencion de nombres de acceso
 */
```

```
#include <stdio.h>
#include <stdlib.h>
#include <sys/types.h>
#include <unistd.h>
#include <pwd.h>

int main(void)
{
    char *nom_acceso;
    struct passwd *puntero_dato;

    /* Obtencion del nombre de acceso */
    if((nom_acceso = getlogin()) == NULL) {        /* ¡Cuidado! */
        perror("getlogin");
        exit(EXIT_FAILURE);
    }
   printf("getlogin retorno %s\n", nom_acceso);

    /* Obtencion de la contraseña para ese nombre de acceso */
    if((puntero_dato = getpwnam(nom_acceso)) == NULL) {
        perror("getpwnam");
        exit(EXIT_FAILURE);
    }
    /* Mostrar el nombre completo */
    printf("gecos: %s\n", puntero_dato->pw_gecos);

    exit(EXIT_SUCCESS);
}
```

```
$ ./obt_nombres
getlogin retorno kwall
gecos: Kurt Wall
```

SALIDA

Las sentencias `if` resguardan contra la posibilidad de que `getlogin` o `getpwnam` retornen `NULL`. Si alguna de las dos funciones retornase `NULL`, `perror` imprimirá un mensaje de error y el programa terminará. Primero, el programa utiliza `getlogin` para recuperar y exhibir el nombre de acceso del usuario que corre el programa. Luego, usa ese nombre para recuperar el dato de la contraseña y exhibe el nombre completo del usuario (almacenado en el campo GECOS de `/etc/passwd`; `ver man 5 passwd` para acceder a más información).

Información adicional sobre procesos

Existe más información sobre los procesos, además de sencillamente los IDs de proceso, de usuario y de grupo, tal como su utilización de los recursos del sistema y los tiempos de ejecución. Nótese que he puesto *tiempos* de ejecución y no solamente *tiempo*. Esto se debe a que el kernel de Linux almacena tres valores distintos de tiempo para los procesos, a saber:

- El *tiempo normal* (el que mediría un cronómetro) es el tiempo transcurrido.
- El *tiempo de CPU de usuario* es la cantidad de tiempo que el procesador invierte ejecutando el código de modo usuario (no de kernel).
- El *tiempo de CPU de sistema* es la cantidad de tiempo invertida en la ejecución de código de kernel.

✔ La diferencia entre modo usuario y modo kernel se explica en "Qué es una llamada a sistema", pág. 120.

El lector puede obtener esta información haciendo una llamada a `times` o `getrusage`. El uso de recursos del procesador, sin embargo, puede ser obtenido solamente con una llamada a `getrusage`. Estos recursos tienen todos que ver con las estadísticas de acceso a memoria. Esta sección comenta primero la obtención de información referida a tiempos, y luego cubre la utilización de recursos.

CONSEJO

¿Cuál de ambas llamadas, la de `times` o la de `getrusage`, se debería emplear para obtener la información sobre tiempos? Bueno, Linux ha heredado su funcionalidad tanto de BSD como de SVR4 UNIX, y ambos cuentan con ambas funciones. POSIX, el estándar al cual Linux trata de conformar, sólo especifica `times`. Sin embargo, `getrusage` suministra a los programadores una descripción más completa de la utilización de recursos por parte de un proceso, al menos en teoría. Es teórica porque Linux (a partir de su versión 2.2.10) implementa sólo cinco de los dieciséis recursos definidos en la estructura `rusage`. Finalmente, la información sobre tiempos que retorna `times` es más detallada que la retornada por `getrusage`. De modo que, si el lector sólo necesitase información sobre tiempos o deseara adherir al estándar POSIX, deberá utilizar `times`. Si no le preocupa mantener la conformidad con POSIX o si necesitase la información adicional provista por `getrusage`, utilice esta última.

TIEMPOS DE PROCESO

La función `times` se encuentra prototipada en `<sys/times.h>` como se indica a continuación:

```
clock_t times(struct tms *buf);
```

`times` retorna el número de tics de reloj que hayan transcurrido desde que el sistema arrancó, lo que también se conoce como tiempo de reloj. `buf` es un puntero a una estructura (un espacio en memoria o *buffer*) que responde al patrón `tms` (ver página 71) y que almacena los tiempos del proceso en ejecución. `clock.t` es el tipo del valor retornado.

Ejemplo

El siguiente programa utiliza la función `system` para ejecutar un comando externo (el proceso en cuestión), y luego llama a `times` para obtener la información deseada.

```
/* Nombre del programa en Internet: resusg1.c */
/*
 * util_recursos1.c - Obtiene tiempos de proceso y utilizacion de recursos
 * La terminologia empleada se explica en las paginas que siguen al programa
 */
#include <stdio.h>
#include <stdlib.h>
#include <sys/times.h>
#include <time.h>
#include <unistd.h>

void calcular_segundos(char *, clock_t);

int main(void)
{
	clock_t comienzo, final, tics_insumidos;
	struct tms tic_comienzo, tic_final;

	comienzo = times(&tic_comienzo);
	/* El proceso externo lo constituye en este caso grep = Global Regular
	* Expression Print; comando de UNIX para buscar racimos de datos o
	* patrones de texto especifico (en este caso la palabra "el" en un archivo.
	* La salida de grep se redirige a fin de evitar que la pantalla se atiborre
de datos
	*/
	system("grep el /usr/doc/*/* > /dev/null 2> /dev/null");
	final = times(&tics_final);
	tics_insumidos = final - comienzo

	calcular_segundos("Tiempo transcurrido", tics_insumidos);

	puts("Tiempos de proceso padre");
	calcular_segundos("\tuso de CPU por usuario", tic_final.tms_utime);
	calcular_segundos("\tuso de CPU por sistema", tic_final.tms_stime);

	puts("Tiempos de proceso hijo");
	calcular_segundos("\tuso de CPU por usuario", tic_final.tms_cutime);
	calcular_segundos("\tuso de CPU por sistema", tic_final.tms_cstime);

	exit(EXIT_SUCCESS);
}
void calcular_segundos(char *cadena, clock_t tics_insumidos)
{
	/* obtener tics de reloj/segundo */
	long tics_por_seg = sysconf(_SC_CLK_TCK);

		printf("%s: %6.2f segundos\n", cadena, (float) tics_insumidos
/tics_por_seg);
}
```

En mi sistema, una corrida de prueba del programa creó la siguiente salida:

```
$ ./ util_recursos1
Tiempo transcurrido: 19.91 segundos
Tiempos de proceso padre
    uso de CPU por usuario:    0.00 segundos
    uso de CPU por sistema:    0.00 segundos
Tiempos de proceso hijo
    uso de CPU por usuario:    2.34 segundos
    uso de CPU por sistema:    1.10 segundos
```

La primera cuestión a observar es que no parece haber acumulación de tiempos en el proceso padre. Aunque esto se cubre con mucho mayor detalle en la sección "Creación de procesos" que aparece más adelante en este mismo capítulo, lo que ha ocurrido es que cuando el programa llamó a la función `system`, generó un proceso hijo y fue este último, no el padre, el que realizó toda la tarea y acumuló el tiempo de CPU.

La segunda observación digna de mención es que el tiempo invertido por el proceso, 19,91 segundos, no es igual a la suma de los tiempos de CPU de usuario y sistema, 3,44 segundos. La razón de esta aparente discrepancia es que la operación de `grep` que ejecutó el proceso hijo requirió muchos más recursos de E/S que de CPU. Tuvo que recorrer 2.331 archivos de encabezado, más de 10 megabytes texto, en el sistema en cuestión. Los 16 segundos restantes estuvieron todos dedicados a leer el disco rígido. Por supuesto, los tiempos serán diferentes en el sistema del lector.

`El valor retornado por times` es tiempo relativo, no absoluto (el número de tics de reloj desde que el sistema se inició), de modo que para que resulte útil se deben efectuar dos mediciones y utilizar su diferencia. Esto da como resultado el tiempo transcurrido, o de reloj. `util_recursos1` logra esto almacenando los números de tics de reloj correspondientes al comienzo y al final del proceso en `tic_comienzo` y `tic_final`, respectivamente. Los otros tiempos correspondientes al proceso son tomados de la estructura `tms` definida en el encabezado `<sys/times.h>`. La estructura tms almacena el tiempo corriente de CPU utilizado por un proceso y sus descendientes. Está definida así:

```
struct tms {
    clock_t tms_utime;     /* Tiempo de uso de CPU del proceso padre * (u=user)/
    clock_t tms_stime;     /* Tiempo de uso de sistema del proceso padre
(s=system)*/
    clock_t tms_cutime;    /* Tiempo de uso de CPU de los procesos hijos
(c=children) */
    clock_t tms_cstime;    /* Tiempo de uso de sistema de los procesos hijos
(c=children)*/
};
```

Insisto, estos valores son tics de reloj, no el número de segundos. Para convertir los tics de reloj a segundos se deberá utilizar la función `sysconf`, que convierte sus argumentos en valores que definen límites de sistema u opciones en tiempo de ejecución. `_SC_CLK_TCK` (literalmente, `_SEGUNDOS_TICS-_RELOJ`) es un macro que define cuántos tics de reloj hay por segundo en un sistema determinado; `sysconf` retorna ese valor como una variable de tipo `long`, y el programa la utiliza para calcular cuántos segundos se requirieron para correr el proceso. El verdadero caballito de batalla de este programa es la función `calcular_segundos`. Acepta una cadena y un valor, de tipo `clock_t` en este caso, y luego calcula e imprime la información de tiempos correspondiente a cada parte del proceso.

UTILIZACIÓN DE RECURSOS

El empleo de recursos por parte de un proceso representa más que solamente tiempo de CPU. Se debe considerar también la huella que produce el proceso en la memoria: cómo está estructurada la memoria, los tipos de acceso de memoria que efectúa el proceso, la cantidad y tipo de E/S que lleva a cabo y la cantidad de actividad de red, en caso de existir, que genera. El kernel registra toda esta información, y mucha más todavía, para cada proceso. Por lo menos, tiene la capacidad necesaria para hacerlo. La estructura en la cual se vuelca esta información se denomina `rusage` (por *resource usage*), y está definida en el archivo de encabezado `<sys/resource.h>`. Esta estructura está definida como sigue:

```
struct rusage {
struct timeval ru_utime;      /* tiempo de usuario empleado */
struct timeval ru_stime;      /* tiempo de sistema empleado */
long ru_maxrss;               /* maximo tamaño establecido para residentes */
long ru_maxixrss;             /* tamaño de memoria compartida */
long ru_maxidrss;             /* tamaño de datos no compartidos */
long ru_maxisrss;             /* tamaño de pila no compartida */
long ru_minflt;               /* reclamos de paginas */
long ru_majflt;               /* fallas de pagina */
long ru_nswap;                /* permutaciones */
long ru_inblock;              /* operaciones de entrada en bloque */
long ru_oublock;              /* operaciones de salida en bloque */
long ru_msgsnd;               /* mensajes enviados */
long ru_msgrcv;               /* mensajes recibidos */
long ru_nsignals;             /* señales recibidas */
long ru_nvcsw;                /* especificadores voluntarios de contexto */
long ru_nivcsw;               /* especificadores involuntarios de contexto */
};
```

La estructura timeval, a su vez, responde al siguiente modelo:

```
struct timeval {
        long    tv_sec;         /* seconds */
        long    tv_usec;        /* and microseconds */
};
```

Linux, lamentablemente, sólo efectúa seguimiento de los recursos listados en la tabla 4.2.

Tabla 4.2. *Recursos de sistema sobre los que Linux mantiene seguimiento*

Recurso	**Descripción**
`ru_utime`	Tiempo invertido ejecutando código de modo usuario (no-kernel)
`ru_stime`	Tiempo invertido ejecutando código de kernel (requerimientos por parte de código de usuario por servicios del sistema)
`ru_minflt`	Número de fallas menores (accesos de memoria que no generan accesos a disco)
`ru_majflt`	Número de fallas importantes (accesos de memoria que originan accesos a disco)
`ru_nswap`	Número de páginas de memoria leídas desde disco debido a fallas importantes

Como lo indica la tabla 4.2, existen dos tipos de fallas de memoria: las menores y las importantes. Las *fallas menores* tienen lugar cuando el CPU debe acceder a la memoria principal (RAM). Este tipo de falla ocurre porque el código o los datos que necesita la CPU no están en sus registros o cache. Las *fallas importantes* aparecen cuando un proceso debe leer datos desde el disco porque el código o los datos necesarios no se encuentran en la RAM. El miembro `ru_nswap` de la estructura almacena el número de páginas de memoria que se deben leer desde disco como resultado de fallas importantes.

Para obtener esta información se debe utilizar la llamada `getrusage`, declarada en `<sys/resources.h>`. Los miembros `ru_utime` y `ru_stime` de la estructura almacenan el tiempo de CPU de usuario y sistema que acumula el proceso. La única información nueva que getrusage le brinda al programador es el número de fallas de memoria y de accesos de disco relacionados con fallas de memoria. A diferencia de la función `times`, `getrusage` debe ser invocada dos veces si se quiere obtener información tanto sobre el proceso padre como sobre el hijo. El prototipo de `getrusage` es el siguiente:

```
int getrusage(int who, struct rusage *usage);
```

`usage` es un puntero a una estructura de tipo `rusage` donde la función vuelca la información. El parámetro `who` (*quién*) determina qué utilizaciones de recursos son retornadas, si la del proceso que efectuó la llamada o las de sus descendientes. quién puede ser solamente igual a `RUSAGE_SELF` o `RUSAGE_CHILDREN`. `getrusage` retorna 0 si todo sale bien, o -1 si ocurre algún error.

EJEMPLO

Ejemplo

Este programa es una segunda versión del ejemplo anterior, la cual utiliza getrusage en lugar de times. El término tv_sec que aparece en el listado pertenece a la estructura de patrón timeval (pág. 72) la cual es a su vez parte integrante de la estructura rusage.

```
/* Nombre en Internet: resusg2.c
/*
 * util_recursos2.c - Obtiene tiempos de proceso y utilizacion de recursos
 */
#include <stdio.h>
#include <stdlib.h>
#include <sys/times.h>
```

```
#include <sys/resource.h>
#include <time.h>
#include <unistd.h>

void salir_si_error(char *);
void calcular_segundos(char *, long);

int main(void)
{
    struct rusage recursos_utilizados;

    /* El proceso externo lo constituye en este caso grep = Global Regular
    * Expression Print; comando de UNIX para buscar racimos de datos o
    * patrones de texto especifico (en este caso la palabra "el" en un archivo).
    * La salida de grep se redirige a fin de evitar que la pantalla se atiborre
de datos
    */
    system("grep el /usr/doc/*/* > /dev/null 2> /dev/null");

    /* obtener la estructura de recursos para el proceso padre */
    if((getrusage(RUSAGE_SELF, &recursos_utilizados)) == -1)
        salir_si_error("getrusage");
    puts("Tiempos de proceso padre");
    calcular_segundos("\tCPU por usuario", recursos_utilizados.ru_utime.tv_sec);
    calcular_segundos("\tCPU por sistema", recursos_utilizados.ru_stime.tv_sec);

    puts("Estadisticas de memoria del proceso padre (en segundos)");
    calcular_segundos("\tFallas menores", recursos_utilizados.ru_minflt);
    calcular_segundos("\tFallas importantes", recursos_utilizados.ru_majflt);
    calcular_segundos("\tPermutaciones de paginas", recursos_utilizados.ru_nswap);

    /* obtener la estructura de recursos para el proceso hijo (en segundos) */
    if((getrusage(RUSAGE_CHILDREN, &recursos_utilizados)) == -1)
salir_si_error("getrusage");
    puts("Tiempos de proceso hijo");
    calcular_segundos("\tCPU por usuario", recursos_utilizados.ru_utime.tv_sec);
    calcular_segundos("\tCPU por sistema", recursos_utilizados.ru_utime.tv_sec);

    puts("Estadisticas de memoria del proceso hijo");
    calcular_segundos("\tFallas menores", recursos_utilizados.ru_minflt);
    calcular_segundos("\tFallas importantes", recursos_utilizados.ru_majflt);
```

```
        calcular_segundos("\tPermutaciones de paginas", recursos_utilizados.ru_nswap);
        exit(EXIT_SUCCESS);

}
void calcular_segundos(char *cadena, long valor_obtenido)
{

        printf("%s: %ld\n", cadena, valor_obtenido);
}

void salir_si_error(char *cadena)

{

        perror(cadena);
        exit(EXIT_FAILURE);

}
```

Este programa ejecuta el mismo comando `grep` que el anterior. Sin embargo, además de la información sobre tiempos, también exhibe el empleo de memoria, tanto del proceso padre como el proceso hijo. Una corrida del mismo generó la siguiente salida:

SALIDA

```
$ ./ util_recursos2
Tiempos de proceso padre (en segundos)
        CPU por usuario: 0
        CPU por sistema: 0
Estadísticas de memoria del proceso padre
        Fallas menores: 18
        Fallas importantes: 66
        Permutaciones de pagina: 0
Tiempos de proceso hijo (en segundos)
        CPU por usuario: 2
        CPU por sistema: 2
Estadísticas de memoria del proceso padre
        Fallas menores: 2585
        Fallas importantes: 21412
        Permutaciones de pagina: 0
```

Tal como lo deja en claro la salida de esta corrida de muestra, la información sobre tiempos que genera `getrusage` no es tan precisa como la producida por `times`. A cambio, con `getrusage` se obtiene una imagen muy clara de la utilización de memoria por parte de un proceso. De hecho, el número de fallas importantes reveladas por la corrida de prueba confirma las apreciaciones anteriores acerca de la cantidad de E/S de disco que requiere el programa. El proceso leyó desde el disco 21.412 veces porque los datos requeridos no se encontraban en memoria. No ocurrieron permutaciones de páginas, sin embargo.

Sesiones y grupos de procesos

Existen situaciones en las cuales el sencillo modelo padre/hijo no describe lo suficiente las relaciones entre procesos. Consideremos, por ejemplo, una ventana `xterm` abierta. Supongamos también que se ejecutan en la `xterm` tres comandos de UNIX/Linux de manera individual: `ls` (similar a `dir` de DOS), `cat` (similar a `type` de DOS), y `vi` (un editor de texto). ¿Cuál es el proceso padre: la `xterm` o la interfaz que corre en la `xterm`? Obviamente, los tres comandos están relacionados entre sí, pero no como padre e hijo. En cambio, son todos parte de la misma sesión.

Otro ejemplo es el conjunto de comandos ejecutados en una pipeline, tal como por ejemplo `ls -l ¦ sort ¦ more`. De nuevo, estos comandos están relacionados entre sí no como padre e hijo sino como miembros del mismo grupo de procesos. La figura 4-1 ilustra las relaciones entre procesos, sesiones y grupos de procesos.

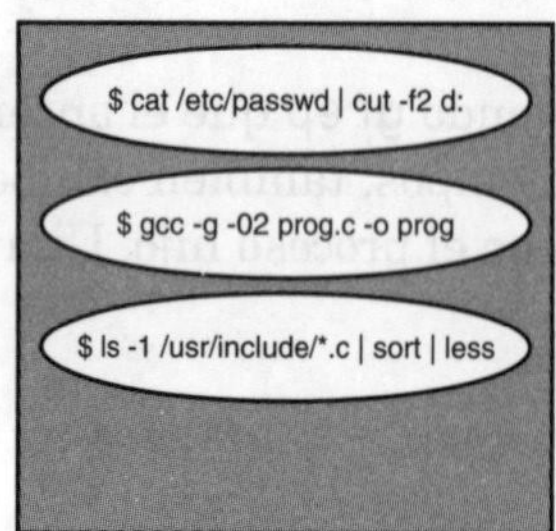
$ cat /etc/passwd | cut -f2 d:
$ gcc -g -02 prog.c -o prog
$ ls -1 /usr/include/*.c | sort | less

Figura 4.1. *Procesos, sesiones y grupos de procesos.*

Grupos de procesos

Un grupo de procesos es un conjunto de procesos relacionados, generalmente una secuencia de comandos en una *pipeline*. Todos los procesos incluidos en un grupo de procesos tienen el mismo ID de grupo de proceso, o sea el PGID. El propósito de un grupo de procesos es facilitar el control de tareas. Supongamos, por ejemplo, que el lector corriese la *pipeline* (secuencia de pipes) de comandos `ls -l /usr/include ¦ sort ¦ wc -l`. Si, mientras esa *pipeline* está aún en ejecución, uno la aborta (utilizando Ctrl+C), la interfaz debe poder terminar todos los procesos. Esa acción la lleva a cabo abortando directamente el grupo de procesos en lugar de hacerlo con cada proceso individual.

Sesiones

Una sesión consiste de uno o más grupos de procesos. Un líder de sesión es el proceso que crea la sesión. Ésta tiene un único identificador, denominado ID de sesión, el cual es meramente el PID del líder de sesión. Las sesiones cumplen el mismo propósito para los grupos de procesos que estos últimos para los procesos individuales.

Digamos que el lector ejecutase el mismo comando de *pipeline* mencionado recién (es decir, `ls -l /usr/include ¦ sort ¦ wc -l &`) en segundo plano y ejecutara otros comandos en primer plano. Ahora, si estos comandos se estuviesen corriendo en una terminal X Window y se cerrase la ventana del terminal mientras las mismas estuviesen aún corriendo, el kernel le enviaría una señal al proceso que tiene a su cargo el control (el líder de sesión), el cual a su vez mata a cada grupo de proceso como se lo describió en el parágrafo anterior.

La manipulación de grupos de procesos y de sesiones es un tema avanzado que se encuentra fuera del alcance de este libro. Resulta importante, sin embargo, comprender los conceptos y la terminología empleados porque los mismos tienen importantes repercusiones para las señales, que se cubren en el capítulo 5, "Señales."

Manipulación de procesos

Este punto analiza la creación de procesos nuevos, la eliminación (*killing*) de procesos existentes y la espera y supervisión de procesos. Las llamadas `system`, `fork` y `exec` crean nuevos procesos. Para liquidar otros procesos se puede emplear la función `kill` (*matar*), y un proceso puede ya sea `exit` (*salir*) o `abort` (*abortar*) para proceder a liquidarse a sí mismo. Las prácticas recomendadas de administración de recursos requieren que los procesos padres aguarden hasta que terminen sus hijos. Este requerimiento es implementado por las diversas funciones `wait`.

Creación de procesos

Los programadores necesitan a menudo crear nuevos procesos desde dentro de sus programas. Por ejemplo, supongamos que usted crease un programa que administre una base de datos de títulos de CD-ROMs. En lugar de tener que crear su propia rutina de ordenamiento, preferiría que el trabajo lo realizara el programa `sort`. Linux ofrece tres maneras de lograr esto. La llamada a `system`, provista por la biblioteca C estándar, es uno de los métodos. Las llamadas a `fork` y `exec`, sin embargo, constituyen el "estilo Linux". Esta sección analiza las tres llamadas.

UTILIZACIÓN DE `system`

La función `system` ejecuta un comando de interfaz que se le transfiere. Su prototipo, declarado en `<stdlib.h>`, es

```
int system(const char *string);
```

`system` ejecuta el comando de interfaz `string` transfiriéndoselo a `/bin/sh` y retornando después de haber terminado de ejecutarse dicho comando. Ejemplos anteriores ya han demostrado el uso de la misma. Si, por alguna razón, `system` no lograra invocar `/bin/sh`, retorna el código 127. Si ocurriera en cambio algún otro tipo de error, `system` retornaría -1. El valor normal de retorno de `system` es el código de salida del comando transferido en `string`. Si `string` fuese `NULL`, `system` retornaría 0 si `/bin/sh` se encontrase disponible o un valor distinto de cero en caso contrario.

EMPLEO DE `fork`

La llamada a `fork` crea un proceso nuevo. Este proceso nuevo, o proceso hijo, será una copia del proceso que efectuó la llamada, o proceso padre. La función `fork` está declarada en `<unistd.h>` y su sintaxis es

```
pid_t fork(void);
```

Si la llamada tiene éxito, `fork` retorna el PID del proceso hijo al proceso padre, y retorna 0 al proceso hijo. Esto significa que aún si uno llamara a `fork` una sola vez, la misma retorna dos veces.

El nuevo proceso que crea `fork` es una copia exacta del proceso padre, excepto por su PID y su PPID. `fork` realiza una copia completa del proceso padre, incluyendo los UIDs y GIDs reales y efectivos y los IDs de grupo de proceso y de sesión, el entorno, los límites de los recursos, archivos abiertos y segmentos de memoria compartida.

Las diferencias entre los procesos padre e hijo son escasas. El proceso hijo no hereda las alarmas programadas en el proceso padre (efectuadas mediante una llamada a `alarm`), los bloqueos de archivos creados por el proceso padre y las señales pendientes. El concepto clave que debe ser comprendido es que `fork` crea un nuevo proceso que es un duplicado exacto del proceso padres, a excepción de lo indicado.

Ejemplo

El que sigue es un ejemplo sencillo del empleo de `fork`:

```
/* Nombre del programa en Internet: child.c */
/*
 * hijo.c - Empleo sencillo de fork
 */
#include <unistd.h>
#include <stdio.h>
#include <stdlib.h>

int main(void)
{
    pid_t child;

    if((child = fork()) == -1) {
        perror("fork");
        exit(EXIT_FAILURE);
    } else if(child == 0) {
        puts("En el proceso hijo");
        printf("\tpid = %d\n", getpid());
        printf("\tppid = %d\n", getppid());
        exit(EXIT_SUCCESS);
    } else {
```

```
        puts("En el proceso padre");
        printf("\tpid = %d\n", getpid());
        printf("\tppid = %d\n", getppid());
    }
    exit(EXIT_SUCCESS);
}
```

La salida de este programa será similar a la siguiente:

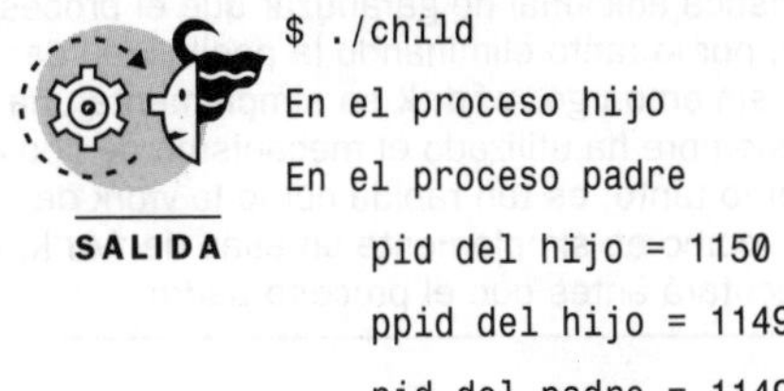


```
$ ./child
En el proceso hijo
En el proceso padre
    pid del hijo = 1150
    ppid del hijo = 1149
    pid del padre = 1149
    ppid del padre = 706
```

Como se puede apreciar a partir de la salida, el PPID del proceso hijo (el ID del proceso padre) es el mismo que el PID del padre, 1149. La salida también ilustra una cuestión crítica referente a la utilización de `fork`: no se puede predecir si un proceso padre se ejecutará antes o después de su hijo. Esto puede inferirse a partir de la extraña apariencia de la salida. La primera línea de dicha salida proviene del proceso padre, las líneas desde la segunda hasta la cuarta provienen del proceso hijo, y la quinta y sexta líneas provienen nuevamente del proceso padre. El programa se ha ejecutado fuera de secuencia; es decir, *asincrónicamente*.

La naturaleza asíncrona de la conducta de `fork` significa que no se debería ejecutar código perteneciente al proceso hijo que dependa de la ejecución de código del proceso padre, ni viceversa. Hacerlo así crea potencialmente una condición de competencia (*race condition*), que tiene lugar cuando varios procesos quieren utilizar un recurso compartido pero dicha acción depende del orden en el cual se ejecutan los mismos. Las condiciones de competencia pueden ser difíciles de localizar porque el código que las crea funciona "la mayor parte del tiempo." Resulta difícil predecir los resultados que arrojará una condición de competencia, pero sus síntomas pueden incluir el comportamiento impredecible del programa, un aparente congelamiento del sistema, respuesta lenta de un sistema por lo demás poco cargado, o directamente la caída del sistema.

Una llamada a `fork` puede fracasar porque hay demasiados procesos corriendo en ese momento en el sistema o porque el proceso que trata de generar procesos descendientes ha excedido el número de procesos que está permitido ejecutar. Si la llamada fracasa, `fork` retorna -1 al proceso padre y no crea ningún proceso hijo.

NOTA

El proceso de efectuar un `fork` involucra el copiado de toda la imagen de memoria del proceso padre al proceso hijo. Este es un proceso lento por naturaleza, de modo que los diseñadores de UNIX crearon la llamada `vfork`. Esta llamada también crea un proceso nuevo, pero no efectúa una copia del proceso padre. En su lugar, hasta que se llame a `exec` o `exit`, el nuevo proceso corre en el espacio de direcciones del proceso padre, si accede alguna porción de la memoria ocupada por este último, dicha porción de memoria es copiada al proceso hijo. Esta característica se denomina copiado durante escritura.

La razón fundamental de la existencia de `vfork` es acelerar la creación de procesos nuevos. Además, `vfork` posee la característica adicional de garantizar que el proceso hijo se ejecute antes que el proceso padre, por lo tanto eliminando la posibilidad de una condición de competencia. Bajo Linux, sin embargo, `vfork` es simplemente una envoltura en torno de `fork`, porque Linux siempre ha utilizado el mecanismo de copiado durante escritura. La `fork` de Linux, por lo tanto, es tan rápida como la vfork de UNIX a, pero en cambio la `vfork` de Linux, como es simplemente un alias de `fork`, no puede garantizar que el proceso hijo se ejecutará antes que el proceso padre.

UTILIZACIÓN DE `exec`

La función `exec` es en realidad una familia de seis funciones, en la que cada una de las cuales exhibe convenciones de llamada y empleos levemente diferentes. A pesar de la multiplicidad de funciones, las mismas son conocidas convencionalmente en bloque como "la función `exec`". Lo mismo que `fork`, `exec` está declarada en `<unistd.h>`. Los prototipos son los siguientes:

```
int execl(const char *path, const char *arg, ...);
int execlp(const char *file, const char *arg, ...);
int execle(const char *path, const char *arg, char *const envp[]);
int execv(const char *path, char *const argv[]);
int execve(const char *path, char *const argv[], char *const envp[]);
int execvp(const char *file, char *const argv[]);
```

`exec` reemplaza completamente la imagen del proceso que efectuó la llamada con la del programa iniciado por `exec`. En tanto que `fork` crea un proceso nuevo, y por lo tanto genera una nueva PID, `exec` inicia un nuevo programa que reemplaza al proceso original. Por lo tanto, la PID de un proceso iniciado mediante `exec` no varía.

`execve` acepta tres argumentos: `path`, `argv` y `envp`. `path` es la ruta completa de acceso al archivo binario ejecutable o al *script* que se desea ejecutar. `argv` es la lista completa de argumentos que se le desea transferir al programa, incluyendo `argv[0]`, que ha sido tradicionalmente el nombre del programa a ser ejecutado. `envp` es un puntero a un entorno especializado, si lo hubiera, para el programa que debe iniciar `exec` (fue `NULL` en el programa de muestra).

EJEMPLO

Ejemplo

Mostramos que, `execve` se utiliza para ejecutar un comando `ls` en el directorio corriente.

```
/* Nombre del programa en Internet: execve.c */
/*
 * execve.c - Ilustra el empleo de execve
 */
```

```
#include <unistd.h>
#include <stdlib.h>
#include <stdio.h>

int main(void)
{
    char *args[] = {"/bin/ls", NULL};

    if(execve("/bin/ls", args, NULL) == -1) {
        perror("execve");
        exit(EXIT_FAILURE);
    }

    puts("No debería llegar aqui");
    exit(EXIT_SUCCESS);
}
```

Una corrida de prueba de este programa (recordemos que se trata de un listado de directorio) generó la siguiente salida (los nombres de los archivos corresponden a los presentes en la página de este libro en Internet):

SALIDA

```
$ ./execve
Makefile execve   getname.c         prprids.c          resusg2.c
child.c  execve.c ids.c    resusg1.c
```

Como se puede apreciar de esta salida, la sentencia `puts` no se ejecutó. ¿Por qué razón? Si `exec` tiene éxito, no regresa nunca al proceso que la llamó, y por lo tanto las últimas dos líneas de este programa jamás se ejecutarán. Esto tiene sentido porque, como se comentó anteriormente, `exec` reemplaza de forma completa el proceso que efectuó la llamada con el nuevo programa, de modo que no quedan trazas de aquél. O sea, ya no hay un proceso que hubiera efectuado la llamada al cual retornar. Si `exec` fracasa, sin embargo, retorna -1 e inicializa la variable global `errno`. El valor ingresado a `errno` puede ser convertido en un mensaje de error inteligible utilizando `strerror`, parte de la biblioteca estándar de E/S (ver `man errno` para obtener detalles sobre el empleo de esta variable).

`exec` EN DETALLE

Dada la confusa similitud entre las seis funciones de la familia exec, se ofrece a continuación un análisis completo de su sintaxis, comportamiento, similitudes y diferencias.

Cuatro de las funciones –`execl`, `execv`, `execle`, y `execve`– aceptan rutas de acceso como primer argumento. `execlp` y `execvp` aceptan nombres de archivo y, si estos no contienen la barra oblicua, imitarán la conducta de la interfaz y recurrirán a $PATH para localizar el archivo binario a ejecutar.

Las tres funciones que contienen una l esperan una lista de argumentos separados por comas, terminada por un puntero NULL, que será transferida al programa que ejecutará exec. Las funciones que contienen una v en su nombre, sin embargo, admiten un vector, o sea, un arreglo de punteros a cadenas terminadas en \0 (cero binario). El arreglo debe estar terminado con un puntero NULL. Por ejemplo, supongamos que el lector desee exec el comando /bin/cat /etc/passwd /etc/group. Utilizando una de las funciones l, simplemente deberá transferir cada uno de estos valores como un argumento, terminando la lista con NULL, como se ilustra a continuación:

```
execl("/bin/cat", "/etc/passwd", "/etc/group", NULL);
```

Si prefiere utilizar una de las funciones v, sin embargo, primero deberá construir el arreglo argv array, y luego transferir ese arreglo a la función exec. Su código sería similar al siguiente:

```
char *argv[] = {"/bin/cat", "/etc/passwd", "/etc/group", NULL};
execv("/bin/cat", argv);
```

Finalmente, las dos funciones que terminan en e –execve y execle– le permiten a uno crear un entorno especializado para el programa a ser ejecutado por exec. La ubicación de ese entorno se almacena en envp, que es también un puntero a un arreglo terminado en \0 de cadenas terminadas en \0. Cada cadena tiene la forma de par *nombre=valor,* donde *nombre* es el nombre de una variable de entorno y *valor* es su respectivo valor. Por ejemplo,

```
char *envp[] = "PATH=/bin:/usr/bin", "USUARIO=Juan Perez", NULL};
```

En este ejemplo, PATH y USUARIO son los nombres y /bin:/usr/bin y Juan Perez son los valores.

Las otras cuatro funciones reciben sus entornos de manera implícita a través de una variable global denominada environ que contiene la dirección de un arreglo de cadenas que contienen el entorno del proceso que efectuó la llamada. Para manipular el entorno que heredan estas funciones, utilice las funciones putenv y getenv, declaradas en <stdlib.h> y prototipadas así:

```
int putenv(const char *string)
char *getenv(const char *name);
```

getenv busca una variable de entorno denominada name y retorna un puntero a su valor, o retorna NULL si no existe correspondencia. putenv añade o modifica el par *nombre=valor* especificado en string. Si tiene éxito, retorna cero. Si fracasa, retorna -1. El código que utiliza getenv y putenv se muestra en el siguiente programa.

Ejemplo

El siguiente programa ilustra el comportamiento de `getenv`:

```
/* Nombre del programa en Internet: testenv.c */
/*
 * comprueba_entorno.c - Comprueba entorno para una variable de entorno
 */
#include <unistd.h>
#include <stdlib.h>
#include <stdio.h>


int main(void)
{
     char variable_de_entorno[] = {"MI_RUTA =
/usuario/local/alguna_aplicacion/ejecutable"};


     if(putenv(variable_de_entorno))
          puts("putenv fallo");
     else
          puts("putenv tuvo exito");


     if(getenv("MI_RUTA"))
          printf("MI_RUTA=%s\n", getenv("MI_RUTA"));
     else
          puts("MI_RUTA sin asignar");


     if(getenv("SU_RUTA"))
          printf("SU_RUTA=%s\n", getenv("SU_RUTA"));
     else
          puts("SU_RUTA sin asignar");


     exit(EXIT_SUCCESS);
}
```

La ejecución del programa produce la siguiente salida:

```
$ ./comprueba_entorno
putenv tuvo exito
MI_RUTA = /usuario/local/alguna_aplicacion/ejecutable
SU_RUTA sin asignar.
```

Esperas en procesos

Luego que uno genera (mediante `fork`) o ejecuta (utilizando `exec`) un proceso nuevo, el proceso padre debe aguardar para que éste finalice a fin de recoger su condición de salida y evitar la creación de zombies. Igual que con `exec`, uno dispone de una variedad de funciones para poder utilizar. Para evitar generar una total confusión, sin embargo, esta sección se concentra sólo en las funciones `wait` y `waitpid`.

¿Qué es un zombie? Un `proceso zombie` es un proceso hijo que termina sin que su proceso padre disponga recoger la condición de salida del mismo con `wait` o `waitpid`. Un proceso padre recoge la condición de salida de un proceso hijo utilizando una de las funciones `wait` a fin de recuperar la condición de salida desde la tabla de procesos del kernel. Este tipo de proceso se denomina zombie porque está efectivamente muerto pero sigue todavía presente en la tabla de procesos. El proceso hijo ha terminado, han sido liberados la memoria y demás recursos asignados al mismo, pero aún ocupa un lugar en la tabla de procesos del kernel. El kernel almacena la condición de salida del proceso hijo hasta que el proceso padre la retire de allí.

Tener uno o dos zombies no representa un problema, pero si un programa ejecuta constantemente comandos `fork` y `exec` no recoge sus condiciones de salida, la tabla de procesos eventualmente se llena, lo que deteriora el desempeño y obliga a volver a arrancar el sistema, lo que obviamente no es una situación deseable en un entorno de producción con requerimientos críticos.

Un proceso *huérfano,* por otro lado, es un proceso hijo cuyo padre termina antes de llamar a `wait` o `waitpid`. En este caso, el proceso `init` asume el papel del padre del proceso hijo y recoge su condición de salida, evitando en consecuencia la aparición de zombies.

Para recoger la condición de salida de un proceso hijo se deber efectuar una llamada a `wait` o a `waitpid`. Para ellos se debe incluir los archivos de encabezado `<sys/types.h>` y `<sys/wait.h>`. Los prototipos de estas funciones son los siguientes:

```
pid_t wait(int *status);
pid_t waitpid(pid_t pid, int *status, int options);
```

El parámetro `status` almacena la condición de salida del proceso hijo. `pid` es la PID del proceso pos el cual se quiere aguardar. La misma puede adoptar uno de cuatro valores, listados en la tabla 4.3.

Tabla 4.3. *Valores posibles de pid*

Valor	Descripción
< -1	Aguardar por cualquier proceso hijo cuya PGID sea igual al valor absoluto de PID
-1	Aguardar por cualquier proceso
0	Aguardar por cualquier proceso cuya PGID sea igual a la del proceso que efectuó la llamada
> 0	Aguardar por el proceso hijo cuya PID sea igual a pid

`options` especifica cómo se deberá comportar la llamada a `wait`. Puede ser WNOHANG, que hace que waitpid retorne inmediatamente si ningún proceso hijo ha terminado, WUNTRACED, que significa que deberá retornar la condición de los procesos hijos cuyo estatus no ha sido informado, o se puede efectuar con ambos parámetros un O lógico para obtener ambas conductas al mismo tiempo (es decir, poner WNOHANG ¦¦ WUNTRACED como argumento de `options`).

Ejemplo

El programa aguardar.c ilustra el uso de `waitpid`.

```
/* Nombre del programa en Internet: waiter.c */
/*
 * aguardar.c - Empleo sencillo de wait
 */
#include <unistd.h>
#include <sys/types.h>
#include <sys/wait.h>
#include <stdio.h>
#include <stdlib.h>

int main(void)
{
    pid_t hijo;
    int condicion;

    if((hijo = fork()) == -1) {
        perror("fork");
        exit(EXIT_FAILURE);
    } else if(hijo == 0) {
        puts("En proceso hijo:");
        printf("\tpid de proceso hijo = %d\n", getpid());
        printf(stdout, "\tppid de proceso hijo = %d\n", getppid());
        exit(EXIT_SUCCESS);
    } else {
waitpid(hijo, &condicion, 0);
        puts("En proceso padre:");
        printf("\tpid de proceso padre = %d\n", getpid());
        printf("\tppid de proceso padre = %d\n", getppid());
        printf("\tEl proceso hijo retorno %d\n", condicion);
    }
    exit(EXIT_SUCCESS);
}
```

Una corrida de prueba de este programa produjo la siguiente salida:

```
$ ./aguardar
En proceso hijo:
    pid de proceso hijo = 4502
    ppid de proceso hijo = 4501
En proceso padre:
    pid de proceso padre = 4501
    ppid de proceso padre = 4429
    El proceso hijo retorno 0
```

Este programa es similar al anterior `hijo.c`, excepto que añade una sentencia `waitpid`. Específicamente aguarda por el proceso `hijo` especificado por hijo para retornar y también exhibe la condición de salida del mismo. Obsérvese que las salidas de los procesos padre e hijo no están entremezcladas como sucedía en `hijo.c`. La ejecución del proceso padre se detiene hasta que finalice el proceso hijo. `waitpid` (y `wait`) retorna la PID del proceso hijo que finalizó, 0 si se especificó WNOHANG en `options`, o -1 si ocurrió un error.

Eliminación (*killing*) de procesos

Un proceso puede terminar por una de cinco razones:

- Su función `main` llama a `return`
- Llama a `exit`
- Llama a `_exit`
- Llama a `abort`
- Es finalizado por una señal.

Las primeras tres razones constituyen terminaciones normales, y las dos últimas terminaciones anormales. Independientemente de por qué razón finaliza un proceso, sin embargo, se ejecuta finalmente el mismo código de kernel, que cierra archivos abiertos, libera recursos de memoria y lleva a cabo cualquier otra tarea de limpieza que sea requerida. Como este libro supone que sus lectores poseen conocimientos de C, consideramos que la función `return` no necesita de mayores explicaciones.

LAS FUNCIONES `exit`

Ya se ha visto utilizar la función `exit` (salida), que es parte de la biblioteca estándar de C, en diversos programas a lo largo de este capítulo. En lugar de suministrar otro ejemplo, listaremos su prototipo, tal como está declarado en `<stdlib.h>`:

```
int exit(int status);
```

`exit` da lugar a la terminación normal de un programa y retorna `status` al proceso padre. Se ejecutan en esa ocasión todas las funciones que se hallan registradas con `atexit` (a la salida).

La función `_exit`, que está declarada en `<unistd.h>`. termina inmediatamente el proceso que la llama. En este caso no se ejecutan las funciones que se encuentran registradas con `atexit`.

UTILIZACIÓN DE abort

Utilice la función `abort` si se ve en la necesidad de terminar un programa anormalmente. Bajo Linux, `abort` tiene el efecto adicional de hacer que un programa vuelque la memoria, que la mayoría de los depuradores utilizan para analizar el estado de un programa cuando éste se bloqueó. Aunque procede a cerrar todos los archivos abiertos, `abort` es una llamada "dura" y debería ser empleada sólo como último recurso, tal como por ejemplo, cuando el programa encuentra que no está en condiciones de administrar, como una aguda falta de memoria. `abort` es también una función incluida en la biblioteca estándar (declarada en `<stdlib.h>`). Su prototipo es:

```
void abort(void);
```

Ejemplo

El siguiente programa muestra el comportamiento de la función `abort`:

```
/* Nombre del programa en Internet: abort.c */
/*
 * abortar.c - Demuestra la llamada a sistema abort
 */
#include <stdlib.h>
#include <stdio.h>

int main(void)
{
    abort();

    /* El programa no deberia llegar aqui */
    exit(EXIT_SUCCESS);
}
```

La salida de este programa sería como sigue:

```
$ ./abort
Aborted
```

Observe que su sistema tal vez no genere un vuelco de memoria (core *dump*). Si no lo hiciera, utilice el comando de interfaz `ulimit` tal como se muestra en la nueva corrida siguiente. El archivo donde se vuelca la memoria resulta útil cuando se depura un programa.

```
$ ulimit -c unlimited
$ ./abort
Aborted (core dumped)
```

✔ Para mayor información sobre depuración con un archivo de volcado de memoria, ver "Inicio de gdb," página 428.

EMPLEO DE LA FUNCIÓN `kill`

Los dos parágrafos anteriores se concentraron en la manera en que un proceso puede eliminarse a sí mismo. ¿Cómo, entonces, puede un proceso dar término a otro? Utilizando la función `kill`, cuyo prototipo es el que sigue:

```
int kill(pid_t pid, int sig);
```

Para utilizarla, el lector deberá incluir en el código fuente de su programa tanto `<sys/types.h>` como `<signal.h>`. El parámetro pid especifica el proceso que se desea eliminar y sig es la señal que se desea enviar para ello. Como esta parte cubre la eliminación de un proceso, y no trata sobre señales, la única señal que consideraremos por el momento es `SIGKILL`. El capítulo 5 amplía el tratamiento de las señales. Por ahora, sólo dé lo siguiente por cierto.

EJEMPLO

Ejemplo

Este programa muestra cómo eliminar un proceso:

```
/* Nombre del programa en Internet: killer.c */
/*
 * eliminar_proceso.c - Eliminacion de otros procesos
 */
#include <sys/types.h>
#include <sys/wait.h>
#include <signal.h>
#include <stdlib.h>

#include <stdio.h>

int main(void)
{
    pid_t hijo;
    int condicion, valor_retornado;

    if((hijo = fork()) < 0) {
        perror("fork");
        exit(EXIT_FAILURE);
    }
    if(hijo == 0) {
        /* dejarlo inactivo lo suficiente como para poder eliminarlo */
        sleep(1000);
        exit(EXIT_SUCCESS);
    } else {
        /* Utilizar WNOHANG para hacer retornar a wait inmediatamente */
```

```
        if((waitpid(hijo, &condicion, WNOHANG)) == 0) {
            valor_retornado = kill(hijo, SIGKILL);
            if(valor_retornado) {
                /* kill fracaso, de modo que esperar que el proceso hijo finalice
*/
                puts("kill fracaso\n");
                perror("kill");
                waitpid(hijo, &condicion, 0);
            } else
                printf("%d eliminado\n", hijo);
        }
    }
    exit(EXIT_SUCCESS);
}
```

La salida de este programa debería ser similar a la siguiente:

```
$ ./eliminar_proceso
4511 eliminado
```

Luego de verificar que la función `fork` haya cumplido con su cometido, el proceso hijo "dormirá" durante 1.000 segundos y luego saldrá. El proceso padre, entretanto, llama a `waitpid` para que actúe sobre el proceso hijo pero utiliza la opción WNOHANG para que la llamada retorne inmediatamente. Luego elimina el proceso hijo. Si `kill` fracasa, esta función retornará -1, en caso contrario retornará 0. Si `kill` fracasa, el proceso padre llama a `waitpid` una segunda vez, asegurándose que la ejecución se detenga hasta que el proceso hijo finalice. En caso contrario, el proceso padre exhibe un mensaje de éxito y finaliza. `kill` se utiliza habitualmente para terminar un proceso o grupo de procesos, pero puede ser empleada también para enviar cualquier señal a un proceso o grupo de procesos. El capítulo 5 cubre lo referente a señales en detalle.

Cuándo manipular procesos

¿Qué situaciones requieren el empleo de las manipulaciones de procesos vistas en este capítulo? Una de ellas ya ha sido mencionada: cuando uno quiere o necesita utilizar las prestaciones de un programa externo en su propio código. Supongamos que el lector esté creando un (otro más) administrador de archivos. Aunque sería ideal redactar su propia implementación del programa `ls`, sería mucho más rápido en términos de tiempo de desarrollo utilizar el comando `ls` existente y concentrar sus esfuerzos de programación en utilizar la salida de `ls` en su programa.

Si uno crea nuevos procesos utilizando `fork` o `exec`, resulta vital aprovechar sus códigos de salida utilizando una de las funciones `wait` para mantener un sistema que funcione sin fisuras. De modo similar, el lector debería siempre asegurarse que sus programas llamen a `return` o a `exit` antes de salir de modo que los demás programas puedan recoger los correspondientes códigos de salida. La cuestión es que una administración responsable de procesos necesita utilizar algunas de las técnicas comentadas en este capítulo.

Finalmente, a medida que el lector vaya desarrollando programas, ya sea para su empleo personal o para terceros, inevitablemente encontrará problemas. Una de las mejores herramientas para resolver problemas de código es el archivo de volcado de memoria, la imagen de un programa en ejecución que se escribe a disco. Por lo tanto, si uno puede circunscribir un problema a una sección específica de su programa, el empleo juicioso de `abort` generará un archivo de volcado de memoria que puede ser empleado para la depuración del mismo (la depuración se cubre en el capítulo 20, "Un toolkit de depuración"). Sin duda alguna, cuando el lector se convierta en un programador experimentado de Linux, encontrará muchas situaciones en las cuales la administración de procesos empleando las técnicas comentadas en este capítulo le resultará esencial.

Lo que viene

Este capítulo ha echado una prolongada mirada sobre los procesos de Linux. El próximo capítulo cubre un tema complementario, las señales, y profundiza su comprensión de los procesos y de la programación en Linux en general.

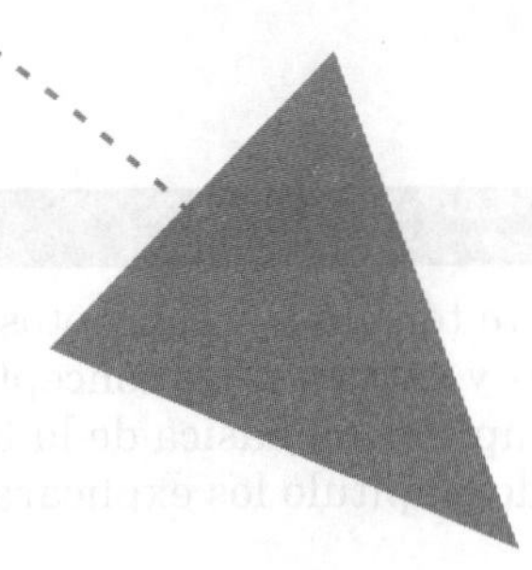

Señales

Las señales constituyen la forma más simple de comunicación entre procesos de que se dispone en Linux. Los procesos las utilizan para comunicarse entre sí, y el kernel las emplea a su vez para comunicarse con cada uno de los procesos. Las señales son también el mecanismo clave para el control de las tareas, que es la capacidad de correr aplicaciones en segundo plano o detenerlas provisoriamente. Si uno tuviese que escribir un programa de aplicación de cierta envergadura, necesitaría emplear señales.

Este capítulo cubre los siguientes temas:

- **¿Qué es una señal?**
- **Terminología de las señales**
- **Las primeras API de señales y sus problemas**
- **Las API de señales POSIX y Linux**
- **Envío y recepción de señales**
- **Administración de conjuntos de señales**

Todos los programas de este capítulo pueden ser encontrados en el sitio Web `http://www.mcp.com/info` **bajo el número de ISBN 0789722151.**

Conceptos sobre señales

Cuando se habla de señales, surgen continuamente términos y conceptos diversos. Esta parte del libro define dichos términos y explica tales conceptos. A esta altura del análisis nos bastará con una comprensión básica de la terminología y de los conceptos empleados; el resto del capítulo los explicará en mayor detalle.

¿Qué es una señal?

Una señal es una pieza de software análoga a una interrupción de hardware, un suceso que tiene lugar en casi cualquier momento durante la ejecución de un proceso. Esta imprevisibilidad significa que las señales son asincrónicas. No solamente puede tener lugar una señal en cualquier momento, sino que además el proceso que recibe la señal no tiene ningún control sobre el momento en que la misma es enviada. Cada señal tiene un nombre, que comienza con SIG, como por ejemplo `SIGTERM` o `SIGHUP`. Esos nombres corresponden a constantes enteras positivas, denominadas número de señal, definidas en el encabezado del archivo de sistema `<signal.h>`.

Las señales aparecen en muchas situaciones. Una excepción de hardware, tal como una referencia ilegal a la memoria, genera una señal. También genera una señal (`SIGPIPE`) una excepción de software; por ejemplo, tratar de escribir a un pipe cuando el mismo no dispone de lectores (procesos que se encuentren presentes del otro lado del conducto). La función *kill* (matar) que se comenta en el capítulo 4, "Procesos", envía una señal al proceso a ser *matado* (finalizado), lo mismo que lo hace el comando kill. Finalmente, las acciones generadas desde una terminal, como por ejemplo tipear Ctrl+Z en el teclado para suspender el proceso que se está ejecutando en primer plano, también generan señales.

✔ Para una exposición completa sobre cómo escribir a pipes, ver "Pipes de lectura y escritura", página 325.

Cuando un proceso recibe una señal, puede hacer con ella una de tres cosas:

- Puede ignorar (pasar por alto) la señal.
- Puede permitir que ocurra la acción predeterminada asociada a la señal.
- Puede capturar o *interceptar* la señal, lo que hace que se ejecute una sección especial de código, denominada *handler* (manipulador) de señal. Esto se denomina precisamente manipular la señal.

Este capítulo examina cada una de estas opciones en detalle.

Terminología de las señales

Se genera una señal determinada para un proceso cada vez que ocurre algún suceso que dé lugar a esa señal, como por ejemplo una excepción de hardware. A la inversa, se dice que una señal es entregada cuando el proceso al cual ésta ha sido enviada toma acción sobre la misma. Durante el intervalo que transcurre entre la generación de una señal y su posterior entrega, se la considera pendiente. La entrega de una señal se puede *bloquear,* o sea demorar. La señal estará demorada hasta que sea desbloqueada o hasta que el proceso receptor decida ignorarla. La manera en que un proceso responde a una señal se denomina *disposición* de la señal. Un proceso puede alternativamente pasar por alto una señal, permitir que tenga lugar su acción predeterminada, o manipularla, donde esto último significa ejecutar, en respuesta a la misma, un trozo de código personalizado. Una señal bloqueada también es considerada pendiente.

Un *conjunto de señales* es un tipo de datos de C, `sigset_t`, definido en `<signal.h>`, que es capaz de representar múltiples señales. Finalmente, la *máscara de señales* de un proceso es el conjunto de señales cuya entrega el mismo tiene bloqueado en un momento dado.

Una y otra vez se leerá en este libro que Linux, aunque haya sido diseñado siguiendo las especificaciones POSIX, ha incorporado liberalmente características de las dos ramas principales de su antecesores, los UNIX de AT&T y BSD. Esta herencia se hace evidente en las señales. Lo que ocurre es que tanto en el UNIX de AT&T como en el de BSD se ha adoptado también una API de señal compatible con POSIX, de modo que las diferencias entre ambas API no resultan demasiado significativas (siempre y cuando todo el mundo escriba su código para la API compatible con POSIX, por supuesto). A continuación mostramos, luego de un rápido repaso del desarrollo de la API de señal, cómo enviar, interceptar y manipular señales.

Historia de las señales

Las señales han sido parte de UNIX casi desde el principio, pero a los creadores del UNIX les requirió no obstante un par de intentos lograr hacerlas funcionar correctamente. Sin entrar a considerar de lleno todos los detalles intrincados de su desarrollo, con la aparición de las primeras implementaciones de señales surgieron tres problemas principales. El primer problema fue que los manipuladores de señal tenían que volver a ser instalados cada vez que se los utilizaba, lo que daba lugar a una posible (o probable) condición de competencia. Si se entregaba una segunda señal mientras la primera estaba siendo manipulada, y antes de que se pudiese volver a instalar el manipulador de señales, o bien esta segunda señal se perdía o, alternativamente, el proceso permitía que tuviera lugar la acción original de la señal, sin ningún procesamiento.

El segundo problema ocurrido con las implementaciones iniciales de las señales fue que éstas no proveían una manera sencilla de suspender temporariamente un proceso hasta que arribase una señal. Como resultado, podía darse el caso de que se entregase una señal a un proceso y éste no cayese en cuenta de su arribo. Finalmente, las llamadas al sistema no se reiniciaban automáticamente cuando eran interrumpidas por una señal. En consecuencia, se imponía una enorme carga sobre los programadores. Después de cada llamada al sistema, éstos tenían que verificar la variable errno y reemitir dicha llamada si el valor obtenido para `errno` fuera `EINTR`. Las implementaciones de señales que adolecen de estos defectos se denominan señales no confiables.

La API de señales POSIX que cubre este capítulo es considerada confiable porque ha subsanado estas limitaciones. Bajo POSIX, los manipuladores de señal permanecen instalados, evitándose así la condición de competencia y sus consecuencias posteriores. Ciertas llamadas al sistema se reinician automáticamente, aliviando así la tarea del programador, y POSIX también provee una manera confiable de detener un proceso hasta que se le entregue una señal, eliminando así el problema de las señales perdidas.

Señales disponibles

La tabla 5.1 enumera todas las señales que admite Linux.

Tabla 5.1. *Señales de Linux*

Señal	Descripción	Acción predeterminada
SIGABRT	Generada por la función abort del sistema (POSIX)	Proceso termina y graba una imagen de la memoria (*core dump*)
SIGALRM	Una señal despertadora (*timer signal*) generada por la función alarm del sistema (POSIX)	Proceso termina
SIGBUS	El proceso trató de utilizar memoria mal alineada o sin alinear (4.2 BSD)	Proceso termina y graba una imagen de la memoria (*core dump*)
SIGCHLD	Un proceso hijo se ha detenido	Ignorarla o terminado (POSIX)
SIGCONT	El proceso debe continuar si está detenido (POSIX)	Continuar (ignorar si el proceso no está detenido)
SIGEMT	Error de bus (*hardware*)	Proceso termina y graba una imagen de la memoria (*core dump*)
SIGFPE	Excepción de punto flotante (POSIX)	Proceso termina y graba una imagen de la memoria (*core dump*)
SIGHUP	Proceso recibió un corte de línea en su terminal de control o su proceso de control murió	Proceso termina
SIGILL	Comando ilegal (POSIX)	Proceso termina y vuelca (graba) una imagen de la memoria (*core dump*)
SIGINFO	Lo mismo que SIGPWR	Ignorarla
SIGINT	Usuario generó una interrupción de teclado (POSIX)	Proceso termina
SIGIO	Se recibió E/S asincrónica (4.2 BSD)	Ignorarla
SIGIOT	Error de E/S. Igual que SIGABRT (4.2 BSD)	Proceso termina y graba imagen de la memoria (*core dump*)
SIGKILL	Terminar proceso (POSIX)	Proceso termina, no se puede interceptar o ignorar
SIGLOST	Proceso perdió la traba de un archivo	Proceso termina
SIGPIPE	Proceso trató de escribir a un conducto sin lectores (POSIX)	Proceso termina
SIGPOLL	Ocurrió suceso encuestable (Sistema V)	Proceso termina
SIGPROF	Alarma de contorno asignada sobre un segmento de código expiró (4.2 BSD)	Proceso termina

continúa

Tabla 5.1. *Señales de Linux (continuación)*

Señal	**Descripción**	**Acción predeterminada**
SIGPWR	Sistema detectó un problema de suministro eléctrico (Sistema V)	Ignorarla
SIGQUIT	Usuario generó una salida desde el teclado (POSIX)	Proceso termina y graba una imagen de la memoria (*core dump*)
SIGSEGV	Proceso trató de referenciar memoria inaccesible (POSIX)	Proceso termina y graba una imagen de la memoria (*core dump*)
SIGSTKFLT	Proceso generó una falla en la pila ("derrumbó la pila")	Proceso termina
SIGSTOP	Señal de detención (POSIX)	Detención, no se puede interceptar o ignorar
SIGSYS	Argumento incorrecto pasado a rutina	Proceso termina y graba una imagen de la memoria (*core dump*)
SIGTERM	Proceso recibió una señal de terminación (POSIX)	Proceso termina
SIGTRAP	Proceso llegó a un punto de detención (generalmente durante una depuración de código) (POSIX)	Proceso termina y graba una imagen de la memoria (*core dump*)
SIGTSTP	Usuario generó una detención desde el teclado (POSIX)	Detención
SIGTTIN	Proceso trató de leer desde `stdin` mientras corría en segundo plano (POSIX)	Detención
SIGTTOU	Proceso intentó escribir a `stdout` mientras corría en segundo plano (POSIX)	Detención
SIGUNUSED	Señal no utilizada	Proceso termina
SIGURG	Condición de urgencia en un `socket` (4.2 BSD)	Ignorarla
SIGUSR1	Señal 1 definida por el usuario (POSIX)	Proceso termina
SIGUSR2	Señal 2 definida por el usuario (POSIX)	Proceso termina
SIGVTALRM	Alarma de intervalos expiró (4.2 BSD)	Proceso termina
SIGWINCH	El tamaño de una ventana terminal cambió (4.3 BSD, Sun)	Ignorarla
SIGXCPU	Proceso excedió la cantidad de tiempo de CPU que podía utilizar (4.2 BSD)	Proceso termina y graba una imagen de la memoria (*core dump*)

continúa

Tabla 5.1. Señales de Linux (continuación)

Señal	Descripción	Acción predeterminada
SIGXFSZ	Proceso trató de acceder o manipular un archivo mayor que el límite de tamaño de archivo del sistema (4.2 BSD)	Proceso termina y graba una imagen de la memoria (*core dump*)

Como se puede ver a partir de la tabla 5.1, las señales que Linux reconoce son una mezcolanza de señales derivadas de BSD, de Sistema V o de AT&T y, por supuesto, de POSIX. Varias de las señales listadas, sin embargo, incluyendo SIGEMT, SIGCLD, SIGINFO y SIGLOST, no están implementadas (¡por lo que el hecho de que no obstante se encuentren documentadas en la página 7 (señales) del manual constituye un misterio!). Los siguientes párrafos tratan la mayoría de estas señales más detalladamente.

SIGABRT es generada por la función abort que se comenta en el capítulo 4. SIGALRM y SIGVTALRM se generan cuando los temporizadores (*timers*) configurados utilizando las llamadas `alarm` y `setitimer`, respectivamente, las disparan. La llamada alarm se comenta más adelante en este mismo capítulo en la parte "Establecimiento de una alarma." SIGBUS de hecho no tiene lugar en los sistemas Linux; cuando un proceso trata de utilizar una memoria desalineada, el kernel, en lugar de generar SIGBUS, repara él mismo el problema de alineación y luego continúa. SIGCHLD se envía a un proceso padre cuando uno de sus procesos hijos termina o se detiene, lo que permite al padre llamar a una de las funciones wait para obtener el estado de salida.

✔ Las funciones `wait` se explican detalladamente en "Esperas en procesos", página 84.

SIGHUP tiene lugar cuando termina un líder de sesión o cuando se cierra una terminal de control. SIGFPE se envía cuando ocurre cualquier excepción aritmética, tal como *overflows* (desbordes), *underflows* (desbordes por la derecha) o divisiones por cero. SIGILL es generada por otra excepción de hardware, la ejecución de un comando ilegal. SIGINT hace que todos los procesos presentes en el grupo de procesos que está ejecutándose en primer plano terminen porque el usuario generó una interrupción desde el teclado, generalmente tipeando Ctrl+C.

SIGQUIT, de manera similar, se genera cuando se tipea desde el teclado el carácter de salida, generalmente Ctrl+\. Otra señal generada desde el teclado, Ctrl+Z, genera SIGTSTP. Las funciones SIGKILL y SIGTERM son generadas por la función `kill`. Obsérvese que SIGKILL no puede ser interceptada ni ignorada; esta configuración permite disponer al superusuario de un método no ambiguo para matar un proceso que no se esté comportando adecuadamente.

SIGSTOP detiene cualquier proceso y, lo mismo que SIGKILL, no puede ser interceptada ni ignorada. Sin embargo, a diferencia de SIGKILL, SIGSTOP meramente detiene un proceso que se esté ejecutando. La ejecución del mismo puede continuarse enviándole SIGCONT. Lamentablemente, no existe algo así como SIGRESURRECT para los procesos eliminados. SIGTTIN y SIGTTOU tienen lugar cuando un proceso que se está ejecutando en segundo plano intenta obtener entrada desde su terminal de control o escribir a la misma. Cuando una ventana de terminal cambia de tamaño, todos los procesos que se están ejecutando en primer plano reciben la señal SIGWINCH. Las señales SIGUSR1 y SIGUSR2 están reservadas para uso particular de cada proceso. SIGXCPU y SIGXFS, finalmente, se generan cuando un proceso se excede de su tiempo asignado de CPU o de su máximo tamaño permitido de archivos, respectivamente.

Envío de señales

Desde un programa, existen dos maneras de enviar una señal a un proceso en ejecución: utilizando el comando `kill` (`kill`(1)) o empleando la función `kill`(2). El comando `kill` es en realidad una interfaz de usuario hacia la función *kill*.

✔ Para obtener una descripción detallada de la función `kill`, ver "Eliminación (*killing*) de procesos", pág. 86.

Empleo del comando kill

Para poder utilizar el comando `kill` en un programa, se debe llamar a una de estas tres funciones: `system`, `fork` o `exec`. Como se ha visto en el capítulo anterior, las llamadas a `system` o a `fork` generan un nuevo proceso que tendrá a su cargo la ejecución de `kill`, mientras que exec reemplaza al proceso que efectuó la llamada antes de ejecutar `kill`. El resultado, sin embargo, es el mismo: el proceso correspondiente queda terminado.

Ejemplo

Este ejemplo primero genera un nuevo proceso que no hace otra cosa que permanecer inactivo. Luego una llamada a exec elimina el proceso hijo antes de que el programa finalice.

```
/* Nombre del programa en Internet: pkill.c */
/*
 * eliminar_proceso.c - Enviar una señal por medio de kill(1)
 */
#include <sys/types.h>
#include <wait.h>
#include <unistd.h>
#include <stdio.h>
#include <stdlib.h>

int main(void)
{
    pid_t hijo;
    char cadena[6];      /* Cinco digitos de un PID mas un digito para el cero de
terminacion */

    if((hijo = fork()) < 0) {
        perror("fork");
        exit(EXIT_FAILURE);
    } else if(hijo == 0) { /* El programa se encuentra en el proceso hijo */
        sleep(30);
    } else {
```

```
            /* El programa se encuentra en el proceso padre, */
            /* de modo que matara al proceso hijo */
            sprintf(cadena, "%d", hijo);
            printf("Eliminando %s\n", cadena);
            if((execl("/bin/kill", "/bin/kill", cadena, NULL)) < 0) {
                /* El exec fracaso, de modo que esperar */
                /* y obtener la condicion de salida */
                perror("execl");
                waitpid(hijo, NULL, 0);
                exit(EXIT_FAILURE);
            }
        }
    exit(EXIT_FAILURE); /* El programa no deberia llegar hasta aqui */
}
```

Después de verificar que el `fork` tuvo efectivamente lugar, el proceso hijo queda inactivo ("duerme") durante 30 segundos, tiempo más que suficiente para que el padre lo elimine. Si, por alguna razón, la llamada a `exec` fracasara, resulta importante aguardar hasta que el proceso hijo finalice, de modo de poder obtener su condición de salida. Recuérdese del capítulo anterior que las funciones de `exec` nunca regresan un código de salida al programa que las llamó, a menos que tenga lugar un error. El programa también utiliza la función `sprintf` para convertir el PID numérico del hijo en una cadena alfanumérica terminada con un cero que pueda ser pasada sin problemas a la función `execl`. Cuando se corre el programa, la salida simplemente indica que el padre está eliminando a su hijo:

SALIDA

```
$ ./ eliminar_proceso
Eliminando 759
```

Por supuesto, el PID indicado sea probablemente distinto para el sistema con que cuente el lector.

Empleo de la función kill

El empleo de la función `kill` es más sencillo que la ejecución del comando `kill`, porque no se deben realizar los pasos adicionales para preparar una cadena para `exec`. Todo lo que se requiere es el PID y la señal que se desea utilizar. La razón para utilizar `execl` en el ejemplo anterior fue simplemente poder ilustrar el uso de `/bin/kill` en un programa en ejecución.

Se habrá notado que ninguna señal tiene el valor `0`. La única que tiene este valor es la *señal nula,* que tiene un propósito especial. Si uno le transfiere a `kill` la señal nula, `kill` no envía ninguna señal, sino que se remite a realizar su verificación rutinaria de errores. Esto último puede ser útil si se desea comprobar si un proceso determinado se encuentra todavía ejecutándose, empleando su PID para buscarlo. Téngase en cuenta, sin embargo, que los PIDs se reutilizan periódicamente, de modo que, en una máquina atareada, éste no constituye un método confiable de comprobar la existencia de un determinado proceso.

Ejemplo

El siguiente ejemplo utiliza la función `kill` para enviar dos señales a un proceso hijo inactivo, una de las cuales será ignorada y la otra eliminará dicho proceso.

```
/* Nombre del programa en Internet: fkill.c */
/*
 * matahijo.c - Enviar una señal por medio de kill(2)
 */
#include <sys/types.h>
#include <wait.h>
#include <unistd.h>
#include <signal.h>
#include <stdio.h>
#include <stdlib.h>

int main(void)
{
    pid_t hijo;
    int codigo_de_retorno;
    if((hijo = fork()) < 0) {
        perror("fork");
        exit(EXIT_FAILURE);
    } else if(hijo == 0) {     /* El programa se encuentra en el proceso hijo */
        sleep(30);
    } else { /* El programa se encuentra en el proceso padre*/
        /* Enviar una señal que sea ignorada */
        printf("Enviando SIGCHLD a %d\n", hijo);
        codigo_de_retorno = kill(hijo, SIGCHLD);
        if(codigo_de_retorno < 0)
            perror("kill:SIGCHLD");
        else
            printf("El proceso %d todavia existe\n", hijo);
        /* Ahora hacer terminar al proceso hijo */
        printf("Eliminando %d\n", hijo);
        if((kill(hijo, SIGTERM)) < 0)
            perror("kill:SIGTERM");
        /* esperar para obtener la condicion de salida */
        waitpid(hijo, NULL, 0 );
```

```
    }
    exit(EXIT_SUCCESS);
}
```

Esta es la salida que se obtiene de un par de ejecuciones de este programa:

SALIDA

```
$ ./matahijo
Enviando SIGCHLD a 871
El proceso 871 todavia existe
Eliminando 871
$ ./matahijo
Enviando SIGCHLD a 879
El proceso 879 todavia existe
Eliminando 879
```

La primera cosa que se debe advertir es que, aunque parezca extraño, `kill` (en inglés, matar) puede ser utilizada para enviar señales diferentes a las que son necesarias para matar un proceso (SIGKILL, SIGTERM, SIGQUIT). Segundo, el proceso hijo ignoró, de hecho, a SIGCHLD. Finalmente, dado que mi sistema se encontraba relativamente inactivo, pude utilizar la señal nula para confirmar que el proceso al que se le envió la señal todavía existía. Verificado esto último, SIGTERM terminó este proceso hijo.

La llamada a `waitpid`, insisto, constituye una medida de seguridad para el caso de que la función `kill` no tenga éxito. Como se observó en el capítulo anterior, no existe manera de saber por anticipado si el proceso hijo terminará antes o después del proceso padre. Si el que terminase primero fuera el proceso padre, el proceso hijo se convertiría en un huérfano adoptado por `init`, e `init` obtendría la condición de salida del mismo. Si fuera el proceso hijo el que terminase primero, sin embargo, debe ser el proceso padre quien obtenga su condición de salida para evitar que aquel se convierta en un proceso zombie que ocupe innecesariamente un lugar en la tabla de procesos del kernel.

Intercepción de señales

El aspecto engorroso del envío de señales lo constituye la intercepción y la manipulación de las mismas. Cada proceso puede decidir cómo responder a todas las señales excepto SIGSTOP y SIGKILL, las cuales, como se vio en la tabla 5.1, no pueden ser ni interceptadas ni ignoradas. La manera más simple de interceptar señales no consiste de hecho en interceptarlas sino en simplemente esperar a que sean enviadas. La función `alarm` pone en funcionamiento un temporizador (*timer*) que envía la señal SIGALRM cuando el intervalo de tiempo a que fue ajustado este último expira. La función `pause` se comporta de manera similar, excepto porque lo que hace es suspender la ejecución de un proceso hasta que el mismo reciba alguna señal.

Programación de una alarma

La función alarma, cuyo prototipo se encuentra en <unistd.h>, activa un temporizador en el proceso que efectúa la llamada. Cuando el tiempo asignado al temporizador expira, se envía SIGALRM al proceso que efectuó la llamada y, a menos que este último intercepte la señal, la acción predeterminada para SIGALRM consiste en dar fin a dicho proceso.

El prototipo para `alarm` es:

```
unsigned int alarm(unsigned int seconds);
```

`seconds` es el número de segundos de reloj después de los cuales el temporizador expira. El valor que retorna esta función es `0` si no se ha programado ninguna otra alarma, o el número de segundos remanente en una alarma programada previamente, si la hubiera. Un proceso puede tener sólo una alarma. Estableciendo el número de segundos en 0 se cancela cualquier alarma previamente programada.

Ejemplos

1. Este programa establece una alarma de cinco segundos, después de lo cual termina.

```
/* Nombre del programa en Internet: mysleep.c */
/*
 * alarma.c - Implementacion sencilla de sleep(1)
 */
#include <unistd.h>
#include <stdio.h>
#include <stdlib.h>

int main(void)
{
    /* Ajustar la alarma */
    if((alarm(5)) > 0)
        puts("Ya hay una alarma programada");
    /* Dejar inactivo el proceso el tiempo suficiente */
    /* como para que la alarma expire */
    sleep(30);
    /* El programa no deberia llegar aqui */
    puts("¿Como fue que el programa llego aqui?");
    exit(EXIT_FAILURE);
}
```

La salida de este programa es la siguiente:

```
$ ./alarma
Alarm clock
```

Este programa establece una alarma de cinco segundos, observa si ya se había establecido alguna otra alarma, y luego queda inactivo durante 30 segundos para proveer a la alarma de una razonable cantidad de tiempo para expirar. En sistemas atareados puede transcurrir un tiempo adicional entre la generación de `SIGALRM` y su llegada (aunque no 25 segundos, por supuesto). Cuando arriba la señal `SIGALRM`, `alarma` termina. El mensaje `"Alarm clock"` (reloj despertador) lo generó el kernel, no el programa `alarma`. Por esa razón el mismo aparece en inglés.

2. Este ejemplo establece dos alarmas, llamando a `alarm` una tercera vez para cancelar la segunda alarma.

```
/* Nombre del programa en Internet: 2alarm.c */
/*
 * dos_alarmas.c - Cancelacion de alarmas
 */
#include <sys/types.h>
#include <unistd.h>
#include <stdio.h>
#include <stdlib.h>

int main(void)
{
    long int codigo_de_retorno;

    /* Establecer la alarma */
    if((alarm(15)) > 0)
        puts("Ya se encuentra establecida una alarma");
    /* Establecer una nueva alarma */
    sleep(3);
    codigo_de_retorno = alarm(5);
    if(codigo_de_retorno > 0)
        printf("Restan %ld segundos en la primera alarma\n", codigo_de_retorno);
    /* Cancelar la segunda alarma */
    sleep(2);
    printf("Restan %d segundos en la segunda alarma\n", alarm(0));

    exit(EXIT_FAILURE);
}
```

La salida de este programa es la siguiente:

SALIDA

```
$ ./2alarm
Restan 12 segundos en la primera alarma
Restan 3 segundos en la segunda alarma
```

Como el programa canceló la segunda alarma antes de que ésta tuviera la oportunidad de expirar, al transferirle `0` como argumento correspondiente a segundos, el programa no exhibió el mensaje `"Alarm clock"`. Reitero, en un sistema muy cargado, las alarmas pueden arribar más tarde de lo previsto. Una razón por la cual uno podría llegar a utilizar alarmas es para establecer un límite de tiempo para los programas potencialmente largos, tales como los que deben clasificar un archivo muy largo o esperar que un usuario responda a un mensaje. La mayoría de los programas que establecen alarmas también las interceptan, en lugar de permitirles terminar el proceso.

Utilización de la función pause

La función `pause` suspende el proceso que la llama hasta que arribe alguna señal. El proceso que efectúa la llamada debe de estar en condiciones de manipular la señal que recibe, o en caso contrario tendrá lugar la acción predeterminada de la misma. `pause` se encuentra prototipada en `<unistd.h>`:

```
int pause(void);
```

`pause` retorna al proceso que la llamó sólo si el proceso intercepta una señal. Si la señal que se recibe invoca un handler, éste se ejecutará antes de que pause retorne. `pause` siempre retorna -1 y asigna a `errno` el valor `EINTR`.

EJEMPLO

Ejemplo

Este sencillo programa sólo espera el arribo de una señal y luego finaliza.

```
/* Nombre del programa en Internet: pause.c */
/*
 * pausa.c - Efectua una pausa y luego termina
 */
#include <unistd.h>
#include <stdlib.h>

int main(void)
{
	pause();
	exit(EXIT_SUCCESS);
}
```

La salida de este programa es la siguiente:

SALIDA

```
$ ./pause
[Ctrl+z]

[1]+  Stopped                    ./pause

fg
./pause
[Ctrl+\]
Quit (core dumped)

$ ./pause
User defined signal 1
```

En la primera corrida, `pause` sólo produce una suspensión indefinida. Primero, Ctrl+Z (ingresada desde el teclado), suspende el programa; el comando `fg` lo vuelve a traer al primer plano, para que entonces Ctrl+\ (`SIGQUIT`) lo elimine y ocasione un vuelco de memoria. Si no se lo hubiese eliminado, hubiera continuado en pausa hasta que recibiera otra señal o hasta que el sistema se reiniciara.

Durante la segunda corrida, el programa corrió en una ventana. Su PID se obtuvo en una segunda ventana por medio de `ps`, y luego se emitió `kill -USR1 <PID>`. Como no se estableció un handler de señal para la señal `SIGUSR1`, ésta llevó a cabo su acción predeterminada de terminación.

Definición de un handler de señales

En algunos casos, el comportamiento deseado de la señal es justamente su acción predeterminada. En otras, probablemente la mayoría de las veces, se desea modificar ese comportamiento, o llevar a cabo tareas adicionales. En estos casos, se debe definir e instalar un handler personalizado de señal que modifique el comportamiento predeterminado.

Consideremos el caso de un proceso padre que engendra varios procesos hijos. Cuando los procesos hijos terminan, el proceso padre recibe la señal `SIGCHLD`. Para efectuar un seguimiento adecuado de sus procesos hijos y supervisar su condición de salida, el proceso padre puede ya sea llamar a `wait`, inmediatamente después de engendrar cada proceso hijo o, de manera más eficiente, establecer un handler de señal que llame a wait (o a `waitpid`) cada vez que al mismo le llegue `SIGCHLD`.

POSIX define un conjunto de funciones para crear y manipular señales. El procedimiento general consiste en crear un conjunto de señales, establecer las señales que se desea interceptar, registrar un handler de señales en el kernel y aguardar a interceptar la señal.

LA API DE ADMINISTRACIÓN DE SEÑALES

Para crear, establecer e interrogar a un conjunto de señales, utilice las cinco funciones siguientes, todas ellas definidas en `<signal.h>`:

- `int sigemptyset(sigset_t *set);`
- `int sigfillset(sigset_t *set);`
- `int sigaddset(sigset_t *set, int signum);`
- `int sigdelset(sigset_t *set, int signum);`
- `int sigismember(const sigset_t *set, int signum);`

`set` es un conjunto de señales de tipo `sigset_t`, como se explicó al comienzo del capítulo. `sigemptyset` inicializa el conjunto de señales `set` de modo que queden excluidas del mismo todas las señales. `sigfillset`, a la inversa, inicializa `set` de manera tal que estén incluidas en él todas las señales. `sigaddset` añade a `set` la señal `signum`. `sigdelset` elimina `signum` de `set`.

Estas cuatro funciones retornan `0` cuando tienen éxito o `-1` si ocurre un error. Finalmente, `sigismember` comprueba si `signum` se encuentra en `set`, retornando 1 (verdadero) si la misma se encuentra presente o `0` (falso) si no lo está.

CREACIÓN DE UN CONJUNTO DE SEÑALES

Para crear un conjunto de señales, pues, utilice `sigemptyset` o `sigfillset` para inicializar un conjunto de señales. Si crea un conjunto de señales vacío, necesitará emplear sigaddset para agregarle las señales en las que se encuentre interesado. Si por el contrario crea un conjunto que comprenda todas las señales, utilice `sigdelset` para eliminar del mismo las señales que no desee.

Ejemplos

1. Este programa añade una señal a un conjunto de señales vacío, y luego utiliza `sigismember` para confirmar que la señal se encuentra presente en el conjunto.

```
/* Nombre del programa en Internet: mkset.c */
/*
 * crear_conjunto_señales.c - Bloquea un conjunto de señales
 */
#include <signal.h>
#include <stdlib.h>
#include <stdio.h>

void salir_si_error(char *);

int main(void)
{
    sigset_t nuevo_conjunto;

    /* Crear el conjunto */
    if((sigemptyset(&nuevo_conjunto)) < 0)
        salir_si_error("sigemptyset");
    /* Añadir SIGCHLD al conjunto */
    if((sigaddset(&nuevo_conjunto, SIGCHLD)) < 0)
        salir_si_error("sigaddset");

    /* Verificar el nuevo conjunto de señales resultante */
    if(sigismember(&nuevo_conjunto, SIGCHLD))
        puts("SIGCHLD esta presente en el conjunto de señales");
    else
        puts("SIGCHLD no esta presente en el conjunto de señales");
    /* SIGTERM no deberia ser parte de dicho conjunto */
    if(sigismember(&nuevo_conjunto, SIGTERM))
        puts("SIGTERM esta presente en el conjunto de señales");
    else
        puts("SIGTERM no esta presente en el conjunto de señales");
```

```
        exit(EXIT_SUCCESS);
}

void salir_si_error(char *nombre_señal)
{

        perror(nombre_señal);
        exit(EXIT_FAILURE);

}
```

SALIDA

```
$ ./crear_conjunto_señales
SIGCHLD esta presente en el conjunto de señales
SIGTERM no esta presente en el conjunto de señales
```

`crear_conjunto_señales` primero crea un conjunto de señales vacío, transfiriéndole a `sigemptyset` la dirección de una estructura `sigset_t`. Luego añade SIGCHLD dicho conjunto de señales. Finalmente utilizando `sigismember`, confirma que SIGCHLD es efectivamente parte del conjunto de señales y que SIGTERM no es parte del mismo.

EJEMPLO

2. Este ejemplo ilustra el proceso de remoción de una señal desde un conjunto de señales.

```
/* Nombre del programa en Internet: rmset.c */
/*
 * eliminar_señales.c - Elimina señales de un conjunto de señales
 */
#include <signal.h>
#include <stdlib.h>
#include <stdio.h>

void salir_si_error(char *);

int main(void)
{
    sigset_t nuevo_conjunto;

    /* Crear el conjunto */
    if((sigfillset(&nuevo_conjunto)) < 0)
        salir_si_error("sigfillset");
    /* Eliminar SIGALRM del conjunto */
    if((sigdelset(&nuevo_conjunto, SIGALRM)) < 0)
        salir_si_error("sigaddset");
```

```
    /* SIGALRM deberia haber sido eliminada */
    if(sigismember(&nuevo_conjunto, SIGALRM))
        puts("SIGALRM esta presente en el conjunto de señales");
    else
        puts("SIGALRM no esta presente en el conjunto de señales");
        /* SIGTERM deberia seguir estando presente */
    if(sigismember(&nuevo_conjunto, SIGTERM))
        puts("SIGTERM esta presente en el conjunto de señales");
    else
        puts("SIGTERM no esta presente en el conjunto de señales");

    exit(EXIT_SUCCESS);
}

void salir_si_error(char *nombre_señal)
{
    perror(nombre_señal);
    exit(EXIT_FAILURE);
}
```

SALIDA

```
$ ./eliminar_señales
SIGALRM no esta presente en el conjunto de señales
SIGTERM esta presente en el conjunto de señales
```

`eliminar_señales` se comporta a la inversa del programa del ejemplo anterior, creando un conjunto que incluye la totalidad de las señales. Luego elimina `SIGALRM`. De nuevo, la llamada a `sigismember` confirma que la señal eliminada ha sido efectivamente suprimida y que las demás señales siguen estando presentes.

REGISTRO DEL HANDLER

El mero hecho de crear un conjunto de señales y luego agregar o eliminar señales del mismo, sin embargo, no representa crear un handler de señales ni permite interceptar o bloquear señales. Hay otros pasos adicionales que se deben adoptar. Primero, se debe utilizar `sigprocmask` para establecer o modificar (o ambas cosas a la vez) la respectiva máscara de señales corriente; si no se hubiese aún establecido una máscara de señales, todas las señales darán lugar a una acción predeterminada. Una vez que se establezca una máscara de señal, se deberá registrar un handler para la señal o señales que se desea interceptar, por medio de `sigaction`.

Como sería de esperar a esta altura del texto, `sigaction` y `sigprocmask` se encuentran prototipadas en `<signal.h>`. Sus respectivos prototipos son los siguientes:

```
int sigprocmask(int how, const sigset_t *set, sigset_t *oldset);
```

sigprocmask establece o examina la máscara de señales en vigencia, y lo hace según el valor de how, el cual puede ser uno de los tres siguientes:

- SIG_BLOCK-set contiene señales adicionales a ser bloqueadas.
- SIG_UNBLOCK-set contiene señales que deberán ser desbloqueadas.
- SIG_SETMASK-set contiene la nueva máscara de señal.

Si how equivale a NULL, será ignorado. Si set vale NULL, la máscara corriente se almacena en oldset; si oldset equivale a NULL, será ignorada. sigprocmask retorna 0 si tiene éxito y -1 si encuentra algún error.

```
int sigaction(int signum, const struct sigaction *act, struct sigaction *oldact);
```

sigaction activa el handler de señal para la señal especificada en signum. La estructura struct sigaction describe la manera de disponer de la señal. Su definición completa, presente en (tal cual) <signal.h>, es:

```
struct sigaction {
    void (*sa_handler)(int);
    sigset_t sa_mask;
    int sa_flags;
    void (*sa_restorer)(void);
};
```

sa_handler es un puntero a una función que especifica el handler, o función, a ser invocados cuando sea generada la señal especificada en signum. La función debe de estar definida con un valor de retorno de tipo void (es decir, no retornará ningún valor) y debe de aceptar un argumento de tipo int. Alternativamente, el argumento de sa_handler puede ser también SIG_DFL lo que hace que tenga lugar la acción predeterminada de signum, o SIG_IGN, lo que ocasionará que esta señal sea ignorada.

Mientras un handler de señal se encuentra en ejecución, la señal que lo activó queda bloqueada. sa_mask define la máscara de un conjunto de señales adicionales que deberían quedar bloqueadas durante la ejecución del handler. sa_flags es una máscara que modifica el comportamiento de sa_handler's. Puede ser una o más de las siguientes alternativas:

- SA_NOCLDSTOP. El proceso ignorará cualquier señal SIGSTOP, SIGTSTP, SIGTTIN y SIGTTOU generada por el proceso hijo.
- SA_ONESHOT o SA_RESETHAND. El handler de señales personalizado se ejecutará sólo una vez. Luego de que se ejecute, se restaurará la acción predeterminada de la señal.
- SA_RESTART. Habilita la posibilidad de efectuar llamadas a sistema reiniciables.
- SA_NOMASK o SA_NODEFER. No se opone a que la señal sea recibida en el interior de su propio handler.

No le preste atención al elemento `sa_restorer`; el mismo está obsoleto y no debe ser empleado. Tenga en cuenta también que la expresión `sigaction` corresponde tanto al nombre de una función como al del patrón de una estructura asociada a la misma.

En resumen, `sigprocmask` manipula el conjunto de señales que se desea bloquear e interroga a la máscara de señales en vigencia. La función `sigaction` registra en el kernel un handler de una o más señales y configura el comportamiento exacto del mismo.

Ejemplos

1. El primer ejemplo sencillamente bloquea `SIGALRM` y `SIGTERM` sin proceder a instalar un handler que adopte alguna acción especial.

```
/* Nombre del programa en Internet: block.c. En ese listado es incorrecto */
/* el nombre asignado al programa y la descripcion de su accion */
/*
 * bloquear_señales.c - Bloquea un conjunto de señales
 */
#include <signal.h>
#include <stdlib.h>
#include <stdio.h>

void salir_si_error(char *);

int main(void)
{
    sigset_t nuevo_conjunto;

    /* Crear el conjunto */
   if((sigemptyset(&nuevo_conjunto)) < 0)
       salir_si_error("sigemptyset");
   /* Agregar SIGTERM y SIGALRM */
   if((sigaddset(&nuevo_conjunto, SIGTERM)) < 0)
       salir_si_error("sigaddset:SIGTERM");
   if((sigaddset(&nuevo_conjunto, SIGALRM)) < 0)
       salir_si_error("sigaddset:SIGALRM");

   /* Bloquear las señales sin manipularlas */
   if((sigprocmask(SIG_BLOCK, &nuevo_conjunto, NULL)) < 0)
       salir_si_error("sigprocmask");

   /* Aguardar el arribo de una señal */
   pause();

   exit(EXIT_SUCCESS);
```

```
}
void salir_si_error(char *mensaje)
{
    perror(mensaje);
    exit(EXIT_FAILURE);
}
```

Una corrida de prueba de este programa produjo la siguiente salida. El programa se ejecutó en una ventana y se le enviaron señales por medio del comando `kill` desde otra ventana (los comandos enviados desde la segunda ventana se muestran entre corchetes).

```
$ ./bloquear_señales
[$ kill -TERM $(pidof ./bloquear_señales)]
[$ kill -ALRM $(pidof ./bloquear_señales)]
[$ kill -QUIT $(pidof ./bloquear_señales)]
Quit (core dumped)
```

Como se puede observar a partir de dicha salida, el envío de los procesos SIGTERM y SIGALRM no produjo ningún efecto, aunque la acción predeterminada de ambas señales es terminar el proceso que las recibe. El comando `pidof ./bloquear_señales` retorna el PID asociado con `./bloquear_señales`, mientras que los resultados del comando son sustituidos por la construcción `$(...)` y transferidos al comando `kill` que, por lo tanto, no produce efecto. En cambio cuando el proceso recibe SIGQUIT termina, como lo muestra la salida. Nótese que dado que el programa bloquea a SIGTERM y SIGALRM, `pause` nunca retorna porque el proceso no recibe la señal.

2. Este programa establece un handler para SIGUSR1. La acción predeterminada de SIGUSR1 es terminar el proceso. El handler personalizado sólo indica que ha sido llamado.

```
/* Nombre del programa en Internet: blkusr.c */
/*
 * bloquear_usuario.c - Handler personalizado para SIGUSR1
 */
#include <unistd.h>
#include <signal.h>
#include <stdio.h>
#include <stdlib.h>
void salir_si_error(char *); /* funcion de error */
void handler_usuario1(int);   /* handler de señales */
int main(void)
{
```

```
    struct sigaction accion;

    /* Configurar el handler */
    accion.sa_handler = handler_usuario1;
    sigemptyset(&accion.sa_mask);
    accion.sa_flags = SA_NOCLDSTOP;

    /* Registrar el handler */
    if((sigaction(SIGUSR1, &action, NULL)) < 0)
        salir_si_error("sigaction");
    /* Permitir el suficiente tiempo como para enviar una señal */
    sleep(60);

    exit(EXIT_SUCCESS);
}

void salir_si_error(char *mensaje)
{
    perror(mensaje);
    exit(EXIT_FAILURE);
}
void handler_usuario1(int signum)
{
    if(signum == SIGUSR1)
        puts("Interceptada USR1");
    else
        printf("Interceptada %d\n", signum);
}
```

`handler_usuario1` es un sencillo handler de señal, que no hace más que informar el hecho de que interceptó a `SIGUSR1`. Como el miembro `sa_mask` de `accion`, la estructura de patrón `sigaction`, debería contener señales adicionales a las cuales bloquear mientras se ejecuta el handler de señal, uno simplemente lo inicializa con un conjunto vacío de señales transfiriéndolo directamente a `sigemptyset`. Una vez que el handler se encuentra configurado, `sigaction` lo registra para `SIGUSR1`. Como en este caso no interesa la respuesta anterior del handler, se asigna NULL como valor de `oset`. Finalmente, el programa queda inactivo durante 60 segundos como para disponer del suficiente tiempo como para enviarle una señal. Corra el programa en una ventana, y envíele `SIGUSR1` desde otra, como se ilustra:

```
$ ./bloquear_usuario
[kill -USR1 $(pidof ./ bloquear_usuario)]
Interceptada SIGUSR1
```

La salida muestra que el handler fue registrado exitosamente. Luego de ejecutarse el handler, el programa termina.

CONSEJO

SIGUSR1 y SIGUSR2 han sido especialmente reservadas como señales definidas por el programador. Se las debe emplear cuando se desea habilitar algún tipo de comportamiento especial, tal como volver a leer un archivo de configuración, en lugar de utilizar un handler de señal a fin de redefinir una de las señales estándar, cuya semántica ya se encuentra bien definida.

Detección de señales pendientes

`sigpending` hace posible que un proceso detecte *señales pendientes* (señales que fueron generadas mientras las mismas se encontraban bloqueadas) y luego decidir si ignorarlas o permitir que lleven a cabo su acción. ¿Para qué se debe verificar qué señales están pendientes? Supongamos que el lector desea escribir a un archivo, y dicha operación no debe ser interrumpida a fin de preservar la integridad del archivo. Durante el proceso de escritura al disco, pues, uno deseará mantener bloqueadas `SIGTERM` y `SIGQUIT`, pero fuera de esta circunstancia las desea administrar o permitirles que lleven a cabo su acción predeterminada. De modo que, antes de dar comienzo a la operación de escritura, uno bloqueará a `SIGTERM` y `SIGQUIT`. Una vez que la escritura a archivo se haya completado satisfactoriamente, se debería verificar la existencia de señales pendientes y, si `SIGTERM` o `SIGQUIT` se encontrasen pendientes, se necesitaría desbloquearlas. O, sencillamente se las podrá desbloquear sin molestarse en verificar si se encuentran pendientes o no. Verificar la presencia de señales pendientes o no es opcional. Si se desea ejecutar un bloque especial de código si se encuentra presente cierta señal, verifíquela. En otro caso, simplemente desbloquéelas.

Igual que las demás funciones de señales, sigpending se encuentra prototipada en `<signal.h>`. El prototipo de `sigpending's` es:

```
int sigpending(sigset_t *set);
```

El conjunto de las señales pendientes se retorna en `set`. La llamada en sí retorna 0 si resultó exitosa o -1 si se registró algún error. Utilice `sigismember` a fin de determinar si las señales en las que se encuentra interesado están pendientes, es decir, si se encuentran presentes en `set`.

Ejemplo

Para propósitos de demostración, este programa bloquea a `SIGTERM`, luego determina si se encuentra pendiente y finalmente la ignora y termina normalmente.

```
/* Nombre del programa en Internet: pending.c */
/*
 * verificar_pendientes.c - Divertimento con sigpending
 */
#include <sys/types.h>
```

```
#include <unistd.h>
#include <signal.h>
#include <stdio.h>
#include <stdlib.h>

int main(void)
{
    sigset_t conjunto_señales, conjunto_pendientes;
    struct sigaction accion;

    sigemptyset(&conjunto_señales);

    /* Añadir la señal de interes */
    sigaddset(&conjunto_señales, SIGTERM);

    /* Bloquear la señal */
    sigprocmask(SIG_BLOCK, &conjunto_señales, NULL);

    /* Enviar SIGTERM hacia el propio proceso */
    kill(getpid(), SIGTERM);

    /* Obtener señales pendientes */
    sigpending(&conjunto_pendientes);

    /* Si SIGTERM se encuentra pendiente, ignorarla */
    if(sigismember(&conjunto_pendientes, SIGTERM)) {
        sigemptyset(&accion.sa_mask);
        accion.sa_handler = SIG_IGN; /* Ignorar SIGTERM */
        sigaction(SIGTERM, &accion, NULL);
    }

    /* Desbloquear SIGTERM */
    sigprocmask(SIG_UNBLOCK, &conjunto_señales, NULL);

    exit(EXIT_SUCCESS);
}
```

En beneficio de la brevedad se ha omitido la verificación de errores. El código resulta sencillo de interpretar. El mismo crea una máscara que bloquea a `SIGTERM` y luego utiliza `kill` para enviar `SIGTERM` hacia sí mismo. Como está bloqueada, la señal no llega a destino. Se utiliza `sigpending` y `sigis`-

`member` para determinar si `SIGTERM` se encuentra pendiente y, si fuese así, para configurar su acción a `SIG_IGN`. Cuando las señales se desbloquean, `SIGTERM` se ignora y el programa termina normalmente.

Lo que viene

Habiendo adquirido un conocimiento básico de la administración de procesos y el procesamiento de señales, el lector se encuentra listo para desplazarse hacia temas más avanzados, tales como E/S sencilla de archivos y a administración más sofisticada de archivos, tal como *multiplexing* y bloqueo de archivos. *El multiplexing de E/S,* que es el proceso de leer y escribir simultáneamente desde y hacia múltiples fuentes de entrada y salida, requiere tener un buen conocimiento sobre señales. Los *daemons,* procesos que corren en segundo plano sin intervención del usuario, dependen tanto de la capacidad de realizar *forks* (generar procesos descendientes) y de verificar múltiples procesos de entrada y salida como de la intercepción de señales que sean de interés y que provengan de los procesos hijos, y de actuar en consecuencia. Primero, sin embargo, el próximo capítulo explica las *llamadas a sistema,* la interfaz programática entre los programas de aplicación y los servicios provistos por el kernel.

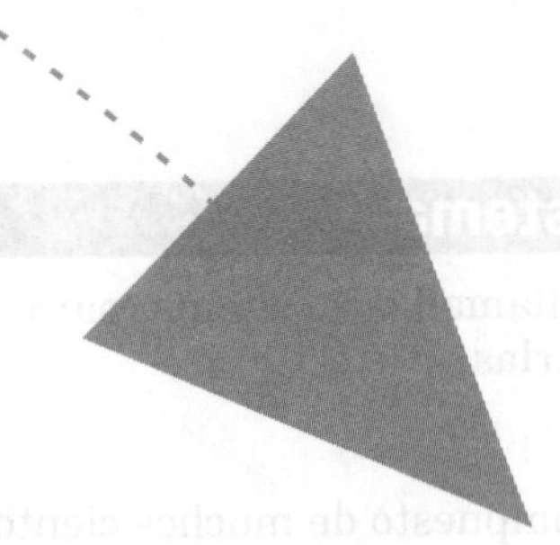

Llamadas a sistema

En este capítulo el lector conocerá las *llamadas a sistema,* la interfaz entre su programa y el kernel.

Este capítulo cubre los siguientes temas:

- Qué es una llamada a sistema
- Por qué razón y cuándo utilizar llamadas a sistema
- Llamadas a sistema habituales
- Errores que generan las llamadas a sistema
- Errores de administración de llamadas a sistema

Todos los programas de este capítulo pueden ser encontrados en el sitio Web `http://www.mcp.com/info` bajo el número de ISBN 0789722151.

Generalidades sobre llamadas a sistema

En esta parte el lector aprenderá lo que son las llamadas a sistema, para qué son empleadas cuál es la razón para emplearlas.

Qué es una llamada a sistema

Obviamente, un sistema operativo Linux está compuesto de muchos cientos de porciones de código, tales como utilidades y programas de aplicación, bibliotecas, controladores de dispositivos, filesystems, compiladores, interfaces GUI (*graphical user interface*), administradores de ventanas y, por supuesto, el propio kernel. Sin embargo, todo este código se ejecuta en sólo uno de dos modos posibles, modo usuario o modo kernel.

A menos que el lector se convierta en un *hacker* del kernel o escriba controladores de dispositivos, todo el código que llegue a escribir correrá en *modo usuario.* Los programas que corren en modo usuario sacan partido de las características, tanto el software como el procesador para protegerse de otras aplicaciones que funcionen mal: generalmente, la memoria y los recursos asignados a la aplicación A no pueden ser excedidos por la aplicación B. Al mismo tiempo, los programas que corren en modo usuario no tienen manera de dañar al sistema en sí.

El código de *modo kernel,* aunque se encuentra protegido de los efectos potencialmente devastadores de los programas de modo usuario mal escritos, tienen total acceso a todo el sistema. Puede utilizar, o inutilizar, cualquier cosa. Ejemplos de código en modo kernel incluyen los controladores de dispositivos, filesystems y, naturalmente, el propio kernel. Consideremos un controlador de dispositivos, por ejemplo. A fin de funcionar adecuadamente, necesita contar con total acceso al dispositivo físico que debe controlar, tal como una unidad de disco, lo mismo que al código y datos asociados con ese dispositivo. Al mismo tiempo, sin embargo, el dispositivo físico debe ser protegido de programas destructivos que puedan potencialmente corromper el código y los datos del controlador, o inclusive llegar a dañar de alguna manera al dispositivo físico. Por lo tanto, los controladores de dispositivos deben correr en modo kernel.

Expresado en términos simples, la función del kernel de Linux consiste en proveer una serie de servicios a los programas de aplicación manteniendo al mismo tiempo la integridad del sistema. Explicado de otra manera, el código para modo usuario (las aplicaciones) debe requerir diversos servicios del código que se ejecuta en modo kernel (administradores de memoria, controladores de dispositivos y así siguiendo). Las llamadas a sistema son el método mediante el cual el código de usuario solicita estos servicios del código protegido que corre en modo kernel.

Por la forma en que fueron diseñadas, las llamadas a sistema tienen el aspecto de funciones ordinarias de C. Debido a la barrera erigida entre los modos kernel y de usuario, la interfaz que permite al código de usuario comunicarse con el código de modo kernel es bastante árida. Para morigerar este problema, dicho contacto es administrado por funciones presentes en la biblioteca C estándar. El código de usuario llama a estas funciones presentes en la biblioteca, que funcionan como envolturas de la verdadera llamada a sistema.

Limitaciones de las llamadas a sistema

Las llamadas a sistema en sí mismas se encuentran optimizadas en cuanto a velocidad y, con el fin de mantener la integridad del código de modo kernel, tienen tres restricciones significativas:

- Cada argumento transferido de modo usuario a modo kernel es de la misma longitud, generalmente el tamaño normal de palabra que corresponde a la arquitectura del procesador a cargo del sistema.
- Las llamadas a sistema siempre retornan valores enteros con signo.
- A fin de minimizar el tamaño del kernel y para lograr que el mismo se comporte de manera veloz, todos los datos transferidos al modo kernel lo son por referencia, es decir, se transfiere su dirección en memoria y no meramente su valor. Esto resulta particularmente importante cuando se trata de estructuras de datos de tamaño potencialmente grande.

En realidad, las primeras dos limitaciones tienen poco efecto significativo en los programas que uno escribe. La tercera restricción significa simplemente que uno tiene que utilizar punteros a estructuras, en lugar de las propias estructuras, cuando efectúa llamadas a sistema.

Qué empleo tiene una llamada a sistema

Como lo sugirió el parágrafo anterior, la principal razón para utilizar llamadas a sistema es para requerir un servicio por parte del kernel al cual el código de usuario no puede acceder. ¿Qué tipo de servicios de sistema se encuentran disponibles? A partir del kernel versión 2.2.5, existen 190 llamadas a sistema enumeradas en el archivo `/usr/include/asm/unistd.h`, que contiene todas las llamadas a sistema y define las llamadas relevantes a funciones y a macros para poder utilizarlos. La lista de servicios disponibles incluye los siguientes:

- Administración de procesos, tales como `fork`, `exec`, `seguid`, `getuid` y así siguiendo.
- La interfaz completa de administración de señales, como por ejemplo `sigaction`, `sigsuspend`, `sigprocmask` y `sigreturn`.
- Servicios de filesystem, tales como `mkdir`, `chdir`, `fstat`, `read`, `write`, `open` y `close`.
- Administración de memoria tal como `mmap`, `munmap`, `sbrk`, `mlock` y `munlock`.
- Servicios de red, incluyendo `sethostname` y `setdomainname`.
- Programación de procesos, que el común de los programadores nunca tendría necesidad de llevar a cabo.

Una razón por la cual alguien necesitaría utilizar llamadas a sistema es para implementar su propio método de administración de memoria para su aplicación. Como sabrá el lector, la biblioteca C estándar provee `malloc` para requerirle memoria al sistema operativo. De lo que no se debe haber dado cuenta, sin embargo, es que uno puede crear su propia `malloc` a través del empleo de las llamadas a sistema `brk` y `sbrk` (`brk` y `sbrk` manipulan el espacio que ocupan los datos de un programa). Esto podría tal vez remediar algunas de las limitaciones de la malloc de la biblioteca estándar, tales como la fragmentación de memoria o la carencia de liberación automática de la memoria sin utilizar (recolección de *basura*). También el lector utilizará llamadas a sistema sin siquiera darse cuenta. Casi toda llamada a sistema cuenta con una función del mismo nombre en la biblioteca C estándar. Además, muchas funciones de la biblioteca estándar invocan llamadas de sistema. printf, por ejemplo, utiliza la llamada a sistema write. Uno puede también llamar a write directamente.

✔ Si desea hallar una cobertura detallada de la llamada a sistema write, vea “Lectura y escritura de archivos”, página 142.

Utilización de llamadas a sistema

La utilización de llamadas a sistema es tan sencilla como llamar a una función. Desde el punto de vista de los programadores de aplicaciones, la diferencia entre llamadas a sistema y funciones ordinarias de biblioteca es irrelevante. La interfaz es la misma. Para emplearlas, todo lo que se requiere hacer es incluir en el código fuente el archivo de encabezado <unistd.h>.

Por supuesto, se deberá comprender qué es lo que hacen las llamadas a sistema. Su comportamiento, parámetros y valores retornados se encuentran documentados en las páginas del manual correspondientes a la sección 2. Dado que las llamadas a sistema tienen funciones de biblioteca de nombres similares, que están documentadas en las páginas del manual correspondientes a la sección 3, resulta generalmente aconsejable leer ambas secciones a fin de obtener una comprensión global sobre la manera en que se comportan.

Llamadas a sistema comunes

Con más de 190 llamadas a sistema, la discusión de cada una de ellas trasciende el alcance de este libro. No obstante, aprenderá varias de ellas en otros capítulos. Esta sección presenta las llamadas a sistema más comunes, refiriendo al lector a los capítulos apropiados en los que se comenta cada grupo de llamadas.

ADMINISTRACIÓN DE PROCESOS

La administración de procesos se trata en el capítulo 4, “Procesos”. Ese grupo de llamadas a sistema se encarga de la creación y manipulación de programas. Las llamadas fork, vfork y execve crean nuevos procesos. De manera similar, kill y exit terminan procesos. Los procesos tienen un único PID, propietario, creador y demás identificadores que pueden ser obtenidos mediante las llamadas a sistema que se listan aquí:

- getpid Retorna el ID del proceso que efectuó la llamada
- getuid Retorna el ID de usuario del creador del proceso
- getgid Retorna el ID de grupo del usuario que creó el proceso
- getppid Retorna el ID del proceso padre del proceso que efectuó la llamada
- geteuid Retorna el ID efectivo del proceso que efectuó la llamada
- getegid Retorna el ID efectivo de grupo del proceso que efectuó la llamada

Las llamadas a sistema `wait` y `waitpid` permiten que el proceso padre aguarde hasta que sus procesos hijos terminen y recoja su condición de salida. Por medio de las llamadas a sistema `ulimit` y `getrlimit` un proceso puede averiguar cuántos recursos del sistema puede consumir, lo mismo que otros límites a los cuales se encuentra sujeto.

E/S DE ARCHIVOS

Muchas de las llamadas a sistema de Linux involucran entrada y salida de archivos. El capítulo 7, "Administración básica de archivos en Linux", y el capítulo 8, "Administración avanzada de archivos en Linux", cubren muchas de estas rutinas en detalle. Las llamadas a sistema utilizadas para crear, abrir y cerrar archivos, por ejemplo, son respectivamente `creat`, `open` y `close`. De modo similar, para leer y escribir archivos se utilizarán las funciones `read` y `write`.

La llamada a sistema `unlink` elimina un archivo. La `symlink` crea un vínculo simbólico a un archivo. La llamada a sistema que se emplea para establecer y modificar permisos de archivos es `chmod`, en tanto que chown modifica la asignación de propiedad, igual que el comando de usuario de idéntico nombre. La entrada y salida de datos en modo multiplex se habilita por medio de las llamadas a sistema `select` y `poll`. Si se desea acortar un archivo sin leerlo ni escribirlo, `se debera utilizar la llamada a truncate`. Para obtener información sobre un archivo, tal como su tamaño, fecha de creación y así siguiendo, las llamadas a `stat`, `lstat` y `ustat` obtienen los datos requeridos. El bloqueo de archivos, finalmente, que controla el acceso simultáneo a un archivo o a `ustat` y su contenido, se logra por medio de las llamadas a sistema `flock` o `fcntl`.

ADMINISTRACIÓN DE MEMORIA

La administración de memoria se extiende más allá de las rutinas `malloc` y `calloc` de la biblioteca estándar de C. De hecho, `malloc` y sus rutinas asociadas de asignación de memoria son llevadas a cabo por medio de las llamadas a sistema `brk` y `sbrk`. Además de estas dos funciones, existe una familia completa de llamadas a sistema que proveen un tipo de archivos de E/S de alta velocidad, mapeada a memoria. Los nombres de estas funciones son `mmap`, `munmap`, `mlock`, `munlock`, `mlockall`, `munlockall`, `msync`, `mremap` y `mprotect`.

✔ Para aprender sobre archivos mapeados en memoria, ver "Archivos de mapeo de memoria", página 174.

Administración de señales

El sistema de administración de señales comentado en el capítulo 5, "Señales," está totalmente implementado a manera de llamadas a sistema a nivel de kernel y consiste de las siguientes funciones:

- `sigaction` Modifica la acción que adopta un proceso cuando recibe una señal determinada.
- `sigsuspend` Reemplaza temporariamente la máscara de señales de un proceso con una nueva, luego suspende la ejecución del proceso hasta que se reciba una señal.

- `sigpending` Retorna una máscara de señal que contiene todas las señales que están bloqueadas, aguardando ser entregadas al proceso que efectuó la llamada.
- `sigprocmask` Establece o modifica la lista de señales que desea bloquear un proceso.

Códigos de retorno de las llamadas a sistema

Las llamadas a sistema casi siempre retornan `0` cuando tienen éxito o un valor negativo (casi siempre `-1`) cuando ha ocurrido un error, de modo que existan como mínimo dos maneras de verificar el valor retornado.

Ejemplos

1. Este fragmento de código compara el código de retorno de una llamada a sistema con 0.

```
if(open("/usr/src/linux/Makefile", O_RDONLY)) {   /* O_RDONLY: Abrir solo para
lectura */
    /* Tuvo lugar un error, administrar aqui */
} else {
    /* La apertura del archivo ha sido exitosa */
}
```

Este ejemplo saca partido del hecho de que las llamadas a sistema exitosas retornan 0. La condición `if` evaluará a verdadero si la llamada a `open` fracasa, de modo de ejecutar el código de administración de errores que resulte adecuado.

2. Este fragmento de código hace lo mismo que el anterior, pero evalúa específicamente si la llamada a sistema retorna un valor negativo.

```
if(open("/usr/src/linux/Makefile", O_RDONLY) < 0) {        /* O_RDONLY: Abrir solo
para lectura */
    /* an error occurred, handle it here */
} else {
    /* opened the file successfully */
}
```

Dejando de lado sus diferentes condiciones `if`, los dos ejemplos se comportan exactamente de la misma manera. El primero emplea una notación que es muy común en C, de modo que el lector se encontrará con la misma muchas veces. Yo prefiero la sintaxis del segundo ejemplo porque resulta más sencilla de comprender por los programadores novicios, pero la elección es del lector (se trata de Linux, después de todo).

Tabla de códigos de error retornados por llamadas a sistema

La tabla 6.1 contiene una lista comentada de los errores que retornan generalmente las llamadas a sistema. Como el lector está todavía aprendiendo a programar en el entorno Linux, probablemente no comprenda muchos de estos errores. Lea la lista a fin de adquirir una idea general, y luego, a medida que vaya leyendo el resto del libro y trabaje con los programas de ejemplo, revise la lista.

La página del manual para cada uno de las llamadas a sistema documenta todos los códigos de error que genera la misma. Además, todos los códigos definidos en POSIX, el estándar al cual adhiere más fielmente Linux, se encuentran documentados en la página `errno` de la sección 3 del manual (tipee `man 3 errno`).

Tabla 6.1. *Códigos de error generados por las llamadas a sistema*

Error	**Descripción**
EPERM	El proceso carece de suficientes permisos para realizar la operación que está tratando de llevar a cabo.
ENOENT	El proceso está tratando de acceder a un archivo o directorio que no existe.
ESRCH	Ese proceso no existe.
EINTR	Fue interrumpida una llamada a sistema.
EIO	Tuvo lugar algún tipo de error de E/S (generalmente relacionado con el hardware).
ENXIO	El dispositivo o dirección de E/S no existe.
E2BIG	La lista de argumentos transferidos a una llamada `exec` era demasiado larga.
ENOEXEC	El formato de un archivo binario que un proceso trató de ejecutar era incorrecto (por ejemplo, si se tratase de correr un archivo binario SPARC en un procesador x86).
EBADF	A una función que abre/cierra/lee/escribe un archivo se le pasó un número incorrecto de archivo.
ECHILD	El proceso no tenía proceso hijo al cual esperar.
EAGAIN	Un proceso trató de realizar E/S no bloqueante cuando no había ninguna entrada disponible.
ENOMEM	No se cuenta con la suficiente memoria para llevar a cabo la operación requerida.
EACCESS	Fue denegado el acceso a un archivo u otro recurso del sistema.
EFAULT	A una llamada a sistema se le pasó un puntero incorrecto (uno que apunta hacia una porción de memoria que resulta inaccesible).
ENOTBLK	Un proceso intentó montar un dispositivo que no es un dispositivo de bloque.
EBUSY	Un proceso trató de montar un dispositivo que ya se encontraba montado o intentó desmontar un filesystem corrientemente en uso.
EEXIST	Error retornado cuando se trata de crear un archivo que ya existe.
EXDEV	Retornado por la llamada `link` si los archivos de origen y destino no se encuentran en el mismo filesystem.
ENODEV	El proceso trató de utilizar un tipo de filesystem que el kernel no admite.
ENOTDIR	Uno de los directorios integrantes de una ruta de acceso no es en realidad un directorio.
EISDIR	El componente `nombre_de_archivo` de una ruta de acceso es un nombre de directorio, no de archivo.
EINVAL	Un proceso le transfirió un argumento inválido a una llamada a sistema.

continúa

Tabla 6.1. Continuación

Error	Descripción
ENFILE	El sistema ha alcanzado la máxima cantidad de archivos abiertos que puede admitir.
EMFILE	El proceso que efectuó la llamada no puede abrir ningún archivo más porque ya ha abierto el máximo número permitido.
ENOTTY	Un proceso trató de efectuar E/S de tipo terminal en un dispositivo o archivo que no es un terminal. Este error es el que genera el famoso mensaje *not a typerwriter* ("esto no es una máquina de escribir").
ETXTBSY	Un proceso intentó abrir un archivo binario o de biblioteca que se encuentra corrientemente en uso.
EFBIG	El proceso llamante intentó escribir un archivo más que lo que permiten el máximo del sistema o los límites de recursos del proceso.
ENOSPC	Un filesystem o dispositivo está lleno.
ESPIPE	Un proceso intentó efectuar un `lseek` en un archivo no previsto para realizar búsquedas.
EROFS	Un proceso intentó escribir a un filesystem de tipo sólo-lectura.
EMLINK	El archivo que está siendo linkeado ha alcanzado la máxima cantidad de *links* permitidos.
EPIPE	El extremo de lectura de un pipe está cerrado y SIGPIPE está siendo ignorada o capturada.
EDOM	Establecido por las funciones matemáticas cuando un argumento excede el dominio de la función.
ERANGE	Establecido por las funciones matemáticas cuando el resultado de la función no puede ser representado por el tipo del valor retornado por la misma.
ENAMETOOLONG	Una ruta o nombre de archivo son demasiado largos.
ENOSYS	La llamada a sistema invocada no se encuentra implementada.
ENOTEMPTY	Un directorio en el cual se llamó a `rmdir` no está vacío.
ELOOP	Una ruta contiene una cadena demasiado larga de vínculos simbólicos.

Administración de errores

Existen dos maneras de comprobar y administrar errores cuando se utilizan llamadas a sistema. Una es comprobar los valores retornados discutidos en el parágrafo anterior y redactar el código que los administre. La segunda es utilizar la variable global `errno` que se encuentra declarada en `<errno.h>`. Todas las llamadas de sistema y muchas funciones de biblioteca la asignan un valor a `errno` cuando tiene lugar un error. Existen también dos maneras de utilizar la variable `errno`. La primera se basa en la llamada de función a `perror`, que está declarada en `<stdio.h>` y prototipada como sigue:

```
void perror(const char *s);
```

`perror` exhibe la cadena `s`, seguida de dos puntos (:), un espacio y el mensaje de error asociado con `errno`, tal como se muestra en el ejemplo siguiente. La segunda manera es mediante una llamada a `strerror`, como se lo ilustra en el segundo ejemplo de este parágrafo.

Ejemplos

1. La utilización de `perror` constituye la manera más común de exhibir un código de error.

```
/* Nombre del programa en Internet: oops.c */
/*
 * mensaje_error.c
 */
#include <stdio.h>
#include <stdlib.h>
#include <errno.h>

int main(void)
{
    FILE *pfile;

       if((pfile = fopen("foobar", "r")) == NULL) {
        perror("fopen");
        exit(EXIT_FAILURE);
    } else {
        fprintf(stdout, "¿Asi que este archivo existia?\n");
        fclose(pfile);
    }

    exit(EXIT_SUCCESS);
}
```

El programa intenta abrir un archivo supuestamente no existente, `foobar`. Si fracasa, que es lo que debería ocurrir, llama a `perror` y termina. Si de alguna manera tiene éxito, el programa cierra el archivo y sale. La salida de este programa es la que sigue:

```
$ ./mensaje_error
fopen: No such file or directory
```

Como se puede apreciar, resulta impresa `fopen`, la cadena transferida a `perror`, seguida de dos puntos y el mensaje de error asociado con `errno`. `perror` permite implementar de manera muy simple pero suficientemente informativa una rudimentaria administración de errores en sus programas. La mayoría de los programas que se verán en este libro utilizan `perror`.

2. La segunda manera de utilizar `errno`, tal como ya lo hemos anticipado, es por medio de una llamada a `strerror`, que se encuentra prototipada en `<string.h>` de la siguiente manera:

```
char *strerror(int errnum);
```

`strerror` retorna a una cadena que describe el código de error presente en `errnum`. La cadena retornada puede ser utilizada solamente hasta la siguiente llamada a `strerror`. Se puede utilizar `strerror` para implementar una función `perror` propia (definida por el programador), tal como se ilustra a continuación:

```
/* Nombre del programa en Internet: mperror */
/*
 * perror_personalizada.c
 */
#include <stdio.h>
#include <stdlib.h>
#include <string.h>
#include <errno.h>

void perror_modificada(const char *mensaje, int errnum);
int main(void)
{
    FILE *pfile;

    if((pfile = fopen("foobar", "r")) == NULL) {
        perror_modificada("fopen", errno);
        exit(EXIT_FAILURE);
    } else {
        fprintf(stdout, "¿Asi que este archivo existia?\n");
        fclose(pfile);
    }

    exit(EXIT_SUCCESS);
}

void perror_modificada(const char *mensaje, int errnum)
{
     fprintf(stderr, "%s: %s\n", mensaje, strerror(errnum));
}
```

Este programa define una función, `perror_modificada`, que emula el comportamiento de `perror`. La misma utiliza la variable global `errno` como argumento de `strerror`. La salida de este programa es idéntica a la del ejemplo anterior, porque a strerror se le pasó como parámetro el propio valor de `errno`. Si el programador le hubiera pasado otro código de error correspondiente a una tabla de mensajes propia, el mensaje hubiera sido diferente.

Lo que viene

En este capítulo el lector ha aprendido sobre llamadas a sistema, la interfaz entre el código de modo usuario y el de modo kernel. A medida que se convierta en un programador de Linux más avezado, se encontrará cada vez más con situaciones en las que resulta ventajoso o conveniente utilizar servicios provistos por el kernel en lugar de desarrollar código propio. En los próximos dos capítulos –el capítulo 7, "Administración básica de archivos en Linux" y el capítulo 8, "Administración avanzada de archivos en Linux"– tendrá oportunidad de apreciar excelentes ejemplos de los tipos de servicios que provee el kernel y por qué razón los pueda encontrar preferibles a tener que reinventar la rueda con su propio código.

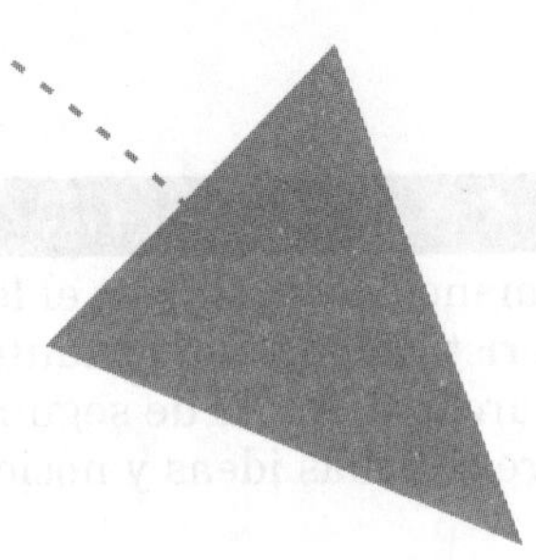

7

Administración básica de archivos en Linux

En Linux, casi todo es un archivo, al menos en términos abstractos. Esta característica constituye uno de los mejores detalles de diseño de Linux porque hace posible una interfaz de programación uniforme hacia un pasmoso y continuamente cambiante conjunto de recursos, tales como memoria, espacio en disco, dispositivos, canales de comunicación entre procesos, canales de comunicación entre redes y hasta procesos en ejecución. En este capítulo se comentarán las prestaciones fundamentales de la interfaz de Linux para el manejo de archivos

Este capítulo cubre los siguientes temas:

- Conceptos básicos del manejo de archivos de Linux
- Permisos de archivos
- Tipos de archivos
- Apertura y cierre de archivos
- Lectura y escritura de archivos
- Obtención y modificación de la información presente en archivos

Todos los programas de este capítulo pueden ser encontrados en el sitio Web `http://www.mcp.com/info` bajo el número de ISBN 0789722151.

Características y conceptos

Para poder comenzar a utilizar las interfaces de manejo de archivos, el lector necesitará comprender los conceptos y características más importantes a los que se hace referencia cuando se habla de un archivo. Antes de seguir adelante con la programación, esta parte se refiere a dichas ideas y nociones con bastante detalle.

Como se estableció, la mayoría de los recursos de Linux pueden ser accedidos como archivos. Como resultado de ello, existen muchos tipos diferentes de archivo. Un listado parcial de los tipos de archivos presentes en un sistema Linux incluiría los siguientes:

- Archivos normales.
- Pipes con y sin nombre asignado.
- Directorios.
- Dispositivos.
- Links simbólicos.
- Sockets.

Los archivos *normales* o *convencionales* se denominan archivos de disco y se los define como unidades de almacenamiento de datos que permiten un acceso discrecional, también denominado aleatorio. Los mismos están orientados a bytes, lo que significa que la unidad básica empleada para leer desde un archivo y escribir al mismo es el byte, conjunto de ocho bits que también corresponde a la representación de cualquier carácter cuyo código numérico se encuentre comprendido en la tabla ASCII. Por supuesto, uno puede, y habitualmente lo hace, leer o escribir múltiples bytes a la vez, pero la unidad fundamental sigue siendo cada carácter o byte individual.

Un *pipe* (comentado con mayor detalle en el capítulo 15, "Pipes y FIFOs") es simplemente lo que su nombre (*conducto*) da a entender –un canal de información que recibe datos por un extremo y los transmite (modificados) por el otro–. Por un extremo del pipe se escribe y del otro se lee. Existen dos tipos de pipes: con nombre asignado y sin nombre asignado. Los pipes sin nombre asignado se denominan así porque nunca aparecen en el disco rígido de un sistema con un nombre, tal como por ejemplo `/dir_principal/kurt-_wallwall/nombre_de_pipe`. En cambio, los pipes carentes de nombre son creados y destruidos en la memoria (estrictamente hablando, en el kernel) de acuerdo a las necesidades del sistema. Además, como se verá en el punto "La interfaz de administración de archivos" en este mismo capítulo, los pipes sin nombre son referenciados siempre por un número, nunca por nombre de archivo. No obstante, se utiliza la misma interfaz para leer de pipes sin nombre y escribir a los mismos que la que se utiliza para leer y escribir archivos convencionales presentes en el disco.

EJEMPLO

Los pipes sin nombre son creados generalmente como resultado de un comando emitido desde la línea de comandos de una interfaz, tal como se muestra a continuación (los pipes se indican mediante las barras verticales [|]):

```
$ cat /etc/passwd | cut -f1 -d: | head -5
```

La salida del comando anterior sería:

```
root
bin
daemon
adm
lp
```

El comando de interfaz de demostración crea dos pipes sin nombre, como se lo indica mediante las flechas en la figura 7-1.

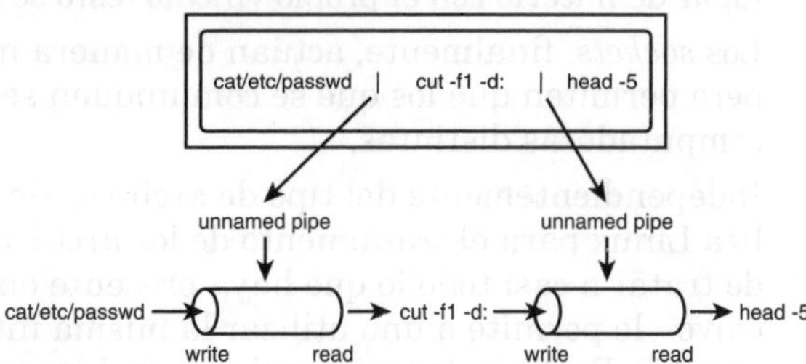

Figura 7.1. *Creación de pipes sin nombre mediante comandos de interfaz.*

Como se puede apreciar en la figura 7-1, el kernel crea un pipe sin nombre que recibe la salida del comando `cat`, que normalmente escribe su salida a *standard output* (la pantalla). El comando `cut` recibe su entrada desde el extremo de lectura del primer pipe, lleva a cabo su propia transformación de los datos y luego envía su salida al segundo pipe sin nombre. Entretanto, luego de que `cut` recibe toda la salida de `cat`, el kernel destruye el primer pipe porque éste ya no resulta necesario. El comando `head`, finalmente, exhibe las primeras cinco líneas de entrada leídas desde el pipe. Luego que head recibe todos los datos provenientes del segundo pipe sin nombre, el kernel destruye también este último. En ningún momento, sin embargo, tuvo ninguno de los pipes un nombre o residió en el disco.

Los *pipes con nombre,* por el contrario, tienen nombres de archivo. Se los utiliza principalmente cuando dos procesos necesitan compartir datos pero no compartir descriptores de archivos (ver "La interfaz de administración de archivos" más adelante para encontrar detalles).

Los *directorios,* también conocidos como *archivos de directorio,* son simplemente archivos que contienen una lista de los archivos almacenados en ese directorio.

Los *archivos de dispositivo,* también denominados *archivos especiales* o *controladores* (*drivers*), son archivos que proveen una interfaz con la mayoría de los dispositivos físicos. Pueden ser tanto especiales de caracteres o de bloques. Los archivos especiales de caracteres son escritos o leídos de a un byte (o carácter) a la vez. Ejemplos de dispositivos de caracteres pueden ser los módems, terminales, impresoras, tarjetas de sonido y ratones. Los archivos especiales de bloque, por otro lado, deben ser leídos o escritos en múltiplos de algún tamaño de bloque (un bloque es una porción de datos de algún tamaño arbitrario pero múltiplo de una potencia de 2, por ejemplo 512 bytes o 1 kilobyte). Los dispositivos de bloque comprenden, entre otras, las unidades de disco, las unidades de CD-ROM y las unidades de disco RAM (simulaciones de una unidad disco en memoria RAM). Hablando en términos generales, los dispositivos de carácter se emplean para transferir datos, mientras que los dispositivos de bloque se emplean para almacenarlos. Los archivos de dispositivo se encuentran almacenados en el directorio /dev.

Los *vínculos simbólicos* son archivos que contienen una ruta de acceso a otro archivo. Funcionalmente, se comportan de manera muy parecida a la de los alias de comandos. La mayoría de las llamadas relacionadas con el manejo de archivos operan directamente con el archivo real al cual apunta un vínculo, en lugar de hacerlo con el propio vínculo (esto se denomina *seguir el vínculo*).

Los *sockets,* finalmente, actúan de manera muy parecida a la de los pipes pero permiten que los que se comuniquen sean procesos que se ejecutan en computadoras distintas.

Independientemente del tipo de archivo, sin embargo, la convención que utiliza Linux para el tratamiento de los archivos –es decir, su hábito respecto de tratar a casi todo lo que haya presente en el sistema como si fuese un archivo– le permite a uno utilizar la misma interfaz para abrir, cerrar, leer y escribir. Es decir, las convenciones de Linux respecto de los archivos le brindan al programador una interfaz consistente y uniforme por medio de la cual interactuar con la totalidad del espectro de dispositivos y tipos de archivos existentes, liberándolo de tener que recordar los diferentes métodos de escribir a los dispositivos de bloque, vínculos simbólicos o directorios.

El modo de un archivo

El modo de un archivo, que se fija mediante la ejecución del comando de Linux chmod, es un número compuesto de siete dígitos octales (21 bits en total) que expresa el tipo de archivo, sus correspondientes permisos de acceso y la eventual modificación de su comportamiento predeterminado (recordemos aquí que el sistema de numeración octal cuenta con ocho dígitos, del 0 al 7 inclusive, y que cada dígito se puede representar a su vez por tres bits o dígitos binarios, de la misma forma que cada dígito hexadecimal se puede representar por cuatro bits). Los permisos de acceso ocupan los tres dígitos octales inferiores del modo de archivo (o sea los 9 bits de orden más bajo). Los tres dígitos octales (o 9 bits) de orden más alto expresan a su vez el tipo de archivo de que se trate, mientras que el dígito octal (3 bits) del centro representa el valor del modificador de modo de ejecución, que veremos enseguida. La figura 7-2 ilustra la configuración del modo archivo y sus elementos constituyentes.

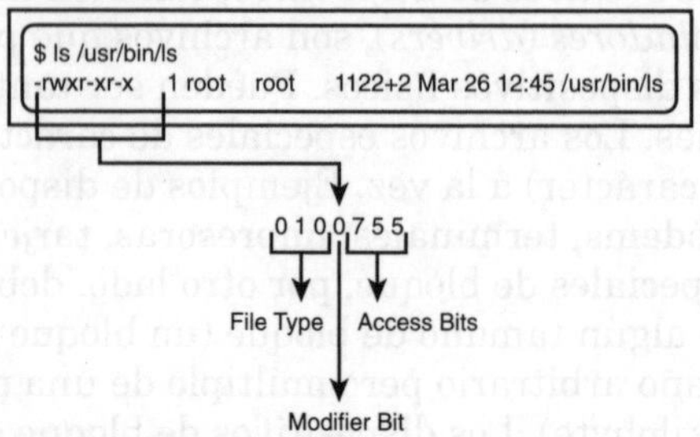

Figura 7.2. *Los elementos del modo archivo.*

LOS TRES DÍGITOS DE ACCESO DE ARCHIVO

Los tres dígitos octales de orden más bajo expresan los permisos de acceso de un archivo. A medida que se recorre la figura 7-2 de derecha a izquierda y se va observando cada uno de ellos, el valor del primer dígito especifica los permisos de acceso al archivo que se encuentran vigentes para cualquier usuario del sistema que no sea el propietario del mismo, mientras que el valor del segundo hace la misma cosa para el grupo al que pertenece el propietario del archivo y el último dígito lo hace para el propietario tratado como usuario individual, respectivamente. Si agrupamos los tres dígitos que especifican los respectivos modos de acceso, tal como se lo hizo en el caso de las máscaras de comprobación de la tabla 7.1, vemos que un valor 1 en el correspondiente dígito octal corresponde a privilegios de ejecución; un valor de 2 corresponde a privilegios de lectura, y un valor de 4 corresponde a privilegios de escritura (los dígitos octales de valor `0` dispuestos hacia la izquierda a partir del dígito central corresponden únicamente a las máscaras de comprobación que se muestran allí; sus valores verdaderos para el modo de archivo se explican en este mismo capítulo). Para especificar permisos de acceso específicos simplemente se deben sumar los valores requeridos de cada columna entre sí. Obsérvese que la suma de los valores posibles para cada columna nunca supera el dígito octal 7, es decir, nunca llega a 8, que en el sistema octal se representa como 10 y obligaría a un acarreo. Por esta misma razón, en este caso particular tales dígitos octales se pueden tratar como si fuesen decimales, pero sin perder de vista que en realidad son octales. El archivo de la figura 7-2 es por lo tanto leíble y ejecutable por el grupo del propietario y por cualquier otro usuario, y leíble/escribible/ejecutable sólo por el propietario, `root`.

EL DÍGITO DE MODO DE EJECUCIÓN DE ARCHIVO

El cuarto dígito octal (el dígito central) del modo archivo es el dígito que corresponde a su modo de ejecución; el mismo indica si se trata de un archivo *setuid, setgid* o *"pertinaz"* (*sticky*). Tal como se vio en el capítulo 4, "Procesos," cuando un proceso ejecuta un archivo `setuid` o `setgid`, su UID o GID efectiva, según corresponda, es puesta al mismo valor que la del propietario del archivo o la del grupo al que éste pertenece, respectivamente. Cuando está activado el bit de pertinacia (indicado por una S mayúscula, por `"Sticky"`, cuando se efectúa un listado de directorio con la opción `-l` del comando `ls`), su presencia obliga al kernel a tratar de mantener el archivo en memoria todo el tiempo que le resulte posible (de ahí el nombre de *pertinaz*), aun en el caso de que el mismo no esté siendo ejecutado, porque eso reduce el tiempo de comienzo de ejecución en posteriores corridas del programa durante la sesión. Los valores posibles para dicho dígito octal son los del dígito central de la tabla 7-2, que provee las máscaras y constantes simbólicas para la determinación del tipo de modo de ejecución. El dígito octal modificador de archivo de la figura 7-2 vale 0, por lo que el archivo no es ni `setuid`, ni `setgid`, ni pertinaz, y sólo puede ser ejecutado como lo especifican los tres dígitos octales de la derecha.

NOTA

Los bits de modificación y de permiso de un archivo constituyen máscaras de bits, o dígitos octales que son manipulados y evaluados por las funciones de manipulación de bits de C, tales como << (desplazamiento a la izquierda) y ~ (complemento de bits). Afortunadamente, Linux provee un conjunto de máscaras y constantes simbólicas (ver columna izquierda de tabla 7.1) que facilitan decodificar el modo de un archivo.

Tabla 7.1. *Máscaras para comprobación del modo de acceso de un archivo.*

Constante simbólica	Representación octal	Modo de acceso que permite determinar	POSIX
S_IRWXU	0000700	El propietario del archivo cuenta con permisos de lectura/escritura/ejecución	Sí
S_IRUSR	0000400	El propietario del archivo cuenta con permiso de lectura	Sí
S_IWUSR	0000200	El propietario del archivo cuenta con permiso de escritura	Sí
S_IXUSR	0000100	El propietario del archivo cuenta con permiso de ejecución	Sí
S_IRWXG	0000070	El grupo cuenta con permisos de lectura/escritura/ejecución	Sí
S_IRGRP	0000040	El grupo cuenta con permiso de lectura	Sí
S_IWGRP	0000020	El grupo cuenta con permiso de escritura	Sí
S_IXGRP	0000010	El grupo cuenta con permiso de ejecución	Sí
S_IRWXO	0000007	Otros usuarios cuentan con permisos de lectura/escritura/ejecución	Sí
S_IROTH	0000004	Otros usuarios cuentan con permisos de lectura	Sí
S_IWOTH	0000002	Otros usuarios cuentan con permisos de escritura	Sí
S_IXOTH	0000001	Otros usuarios cuentan con permisos de ejecución	Sí

Tabla 7.2. *Máscaras de comprobación de la modalidad de ejecución de archivo.*

Constante simbólica	Representación octal	Modo de ejecución de archivo que permite determinar	POSIX
S_ISUID	0004000	Establece ID de usuario (UID) (modo `setuid`)	Sí
S_ISGID	0002000	Establece ID de grupo (GID) (modo `setgid`)	Sí
S_ISVTX	0001000	Modo pertinaz (*sticky*). Guarda archivo en memoria aun cuando ya haya sido ejecutado, de modo de ganar en velocidad de acceso la siguiente vez.	No

EL INDICADOR DE TIPO DE ARCHIVO

El indicador de tipo de archivo (el dígito octal de la extrema izquierda de los siete dígitos que componen el modo de archivo) es un simple valor numérico que especifica el tipo de archivo. Los tipos de archivos admitidos en Linux son los siguientes:

- Socket.
- Vínculo simbólico.
- FIFO.
- Archivo convencional.
- Directorio.
- Dispositivo de bloque.
- Dispositivo de caracteres.

La tabla 7.3 lista las constantes simbólicas y máscaras que el lector puede emplear para determinar el tipo de un archivo.

Tabla 7.3. *Máscara de comprobación de tipo de archivo.*

Constante simbólica	Representación octal	Modo de acceso que permite determinar	POSIX
S_IFMT	0170000	Máscara para comprobación de cualquier tipo de archivo (tiene activados todos los bits posibles)	No
S_IFSOCK	0140000	El archivo es un socket	No
S_IFLNK	0120000	El archivo es un vínculo simbólico	No
S_IFREG	0100000	El archivo es convencional	No
SIFBLK	0060000	El archivo es un dispositivo de bloque	No
S_IFDIR	0040000	El archivo es un directorio	No
S_IFCHR	0020000	El archivo es un dispositivo de caracteres	No
S_IFIFO	0010000	El archivo es una FIFO	No

Una sección posterior de este capítulo, "Obtención de información de archivos", ilustra cómo utilizar las constantes simbólicas para determinar el tipo de un archivo.

El material de esta parte tal vez le resulte algo abrumador. ¡Serénese! Aunque el mismo constituye el basamento del resto del capítulo, todo lo que realmente necesita comprender a esta altura es que Linux cuenta con muchos tipos diferentes de archivo y que el lector puede utilizar las constantes listadas en la tabla 7.3 para poder determinar el tipo de un archivo. Después que haya leído el resto de este capítulo y trabajado con los programas de ejemplo, vuelva a repasar las tablas 7.1, 7.2 y 7.3.

CONSEJO

Para obtener información sobre cómo manipular el modo de un archivo desde la perspectiva de un usuario en lugar de la de un programador, ver *Teach Yourself Linux in 24 Hours* (Bill Ball), *Linux Unleashed* (Tim Parker) o *Special Edition Using Linux* (Jack Tackett y Steven Burnett), todos estos libros publicados por Sams.

La umask

El lector descubrirá en la próxima sección, "La interfaz de administración de archivos", que puede crear nuevos archivos y directorios y puede fijar los permisos respectivos de acceso a los mismos mientras los crea. Sin embargo, tanto a nivel de sistema como de usuario, los permisos que se asignen serán modificados por la *umask* asignada al proceso, que contiene una máscara de bits compuesta por los bits de permiso a ser desactivados para los archivos y directorios nuevos que sean creados. La *umask* afecta solamente a los bits de permiso de un archivo; uno no puede variar por medio de la *umask* los bits que especifican el tipo y la modalidad de ejecución de un archivo.

Se puede modificar la *umask* de un proceso, pero sólo para hacerla más restrictiva, y no menos restrictiva. Esto se efectúa mediante una llamada a *umask,* prototipada en `<sys/stat.h>` tal como se muestra a continuación:

```
mode_t umask(mode_t newmask);
```

Esta función establece como nueva `umask` del proceso la máscara `newmask` (máscara nueva), retornando la `umask` anterior independientemente de que la llamada a la función `umask` se complete exitosamente o no.

EJEMPLO

Ejemplo

El siguiente programa de demostración llama a `umask` para establecer una nueva umask más restrictiva.

```
/* Nombre del programa en Internet: newmask.c */
/*
 * nueva_umask.c - Modificar la umask haciendola mas restrictiva
 */
#include <sys/stat.h>
#include <sys/types.h>
#include <stdio.h>
#include <stdlib.h>

int main(void)
{
    mode_t nueva_mascara = 666, mascara_anterior; /* Los digitos son octales */

    mascara_anterior = umask(nueva_mascara);
    printf("La umask anterior era %#o\n", mascara_anterior);
    printf("La nueva umask es %#o\n", nueva_mascara);
    system("touch foo");
    exit(EXIT_SUCCESS);
}
```

```
$ ./nueva_umask
La umask anterior era 022
La nueva umask es 666
$ ls -l foo
- - - - - - - - - -     1 kurt_wall      users             0 Jul 24 10:03 foo
```

Como lo muestra la salida de este programa, la nueva umask queda establecida a 666 (desactivación de permisos de lectura y escritura para todos los usuarios, el propietario y su grupo). La utilidad `touch` de Linux, que modifica la fecha y hora de un archivo, también crea al mismo tiempo, en ausencia de alguna restricción específica, un archivo con modo de acceso 666, que *asigna* permisos de lectura y escritura a todo el mundo. Sin embargo, una umask de 666 hace exactamente lo opuesto y obliga a que todos los archivos que sean creados en el futuro no tengan activados esos bits de permiso. Como resultado de ello, `foo` resultó creado sin bits de permisos, que es exactamente lo que informó `ls`.

La interfaz de administración de archivos

La mayoría de las opciones de administración de archivos vienen en dos formas: una que opera con los nombres de los archivos y otra que opera con sus descriptores. Los descriptores de archivos son números enteros positivos y de bajo valor que actúan como índices de un arreglo de archivos abiertos que mantiene el kernel para cada proceso. Por ejemplo, las funciones `stat` y `fstat` retornan información sobre el archivo que se especifique en ellas. Las mismas se encuentran prototipadas como sigue en `<unistd.h>`:

```
int stat(const char *filename, struct stat *buf);
int fstat(int fd, struct stat *buf);
```

Como el lector podrá observar, stat espera que en `filename` se le transfiera el nombre de un archivo, mientras que `fstat` espera que en `fd` se le pase un descriptor del archivo.

A cada proceso se le asigna siempre de forma predeterminada tres archivos especiales abiertos: *standard input* (`stdin`), *standard output* (`stdout`) y *standard error* (`stderr`). Estos archivos corresponden a los descriptores de archivo `0`, 1 y 2, respectivamente. Sin embargo conviene utilizar tres macros, definidos en `<unistd.h>`, en su lugar: `STDIN_FILENO`, `STDOUT_FILENO` y `STDERR_FILENO`. Se le advierte que emplee esos macros en lugar de colocar directamente 0, 1 o 2 en su código fuente porque su programa puede ser compilado en un sistema en el cual *standard input, standard output* y *standard error* no se correspondan con los valores enteros 0, 1 y 2.

NOTA

El tratamiento de las rutinas de manejo de archivos cubiertas en el resto de este capítulo no incluyen las rutinas de biblioteca estándar tales como fopen, fclose y así siguiendo, porque se supone que el lector ya las conoce. Si necesita efectuar un repaso rápido, vea *The C Programming Language,* Second Edition, de Brian Kernighan y Dennis Ritchie, *C by Example,* de Greg Perry, o *Teach Yourself C in 21 Days,* Fifth Edition, de Peter Aitken y Brad Jones, publicado por Sams.

Apertura y cierre de archivos

Existen dos maneras de abrir un archivo, `open` y `creat`. Ambas están prototipadas en <unistd.h>, pero se debe recordar además de incluir en el código fuente el archivo de encabezado <fcntl.h>.

LA LLAMADA A SISTEMA open

Existen dos definiciones de la llamada a sistema open:

```
int open(const char *pathname, int flags);

int open(const char *pathname, int flags, mode_t mode);
```

`open` intenta abrir el archivo especificado en `pathname` (*nombre de ruta*) con el acceso especificado en `flags` (*indicadores*). El parámetro mode contiene el modo del archivo, si es que éste va a ser creado simultáneamente. Se deben establecer los indicadores a `O_RDONLY`, `O_WRONLY` o `O_RDWR`, que especifican accesos de sólo lectura, sólo escritura y lectura/escritura, respectivamente. Además, se pueden establecer uno o más de los valores octales listados en la tabla 7.6. Si se utiliza más de uno de los valores de dicha tabla se debe hacer con ellos una operación lógica de O (logical OR) bit a bit. Utilice la primera forma de `open` si el modo de archivo por defecto satisface sus necesidades. Utilice la segunda forma de `open` si desea establecer un modo de archivo específico, modificado por la `umask` del proceso. Ambas formas de `open` retornan, si tienen éxito, un descriptor de archivo. Si no, retornan -1 y asignan un código a `errno`.

Tabla 7.4. *Listado parcial de indicadores (flags) de acceso para* open *y* creat

Indicador	Valor	Descripción
O_RDONLY	0000	El archivo se abre solo para lectura
O_WRONLY	0001	El archivo se abre solo para escritura. Se escribe desde su origen de datos
O_RDWR	0002	El archivo se abre para lectura y escritura
O_APPEND	0008	La escritura de datos se realiza siempre al final del archivo
O_RANDOM	0010	El archivo se abre para ser accedido de manera discrecional (aleatoria)
O_SEQUENTIAL	0020	El archivo se abre para ser accedido de manera secuencial
O_TEMPORARY	0040	El archivo es temporario
O_NOINHERIT	0080	El archivo no hereda las variables de entorno del programa que lo creo
O_CREAT	0100	Crea el archivo si este ya no existe
O_TRUNC	0200	Establece el tamaño del archivo en 0 bytes.
O_EXCL	0400	Empleada sólo con O_CREAT, open no abre el archivo si ya lo abrió O_CREAT
O_TEXT	4000	El archivo se abre en modo texto
O_BINARY	8000	El archivo se abre en modo binario

continúa

Tabla 7.4. Continuación

Indicador	Valor	Descripción
O_NOCTTY		Si el archivo en cuestión es un dispositivo de terminal (TTY), no se convertirá en la terminal de control del proceso (CTTY)
O_NONBLOCK		Abre el archivo en modo no-bloque, de modo que una lectura retornará cero bytes en lugar de un bloque
O_SYNC		Todas las escrituras al archivo deben completarse antes de que retorne la llamada a sistema

LA LLAMADA A SISTEMA creat

creat también abre un archivo, pero primero lo crea si éste no existe. Su prototipo es el siguiente:

```
int creat(const char *pathname, mode_t mode);
```

Esto es equivalente a lo siguiente:

```
open(pathname, O_CREAT | O_TRUNC | O_WRONLY, mode);
```

Los programas de este libro no emplean creat por dos razones. Primero, porque está mal deletreada. Segundo, la llamada a `open` es más general y, siempre que se utilice el indicador `O_CREAT`, logra el mismo resultado. `creat` retorna un descriptor de archivo si tiene éxito en su cometido o, si fracasa, asigna un código de error a `errno` y retorna `-1`.

LA LLAMADA A SISTEMA `close`

Para cerrar un archivo, utilice la llamada a `close`, prototipada en `<unistd.h>` de la siguiente manera:

```
int close(int fd);
```

close cierra el archivo asociado con fd (*file descriptor*) y retorna `0` si tiene éxito o `-1` si ocurre algún error.

Ejemplo

El siguiente programa simplemente abre y cierra un archivo de nominado hola:

```
/* Nombre del programa en Internet: fopn.c */
/*
 * abre_cierra.c - Apertura/cierre de archivos
 */
#include <fcntl.h>
#include <unistd.h>
#include <stdlib.h>
#include <stdio.h>

int main(void)
{
    int descriptor_archivo;
    char ruta[] = "hola";

    if(descriptor_archivo = open(ruta, O_CREAT | O_TRUNC | O_WRONLY, 644) < 0) {
/*Ver tabla 7.1)
        perror("open");
        exit(EXIT_FAILURE);
```

```
        } else
            printf("Abierto archivo %s\n", ruta);
        if(close(descriptor_archivo) < 0) {
            perror("close");
            exit(EXIT_FAILURE);
        } else
            printf("Cerrado archivo %s\n", ruta);
        exit(EXIT_SUCCESS);
}
```

La llamada a sistema `open` trata de abrir el archivo `hola` en modo sólo lectura. `O_CREAT` hará que el archivo sea creado si no existiese previamente pero, si ya existiera, `O_TRUNC` pone el tamaño del archivo a cero, como si hubiera sido recién creado. `O_WRONLY` hace que el archivo se abra para lectura/escritura solamente. Cuando el archivo queda abierto, `close` procede rápidamente a cerrarlo.

En particular, obsérvese que el código fuente verifica el valor de retorno de `close`. Aunque comúnmente esto no se lleva a cabo, representa en ese caso un serio error de programación por dos razones. Primero, en un filesystem operando en red, tal como NFS, la llamada a `close` puede fallar debido a la latencia de la red. Segundo, muchos sistemas están configurados con *almacenamiento temporario (cache) de tipo escribir después,* lo que significa que una llamada a `write` retornará con éxito, pero el sistema operativo diferirá la acción efectiva de escribir a disco hasta hallar alguna ocasión más conveniente. Citando la página del manual para `close(2)`:

> "La condición de error puede (llegar a) ser informada (recién) en una operación posterior de escritura, pero se garantiza que será informada cuando se proceda a cerrar el archivo. El hecho de no verificar el valor retornado por `close` cuando se cierra el archivo puede conducir a pérdida inadvertida de datos."

Lectura y escritura de archivos

Probablemente el lector desee tanto leer como escribir y desplazarse por un archivo. Para leer de un archivo y escribir al mismo se proveen en `<unistd.h>` las siguientes dos funciones:

```
ssize_t read(int fd, void *buf, size_t count);
ssize_t write(int fd, const void *buf, size_t count);
```

`read` trata de leer desde el archivo abierto indicado por el descriptor de archivo `fd` la cantidad de bytes especificada por `count` y si retorna exitosamente almacena los datos leídos en el buffer (espacio en memoria) especificado por `buf`. Si tiene éxito en su tarea retorna asimismo el número de bytes leídos desde el archivo (`0` indicaría una condición de EOF o final de archivo). Esta cantidad puede llegar a ser menor que el número de bytes solicitados. Si se produce un error, el valor retornado será `-1` y se le asignará un valor a `errno`. Después de una lectura exitosa, el puntero de archivo será avanzado la cantidad de bytes efectivamente leídos, la cual no necesariamente será igual a `count`.

Similarmente, `write` escribe en el archivo especificado por el descriptor de archivos `fd` hasta la cantidad de bytes especificada en `count` desde el *buffer* señalado por `buf`. Una operación exitosa de escritura retorna el número de bytes escritos (`0` significa que no se escribió nada). En caso de error, `write` retorna `-1` y asigna a `errno` un valor representativo del error ocurrido.

EJEMPLO

Ejemplo

El siguiente programa lee su propio código fuente, y luego lo escribe en `/dev/null` y en un archivo denominado `/tmp/foo.bar`:

```
/* Nombre del programa en Internet: fread.c */
/*
 * lectura_escritura.c - Las llamadas a sistema read y write
 */
#include <fcntl.h>
#include <unistd.h>
#include <stdlib.h>
#include <stdio.h>

int main(void)
{
   int descriptor_fuente, descriptor_null, descriptor_foobar, num_bytes;
   char nom_archivo[] = "lectura_escritura.c";
   char buf[10];

   /* Abrir: el archivo fuente */
  if((descriptor_fuente = open(nom_archivo, O_RDONLY)) < 0) {
      perror("open lectura_escritura.c");
      exit(EXIT_FAILURE);
   }

   /* Abrir: el archivo /dev/null */
   if((descriptor_null = open("/dev/null", O_WRONLY)) < 0) {
      perror("open /dev/null");
      close(descriptor_fuente);   /* Cerrar este archivo, ya que lo habiamos
abierto */
      exit(EXIT_FAILURE);
   }

   /* Abrir: el archivo /tmp/foo.bar */
  if((descriptor_foobar = open("/tmp/foo.bar", O_CREAT | O_TRUNC | O_WRONLY,
644)) < 0) {
       perror("open /tmp/foo.bar");
       close(descriptor_fuente); /* Hay que cerrar los dos archivos abiertos
antes de salir */
        close(descriptor_null);
        exit(EXIT_FAILURE);
   }
   /* Leer hasta 10 bytes de lectura_escritura.c, */
   /* luego escribir hasta 10 bytes en /dev/null */
   while((num_bytes = read(descriptor_fuente, buf, 10)) != 0) {
      if(write(descriptor_null, buf, 10) < 0)
```

```
            perror("write /dev/null");
        }
        /* Ahora escribir hasta 10 bytes en /tmp/foo.bar */
        {
            if(write(descriptor_foobar, buf, num_bytes) < 0)
                perror("write /tmp/foo.bar");
        }
        /* Cerrar los tres archivos y salir */
        close(descriptor_fuente);
        close(descriptor_null);
        close(descriptor_foobar);
        exit(EXIT_SUCCESS);
}
```

El programa abre tres archivos, uno para lectura y dos para escritura. El archivo `/tmp/foo.bar` resulta poco relevante, pero obsérvese que el programa abre un controlador de dispositivo, `/dev/null`, como si fuese un archivo corriente. De modo que es dable observar que se puede tratar a la mayoría de los dispositivos como si fuesen archivos. La terminología estándar que se utiliza para manipular archivos convencionales se emplea también para administrar dispositivos y otros archivos especiales. Otra característica del programa es que cuando escribe al archivo de disco denominado `/tmp/foo.bar`, escribe sólo hasta `num_bytes` caracteres, lo que evita que se escriban bytes carentes de información al final del archivo. La primera llamada a `read` antes de alcanzar el final del archivo probablemente no lea la totalidad de los `10` bytes, pero `write` escribirá en el disco tantos bytes como se le haya instruido. Al escribir sólo `num_bytes`, el programa no agrega caracteres adicionales al final del archivo.

Posicionamiento del puntero del archivo

Si se quiere leer y escribir desde cualquier posición del archivo, deberá poder tanto determinar la posición corriente del puntero del archivo como posicionar el mismo adecuadamente. La herramienta para este propósito se denomina `lseek`. Su prototipo en `<unistd.h>` es el siguiente:

```
int lseek(int fd, off_t offset, int whence);
```

lseek colocará el puntero del archivo abierto que se encuentra individualizado por el descriptor de archivo `fd` (*file descriptor*), en la posición situada a offset bytes contados desde la posición especificada por `whence` (*desde dónde*). `whence` puede tener uno de los valores siguientes:

- `SEEK_SET` ubica el puntero a `offset` bytes del comienzo del archivo.
- `SEEK_CUR` establece la nueva ubicación del puntero a `offset` bytes relativos a la posición corriente del mismo. `offset` puede ser tanto positivo como negativo.
- `SEEK_END` sitúa el puntero a `offset` bytes contando hacia atrás desde el final del archivo.

Cuando tiene éxito `lseek` retorna la nueva posición del puntero, o si tuvo lugar algún error retorna un valor entero de tipo `off_t` y valor `-1`, y asigna el valor adecuado a `errno`.

Ejemplo

El siguiente ejemplo lee 10 bytes desde el archivo de ingreso de datos después de situar el cursor en diversas ubicaciones del archivo.

```
/* Nombre del archivo en Internet: seek.c
/*
 * ubicar_puntero.c - Utilizacion de lseek
 */
#include <sys/types.h>
#include <stdio.h>
#include <stdlib.h>
#include <fcntl.h>
#include <unistd.h>
int main(void)
{
    char archivo_temporario[] = "tmpXXXXXX";
    char buf[10];
    int i, descriptor_entrada, descriptor_salida;
    /* Abrir el archivo de entrada */
    if((descriptor_entrada = open("dispositivos.txt", O_RDONLY)) < 0) {
        perror("open dispositivos.txt");
        exit(EXIT_FAILURE);
    }
    /* Crear un archivo temporario para la salida */
    /* extern int mkstemp __P ((char * _template)) es una funcion prototipada
        en <stdlib.h> que retorna un puntero a un archivo temporario tmpXXXXXX */
    if((descriptor_salida = mkstemp(archivo_temporario)) < 0) {
        perror("mkstemp");
        exit(EXIT_FAILURE);
    }
    fprintf(stdout, "El archivo de salida es %s\n", archivo_temporario);
    /* Establecer la ubicacion inicial del puntero en el archivo de entrada. */
    lseek(descriptor_entrada, 100, SEEK_SET);
    /*
     * Escribir al archivo de salida los primeros 10
     * de cada 100 bytes leidos al archivo de salida
     */
    for(i = 0; i < 10; ++i) {
        read(descriptor_entrada, buf, 10);
        write(descriptor_salida, buf, 10);
        lseek(descriptor_entrada, 90, SEEK_CUR); /* Saltearse los 90 bytes
restantes de la serie de 100 */
    }
    close(descriptor_entrada);
    close(descriptor_salida);
    exit(EXIT_SUCCESS);
}
```

El archivo de entrada, `dispositivos.txt`, está incluido (con el nombre `devices.txt`) en el sitio Web de este libro, junto al código fuente de este capítulo. Además, en lugar de asignarle un nombre cualquiera al archivo de salida e incluirlo en el código fuente, este programa utiliza la llamada a mkstemp para crear y abrir un archivo de nombre exclusivo (para esa corrida específica del programa) en el directorio corriente. Después de situar el puntero a 256 bytes contados desde el origen del archivo, el programa procede a leer 10 bytes, los escribe al archivo de salida y luego se saltea los restantes 90 bytes, de acuerdo con lo requerido. El nombre del archivo temporario de salida variará para cada ejecución del programa, aunque siempre comenzará con tmp, por lo que luego de correr cada instancia del programa se debería proceder a eliminarlo manualmente para que no ocupe espacio innecesario en el disco. Una corrida de prueba de ubicar_puntero.c produjo la siguiente salida:

SALIDA

```
$ ./ubicar_puntero
El archivo de salida es tmptjcXQN
```

El siguiente comando de interfaz nos permite ver el contenido de tmptjcXQN, cuya corrección podemos verificar leyendo en un editor de texto el programa original devices.txt (los espacios también cuentan como caracteres):

```
$ cat tmptjcXQN
sed: Augusnumbers an included om
ftp://fTeX versioinux Files/linux-stanly.        Alloc in the puributed wi
```

Truncado de archivos

Obviamente, para extender un archivo sólo hace falta escribir más datos al mismo o colocar el puntero más allá del final mismo mediante una llamada a lseek. ¿Pero cómo se puede truncar un archivo? Utilizando una llamada a truncate o a ftruncate, por supuesto. Estas funciones, declaradas en <unistd.h>, tienen los siguientes prototipos:

```
int truncate(const char *pathname, off_t length);
int ftruncate(int fd, off_t length);
```

Ambas llamadas permiten acortar un archivo, especificado por su ruta de acceso pathname o su descriptor fd, a la longitud length, y ambas retornan 0 si han tenido éxito. Recuérdese que muchas de las llamadas a sistema de E/S de archivos tienen dos formas, en este caso una (truncate) que acepta una cadena estándar terminada en un cero binario (\0), y otra, (ftruncate), que acepta un descriptor de archivo en lugar de una ruta de acceso. Si tiene lugar un error, las dos llamadas retornan -1 y asignan un valor adecuado a errno. Si se emplea ftruncate, el archivo debe de ser abierto para escritura.

¿Para qué podría uno desear acortar un archivo utilizando una de estas llamadas? Una razón típica es para suprimir datos innecesarios del final de un archivo preservando al mismo tiempo el resto del mismo. Truncar un archivo a la longitud deseada es mucho más sencillo que crear un nuevo archivo, leer los datos que se quieren preservar del archivo viejo, escribirlos al archivo nuevo y luego eliminar el archivo viejo. Una única llamada a truncate o a ftruncate reemplaza a por lo menos cuatro llamadas sucesivas , a saber: open, read, write y unlink.

Ejemplo

El programa truncar que viene a continuación es una utilidad que resulta práctica para acortar archivos. Acepta el nombre del archivo a ser acortado seguido de la nueva longitud que se desea asignarle.

```
/* Nombre del archivo en Internet: trunc.c
/*
 * truncar.c - Acortar un archivo a la longitud deseada Sintaxis: truncar
nom_archivo, longitud
*/
#include <stdio.h>
#include <stdlib.h>
#include <unistd.h>
#include <fcntl.h>

/* En main(), argc  informa el numero de argumentos ingresados */
/* en la linea de comandos, mientras que *argv es un puntero que */
/* señala el origen en memoria de ambos */
int main(int argc, char **argv)
{
    long longitud;

    if(argc != 3)       /* argc cuenta los argumentos de la linea de comando;
                el primero es el propio nombre del archivo *
        exit(EXIT_FAILURE);
    longitud = (long)strtol(argv[2], NULL, 10);

    if(truncate(argv[1], longitud)) {
        perror("truncate");
        exit(EXIT_FAILURE);
    }
    exit(EXIT_SUCCESS);
}
```

La ejecución de este programa sobre un archivo llamado `test.txt` del directorio corriente produjo los siguientes resultados:

```
$ ls -l test.txt
- r w - r   r - -   1 kurt_wall    users        56561 Jul 24 15:56 test.txt
$ trunc test.txt 2000
$ ls -l test.txt
- r w  r  - r -     1 kurt_wall    users         2000 Jul 24 15:58 test.txt
```

Luego de comprobar que se le transfirieron efectivamente dos argumentos, `trunc` utiliza la función `strtol` para convertir el texto del argumento que especifica la nueva longitud de la cadena a un entero de tipo `long`. Después llama a `truncate` con el nombre de archivo que le fue transferido y la nueva longitud requerida. Si la llamada a `truncate` fracasa, el programa imprime un mensaje de error y termina. Si tiene éxito, la ejecución del mismo termina sin emitir ningún mensaje, retornando el valor cero al sistema operativo.

Aunque funcional, el programa `trunc` no es para nada lo suficientemente robusto como para ser totalmente confiable, porque da por sentado que los argumentos que recibe son válidos. Un programa con la calidad suficiente como para emplearlo sin que genere sorpresas debería confirmar primero que el archivo especificado existe y que el nombre de archivo que se le ha transferido es un nombre válido. Esos detalles fueron pasados por alto aquí por razones de brevedad.

Obtención de información de archivos

Ahora el lector puede abrir, cerrar, leer, escribir y truncar archivos. Sin embargo, también se puede obtener muchísima información interesante sobre un archivo, como lo muestra el comando `stat (1)`:

SALIDA

```
$ stat truncar.c
File: "truncar.c"
Size: 420  Filetype: Regular File
Mode: (0644/-rw-r--r--)  Uid: (500/kurt_wall)  Gid: (100/users)
Device:  3,2   Inode: 534555    Links: 1
Access: Sat Jul 24 16:02:50 1999(00000.00:15:56)
Modify: Sat Jul 24 16:04:29 1999(00000.00:14:17)
Change: Sat Jul 24 16:04:29 1999(00000.00:14:17)
```

El comando `stat` lee información de una serie de nodos de información de archivos denominados cada uno de ellos *inode* o *nodo-i,* y se la exhibe al usuario. Aunque los detalles específicos exceden el alcance de este libro, los *inodes* son estructuras de datos que el kernel mantiene para cada archivo presente en un filesystem. Entre otras cosas, los mismos contienen información tal como el nombre, el tamaño y el propietario de un archivo, la fecha y hora en que fue cambiado el inode, accedido y modificado el archivo, su tipo y cuántos vínculos simbólicos existen hacia él. El comando `stat` del ejemplo lista toda esa información.

Existen tres funciones para obtener esta información: `stat` (estadísticas), `lstat` y `fstat`. Para utilizarlas, se debe incluir tanto <sys/stat.h> como `<unistd.h>` en el código fuente. Sus prototipos son los siguientes:

```
int stat(const char *filename, struct stat *buf);
int fstat(int fd, struct stat *buf);
int lstat(const char *filename, struct stat *buf);
```

Todas las funciones `stat` colocan en `buf` la información obtenida del archivo especificado por filename o el descriptor de archivo `fd`. Si se ejecutan con éxito, retornan `0`, y si ocurre un error retornan `-1` y asignan el código adecuado a `errno`. La única diferencia práctica entre ellas es que `lstat` no siguen los vínculos simbólicos, en tanto que `stat` y `fstat` sí lo hacen. La estructura de patrón `stat` está definida como sigue:

```
struct stat {
    dev_t st_dev;       /* dispositivo */
    ino_t st_ino;       /* numero de inode */
    mode_t st_mod;      /* modo del archivo */
    nlink_t st_nlink; /* numero de discos duros */
    uid_t st_uid;       /* UID del propietario del archivo */
    gid_t st_gid;       /* GID del propietario del archivo */
    dev_t st rdev;      /* tipo de dispositivo */
    off_t st_size;      /* tamaño total en bytes */
```

```
    unsigned long st_blksize; /* tamaño de bloque preferido */
    unsigned long st_blocks;  /* numero de bloques de 512 bytes */
    time_t st_atime;  /* fecha y hora del ultimo acceso del archivo */
    time_t st_mtime;  /* fecha y hora de la ultima modificacion del archivo */
    time_t st_ctime;  /* fecha y hora del ultimo cambio del contenido del inode
*/
};
```

El miembro `st_blksize` informa el tamaño preferido de bloque para la E/S del filesystem. Si se utilizaran bloque más pequeños podrían tener lugar operaciones de E/S de disco que fueran ineficientes. La última fecha y hora de acceso, `atime`, es modificada por las llamadas a mknod, utime, read, write y truncate. Las llamadas a `mknod`, `utime` y `write` también cambian la última fecha de modificación, denominada `mtime`. La `ctime`, la fecha y hora del último cambio, almacena la última fecha y hora en que fue modificado el contenido del *inode,* incluyendo propietario, grupo, cantidad de vínculos e información de modo de archivo.

Mediante la información contenida en la estructura `stat` uno puede implementar su propia función `stat`, como lo muestra el programa de demostración de la próxima sección.

El lector puede también emplear varios macros que le permiten obtener información adicional sobre el modo del archivo. El estándar POSIX define siete macros que decodifican un modo de archivo para deducir su tipo. Los mismos están listados en la tabla 7.5.

Tabla 7.5. *Macros para comprobación de tipo de archivo.*

Macro	Descripción
S_ISLNK(mode)	Retorna verdadero si el archivo es un vínculo simbólico
S_ISREG(mode)	Retorna verdadero si el archivo es un archivo normal
S_ISDIR(mode)	Retorna verdadero si el archivo es un directorio
S_ISCHR(mode)	Retorna verdadero si el archivo es un dispositivo de caracteres
S_ISBLK(mode)	Retorna verdadero si el archivo es un dispositivo de bloque
S_ISFIFO(mode)	Retorna verdadero si el archivo es una FIFO
S_ISSSOCK(mode)	Retorna verdadero si el archivo es un socket

Para utilizar estos macros se les debe transferir a los macros de la tabla el miembro `st_mod` de la estructura de patrón `stat` como su argumento `mode`. El siguiente programa de demostración ilustra su empleo.

EJEMPLO

Ejemplo

Para correr este programa, transfiérale el nombre del archivo que sea de su interés.

```
/* Nombre del programa en Internet: mstat.c */
/*
 * macros_de_modo.c - Programa sencillo de stat(1). Sintaxis: macros_de_modo
nom_archivo
*/
#include <unistd.h>
```

```
#include <sys/stat.h>
#include <stdlib.h>
#include <stdio.h>

int main(int argc, char **argv)
{
    struct stat buf;
    mode_t modo;
    char tipo_de_archivo[80];

    if(argc != 2) {     /* argc cuenta los argumentos de la linea de comando;
            el primero es el propio nombre del archivo *
        puts("MODO DE EMPLEO: mstat NOMBRE DE ARCHIVO");
        exit(EXIT_FAILURE);
    }
        if((lstat(argv[1], &buf)) < 0) {
        perror("lstat");
        exit(EXIT_FAILURE);
    }

    modo = buf.st_mode;
    printf("   ARCHIVO: %s\n", argv[1]);
    printf("     INODE: %d\n", buf.st_ino);
    printf(" DISPOSITIVO: %d,%d\n", major(buf.st_dev), minor(buf.st_dev)); /*

printf("    MODO: %#o\n",  buf.st_mode & ~(S_IFMT));

    printf("  VINCULOS: %d\n", buf.st_nlink);
    printf("      UID: %d\n", buf.st_uid);
    printf("      GID: %d\n", buf.st_gid);
    if(S_ISLNK(modo))
        strcpy(tipo_de_archivo, "Vinculo simbolico");
    else if(S_ISREG(modo))
        strcpy(tipo_de_archivo, "Archivo normal");
    else if(S_ISDIR(modo))
        strcpy(tipo_de_archivo, "Directorio");
    else if(S_ISCHR(modo))
        strcpy(tipo_de_archivo, "Dispositivo de caracteres");
    else if(S_ISBLK(modo))
        strcpy(tipo_de_archivo, "Dispositivo de bloques");
    else if(S_ISFIFO(modo))
        strcpy(tipo_de_archivo, "FIFO");
    else if(S_ISSOCK(modo))
        strcpy(tipo_de_archivo, "Socket");
    else
        strcpy(tipo_de_archivo, "Tipo desconocido");
    printf("TIPO: %s\n", tipo_de_archivo);
    printf("TAMAÑO: %ld\n", buf.st_size);
```

```
        printf("TAMAÑO DE BLOQUE: %d\n", buf.st_blksize);
        printf("BLOQUES: %d\n", buf.st_blocks);
        printf("ACCEDIDO: %s", ctime(&buf.st_atime));
        printf("MODIFICADO: %s", ctime(&buf.st_mtime));
        printf(" INODE MODIFICADO: %s", ctime(&buf.st_ctime));

        exit(EXIT_SUCCESS);
}
```

La salida de una corrida de prueba de este programa es la siguiente:

SALIDA

```
$ ./macros_de_modo /bin/ls
           ARCHIVO: /bin/ls
             INODE: 26740
       DISPOSITIVO: 3,1
              MODO: 0755
          ViNCULOS: 1
               UID: 0
               GID: 0
              TIPO: Archivo normal
            TAMAÑO: 50148
  TAMAÑO DE BLOQUE: 4096
           BLOQUES: 100
          ACCEDIDO: Sat Jul 24 16:18:15 1999
        MODIFICADO: Tue Mar 23 19:34:26 1999
  INODE MODIFICADO: Sun Jun 27 16:22:29 1999
```

El código anterior resulta bastante árido, lo admitimos, pero sirve para ilustrar cómo utilizar la familia de funciones `stat`. Después de hacer que `lstat` recorra el archivo para recoger información, el programa exhibe el valor asignado a cada miembro de la estructura de patrón `stat`. Cuando le llega el turno a exhibir el tipo de archivo, el programa realiza un considerable despliegue para convertir un número ininteligible en una forma que tenga significado, de ahí el bloque `if...else` (que debería en realidad haber sido confinado a una función). mstat utilizó la constante `S_IFMT`, mostrada en la tabla 7.1, para dejar fuera los bits del tipo de archivo correspondiente al modo de archivo, de modo que el modo de archivo exhibido contenga sólo los bits correspondientes a los permisos y a la modalidad de ejecución.

El código utiliza también la función `ctime` para convertir los valores de `atime`, `mtime` y `ctime` en una cadena que los usuarios puedan comprender fácilmente. Como en el caso anterior, este programa necesitaría ser refinado pero sirve para poder apreciar lo que resulta posible hacer y sirve de adecuado punto de partida para la confección de un programa más elaborado. En particular, se podrían agregar porciones de código para verificar que el nombre de archivo ingresado sea un nombre válido.

Modificación de las características de un archivo

En esta parte del capítulo, el lector encontrará una serie de funciones que modifican la información del inode. Muchas de esas rutinas tienen contrapartes que son comandos de Linux. Estos comandos se distribuyen habitualmente como parte del paquete `fileutils` de GNU, que es estándar en casi todos los sistemas Linux actualmente en circulación.

MODIFICACIÓN DE LOS PERMISOS DE ACCESO

Las llamadas a sistema `chmod` y `fchmod` cambian los permisos de acceso de un archivo, siempre y cuando, por supuesto, la UID y la GID del proceso que efectuó la llamada posean los derechos correspondientes. Sólo el usuario root y el propietario del archivo pueden modificar los permisos de acceso de un archivo. `chmod` y `fchmod` se hallan prototipadas en `<unistd.h>` de la siguiente manera:

```
int chmod(const char *pathname, mode_t mode);
int fchmod(int fd, mode_t mode);
```

Estas rutinas tratan de modificar los permisos de acceso al archivo especificado ya sea por la cadena terminada en un cero binario (`\0`) que se indica en `pathname` o por el descriptor de archivo `fd`, respectivamente. Si la tentativa tiene éxito, ambas funciones retornan `0`. Si fracasan, retornan `-1` y asignan el valor adecuado a errno. Para utilizar estas funciones se debe incluir tanto `<sys/types.h>` como `<sys/stat.h>` en el código fuente del programa.

Ejemplo

En este programa se crea un archivo vacío con un conjunto de permisos y luego se utiliza `fchmod` para modificar dichos permisos.

```
/* Nombre del archivo en Internet: chgmod.c
/*
 * cambiar_permisos.c - Crea un archivo y luego modifica sus permisos de acceso
 */
#include <stdlib.h>
#include <stdio.h>
#include <sys/stat.h>
#include <sys/types.h>
#include <fcntl.h>

int main(void)
{
    mode_t modo = 0755;
    int descriptor_archivo;

    /* Crear el archivo */
    if((descriptor_archivo = open("archivo.vacio", O_CREAT, 0644)) < 0) {
        perror("open");
        exit(EXIT_FAILURE);
    }
    /* Correr ls para este archivo recien creado */
    system("ls -l archivo.vacio");
    /* modificar sus permisos */
    if((fchmod(descriptor_archivo, modo)) < 0) {
        perror("fchmod");
```

```
        exit(EXIT_FAILURE);
    }
    /* Correr ls de nuevo con los permisos ya modificados */
    system("ls -l archivo.vacio");
    exit(EXIT_SUCCESS);
}
```

La salida de este programa será similar a la siguiente:

SALIDA

```
$ ./cambiar_permisos
- r w -   r - -   r - -   1 kurt_wall   users        0 Jul 24 20:47
empty.file
- r w x  r - x  r - x   1 kurt_wall   users        0 Jul 24 20:47 empty.file
```

Se puede ver claramente que el archivo tiene un conjunto de permisos inmediatamente después de su creación, y otro conjunto después de la llamada a `fchmod`. Después de haber sido creado este archivo, `cambiar_permisos` emplea la función `system` para exhibir los permisos del archivo ejecutando el comando de Linux `ls -l`, llama a `fchmod` para modificarlos y luego utiliza otra llamada a la función `system` para exhibir los archivos modificados.

REASIGNACIÓN DE LA PROPIEDAD DE UNA ARCHIVO

Reasignar la propiedad de un archivo es similar a modificar sus permisos de acceso. Las funciones `chown` y `fchown` son las que se encargan de esta tarea. Las mismas se encuentran prototipadas en `<unistd.h>` de la siguiente manera:

```
int chown(const char *pathname, uid_t owner, gid_t group);
int fchown(int fd, uid_t owner, gid_t group);
```

Estas dos llamadas modifican el propietario y el grupo del archivo especificado en `pathname` por la cadena terminada en un cero binario (`\0`) o por el descriptor del archivo `fd` a los nuevos valores `owner` y `group`, respectivamente. Lo mismo que el resto de las funciones discutidas en este capítulo, estas dos retornan `0` si tienen éxito; si fracasan, retornan `-1` y asignan a `errno` el valor adecuado. La decisión entre utilizar `chown` o `fchown` depende de varios factores. Si uno conoce el nombre del archivo, probablemente deseará utilizar `chown`. Si se ha abierto o creado el archivo utilizando `open` o `creat`, que retornan descriptores de archivos, quizá se prefiera utilizar `fchown` porque se conoce el descriptor del archivo. Si se conoce tanto el nombre del archivo como su descriptor, da lo mismo utilizar cualquiera de las dos funciones. En esa situación yo preferiría utilizar `fchown` porque requiere menor cantidad de tipeo.

EJEMPLO

Ejemplo

El siguiente programa crea un archivo y luego modifica su propietario. Obsérvese que para que el programa funcione correctamente, debe ser corrido por el usuario root. Además, se deben reemplazar los valores asignados en el código fuente al propietario y al grupo por valores que tengan sentido para el sistema donde el programa se vaya a correr. La manera más sencilla de lograr tal cosa es utilizar el comando id para obtener su UID y su GID, y luego introducir esos valores en el código fuente.

```
/* Nombre del programa en Internet: chgown.c */
/*
 * cambiar_propietario.c - Crea un archivo y modifica su propietario y grupo
 */
#include <stdlib.h>
#include <stdio.h>
#include <sys/stat.h>
#include <sys/types.h>
#include <fcntl.h>

int main(void)
{
    uid_t propietario = 500;
    gid_t grupo = 100;
    int descriptor_archivo;

    /* Crear el archivo */
    if((descriptor_archivo = open("nuevo.archivo", O_CREAT, 0644)) < 0) {
        perror("open");
        exit(EXIT_FAILURE);
    }
    /* Correr ls para este archivo recien creado */
    system("ls -l nuevo.archivo");
    /* Cambiar su propietario y grupo */
    if((fchown(descriptor_archivo, propietario, grupo)) < 0) {
        perror("fchmod");
        exit(EXIT_FAILURE);
    }
    /* Correr ls de nuevo con el propietario y grupo ya modificados */
    system("ls -l nuevo.archivo");
    exit(EXIT_SUCCESS);
}
```

El resultado de una corrida de prueba del programa fue el siguiente:

```
$ su
Password:
$ ./cambiar_propietario
- r w - r - - r        1 root        root             0 Jul 24 21:11
nuevo.archivo
- r w - r - - r - -    1 kurt_wall   users            0 Jul 24 21:11
nuevo.archivo
$ exit
```

Como se puede apreciar, el programa primero creó el archivo. En la corrida de demostración, primero utilicé el comando su para convertirme en superusuario, de modo que el archivo fuera creado con propiedad del usuario root y del grupo root, respectivamente. La función `fchown` modifica luego tanto el propietario como el grupo a los valores especificados como argumentos, `500` y `100`, que en mi sistema corresponden a `kurt_wall` y usuarios, en forma respectiva. El segundo comando `ls` confirma que la propiedad del archivo fue modificada con éxito.

Lo que viene

En este capítulo, el lector aprendió considerablemente sobre cómo trabajar con las llamadas básicas de manejo de archivos en Linux. El próximo capítulo extiende este tratamiento de la administración de archivos cubriendo material más avanzado sobre temas tales como el filesystem ext2, multiplexing, E/S non-bloqueante, archivos mapeados en memoria y bloqueo de archivos y registros. Esto completará la discusión de la interfaz de Linux para manejo de archivos, que lo preparará para aprender sobre una API de base de datos y sobre memoria compartida.

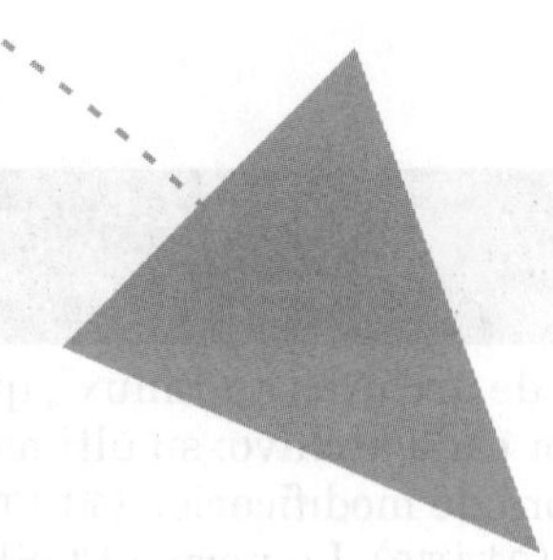

8

Administración avanzada de archivos en Linux

Este capítulo continúa con el tratamiento de la interfaz de administración de archivos en Linux que comenzó en el anterior, pero cubre características más avanzadas.

Este capítulo cubre los siguientes temas:

- Manipulación de la fecha y hora con que se guardó el archivo la última vez
- Prestaciones del filesystem ext2 de Linux
- Multiplexing de E/S
- E/S de alta velocidad por medio de archivos mapeados en memoria
- Bloqueo y desbloqueo de archivos

Todos los programas de este capítulo pueden ser encontrados en el sitio Web `http://www.mcp.com/info` bajo el número de ISBN 0789722151.

Modificación de la fecha y hora de creación y edición de un archivo

Recuérdese del capítulo 7, "Administración básica de archivos en Linux", que el kernel contiene tres registros de hora y fecha por cada archivo: su última fecha y hora de acceso (`atime`), su última fecha y hora de modificación (`mtime`), y la última fecha y hora de modificación del *inode* (`ctime`). La norma POSIX provee la rutina `utime` que permite modificar la `atime` y la `mtime`. No existe interfaz de programación a nivel de usuario para modificar `ctime`, pero las funciones para modificar `atime` o `mtime` hacen cambiar también a `ctime`, de modo que dicha circunstancia no representa ningún inconveniente.

La función `utime` está prototipada en `<utime.h>` de la siguiente manera:

```
int utime(const char *pathname, struct utimbuf *buf);
```

Tal vez le sea necesario incluir el archivo de encabezado `<sys/types.h>` porque el mismo contiene los tipos de datos del sistema primitivo definidos por POSIX. Las versiones anteriores de `gcc` y Linux no siempre incluían `<sys/types.h>` en `<utime.h>`, de modo que si su compilador produce mensajes de error aludiendo a variables no definidas cuando compila sus programas, añada el archivo de encabezado `<sys/types.h>` en su código fuente, pero sólo si verifica previamente que el mismo declara el tipo de datos cuya definición no encuentra su compilador. `utime` modifica la fecha y hora de acceso y modificación del archivo especificado en `pathname` a los valores `actime` y `modtime`, respectivamente, que se encuentran almacenados en `buf`. Si `buf` es NULL, la `actime` y la `modtime` son puestas a la fecha y hora que marca su sistema. Como de costumbre, `utime` retorna `0` si tiene éxito. Si encuentra algún problema, retorna `-1` y asigna a errno el valor adecuado. Por supuesto, el proceso que llame a `utime` debe contar con el correspondiente acceso al archivo o debe estar ejecutándose con privilegios de usuario root.

La estructura `utimbuf` está definida como sigue:

```
struct utimbuf {
    time_t actime;  /* access time */
    time_t modtime; /* modification time */
};
```

`time_t` es un tipo estándar de POSIX, generalmente un entero de tipo `long`, que almacena el número de segundos transcurridos desde el inicio de la Era (*Epoch*). La Era, a su vez, está definida en POSIX como el par fecha-/hora Enero 1, 1970 a las 00:00:00 UTC (*Universal Coordinated Time* u Hora Coordinada Universal, la que antes era conocida como *Greenwich Mean Time* u Hora Media del meridiano de Greenwich).

NOTA

Como acotación interesante, porque muchas de las funciones relacionadas con fechas y horas Linux están basadas en el *Epoch,* el muy publicitado problema de la compatibilidad con el año 2000 no ha sido un gran problema para Linux comparado con lo que será el año 2038. Dado que `time_t` es un entero de tipo long, el mismo desbordará en el año 2038. O sea, `time_t` puede almacenar hasta 231-1 segundos, o sea 2.147.483.647 segundos. Pasando por alto el día adicional correspondiente a los años bisiestos, en cada año hay 365x24x60x60, o sea 31.536.000, segundos. Así que `time_t` puede almacenar un máximo de alrededor de 68 años (2.147.483.647 / 31.536.000). Como la Era comienza en el año 1970, sumándole 68 años al mismo se arriba al valor 2038. La fecha y hora exacta en la que desbordará `time_t` varía, dependiendo de cuántos segundos existan en cada año bisiesto.

EJEMPLO

Ejemplo

El siguiente programa crea un archivo y establece sus valores `atime` y `mtime` a septiembre 8, 2001. Por razones de brevedad se ha omitido del código fuente la verificación de errores.

```
/* Nombre del programa en Internet: chgtime.c */
/*
 * cambiar_fechyhora.c - Utilizacion de la rutina utime
 */
#include <sys/types.h>
#include <sys/stat.h>
#include <utime.h>
#include <unistd.h>
#include <stdlib.h>
#include <fcntl.h>

int main(void)
{
    time_t ahora = 1000000000;
    struct utimbuf buf;
    int descriptor_archivo;

    buf.actime = now;
    buf.modtime = now;

    descriptor_archivo = open("foo.bar", O_CREAT, 0644);
    utime("foo.bar", &buf);
    close(descriptor_archivo);
    exit(EXIT_SUCCESS);
}
```

Un listado del directorio corriente después de haber corrido este programa mostrará lo siguiente:

SALIDA

```
$ ls -l foo.bar
-rw-r--r-- 1 kurt_wall users 0 Sep 8 2001 foo.bar
```

Como se puede apreciar, `foo.bar` exhibe la fecha `September 8, 2001`. Después de asignarles a los miembros `actime` y `modtime` de la estructura `utimbuf` el valor `1.000.000.000` (que corresponde al 8 de septiembre de 2001 a cierta hora, minuto y segundo), `chgtime` abre el archivo, luego llama a `utime` para que actúe sobre el mismo, transfiriéndole la dirección de la estructura modificada y el nombre del archivo. Esto ocasiona que sean modificadas la última fecha y hora de acceso y la última fecha y hora de modificación (`actime` y `modtime`, respectivamente) al valor especificado (y altamente improbable para un sistema cuya fecha y hora estén bien configuradas).

Características del filesystem ext2

El filesystem ext2 le permite al programador establecer en los archivos hasta cuatro atributos especiales:

- *Immutable* (No modificable) – `EXT2_IMMUTABLE_FL`
- *Append-only* (Sólo para agregar datos al final) – `EXT2_APPEND_FL`
- *No-dump* (No volcable) – `EXT2_NODUMP_FL`
- *Sync* (Sincrónico) – `EXT2_SYNC_FL`

Sólo el usuario root puede establecer o eliminar los indicadores *immutable* y *append-only,* pero el propietario del archivo puede activar o desactivar los indicadores *no-dump* y *sync.* ¿Qué significan los mismos? Los párrafos siguientes los describen en detalle:

- Los archivos con el atributo *immutable* activado no pueden ser modificados en ninguna circunstancia: Uno les puede agregar datos, eliminarlos o renombrarlos, o añadir vínculos hacia ellos. Ni siquiera el superusuario puede hacer eso; primero se debe desactivar el indicador de immutable.
- Los archivos que tienen activado el atributo *append-only* pueden ser escritos sólo en modo *append* y no pueden ser eliminados, renombrados o vinculados.
- El atributo *no-dump* hace que el comando *dump,* utilizado habitualmente para crear copias de seguridad, ignore el archivo.
- El atributo *sync* hace que el archivo sea escrito sincrónicamente; es decir, todas las operaciones de escritura al archivo deben completarse antes de retornar al proceso que efectuó la llamada (esto es idéntico a llamar a `open` con la opción `O_SYNC`).

¿Para qué utilizar estos atributos? Hacer que un archivo sea immutable evita que sea accidentalmente (o deliberadamente) borrado o modificado, de modo que representa una práctica medida de seguridad para archivos críticos. El indicador *append-only* preserva el contenido corriente del archivo pero continúa permitiendo que se le agreguen datos; de nuevo, una práctica precaución de seguridad.

El indicador *no-dump* es simplemente un recurso conveniente que le ahorrará una valiosa cantidad de tiempo y espacio en disco cuando haga la copia de seguridad de un sistema. El indicador *sync,* finalmente, resulta, en especial, práctico para garantizar que los archivos críticos, tales como las bases de datos, sean realmente escritas cuando se lo solicite. El empleo de la opción *sync* evita pérdidas de datos si un sistema se cae antes de que los datos presentes en un cache de memoria sean físicamente escritos al disco. El aspecto negativo del indicador de sincronismo, sin embargo, es que puede hacer ir más despacio, significativamente, el desempeño de un programa.

Para obtener o establecer estos atributos se deberá utilizar la llamada a `ioctl` (I/O control o control de E/S), declarada en `<sys/ioctl.h>`. Su prototipo es el siguiente:

```
int ioctl(int fd, int request, void *arg);
```

Lo atributos están definidos en `<linux/ext2_fs.h>`. Para obtener los atributos ext2 del archivo especificado por el descriptor de archivo `fd request` debe ser puesta a `EXT2_IOC_GETFLAGS`, y para establecerlos lo debe ser a `EXT2_IOC_SETFLAGS`. En cualquiera de los dos casos, `fd` almacena los indicadores que estén siendo manipulados.

PRECAUCIÓN

El material de esta sección es sumamente específico al filesystem principal de Linux, ext2, conocido formalmente como filesystem de Segunda Extensión. Otras versiones de UNIX pueden tener también las funciones y estructuras que vamos a comentar, pero seguramente no se van a comportar de la manera que se describe aquí. Si usted utiliza estas llamadas en un programa diseñado para ser portable, debe rodearlas con `#ifdefs` para que su código compile y corra adecuadamente en sistemas que no sean Linux.

EJEMPLO

Ejemplo

El programa de demostración que viene a continuación activa los atributos *sync* y *no-dump* para el archivo transferido como su único argumento.

```
/* Nombre del programa en Internet: setext2.c */
/*
 * activar_ext2.c - Activa los indicadores especiales provistos por ext2
 */
#include <sys/types.h>
#include <unistd.h>
#include <stdlib.h>
#include <stdio.h>
#include <fcntl.h>
#include <linux/ext2_fs.h>
#include <sys/ioctl.h>
#include <errno.h>

int main(int argc, char *argv[])
{
    int descriptor_archivo;
    long indicadores;

    /* Si la llamada es incorrecta, exhibir la sintaxis adecuada */
    if(argc != 2) {
        puts("MODO DE EMPLEO: activar_ext2 {nombre de archivo}");
        exit(EXIT_FAILURE);
    }

       if((fd = open(argv[1], O_RDONLY)) < 0) {
        perror("open");
```

```
        exit(EXIT_FAILURE);
    }

    /* Estos son los indicadores que activaremos */
    indicadores = EXT2_SYNC_FL | EXT2_NODUMP_FL;
    /* Activar los indicadores, poner mensaje de error si falla */
    if(ioctl(fd, EXT2_IOC_SETFLAGS, &indicadores)) {
        perror("ioctl");
        close(descriptor_archivo);
        exit(EXIT_FAILURE);

    }

    if(indicadores & EXT2_SYNC_FL)
        puts(stdout, "Indicador SYNC activado");
    if(indicadores & EXT2_NODUMP_FL)
        puts("Indicador NO-DUMP activado");

    close(descriptor_archivo);
    exit(EXIT_SUCCESS);
}
```

La salida de una corrida de demostración de activar_ext2 arrojó el siguiente resultado:

SALIDA

```
$ touch foo
$ lsattr foo
- - -  - - -   - - foo
$ ./activar_ext2 foo
Indicador SYNC activado
Indicador NO-DUMP activado
$ lsattr foo
- - - S - - d - foo
```

La semántica de la rutina `ioctl` requiere que el archivo que se va a modificar esté abierto, de ahí la llamada a `open`. Después de asignar los atributos `EXT2_SYNC_FL` y `EXT2_NODUMP_FL` a la variable `indicadores`, la llamada a `ioctl` trata de activarlos, asegurándose de cerrar el archivo abierto si la llamada falla. El último bloque de código confirma que los atributos requeridos (*sync* y *no-dump*) fueron efectivamente establecidos. El comando `lsattr` utilizado en la corrida de demostración vuelve a confirmar esto.

CONSEJO

Linux tiene dos comandos, `chattr` y `lsattr`, que establecen e interrogan los atributos especiales de ext2 discutidos en esta sección. Resumidamente, `chattr` le permite a uno establecer los atributos especiales, mientras que `lsattr` exhibe los atributos especiales ext2 que están activados, si los hubiera. En la corrida de demostración del programa anterior, la S mayúscula indica que el atributo EXT2_SYNC_FL (sync) ha sido activado, y la d minúscula indica que el atributo EXT2_NODUMP_FL también ha sido activado. Ver man `chattr` y man `lsattr` para obtener más detalles.

Trabajo con directorios

Aunque los directorios son simplemente archivos que contienen una lista de los archivos almacenados en ellos, tienen una interfaz especial de programación para manipularlos.

Modificación de directorios

La llamada requerida para averiguar el directorio corriente de trabajo es `getcwd` (get= obtener, cwd=*current working directory*), declarada en `<unistd.h>`. Su prototipo es el siguiente:

```
char *getcwd(char *buf, size_t size);
```

`getcwd` copia a buf la ruta absoluta de acceso al directorio corriente (la ruta completa desde el directorio raíz, cuya longitud es de `size` bytes. Si `buf` no es lo suficientemente grande como para poder almacenar la ruta de acceso, `getcwd` retorna NULL y asigna a `errno` el valor ERANGE. Si llegase a ocurrirle eso, aumente el tamaño de buf y vuelva a probar. Como alternativa, si en `getcwd` se hace arbitrariamente `buf` igual NULL y se le asigna a `size` un valor menor que `0`, `getcwd` empleará `malloc` para asignar dinámicamente la suficiente memoria para `buf`. Si el lector desea sacar partido de esta variante debe recordar de liberar el buffer para evitar fugas de memoria.

Para modificar el directorio corriente, utilice indistintamente la rutina `chdir` o la `fchdir`, prototipadas en `<unistd.h>` de la siguiente manera:

```
int chdir(const char *path);
int fchdir(int fd);
```

`chdir` hace que el directorio corriente pase a ser el que se encuentra expresado en path (ruta de acceso). `fchdir` hace la misma cosa, excepto que se le debe transferir un descriptor `fd` de un archivo de directorio abierto.

Ejemplos

1. El siguiente programa, `dir_corriente`, que retorna el directorio corriente de trabajo, utiliza para ello `getcwd`, empleando los dos métodos recién comentados, de asignación de espacio de almacenamiento para poder alojar el nombre de dicho directorio.

```
/* Nombre del programa en Internet: cwd.c */
/*
* dir_corriente.c - Imprime el nombre del directorio corriente de trabajo
*/
#include <unistd.h>
#include <stdlib.h>
#include <stdio.h>
```

```
#include <errno.h>

#define TAMAÑO_BUF 10
int main(void)
{
    char *buf_estatico = malloc(TAMAÑO_BUF);
    char *buf_nulo = NULL;
    int i = 1;

    /* Asignar estaticamente el buffer */
    while((getcwd(buf_estatico, i * TAMAÑO_BUF)) == NULL) {
        ++i;
        buf_estatico= realloc(buf_estatico, i * TAMAÑO_BUF);
    }
    fprintf(stdout, "%d llamadas a realloc\n", i - 1);
    fprintf(stdout, "El directorio corriente es %s\n", buf_estatico);
    free(buf_estatico);

    /* Permitir que getcwd asigne la memoria */
    printf("Nuevamente, el directorio corriente es %s\n", getcwd(buf_nulo, -1));
    /* Se debe liberar buf_nulo para prevenir una fuga de memoria */
    free(buf_nulo);
    exit(EXIT_SUCCESS);
}
```

La salida de este programa tiene un aspecto similar al siguiente:

SALIDA

```
$ ./dir_corriente
3 llamadas a realloc
El directorio corriente es /usr/local/newprojects/lpe/08/src
Nuevamente, el directorio corriente es /usr/local/newprojects/lpe/08/src
```

El lazo `while` va incrementando continuamente la memoria asignada a `buf_estatico`, en tramos equivalentes al primer tamaño asignado, hasta que `getcwd` retorne no-NULL. El segundo bloque de código ilustra el empleo del comportamiento alternativo de `getcwd`. Empleando en `getcwd` un tamaño (*size*) de *buffer* de -1 y haciendo el propio *buffer* igual a NULL, la llamada a `getcwd` seguirá teniendo éxito porque dinámicamente hace que `buf_nulo` sea lo suficientemente grande como para alojar la ruta de acceso al directorio. Dado que tanto `buf_estatico` como `buf_nulo` son asignados del conjunto de memoria sin utilizar (*heap*), `free` libera luego adecuadamente los recursos utilizados por `dir_corriente`.

2. Este programa imita al comando cd de Linux.

```
/* Nombre del programa en Internet: chdir.c */
/*
 * cambiar_dir.c - Change to a new directory. Sintaxis: cambiar_dir
nombre_directorio
 */
#include <unistd.h>
#include <stdlib.h>
#include <stdio.h>
#include <errno.h>

int main(int argc, char *argv[])
{
    if(chdir(argv[1]) < 0) {
        perror("chdir");
        exit(EXIT_FAILURE);
     }
    system("ls");

        exit(EXIT_SUCCESS);
}
```

```
$ ./cambiar_dir $HOME
Mail/  Xwp  bin/  doc/  etc/  log/  projects/  src/  tmp/
$ pwd
/home/kurt_wall/projects/lpe/08/src
```

La salida de este programa simplemente demuestra que la llamada a chdir tuvo éxito. Obsérvese que cuando el programa sale, uno sigue estando en el directorio original. Esto se debe a que el programa se ejecuta en una sub-interfaz, y un cambio de directorios en una sub-interfaz no afecta al directorio corriente de la interfaz padre.

Creación y eliminación de directorios

Afortunadamente, los nombres de las funciones diseñadas para crear y eliminar directorios son los mismos de los de sus respectivas contrapartes de línea de comandos: mkdir y rmdir. Para utilizar mkdir, incluye en su código fuente tanto <fcntl.h> como <unistd.h>; rmdir requiere sólo <unistd.h>. Sus prototipos son, respectivamente:

```
int mkdir(const char *pathname, mode_t mode);
int rmdir(const char *pathname);
```

`mkdir` tratará de crear el directorio especificado en `pathname` con los permisos especificados en `mode` que sean compatibles con las restricciones impuestas por la umask. `rmdir` elimina el directorio especificado en `pathname`, que se debe de encontrar vacío. Ambas llamadas retornan `0` si tienen éxito o asignan un valor adecuado a `errno` y retornan `-1` si fracasan.

EJEMPLO

Ejemplos

1. El primer programa crea un directorio cuyo nombre es transferido como único argumento del mismo.

```
/* Nombre del programa en Internet: newdir.c */
/*
 * nuevo_dir.c - Crea un directorio. Sintaxis: nuevo_dir nombre_directorio
 */
#include <unistd.h>
#include <fcntl.h>
#include <stdlib.h>

int main(int argc, char *argv[])
{
    if(mkdir(argv[1], 0755)) {
        perror("mkdir");
        exit(EXIT_FAILURE);
    }
    exit(EXIT_SUCCESS);
}
```

Este es un programa sencillo. Utiliza permisos estándar (lectura/escritura/ejecución para el propietario del mismo y lectura/escritura para su grupo y todos los demás usuarios), asignados por el argumento `0755` sobre el directorio creado. Si la llamada fracasa, el programa sencillamente finaliza después de imprimir un mensaje de error. Por lo demás, no se efectúa verificación de errores por razones de legibilidad del código. La salida del mismo, que se ve a continuación, muestra cómo funciona:

SALIDA

```
$ ./nuevo_dir foo

$ ls -ld foo
d - r w x  r - x  r - x   2 kurt_wall   users       1024 Jul 25 23:46 foo
```

EJEMPLO

2. El siguiente programa elimina el directorio cuyo nombre le es pasado como su único argumento.

```
/* Nombre del programa en Internet: deldir.c */
/*
 * eliminar_dir.c - Elimina un directorio
 */
#include <unistd.h>
```

```
#include <fcntl.h>
#include <stdlib.h>
#include <stdio.h>
int main(int argc, char *argv[])
{
    if(rmdir(argv[1])) {
        perror("rmdir");
        exit(EXIT_FAILURE);
    }
    exit(EXIT_SUCCESS);
}
```

Este programa es aún más simple que el del ejemplo anterior. Intenta eliminar el directorio especificado, finalizando abruptamente si fracasa. La llamada puede fracasar si el directorio no se encuentra vacío, si no existe o si el usuario que corre el programa carece de los suficientes permisos como para eliminar ese directorio.

SALIDA

```
$ ./ eliminar_dir foo
$ ls -ld foo
ls: foo: No such file or directory
```

Listado de un directorio

Listar un directorio significa simplemente leer el contenido del respectivo archivo directorio. El procedimiento básico no es complicado:

1. Abrir el correspondiente archivo de directorio utilizando `opendir`.
2. Leer su contenido empleando `readdir` y, tal vez, `rewinddir` para volver a posicionar el puntero al comienzo del archivo si es que se lo ha leído hasta el final y se desea comenzar de nuevo.
3. Cerrar el archivo de directorio utilizando `closedir`.

Todas estas funciones están declaradas en `<dirent.h>`. Sus prototipos son los siguientes:

```
DIR *opendir(const char *pathname);
struct dirent *readdir(DIR *dir);
int rewinddir(DIR *dir);
int closedir(DIR *dir);
```

`opendir` abre el directorio especificado en `pathname` (que es simplemente otro archivo más, después de todo), y retorna un puntero a una secuencia de caracteres (*stream*) `DIR`. En caso de error, retorna `NULL` y asigna a `errno` el valor correspondiente. El puntero a la secuencia de caracteres apunta al comienzo de la misma. `closedir`, obviamente, cierra esta secuencia `dir`, y retorna 0 si tuvo éxito o -1 si tuvo lugar algún error. rewinddir regresa el puntero a la secuencia de caracteres nuevamente al principio de la misma. Retorna 0 si tiene éxito o -1 si ocurre algún error.

readdir es la que lleva a cabo la mayor parte de la determinación del contenido de un directorio. Retorna un puntero a una estructura dirent que contiene la siguiente entrada de directorio de dir. Cada llamada subsiguiente a readdir sobrescribe la estructura de patrón dirent retornada con nuevos datos. Cuando alcanza el final del archivo de directorio o en caso de que tenga lugar un error, readdir retorna NULL. Para obtener el nombre, utilice el miembro dirent.d.name[], que retorna un puntero que señala el nombre del archivo.

La estructura dirent se encuentra definida en <dirent.h> de la siguiente manera:

```
struct dirent    /* datos obtenidos de getdents() y readdir() */
{
   ino_t         d_ino;  /* numero inode de la entrada de directorio */
   off_t          d_off;           /* distancia relativa (offset) de la entrada de
directorio */
   wchar_t     d_reclen;           /* longitud de este registro */
   char     d_name[MAX_LONG_NOMBRE + 1];
}
```

PRECAUCIÓN

Sólo uno de los miembros integrantes de la estructura dirent, d_name[], es portable (es decir, está definido por el estándar POSIX como de conducta predecible en todos los sistemas que acaten dicha norma). Todos los demás miembros están definidos por el sistema y dependen del mismo, de modo que sus nombres y/o el tipo de datos que contienen puede variar de un sistema a otro. Algunos filesystems, por ejemplo, aún limitan los nombres de archivos a 14 caracteres, mientras que otros, como Linux, permiten hasta 256 caracteres.

EJEMPLO

Ejemplo

El siguiente programa, listar_dir, lista el contenido del directorio cuyo nombre le es transferido en la línea de comandos:

```
/* Nombre del programa en Internet: listdir.c */
/*
 * listar_dir.c - Lee un archivo de directorio.  Sintaxis: listar_dir nombre de
directorio
 */
#include <stdio.h>
#include <stdlib.h>
#include <dirent.h>

void salir_si_error(char *mensaje);
int main(int argc, char *argv[])
{
     DIR *dir;
     struct dirent *mi_dirent;
     int i = 1;
     if(argc != 2) {
          puts("MODO DE EMPLEO: listar_dir {ruta de acceso}");
          exit(EXIT_FAILURE);
     }
```

```
        if((dir = opendir(argv[1])) == NULL)
            salir_si_error("opendir");
        while((mi_dirent = readdir(dir)) != NULL)
            printf("%3d : %s\n", i++, mi_dirent->d_name);

        closedir(dir);
        exit(EXIT_SUCCESS);
}
void salir_si_error(char *mensaje)
{
        perror(mensaje);
        exit(EXIT_FAILURE);
}
```

El lazo `while` constituye el núcleo de este código. El mismo llama repetidamente a `readdir` para recorrer la secuencia de caracteres presente en el archivo de directorio hasta que finalmente retorna `NULL` y el programa abandona el lazo. En cada iteración imprime el nombre del archivo `(mydirent->d_name)`. La siguiente salida ilustra el comportamiento de `listar_dir`:

```
$ ./listar_dir
  1 : .
  2 : ..
  3 : listar_dir
  4 : Makefile
  5 : cambiar_fechyhora.c
  6 : Capitulo 08.zip
  7 : dir_corriente.c
  8 : out
  9 : activar_ext2.c
 10 : eliminar_dir.c
 11 : nuevo_dir.c
 12 : cambiar_dir.c
 13 : listar_dir.c
```

Multiplexing de E/S

Multiplexing es una palabra que en informática significa efectuar operaciones de lectura/escritura con varios archivos simultáneamente. Ejemplos de multiplexing lo constituyen, los navegadores de Web que abren múltiples conexiones de red para descargar tanto material de una página Web como les resulte posible hacerlo al mismo tiempo y las aplicaciones de cliente/servidor que abastecen a cientos de usuarios de forma simultánea. Aunque conceptualmente sencillo de comprender, el multiplexing puede resultar dificultoso de implementar de manera eficiente.

Afortunadamente, Linux cuenta con la llamada `select` para facilitar las operaciones de multiplexing. `select` es una manera de aguardar sin consumir demasiados recursos del sistema a que muchos descriptores de archivo modifiquen su condición corriente. Su prototipo, presente en `<unistd.h>`, es el siguiente:

```
int select(int n, fd_set *readfds, fd_set *writefds, fd_set exceptfds, struct
timeval *timeout);
```

select supervisa los siguientes conjuntos de descriptores de archivo:

- El conjunto de descriptores `readfds` de archivos de lectura.
- El conjunto de descriptores `writefds` para verificar que sus respectivos archivos puedan ser escritos.
- El conjunto de descriptores `exceptfds` en busca de excepciones.

Naturalmente, si uno se halla interesado solamente en escribir a una serie de archivos, puede despreocuparse del conjunto de archivos que tienen caracteres listos para ser leídos. En verdad, el programa que se desea correr puede no realizar ningún tipo de lectura en absoluto. Si ese fuera efectivamente el caso, uno le puede transferir `NULL` a ese argumento. Por ejemplo, para ignorar los archivos que sean leíbles y los archivos que presenten alguna condición de excepción (tal como un error), uno llamaría a `select` como sigue:

```
fd_set *writeable_fds;
select(maxfds, NULL, writefds, NULL, 10);
```

El parámetro `timeout` determina por cuánto tiempo `select` bloqueará, o aguardará, antes de retornar el control al proceso que efectuó la llamada. Si `timeout` se establece en `0`, `select` retornará tan pronto comience a ejecutarse. Cuando una operación de E/S retorna de manera inmediata, sin ninguna espera, se la denomina llamada de E/S no bloqueante. Si uno desea aguardar hasta que una operación de E/S pueda tener lugar (o sea, que `readfds` o `writefds` varíen) o hasta que tenga lugar algún error, le deberá transferir a `timeout` el valor `NULL`, empleando la misma sintaxis mostrada en el ejemplo situado arriba de este párrafo. En este último caso, el proceso que efectuó la llamada quedará bloqueado indefinidamente hasta que alguno de los archivos presentes en alguno de los primeros conjuntos pueda ser leído o escrito, respectivamente, o hasta que se produzca una excepción.

El primer parámetro, `n`, contiene el descriptor de archivo de número más alto en cualquiera de los conjuntos que vienen siendo monitoreados, más 1 (el programa de demostración muestra una manera de determinar este valor). Si tiene lugar un error, `select` retorna `-1` y asigna a `errno` el valor adecuado. En caso de error, `select` también invalida todos los conjuntos de descriptores y timeout, de modo que uno tendrá que volver a asignarles valores válidos antes de reutilizarlos. Si la llamada a select tiene éxito, retorna ya sea el número total de descriptores contenidos en los conjuntos de descriptores (no-`NULL`) monitoreados o `0`. Un valor retornado igual a `0` significa que no ha ocurrido nada "interesante", o sea, que ninguno de los descriptores varió de estado antes de que expirara `timeout`.

La implementación de `select` también incluye cuatro rutinas de manipulación de los conjuntos de descriptores:

```
FD_ZERO(fd_set *set);
FD_SET(int fd, fd_set *set);
FD_CLR(int fd, fd_set *set);
FD_ISSET(int fd, fd_set *set);
```

Las mismas operan de la siguiente manera:

- `FD_ZERO` vacía (inicializa a ceros) el conjunto set.
- `FD_SET` añade el descriptor fd a set.
- `FD_CLR` elimina fd de set.
- `FD_ISSET` determina si fd está presente en set. `FD_ISSET` es la rutina que se debe utilizar luego de que `select` retorne a fin de determinar si ha ocurrido algún suceso que requiera una acción. Si `fd` sigue presente en set, su condición varió durante la llamada a `select` (su correspondiente archivo tiene bytes a ser leídos, puede ser escrito o en el mismo ha tenido lugar un error). Los descriptores de los archivos que no han variado su condición son eliminados de set en esa instancia de `FD_ISSET`.

Ejemplo

El siguiente ejemplo, `multiplex`, vigila dos pipes con nombre en busca de datos que se encuentren listos para ser leídos (el programa de demostración utiliza pipes porque los mismos constituyen la manera más simple de demostrar la E/S de tipo multiplex con un programa breve).

NOTA

Adaptado de mpx-`select.c`, publicado inicialmente in *Linux Application Development*, de Michael K. Johnson y Erik W. Troan, Addison Wesley, 1998, págs. 213-214.

✔ Los pipes con nombre se explican en detalle en "Qué es una FIFO", página 332.

Quizá la manera más sencilla de utilizar el programa `multiplex` sea construirlo utilizando el makefile provisto en el sitio Web de este libro, que incluye reglas para construir los pipes. Alternativamente, primero se puede construir el programa y luego crear dos pipes con nombre (en el mismo directorio que el ejecutable `multiplex`) utilizando el comando `mknod` de Linux tal como sigue:

```
$ mknod pipe1 p
$ mknod pipe2 p
```

Luego, ejecute `multiplex.` Abra dos ventanas de terminal adicionales. En la primera, tipee `cat > pipe1`, y en la segunda tipee `cat > pipe2`. Todo lo que se tipee luego de ello en cualquiera de las ventanas formará una cola para que la vaya leyendo multiplex. El código fuente de este programa es el siguiente:

```
/* Nombre del programa en Internet: mplex.c */
/*
 * multiplex.c - Lee datos desde pipe1 y pipe2
 * utilizando una llamada a select
 *
 * Adaptado de mpx-select.c, escrito por
 * Michael Johnson y Erik Troan. Utilizado con el consentimiento
 * de los autores de Linux Application Development,
 * Michael Johnson y Erik Troan.
#include <fcntl.h>
#include <stdio.h>
#include <unistd.h>
#include <stdlib.h>

#define TAMAÑO_BUF 80

void salir_si_error(char *mensaje);

int main(void)
{
    int descrs_archivo[2];      /* Arreglo de descriptores de archivo */
    char buf[TAMAÑO_BUF];
    int i, contador_caracteres, mayor_descr;
    fd_set cjto_descrs; /* Conjunto de descriptores de los archivos que seran
leidos */
    fd_set pendientes_de_lectura;            /* Copia de cjto_descrs para que la
actualice select */

        /* Abrir los pipes */
    if((descrs_archivo[0] = open("pipe1", O_RDONLY | O_NONBLOCK)) < 0)
        salir_si_error("Error al abrir pipe1");
    if((descrs_archivo[1] = open("pipe2", O_RDONLY | O_NONBLOCK)) < 0)
        salir_si_error("Error al abrir pipe2");

        /* Inicializar conjunto_de_descriptores con nuestros descriptores de
archivo */
    FD_ZERO(&cjto_descrs);
    FD_SET(descrs_archivo[0], &cjto_descrs);
    FD_SET(descrs_archivo[1], &cjto_descrs);
        /* select necesita conocer el descriptor de archivo de maximo valor */
    mayor_descr = descrs_archivo[0] > descrs_archivo[1] ? descrs_archivo[0] :
descrs_archivo[1];
```

```
    /* El programa  recorre una y otra vez el lazo mientras aguarda poder leer de
los pipes */
    /* Las iteraciones terminaran cuando la expresion que comprueba while evalue
a FALSO, */
    /* o sea cuando no queden mas pipes abiertos */

while(FD_ISSET(descrs_archivo[0], &cjto_descrs) || FD_ISSET(descrs_archivo [1],
&cjto_descrs)) {

        /* Asegurarse de que select cuente con un conjunto actualizado de
descriptores */
        pendientes_de_lectura = cjto_descrs;
        if(select(mayor_fd + 1, &pendientes_de_lectura, NULL, NULL, NULL) < 0)
            salir_si_error("select");

        /* ¿Cual archivo esta listo para ser leido? */
        for(i = 0; i < 2; ++i) {
            if(FD_ISSET(descrs_archivo[i], &pendientes_de_lectura)) {
                contador_caracteres = read(descrs_archivo[i], buf, TAMAÑO_BUF -
1);
                if(contador_caracteres > 0) { /* Se leyeron datos */
                    buf[contador_caracteres] = '\0';
                    printf("Leido: %s", buf);
                } else if(contador_caracteres == 0) { /* Lectura termino. Cerrar
este pipe */
                    close(descrs_archivo[i]);
                    FD_CLR(descrs_archivo[i], &cjto_descrs);
                } else
                    salir_si_error("read"); /* Ocurrio algun otro error que no
comprobaremos */
            }
        }
    }
    exit(EXIT_SUCCESS);
}
void salir_si_error(char *mensaje)
{
    perror(mensaje);
    exit(EXIT_FAILURE);
}
```

La figura 8-1 muestra el aspecto de multiplex mientras se está ejecutando.

Este programa es algo complejo. Luego de abrir los dos pipes con nombre, el programa inicializa un conjunto de descriptores de archivo (`cjto_descrs`) por medio de FD_ZERO, y luego incorpora al mismo los descriptores de los dos pipes. El corazón de `multiplex` se encuentra en el lazo `while`. Durante cada iteración del mismo, utiliza FD_ISSET para determinar si alguno de los dos pipes dispone de datos que pudieran ser leídos. Si así fuese, primero copia `cjto_descrs` a `pendientes_de_lectura` cuente siempre con la versión corriente de `cjto_descrs`, que es la que indica cuántos pipes quedan cerrados.

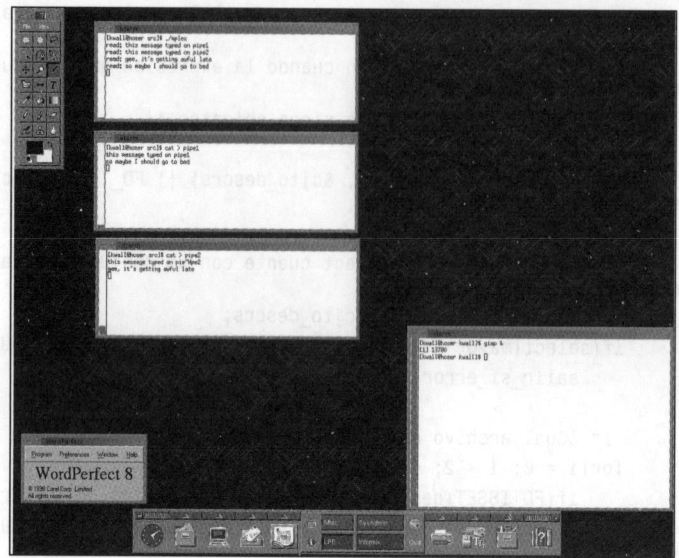

Figura 8.1. *Multiplex multiplexa (combina) la entrada proveniente de dos pipes.*

Luego viene la llamada a `select`, seguida por un lazo `for` que determina cuál descriptor se encuentra listo para ser leído (el valor de `timeout` es `NULL`, de modo que `select` bloquea el proceso que la llamó hasta que los datos se encuentren listos para ser leídos). El lazo `for` lee luego el pipe y exhibe los datos. Si la lectura retorna `0`, el pipe ha sido cerrado por su otro extremo, de modo que `multiplex` cierra ese archivo y lo elimina de `cjto_descrs`. Cuando el último pipe se cierra, `multiplex` termina.

Archivos de mapeo de memoria

Los archivos mapeados en memoria son una copia idéntica en memoria de un archivo de disco. La imagen de la memoria se corresponde byte por byte con el contenido del archivo de disco. Los archivos mapeados en memoria tienen dos ventajas principales. La primera de ellas consiste en que se obtiene una E/S de archivo más rápida. Las llamadas de E/S ordinarias, tales como las llamadas a sistema de lectura y escritura y las llamadas de biblioteca por `fput` y `fget`, copian los datos por medio de *buffers* presente en el kernel. Aunque Linux utiliza un algoritmo de cache de disco rápido y sofisticado, el acceso a disco más rápido que se consiga seguirá siendo más lento que el más lento de los accesos a memoria. Las operaciones de E/S sobre un archivo mapeado en memoria evitan los *buffers* del kernel y, como resultado, son mucho más rápidas. También son más sencillas de utilizar porque uno puede acceder al archivo mapeado utilizando punteros en lugar de las habituales funciones de manipulación de archivos.

La segunda ventaja de los archivos mapeados a memoria es su aptitud para compartir datos. Si varios procesos necesitasen acceder a los mismos datos concurrentemente, éstos pueden ser almacenados en un archivo mapeado a memoria. Siendo en efecto un modelo de memoria compartida (ver capítulo

16, "Memoria compartida"), esto hace que los datos resulten independientes de cualquier proceso en particular y se encuentren disponibles a cualquier proceso, y se almacene el contenido de la respectiva región de memoria en un archivo de disco.

Las llamadas a funciones que administren el mapeo en memoria están definidas en `<sys/ mman.h>`. Las mismas incluyen las siguientes:

- `mmap` Mapea un archivo de disco en memoria
- `munmap` Elimina el mapeo de un archivo, suprime la imagen en memoria
- `msync` Actualiza el archivo de disco con datos provenientes de la imagen en memoria
- `mprotect` Limita el acceso a la imagen presente en memoria
- `mlock` Previene que una porción específica del mapa sea permutada con su contraparte de disco
- `munlock` Suprime un bloqueo establecido con anterioridad
- `mlockall` Evita que cualquier porción de la imagen en memoria sea permutada con su contraparte de disco
- `munlockall` Elimina el bloqueo establecido por `mlockall`

Estas llamadas a funciones son comentadas en mayor detalle en las próximas secciones.

Creación de un mapa de archivo en la memoria

Para crear un archivo mapeado en memoria se debe efectuar una llamada a `mmap`. Cuando se la haya terminado de utilizar, una llamada a `munmap` eliminará el mapa de la memoria y retornará la memoria así liberada al sistema operativo.

MAPEO DE UN ARCHIVO

La función `mmap` mapea un archivo de disco a memoria. Su prototipo es el siguiente:

```
void *mmap(void *start, size_t length, int prot, int flags, int fd, off_t
offset);
```

`mmap` crea una imagen en memoria del archivo especificado por el descriptor de archivo `fd`. La imagen en memoria comenzará a partir de `offset` bytes desde el comienzo del archivo. El argumento `length` indica cuánto del archivo debe ser leído a la memoria. Para limitar el acceso al mapa en memoria, se pueden establecer varios niveles de protección utilizando el argumento `prot` (*protección*). Este puede ser un O lógico de uno o más de los valores suministrados en la tabla 8.1. El parámetro `flags` (*indicadores*) establece varios valores adicionales del mapa en memoria. Estos se pueden establecer efectuando un O lógico de uno o más de los valores listados en la tabla 8.2. `mmap` retorna un puntero a la región de memoria o -1 si se origina un problema.

Tabla 8.1. Valores posibles para el parámetro `prot` *de* `mmap`.

Valores de *prot*	Descripción
PROT_NONE	No se permiten accesos
PROT_READ	La región mapeada del archivo puede ser leída
PROT_WRITE	La región mapeada del archivo puede ser escrita
PROT_EXEC	La región mapeada del archivo puede ser ejecutada

NOTA

En la arquitectura x86, PROT_EXEC representa también PROT_READ, de modo que PROT_EXEC equivale a especificar PROT_EXEC ¦ PROT_READ.

Tabla 8.2. Valores posibles para el parámetro `flags` *de* `mmap`.

Valores de *flags*	Descripción
MAP_ANONYMOUS	Crea un mapa anónimo, ignorando a fd
MAP_FIXED	Falla si la dirección es inválida o ya se encuentra en uso
MAP_PRIVATE	Las operaciones de escritura a la región de memoria son privativas del proceso
MAP_SHARED	Las operaciones de escritura a la región de memoria son copiadas a un archivo
MAP_DENYWRITE	Cesa de permitir escrituras normales al archivo
MAP_GROWSDOWN	Incrementa la memoria en sentido descendente
MAP_LOCKED	Bloquea páginas en memoria

`offset` es habitualmente `0`, lo que indica que todo el archivo debe ser mapeado en memoria. Una región de memoria debe ser marcada ya sea como privada, con `MAP_PRIVATE`, o compartida, con `MAP_SHARED`; los demás valores son opcionales. Un mapeo privado hace que cualquier modificación a la región de memoria ocupada por el archivo sea privativa del proceso, de modo que estas modificaciones no sean reflejadas en el archivo que le dio origen o se encuentren disponibles para otros procesos. Los mapas compartidos, por el contrario, hacen que cualquier actualización de la región de memoria ocupada por la imagen del archivo, sea inmediatamente visible para todos los demás procesos que hayan mapeado el mismo archivo.

Para evitar escrituras al archivo origen de la imagen se debe especificar `MAP_DENYWRITE` (pero tomar en cuenta que éste no es un valor conforme a POSIX y, por lo tanto, no resulta portable). Los mapas anónimos, creados con `MAP_ANONYMOUS`, no involucran un archivo físico sino que simplemente asignan memoria para uso privado del proceso, tal como una implementación personalizada de `malloc`. `MAP_FIXED` ocasiona que el kernel ubique la imagen del archivo en una dirección específica de memoria. En este caso, si la dirección ya se encuentra en uso o no se halla disponible por alguna otra razón, `mmap` fracasa. Si `MAP_FIXED` no está especificada y la dirección no se encuentra disponible, el kernel tratará de ubicar la imagen en cualquier otro lugar de la memoria. `MAP_LOCKED` permite que los procesos con privilegios root bloqueen la correspondiente región de memoria de modo que nunca sea permutada con su contraparte en disco.

NOTA

Los programas de usuario no pueden utilizar MAP_LOCKED. Esta es una característica de seguridad que previene que procesos no autorizados bloqueen toda la memoria disponible, congelando así el sistema (se la conoce también como ataque de *negativa de servicio*).

SUPRESIÓN DEL MAPEO DE UN ARCHIVO

Cuando el lector haya terminado de utilizar un archivo mapeado en memoria, llame a munmap para suprimir la imagen en memoria del archivo y retornar la correspondiente región de memoria al sistema operativo. Esta función tiene el siguiente prototipo:

```
int munmap(void *start, size_t length);
```

El argumento `start` es un puntero que señala al comienzo de la región de memoria a ser liberada, mientras que `length` indica qué cantidad de la correspondiente memoria se debe liberar. Luego de que un bloque de memoria ha sido liberado, los intentos subsiguientes por acceder la memoria cuyo comienzo está señalado por `start` ocasionarán una falla de segmentación (la señal `SIGSEGV`). Cuando un proceso termina, todos los mapas en memoria creados por el mismo son cancelados y la correspondiente memoria es liberada. La función munmap retorna 0 si tiene éxito. Si fracasa retorna -1 y asigna a `errno` el valor adecuado.

Extraño como pueda resultar, munmap puede fallar por una serie de razones. La razón más común es que `start` no apunta verdaderamente al comienzo de la región mapeada de memoria. Otra causa por la cual munmap puede fallar es que `length` es demasiado larga y, como resultado, se extiende hacia la memoria que no se encuentra mapeada.

EJEMPLO

Ejemplo

El siguiente programa, `mapear`, mapea y luego desmapea un archivo especificado en la línea de comandos.

```
/* Nombre del programa en Internet: mkmap.c */
/*
 * mapear.c - Create a memory mapped file. Sintaxis: mapear nombre de archivo
 */
#include <sys/types.h>
#include <sys/mman.h>
#include <sys/stat.h>
#include <unistd.h>
#include <fcntl.h>
#include <stdlib.h>
#include <stdio.h>
void salir_si_error(char *mensaje);
int main(int argc, char *argv[])
{
```

```
    int descriptor_archivo;
    void *map;
    struct stat statbuf;

    /* Abrir el archivo a ser mapeado */
    if(argc != 2) {
        puts("MODO DE EMPLEO: mapear {nombre de archivo}");
        exit(EXIT_FAILURE);
    }
    if((descriptor_archivo = open(argv[1], O_RDONLY)) < 0)
        salir_si_error("open");

    /* Obtener la longitud del archivo a ser mapeado para utilizarla con mmap */
    fstat(fd, &statbuf); /* fstat vuelca su informacion en statbuf)

    /* Mapear el archivo de entrada */
    if((map = mmap(0, statbuf.st_size, PROT_READ, MAP_SHARED, fd, 0))
== MAP_FAILED)
        salir_si_error("mmap");
    printf("Mapa del archivo creado en %p\n", &map);

        /* Cerrar y desmapear el archivo */
    close(descriptor_archivo);
    munmap(map, statbuf.st_size);
    exit(EXIT_SUCCESS);
}

void salir_si_error(char *mensaje)
{
    perror(mensaje);
    exit(EXIT_FAILURE);
}
```

La única salida de `mkmap` es la dirección de memoria donde comienza la imagen del archivo. Aunque este programa no tiene verdadera funcionalidad, muestra de manera "inambigua" cómo mapear y desmapear un archivo. La llamada a `fstat` hace sencillo determinar el tamaño del archivo, que es entonces utilizada como parámetro `length` en la llamada a `mmap`.

Utilización de un archivo mapeado

Por supuesto, una cosa es mapear y desmapear un archivo, y otra, y más importante, es utilizarla y manipularla. Las llamadas discutidas en esta sección -`msync`, `mprotect`, `mremap` y la familia `mlock`- le permiten a uno realizar dichas operaciones.

ESCRITURA DE UN ARCHIVO A DISCO

La función `msync` escribe un archivo mapeado a disco. Tiene el siguiente prototipo:

```
int msync(const void *start, size_t length, int flags);
```

`msync` descarga `length` bytes del mapa a disco comenzando desde la dirección de memoria indicada en `start`. El argumento `flags` se obtiene realizando un O lógico (bit a bit) de uno o más de los siguientes valores:

- `MS_ASYNC` Programa una operación de escritura y retorna
- `MS_SYNC` Escribe datos antes de que retorne su homónima `msync()`
- `MS_INVALIDATE` Invalida otros mapas del mismo archivo de modo que sean actualizados con datos nuevos

MODIFICACIÓN DE LAS PROTECCIONES DE UN MAPA

La función `mprotect` modifica los indicadores de protección de un mapa de archivo en memoria. Su prototipo es el siguiente:

```
int protect(const void *addr, size_t len, int prot);
```

`mprotect` establece o modifica las protecciones para la región de memoria que comienza en `addr` al nivel de protección especificado en `prot`. Este último argumento puede obtenerse mediante un O lógico (bit a bit) de uno o más de los indicadores listados en la tabla 8.1. Retorna 0 si tiene éxito. Si fracasa, `mprotect` retorna `-1` y asigna a `errno` el valor adecuado.

BLOQUEO DE LA MEMORIA MAPEADA

Bloquear la memoria significa prevenir que un área de memoria pueda ser escrita a su contraparte en el disco para que la correspondiente región de memoria pueda ser liberada. En un sistema multitareas y multiusuario tal como Linux, las regiones de memoria de sistema (memoria RAM) que no se encuentren en uso activo pueden ser, temporariamente, escritas al disco para que la memoria ocupada por ellas pueda ser utilizada para otros fines. Al bloquear la memoria se activa un indicador que previene que dicha región sea volcada a disco. Existen cuatro funciones para bloquear y desbloquear la memoria: `mlock`, `mlockall`, `munlock` y `munlockall`. Sus prototipos se listan a continuación:

```
int mlock(const void *addr, size_t len);
int munlock(void *addr, size_t len);
int mlockall(int flags);
int munlockall(void);
```

El comienzo de la región de memoria a ser bloqueada o desbloqueada se especifica en addr. len indica qué cantidad de la región se debe bloquear o desbloquear. Los valores para flags pueden ser uno o ambos (previo O lógico bit a bit) de los siguientes:

- MCL_CURRENT especifica que todas las páginas queden bloqueadas antes de que la llamada retorne.
- MCL_FUTURE especifica que sólo sean bloqueadas todas las páginas que sean añadidas a partir de allí al espacio de direcciones de memoria del proceso.

Como se observó durante el tratamiento de mmap, sólo pueden bloquear o desbloquear regiones de memoria los procesos que corran con privilegios root.

MODIFICACIÓN DEL TAMAÑO DE UN ARCHIVO MAPEADO

Ocasionalmente se necesitará modificar el tamaño de una región de memoria. Utilice a tal fin la función mremap, que tiene el siguiente prototipo:

```
void *mremap(void *old_addr, size_t old_len, ]size_t new_len, unsigned long flags);
```

De manera similar a lo que hace una llamada a la función de biblioteca realloc, mremap modifica el tamaño de la región de memoria que comienza en old_addr, cuyo tamaño original era old_len, al nuevo tamaño new_len. flags indica si la región en cuestión puede ser desplazada por la memoria si fuese necesario. MREMAP_MAYMOVE permite que la dirección de su origen varíe; si no se lo especifica, la operación de redimensionamiento fracasa. mremap retorna la dirección de la región cuyo tamaño se ha modificado o NULL si ocurre algún problema.

EJEMPLO

Ejemplo

El programa que sigue, cat_mapeado, implementa el comando cat utilizando mapas de archivos en memoria. Aunque esta es una implementación elemental, muestra claramente cómo llevar a cabo E/S de archivos empleando imágenes en memoria de los mismos.

```
/* Nombre del programa en Internet: mmcat */
/*
 * cat_mapeado.c - Implementacion de cat(1) empleando mapas en memoria
 * Sintaxis: cat_mapeado nombre de archivo
 */

#include <sys/types.h>
#include <sys/mman.h>
#include <sys/stat.h>
#include <unistd.h>
#include <fcntl.h>
#include <stdlib.h>
#include <stdio.h>

void salir_si_error(char *mensaje);
```

```
int main(int argc, char *argv[])
{
    int descriptor_archivo;
    char *fuente;
    struct stat statbuf;


    /* Abrir el archivo fuente */
    if(argc != 2) {
        puts("MODO DE EMPLEO: cat_mapeado {nombre de archivo}");
        exit(EXIT_FAILURE);
    }
    if((descriptor_archivo = open(argv[1], O_RDONLY)) < 0)
        salir_si_error("open");


    /* Obtener la longitud del archivo para utilizarla con mmap */
    fstat(descriptor_archivo, &statbuf);    /* Se obtendra del miembro
statbuf.size de statbuf */


    /* Mapear el archivo de entrada */
    if((fuente = mmap(0, statbuf.st_size, PROT_READ,
                MAP_SHARED, descriptor_archivo, 0)) < 0)
        Salir_si_error("mmap");


    /* write it out */
    write(STDOUT_FILENO, fuente, statbuf.st_size);


    /* Prolijar */
    close(descriptor_archivo);
    munmap(fuente, statbuf.st_size);

    exit(0);
}


void salir_si_error(char *mensaje)
{
    perror(mensaje);
    exit(EXIT_FAILURE);
}
```

Después de que el archivo ha sido mapeado a memoria, `mmcat` utiliza el puntero de caracteres, `src`, de la llamada a `write` exactamente igual que si los caracteres hubieran sido obtenidos por una llamada `read` o a `fgets`. Luego, la llamada a `munmap` retorna el proceso a la región de memoria donde reside el kernel.

CONSEJO

Desde un punto de vista práctico, el empleo de un archivo mapeado en memoria en este ejemplo equivalía a partir una nuez con una prensa hidráulica, porque no proveía ninguna ventaja en términos de desempeño o de extensión de código. Sin embargo, en situaciones en que el desempeño resulta crucial o cuando uno está enfrentado a operaciones críticas en cuanto a tiempo, los archivos mapeados en memoria pueden representar una evidente ventaja. El mapeo en memoria puede también resultar valioso en circunstancias en donde se requiera una alta seguridad. Los procesos que corren con privilegios de root pueden bloquear los archivos bloqueados en memoria, evitando así que sean permutados a disco por el administrador de memoria de Linux. Como resultado, los archivos que contienen datos que deben ser resguardados, tales como los de contraseñas o de nómina de pagos, serían menos proclives a ser revisados. Por supuesto, en una situación así, la respectiva región de memoria tendría que ser establecida a `PROT_NONE` de modo que otros procesos no autorizados no puedan leer dicha región.

Bloqueo de archivos

El bloqueo de archivos es un método que permite que varios procesos puedan acceder el mismo archivo simultáneamente de una manera segura, racional y predecible. Cada proceso que bloquea un archivo lo hace para evitar que otros procesos modifiquen los datos presentes en el mismo mientras ese proceso se encuentra trabajando con el archivo. No existe una razón específica por la cual a dos procesos no se les deba permitir leer del mismo archivo simultáneamente, pero imaginemos la confusión que resultaría si dos procesos estuviesen escribiendo al mismo archivo al mismo tiempo. Con toda probabilidad cada uno de ellos sobrescribiría los datos del otro o, en algunos casos, corrompería totalmente el archivo.

El procedimiento general si se desea acceder a un archivo bloqueado se lista a continuación:

1. Verifique la presencia de un bloqueo.
2. Si el archivo no se encuentra bloqueado, establezca su propio bloqueado.
3. Abra el archivo.
4. Procese el archivo de la manera que resulte necesario.
5. Cierre el archivo.
6. Desbloquee el archivo.

Observe cómo el proceso bloquea el archivo antes de dar comienzo a cualquier operación de E/S y completa todo el procesamiento del mismo antes de proceder a desbloquearlo. Este procedimiento garantiza que todos los procesos que lleve a cabo su programa no sean interrumpidos por otros procesos ajenos al mismo. Si uno abre el archivo antes de proceder a bloquearlo o lo cierra después de proceder a desbloquearlo, otro proceso podría acceder el archivo en la fracción de segundo que transcurre entre la operación de bloqueo/desbloqueo y la de apertura/cierre.

Si el archivo se encuentra bloqueado, uno debe adoptar una decisión. Muchas de las operaciones de E/S demandan, a lo sumo, sólo un par de segundos. Uno puede ya sea aguardar unos instantes –tal vez empleando una llamada a `sleep`– y probar de nuevo o desistir e informar al usuario que esté corriendo el programa, que el mismo no ha podido abrir el archivo porque otro proceso se encuentra utilizándolo.

Los bloqueos de archivos vienen en dos variantes: bloqueos informativos y bloqueos compulsivos. Los *bloqueos informativos,* también conocidos como bloqueos cooperativos, se basan en una convención por la cual todo proceso que utilice un archivo bloqueado verifica la presencia de un bloqueo y lo respeta. Ni el kernel ni el sistema en su conjunto hacen regir los bloqueos informativos; éstos dependen sólo de que los programadores respeten dicha convención. Los *bloqueos compulsivos,* por el contrario, se hacen cumplir por el kernel. Este último bloquea los accesos de lectura/escritura o de escritura solamente a un archivo que esté bloqueado para escritura (según se trate de un bloqueo de registros o de archivo, como se verá enseguida) hasta que el proceso que lo bloqueó proceda a desbloquearlo. El precio a pagar por los bloqueos compulsivos, sin embargo, es una apreciable penalidad sobre el desempeño, porque cada operación de lectura o de escritura tiene que verificar la presencia de un posible bloqueo.

Así como existen dos tipos de bloqueo de archivos, existen también dos maneras de implementar los mismos: bloqueo total de archivos o bloqueo de registros.

Bloqueo de la totalidad del archivo

Los archivos de bloqueo son archivos de longitud cero y de nombre `nombre_archivo.lck`, donde `nombre_archivo` es el nombre del archivo que se desea bloquear con absolutamente todos sus caracteres, inclusive los puntos y caracteres posteriores a los mismos. Generalmente son creados en el mismo directorio que el archivo que el proceso desea abrir. Estos archivos resultan sencillos de implementar. Para hacerlo, se necesitará de un bloque de código que se parezca al siguiente fragmento de pseudo-código:

```
open (con archivo de bloqueo empleando el indicador O_EXCL)
if  (la llamada a open fracasa y errno == EEXIST)
    otro proceso mantiene bloqueado el archivo
else
    uno mismo tiene bloqueado el archivo
    abrir el archivo
    llevar a cabo el procesamiento adicional requerido
    cerrar el archivo
    eliminar (desvincular) el archivo de bloqueo
end if
```

La utilización de `O_EXCL` cuando se abre el archivo de bloqueo garantiza que la llamada a `open` sea atómica, es decir, que no sea interrumpida por el kernel. Esto es importante porque se puede dar una probable condición de competencia (*race condition*) cuando dos procesos tratan de abrir el mismo archivo. Un segundo proceso podría abrir el archivo mientras la llamada a `open` del primer proceso está siendo interrumpida por el kernel. El empleo de O_EXCL evita esta situación. Como se acaba de comentar, por convención, los archivos de bloqueo son denominados nombre_archivo.lck, donde nombre_archivo es el nombre del archivo que uno está bloqueando, incluyendo todos sus caracteres.

✔ Las condiciones de competencia se comentan con mayores detalles en "EMPLEO DE fork", página 78.

EJEMPLO

Ejemplo

Este programa crea un archivo de bloqueo, y luego trata de bloquear el archivo principal una segunda vez. El segundo intento fracasará. El propósito del programa es ilustrar la lógica correcta a emplear para utilizar los archivos de bloqueo.

```
/* Nombre del programa en Internet: lockit.c */
/*
 * bloquear_archivo.c - Utilizacion de archivos de bloqueo. Sintaxis: bloquear
bloquear.c.lck
 */
#include <unistd.h>
#include <fcntl.h>
#include <errno.h>        /* Por la posible presencia de EEXIST */
#include <stdlib.h>
#include <stdio.h>

int main(int argc, char *argv[])
{
    int descriptor_archivo, nuevo_descriptor;

    /* Abrir el archivo de bloqueo */
    descriptor_archivo = open(argv[1], O_CREAT | O_EXCL, 0644);
    if(descriptor_archivo < 0 && errno == EEXIST) { /* El archivo ya se encuentra
bloqueado */
        puts("El archivo ya se encuentra bloqueado por otro proceso");
        close(descriptor_archivo);
    } else if(descriptor_archivo < 0) /* Ocurrio algun otro error que no
comprobaremos */
        puts("Ocurrio un error no previsto");
    else { /* El archivo esta ahora bloqueado por nosotros*/
        puts("Este programa procede a bloquear el archivo");
            /*
             * Aqui tendrian lugar procesos adicionales
             */

        /* Repetir el proceso de bloqueo, que esta vez fracasara */
        nuevo_descriptor = open(argv[1], O_CREAT | O_EXCL, 0644);
        if(nuevo_descriptor < 0 && errno == EEXIST) {
            puts("El archivo ya se encuentra bloqueado por otro proceso");   /*
El nuestro */
            close(nuevo_descriptor);
        } else if(nuevo_descriptor < 0)
```

```
            puts("Ocurrio un error no previsto");
        else
            puts("Este programa procede a bloquear el archivo");} /* Para mi estas
dos sentencias */
                    /* resaltadas deberian suprimirse. El programa nunca deberia
llegar hasta aqui. */
    close(descriptor_archivo);
    unlink(argv[1]);        /* Desvincular el archivo de bloqueo */

    exit(EXIT_SUCCESS);
}
```

Una corrida de demostración de `lockit` produce la siguiente salida:

```
$ ./bloquear_archivo bloquear_archivo.c.lck
Bloqueo establecido por este programa sobre el archivo
El archivo ya se encuentra bloqueado por otro proceso
```

A menos que ocurra algo inesperado, `bloquear_archivo` bloqueará debidamente el archivo (cuyo nombre le es pasado al programa como único argumento en la línea de comandos) cuando se ejecute la primera sentencia `open`. Después, en la segunda sentencia `open`, `bloquear_archivo` trata de bloquear el mismo archivo una segunda vez creando el mismo archivo de bloqueo. La especificación de `O_CREAT` en la llamada a `open`, junto con `O_EXCL`, significa que la llamada a `open` fracasará si el archivo ya existiese. Para expresarlo en otras palabras, la creación o apertura de un archivo de bloqueo utilizando la sintaxis mostrada en el ejemplo anterior es totalmente equivalente a bloquear el archivo cuyo nombre se obtiene eliminando la expresión `.lck` de dicho archivo de bloqueo; eliminar un archivo de bloqueo es exactamente lo mismo que desbloquear un archivo. Como la segunda apertura del archivo de bloqueo fracasa, el programa informa que el archivo ya se encuentra bloqueado. Ya de nuevo en el bloque correspondiente a main(), el programa cierra el descriptor de archivo y desvincula (suprime) el archivo de bloqueo, desbloqueando así el archivo principal.

Bloqueo de sólo ciertos registros

Aunque los archivos de bloqueo son sencillos de utilizar, tienen varias desventajas importantes:

- Cuando un archivo se bloquea, no se encontrará tampoco disponible para otros procesos que meramente quieren leer los datos del mismo.
- El indicador `O_EXCL` es confiable solamente en los filesystems locales, no en filesystems de red tales como el NFS.
- Los bloqueos son sólo informativos; los procesos pueden ignorarlos.
- Si un proceso terminara antes de eliminar un archivo de bloqueo (el que termina en `.lck`), éste permanece activo para el correspondiente archivo bloqueado y los demás procesos no cuentan con una manera efectiva de determinar si se trata de un bloqueo ya perimido, es decir, dejado allí por un proceso que finalizó prematuramente.

Estas limitaciones condujeron al desarrollo del bloqueo de registros, que brinda a los programadores la capacidad de bloquear regiones específicas de los archivos, denominadas registros. Los bloqueos de registros, algunas veces denominados POSIX, permiten que distintos procesos bloqueen diferentes porciones del mismo archivo o que, inclusive, lean los mismos segmentos del mismo archivo. Los bloqueos de registros también funcionan adecuadamente sobre NFS y otros filesystems de red. Finalmente, dado que el control de los registros bloqueados es llevado a cabo por el kernel, cuando un proceso termina, sus registros bloqueados son automáticamente liberados.

Los bloqueos POSIX vienen asimismo en dos variedades: bloqueos *de lectura* o *compartidos* y bloqueos de *escritura* o *exclusivos*. Los bloqueos de lectura se denominan también compartidos porque muchos procesos pueden establecer al mismo tiempo este tipo de bloqueos sobre la misma región de un archivo. Los bloqueos exclusivos, por otro lado, evitan el acceso a una región bloqueada mientras que los mismos se encuentren en vigencia. Además, uno no puede crear un bloqueo de escritura mientras se encuentre en vigencia un bloqueo de lectura para la misma zona de un archivo.

NOTA

Recuérdese del capítulo 4, "Procesos", que los procesos hijos no heredan los bloqueos de archivos cuando tiene lugar un `fork`, aunque por el contrario un proceso iniciado mediante una llamada a exec hereda, de hecho, los archivos bloqueados que mantenía su padre.

La llamada `fcntl` (file control o control de archivos), prototipada en `<fcntl.h>`, administra los bloqueos de registros. Su prototipo es el siguiente:

```
int fcntl(int fd, int cmd, struct flock *lock);
```

fd es el descriptor del archivo a ser bloqueado. cmd debe ser uno de los siguientes parámetros: `F_GETLK`, `F_SETLK`, o `F_SETLKW`. `F_GETLK` verifica si los registros del archivo pueden ser bloqueados. Si efectivamente es así, el miembro `l_type` de la estructura `flock` (*file lock o archivo bloqueado*) es puesto al valor `F_UNLCK`. Y, en caso de que los registros del correspondiente archivo no puedan ser bloqueados, al miembro `l_pid` de la estructura `flock` le es asignado el PID del proceso que tiene los respectivos registros bloqueados. `F_SETLK` lleva a cabo el bloqueo. `F_SETLKW` también lleva a cabo el bloqueo, pero fcntl aguarda para retornar hasta haber establecido con éxito el bloqueo.

`lock` es un puntero que apunta a una estructura `flock` que describe el bloqueo y su comportamiento. La estructura `flock` está definida como sigue:

```
struct flock {
    short l_type;   /* Type of lock */
    short l_whence; /* Beginning of lock */
    off_t l_start;  /* Starting offset of lock */
    off_t l_len;    /* Number of bytes to lock */
    pid_t l_pid;    /* Process holding lock */
};
```

l_type puede ser `F_RDLCK` para un bloqueo de lectura, `F_WRLCK` para un bloqueo de escritura o `F_UNLCK` para liberar el bloqueo. `l_whence` puede adoptar uno de los siguientes valores: `SEEK_SET`, `SEEK_CUR` o `SEEK_END`, que tienen el mismo significado que en la llamada a `lseek`. `l_start` indica el desplazamiento del comienzo de los registros a ser bloqueados, relativo a `l_whence` (desde dónde), mientras que `l_len` especifica la cantidad de bytes consecutivos a ser bloqueados. `l_pid`, finalmente, es el PID del proceso que genera el bloqueo.

✔ La llamada a sistema `lseek` esta cubierta en "Posicionamiento del puntero de archivo", página 144.

Ejemplo

El programa siguiente, `bloquear_registros`, establece un bloqueo de escritura sobre una parte de un archivo y un bloqueo de lectura sobre otra parte. Si se corre este programa en dos ventanas de terminal, se puede apreciar claramente como funcionan los bloqueos de registros.

```
/* Nombre del programa en Internet: reclck.c */
/*
 * bloquear_registros.c - Establecimiento de bloqueos de lectura y de escritura
 */
#include <unistd.h>
#include <fcntl.h>
#include <stdlib.h>
#include <stdio.h>
#include <errno.h>

int main(void)
{
    int descriptor_archivo;
    struct flock bloq_reg;

    if((descriptor_archivo = open("test.dat", O_RDWR)) < 0) {
        perror("open");
        exit(EXIT_FAILURE);
    }
    /*
     * Establecer un bloqueo de escritura sobre
     * los ultimos 100 bytes del archivo
     */
    bloq_reg.l_type = F_WRLCK;
    bloq_reg.l_whence = SEEK_END;
    bloq_reg.l_start = 0;
    bloq_reg.l_len = 100;
    /* Establecer el bloqueo */
    if(!fcntl(descriptor_archivo, F_SETLK, &bloq_reg))
         puts( "Bloqueo de escritura establecido");
    else {
        fcntl(descriptor_archivo, F_GETLK, &bloq_reg);
        printf("Registros ya bloqueados para escritura por proceso PID %d\n",
bloq_reg.l_pid);
    }
```

```
        /* Ahora establecer un bloqueo de lectura */
        bloq_reg.l_type = F_RDLCK;
        bloq_reg.l_whence = SEEK_END;
        bloq_reg.l_start = 0;
        bloq_reg.l_len = 100;
        if(!fcntl(descriptor_archivo, F_SETLKW, &bloq_reg))
            puts("Bloqueo de lectura establecido");
        else {
            fcntl(descriptor_archivo, F_GETLK, &bloq_reg);
            printf("Registros ya bloqueados para lectura por proceso PID %d\n",
    bloq_reg.l_pid);
        }
        getchar();
        exit(EXIT_SUCCESS);
    }
```

La salida de este programa, ejecutado en dos xterms, se muestra en la figura 8-2.

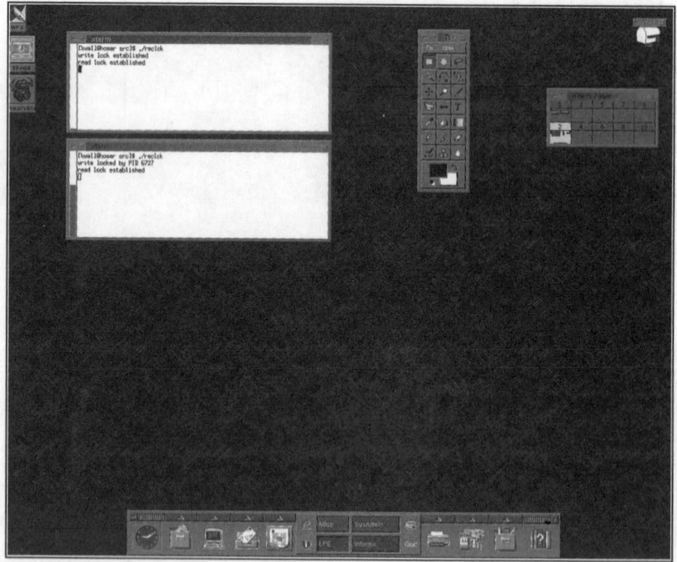

Figura 8.2. *Los bloqueos escritos son exclusivos; los rojos compartidos.*

Primero, `bloquear_registros` establece un bloqueo de escritura sobre los últimos 100 bytes del archivo `test.dat`. Si no se pudiese establecer el bloqueo, el programa llama a `fcntl` con el argumento `F_GETLK` a fin de obtener el PID del proceso que dispuso el bloqueo existente. El siguiente bloqueo es un bloqueo de lectura sobre los primero 100 bytes del archivo. Los bloqueos de lectura son compartidos, por lo que varios procesos pueden bloquear la misma región del archivo, como lo ilustra la figura 8-2.

Lo que viene

Este capítulo extendió la discusión de la E/S de archivos, concentrándose en sus características avanzadas tales como manipulación de directorios, mapeo de archivos en memoria y bloqueo de archivos. El próximo capítulo, "Daemons", analiza la creación de procesos en segundo plano, lo que finalizará la sección correspondiente a programación de sistemas.

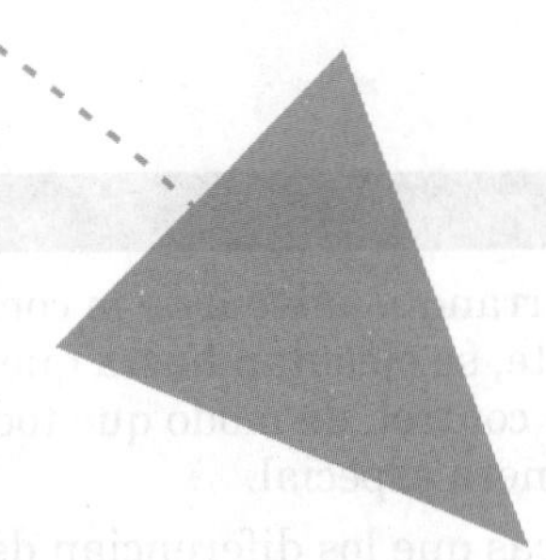

Daemons

En este capítulo, el lector aprenderá cómo crear un "daemon", pronunciado *démon.* Los daemons son procesos ejecutados en segundo plano que corren de manera no interactiva. Generalmente proveen algún tipo de servicio, ya sea para el sistema en su conjunto o para determinados programas de usuario.

Este capítulo cubre los siguientes temas:

- **Las características de los daemons**
- **Las reglas para la creación de daemons**
- **Las llamadas a funciones que deben emplearse cuando se programa un daemon**
- **Cómo trabajar con la utilidad `syslog`**
- **Cómo deben administrar los daemons los errores en tiempo de ejecución**

Todos los programas de este capítulo pueden ser encontrados en el sitio Web `http://www.mcp.com/info` bajo el número de ISBN 0789722151.

Generalidades sobre Daemons

Típicamente, los daemons se inician durante el arranque mismo de la computadora y, a menos que se los termine forzadamente, se ejecutan hasta que se cierre el sistema. Además carecen de terminal de control, de modo que toda salida que generan debe ser administrada de manera especial.

Los daemons tienen también ciertas características que los diferencian de los programas ordinarios tales como `ls` y `cat`. Para comenzar, casi siempre corren con privilegios de superusuario porque proveen servicios de sistema a los programas de modo usuario. No tienen un terminal que los controle porque no son interactivos; o sea, corren sin necesidad de disponer de ingreso de datos por parte del usuario. Los daemons generalmente son tanto líderes de grupos de procesos como líderes de sesión. A menudo hacen las veces de procesos en su grupo de procesos y en la sesión. Finalmente, el padre de un daemon es el proceso `init`, que tiene un PID igual a 1. Esto se debe a que su verdadero proceso padre ha efectuado un `fork` y terminado antes que ellos, de ahí que sean procesos huérfanos heredados por `init`.

✔ Los terminales de control y los líderes de sesión son comentados en "Sesiones", página 76.

✔ Los grupos de procesos y los líderes de proceso constituyen el tema de "Grupos de procesos," página 76.

Creando un Daemon

Para crear un programa que se comporte como un daemon uno debe seguir unas pocas reglas sencillas y llamar a varias funciones, todas las cuales han sido vistas por el lector en los capítulos previos. En el caso de los daemons, sin embargo, la manipulación de errores presenta dificultades especiales y requiere que el programa use la utilidad de ingreso al sistema, `syslog`, para enviar mensajes al registro del sistema (que a menudo es el archivo `/var/log/messages`). Este tema se cubre en "Manipulación de errores", más adelante en este mismo capítulo.

Existen unos pocos pasos sencillos a seguir para crear un daemon que al mismo tiempo se desempeñe adecuadamente y se coordine correctamente con el sistema.

Primero se debe ejecutar un `fork` para hacer terminar al proceso padre. Igual que la mayoría de los programas, los daemons son iniciados desde un *script* de interfaz o desde la línea de comandos. Sin embargo, los daemons son diferentes a los programas de aplicación porque no son interactivos: corren en segundo plano y, como resultado de ello, no poseen una terminal de control. Como primer paso tendiente a desembarazarse de la terminal de control, su proceso padre efectúa un `fork` y termina. Si uno reflexiona un minuto sobre ello, esto tiene totalmente sentido. Los daemons no leen de `stdin` ni escriben a `stdout` o a `stderr`, de modo que no necesitan en absoluto de una interfaz con un terminal, excepto para que ésta los haga comenzar.

El segundo paso consiste en crear una nueva sesión por medio de la llamada a `setsid`. La llamada a `setsid` desconecta dicho proceso de cualquier terminal. En otras palabras, esto hace que el proceso hijo (el daemon) no posea un terminal de control. El programa continúa ejecutándose, por supuesto.

El paso siguiente es hacer que el directorio corriente de trabajo (*cwd*) del proceso sea el directorio raíz. Esto resulta necesario porque cualquier proceso cuyo directorio corriente se encuentre sobre un filesystem montado evitará que dicho filesystem pueda ser desmontado. Normalmente este es el comportamiento deseado pero, si el sistema debe pasar a modo monousuario por alguna razón, un proceso daemon corriendo sobre un filesystem montado se convierte, en el mejor de los casos, en una molestia para el superusuario (porque éste debe encontrar el proceso problemático y eliminarlo), o, en una situación de emergencia, una verdadera amenaza para la integridad del sistema (porque evita que un filesystem montado en un disco que presenta problemas pueda ser desmontado). Hacer que el directorio de trabajo de un daemon sea el directorio raíz es una manera segura de evitar ambas posibilidades.

Luego viene establecer la `umask` a `0`. Este paso es necesario para prevenir que la `umask` heredada por el daemon interfiera con la creación de archivos y directorios. Consideremos la siguiente situación: un daemon hereda una `umask` de `055`, que elimina los permisos de lectura y ejecución para el grupo del propietario y para los demás usuarios. Si el daemon luego procediera a crear un archivo, por ejemplo de datos, el archivo así creado podría ser leído, escrito y ejecutado por el usuario, pero el grupo y el resto de los usuarios sólo podría escribirlo, lo cual sería absurdo. Semejante situación se evita haciendo la `umask` del daemon igual a `0`. También le otorga al daemon mayor flexibilidad para crear archivos porque, con una `umask` de `0`, el daemon puede establecer con precisión los permisos que sean requeridos en lugar de tener que conformarse con los valores predeterminados del sistema.

Finalmente se deberá cerrar cualquier descriptor de archivo que el proceso hijo haya heredado pero no necesite. Este es sencillamente un paso dictado por el sentido común. No existe razón valedera para que un proceso hijo mantenga abiertos descriptores heredados de su proceso padre. La lista de descriptores de archivo candidatos a ser cerrados incluye por lo menos `stdin`, `stdout` y `stderr`. Otros descriptores de archivo abiertos, tales como aquellos que se refieran a archivos de configuración o de datos, pueden requerir asimismo ser cerrados. Este paso depende de las necesidades y requerimientos del daemon en cuestión, de modo que resulta difícil establecer esta regla de manera más precisa.

Llamadas a funciones

Para satisfacer los requerimientos del primer ítem se debe llamar a `fork` para engendrar un proceso hijo y luego hacer que el proceso padre llame a `exit`. Para eliminar el terminal de control se debe crear una nueva sesión llamando a `setsid`, que se encuentra declarada en `<unistd.h>` y tiene el siguiente formato:

```
pid_t setsid(void);
```

`setsid` crea una nueva sesión y un nuevo grupo de procesos. El daemon será entonces el líder de la nueva sesión y el líder de grupo de procesos del nuevo grupo de procesos. La llamada a `setsid` garantiza también que la nueva sesión no tenga un terminal de control. Si el proceso que efectúa la llamada es ya un líder de grupo de procesos, sin embargo, la llamada a `setsid` fracasará.

Si tiene éxito, `setsid` retorna el ID de la nueva sesión (SID). Si se produce algún tipo de error, retorna `-1` y asigna a `errno` el valor adecuado.

La llamada a `umask` establece la `umask` del daemon a `0`. Esto deja sin efecto cualquier `umask` heredada que pudiera de forma potencial interferir con la creación de un archivo o directorio, tal como se explicó anteriormente. Para cerrar los descriptores de archivo que ya no se requieran se deberá llamar a `close`.

Ejemplo

El siguiente daemon crea un nuevo archivo de registro, `/var/log/lpedated.log`, y escribe la fecha y hora al mismo cada minuto. A fin de que el daemon funcione, debe ser iniciado por el usuario root.

```
/* lpedated (¿¿??) no existe en Internet. Lo que hay bajo identico nombre es una
variante del
    mismo que se encuentra mas adelante en este mismo capitulo. */
/*
 * fecha_hora.c - Daemon sencillo para escribir fecha y hora  a un archivo de
registro
 */
#include <sys/types.h>
#include <sys/stat.h>
#include <stdio.h>
#include <stdlib.h>
#include <fcntl.h>
#include <errno.h>
#include <unistd.h>
#include <time>
#include <string.h>

int main(void)
{
    pid_t pid, sid;     /* pid = identificador de proceso;    sid = identifica-
dor de sesion */
    time_t timebuf;
    int descriptor_archivo, longitud;

    pid = fork();
    if(pid < 0) {
        perror("fork");
        exit(EXIT_FAILURE);
    }
    if(pid > 0)
        /* En el proceso padre. Ahora, salir */
        exit(EXIT_SUCCESS);
    /* Ahora, en el proceso hijo */
    /* Primero, dar comienzo a una nueva sesion */
```

```
        if((sid = setsid()) < 0) {
        perror("setsid");
        exit(EXIT_FAILURE);
        }
        /* A continuacion, hacer que el directorio corriente de trabajo sea el
directorio raiz */
        if((chdir("/")) < 0) {
            perror("chdir");
            exit(EXIT_FAILURE);
        }
        /* Reinicializacion del modo de archivo */
        umask(0);


        /* Cerrar stdin, stdout y stderr */
        close(STDIN_FILENO);
        close(STDOUT_FILENO);
        close(STDERR_FILENO);


        /*  Finalmente, realizar la tarea pretendida */
        longitud = strlen(ctime(&timebuf));
        while(1) {
            char *buf = malloc(sizeof(char) * (longitud + 1));
            if(buf == NULL) {
                exit(EXIT_FAILURE);
            }
            if((descriptor_archivo = open("/var/log/lpedated.log",
                        O_CREAT | O_WRONLY | O_APPEND, 0600)) < 0) {
                exit(EXIT_FAILURE);
            }
            time(&timebuf);
            strncpy(buf, ctime(&timebuf), longitud + 1);
            write(descriptor_archivo, buf, longitud + 1);
            close(descriptor_archivo);
            sleep(60);
        }
        exit(EXIT_SUCCESS);
    }
```

fecha_hora utiliza las llamadas a sistema open y write con el propósito de recordarle al lector que Linux provee alternativas a las funciones estándar de biblioteca para E/S de secuencias de caracteres (*streams*) fopen y fwrite. Recuerde, se debe correr este programa con privilegios root porque los usuarios normales no tienen acceso a escritura en el directorio /var/log. Si se tratara de correr este programa como usuario no-root, sencillamente no sucederá nada. El daemon simplemente terminará después de que fracase en abrir su archivo de registro. Después de unos pocos minutos, el archivo de registro mantenido por el daemon, /var/log/fecha_hora.log, tendrá un aspecto similar al siguiente:

SALIDA

```
$ su -c "tail -5 /var/log/fecha_hora.log
Wed Jul 28 01:35:41 1999
Wed Jul 28 01:36:41 1999
Wed Jul 28 01:37:41 1999
Wed Jul 28 01:38:41 1999
Wed Jul 28 01:39:41 1999
```

Obsérvese que fecha_hora deja de escribir mensajes de error a stderr después de llamar a setsid. El proceso hijo ya no tiene una terminal de control, de modo que la salida no tendría donde ir. El lazo infinito while efectúa el trabajo del programa: abrir el archivo log, imprimir al mismo la fecha y hora, cerrar el archivo y luego dormir durante 60 segundos. Para terminar el programa, ingrese al sistema como usuario root, obtenga el PID de fecha_hora y emita el comando kill <PID de fecha_hora>.

Administración de errores

Luego de que un daemon llama a setsid ya no dispone de una terminal de control, de modo que no tiene donde enviar la salida que iría de forma normal a stdout o a stderr (como por ejemplo, los mensajes de error). Afortunadamente, la utilidad estándar para este propósito es el servicio syslog derivado de BSD, provisto por el daemon de ingreso al sistema, syslogd.

Esta interfaz relevante está definida en <syslog.h>. La API es simple. openlog abre el archivo de registro; syslog escribe al mismo un mensaje; closelog cierra el archivo. Sus prototipos se listan a continuación:

```
void openlog(char *ident, int option, int facility);
void closelog(void);
void syslog(int priority, char *format, ...);
```

openlog da comienzo a una conexión al administrador de ingreso al sistema (*system logger*). ident es una cadena de caracteres añadida a cada mensaje, y típicamente se asigna a la misma el nombre del programa. El argumento option es un OR lógico de uno o más de los valores listados aquí:

- LOG_CONS Escribir a la consola si el administrador de ingreso al sistema no se encuentra disponible.
- LOG_NDELAY Abrir la conexión inmediatamente. Normalmente, la conexión no se abre hasta que se envíe el primer mensaje.

- `LOG_PERROR` Imprimir a `stderr`.
- `LOG_PID` Incluir en cada mensaje el PID del proceso.

`facility` especifica el tipo de programa que envía el mensaje y puede ser uno de los valores listados en la tabla 9.1.

Tabla 9.1. *Valores posibles para el argumento* facility *del administrador de ingreso al sistema*

Valor de facility	**Descripción**
LOG_AUTHPRIV	Mensajes de seguridad/autorización
LOG_CRON	Daemons de reloj; `cron` y `at`
LOG_DAEMON	Otros daemons de sistema
LOG_KERN	mensajes del kernel
LOG_LOCAL[0-7]	Reservado para uso local
LOG_LPR	Subsistema de impresora en línea
LOG_MAIL	Subsistema de correo
LOG_NEWS	Subsistema de noticias de Usenet
LOG_SYSLOG	Mensajes generados por `syslogd`
LOG_USER	Usuario predeterminado
LOG_UUCP	Sistema UUCP

`priority` especifica la importancia del mensaje. Sus posibles valores son listados en la tabla 9.2.

Tabla 9.2. *Valores posibles para el argumento* priority *del administrador de ingreso al sistema*

Valor de priority	**Descripción**
LOG_EMERG	El sistema no se encuentra utilizable
LOG_ALERT	Tomar acción inmediatamente
LOG_CRIT	Condición crítica
LOG_ERR	Condición de error
LOG_WARNING	Condición de advertencia
LOG_NOTICE	Condición normal pero significativa
LOG_INFO	Mensaje informativo
LOG_DEBUG	Mensaje de depuración

Estrictamente hablando, el uso de `openlog` y `closelog` es opcional porque `syslog` abrirá el archivo de registro, automáticamente, la primera vez que sea llamada.

Ejemplo

El siguiente programa es una versión diferente de fecha_hora, que emplea el administrador de ingreso al sistema:

```
/* Nombre del programa en Internet: lpedated.c
/*
 * fecha_hora2.c - Daemon sencillo para escribir fecha y hora a un
 * archivo de registro empleando la utilidad de ingreso al sistema syslog
 */
#include <sys/types.h>
#include <sys/stat.h>
#include <stdio.h>
#include <stdlib.h>
#include <fcntl.h>
#include <errno.h>
#include <unistd.h>
#include <time.h>
#include <string.h>
#include <syslog.h>

int main(void)
{
    pid_t pid, sid;      /* pid = identificador de proceso;    sid = identifica-
dor de sesion */

    int descriptor_archivo, longitud;
    time_t timebuf;

      /* Abrir el registro del sistema */
    openlog("fecha_hora2", LOG_PID, LOG_DAEMON);
    pid = fork();
    if(pid < 0) {
        syslog(LOG_ERR, "%s\n", "fork");
        exit(EXIT_FAILURE);
    }
    if(pid > 0)
    /* En el proceso padre. Ahora, salir */
    exit(EXIT_SUCCESS);
    /* Ahora, en el proceso hijo */
    /* Primero, dar comienzo a una nueva sesion */
    if((sid = setsid()) < 0) {
```

```
        syslog(LOG_ERR, "%s\n", "setsid");
        exit(EXIT_FAILURE);
    }
    /* A continuacion, hacer que el directorio corriente de trabajo sea el direc-
torio raiz */
    if((chdir("/")) < 0) {
        syslog(LOG_ERR, "%s\n", "chdir");
        exit(EXIT_FAILURE);
    }
    /* Reinicializacion del modo de archivo */
    umask(0);

    /* Cerrar stdin, stdout y stderr */
    close(STDIN_FILENO);
    close(STDOUT_FILENO);
    close(STDERR_FILENO);

    /*  Finalmente, realizar la tarea pretendida */
    longitud = strlen(ctime(&timebuf));
    while(1) {
        char *buf = malloc(sizeof(char) * (longitud = 1));
        if(buf == NULL) {
            exit(EXIT_FAILURE);
        }
        if((descriptor_archivo = open("/var/log/lpedated.log",
            O_CREAT | O_WRONLY | O_APPEND, 0600)) < 0) {
            syslog(LOG_ERR, "open");
            exit(EXIT_FAILURE);
        }
        time(&timebuf);
        strncpy(buf, ctime(&timebuf), longitud + 1);
        write(descriptor_archivo, buf, longitud + 1);
        close(descriptor_archivo);
        sleep(60);
    }
    closelog();
    exit(EXIT_SUCCESS);
}
```

Una vez añadida la funcionalidad de ingreso que brinda `syslog`, si uno trata de ejecutar el programa como un usuario normal, `fecha_hora2` escribirá una entrada en el registro del sistema (generalmente ubicado en `/var/log/messages` en los sistemas Linux), la cual tendrá el aspecto siguiente:

```
Sep 14 21:12:04 hoser fecha_hora2[8192]: open
```

Esta entrada de registro indica que en la fecha y hora especificadas, en el servidor denominado hoser, un programa llamado `fecha_hora2`, con un PID de 8192, ingresó el texto open al registro del sistema. Refiriéndose luego al código fuente de fecha_hora2, uno estaría en condiciones de determinar dónde ocurrió el error.

Todos los mensajes de error que genera `fecha_hora2` van a ser ingresados en el registro del sistema, aunque las fechas y horas en sí mismas van a seguir siendo escritas a `/var/log/fecha_hora2.log`. La salida que se indica a continuación, tomada del registro del sistema, fue generada porque quien intentó correr el programa no era un usuario root. El número entre corchetes es el PID de `fecha_hora2`.

SALIDA

```
Jul 28 11:34:06 hoser fecha_hora2[8895]: open
```

Lo que viene

Este capítulo explicó la creación de *daemons,* que son programas de ejecución en segundo plano que están siempre funcionando y que, habitualmente, proveen algún tipo de servicio. Esto completa la cobertura que brinda este libro a los temas correspondientes a la programación de sistemas. Con su conocimiento actual de las herramientas básicas de desarrollos, cubiertas en la Parte I, "El entorno de programación de Linux", y una sólida comprensión de la programación de bajo nivel de sistemas (cubierta en la Parte II, "Programación de sistemas"), el lector se halla listo para aprender algunas de las APIs (*application programming interfaces* o *interfaces de programación de aplicaciones*) más comunes de Linux, en la Parte III, "Las API (Interfaces de programación de aplicaciones de Linux)".

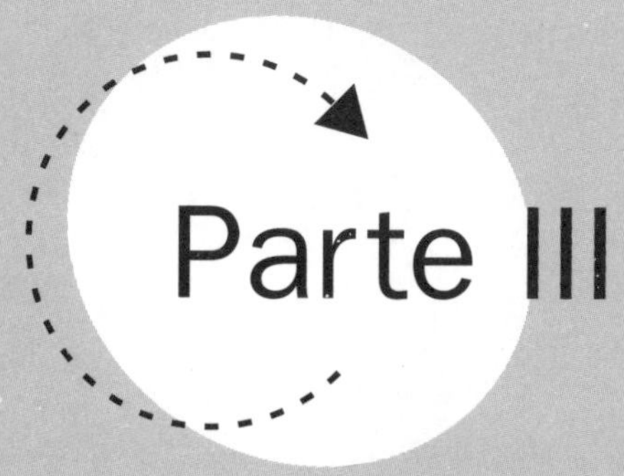

Parte III

Las API (Interfaces de programación de aplicaciones de Linux)

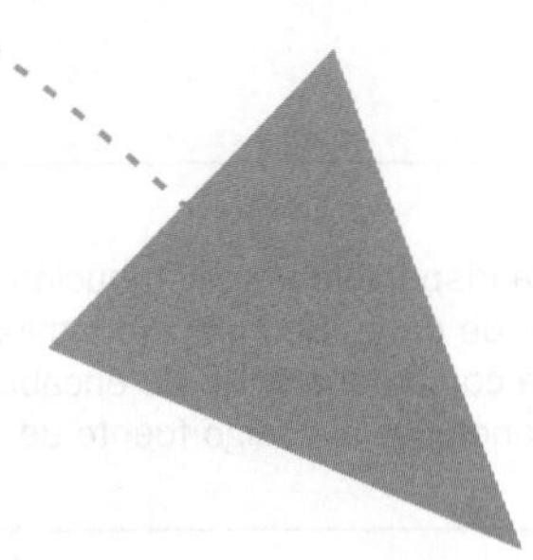

10

La API de base de datos

Los programadores de aplicaciones a menudo deben almacenar sus datos en una base de datos sencilla, sin requerir todos los servicios (ni desear la respectiva sobrecarga de trabajo) de una base de datos relacional completa tal como las de Informix u Oracle. Este capítulo le enseña al lector cómo utilizar la base de datos Berkeley, un estándar de base de datos integrable presente en las bibliotecas de aditamentos (*add-ons*) de las principales distribuciones de Linux. La versión que se comenta en este capítulo es la 2.7.7, pero lo que se muestre es válido también para cualquier otra versión 2.x. Obsérvese que la API 2.x incorpora todas las características de la API 1.x, pero añade asimismo muchos elementos.

Este capítulo cubre los siguientes temas:

- Creación de una nueva base de datos
- Apertura de una base de datos existente
- Cómo agregar y suprimir registros
- Recuperación (obtención) de registros
- Búsqueda de un registro
- Navegación de una base de datos
- Cierre de una base de datos

Todos los programas de este capítulo pueden ser encontrados en el sitio Web `http://www.mcp.com/info` bajo el número de ISBN 0789722151.

NOTA

En el sitio Web que corresponde a este libro se encuentra disponible una distribución completa del código fuente de la versión 2.7.5 de la base de datos Berkeley. Todos los ejemplos de este libro fueron construidos empleando una copia del archivo de encabezado y de la biblioteca presentes en el directorio correspondiente al código fuente de este capítulo.

La base de datos Berkeley

La base de datos Berkeley, a menudo denominada *Berkeley DB* o simplemente DB, utiliza pares *clave / valor para trabajar con los elementos presentes en la misma*. La *clave* es el elemento identificador; el *valor* es cada elemento de datos correspondiente. Para encontrar los datos que uno desea, ingrese una clave a la DB y la misma le retornará el valor o valores asociada con ella. El par *clave / valor* se encuentra almacenado en una estructura sencilla denominada *DBT, –Data Base Thang–* que consiste de una referencia a memoria –es decir, un puntero– y la longitud del correspondiente tramo de memoria referenciado, medida en bytes. La clave y el valor pueden ser de cualquier tipo de datos. La longitud de los datos que se pueden almacenar es prácticamente ilimitada, a condición de que cualquier valor pueda caber en la memoria disponible del sistema (memoria RAM física).

Por ejemplo, si uno quisiera crear una base de datos que contuviera los capítulos de este libro, los pares clave/valor podrían tener el siguiente aspecto:

Clave	Valor
Uno	Compilación de programas
Dos	Control del proceso de compilación: el `make` de GNU
Tres	Acerca del proyecto
Cuatro	Procesos
Cinco	Señales

y así siguiendo.

Las bases de datos DB aceptan tres tipos de método de almacenamiento y acceso: B+trees, dispersiones (*hashes*) y registros. Las bases de datos basadas en registros almacenan sus datos de longitud fija o variable en orden secuencial; se puede insertar nuevos registros entre registros existentes o agregarlos al final de los mismos. Las bases de datos basadas en *hashes* almacenan los registros en una tabla *hash* para permitir una búsqueda rápida. La función de *hash* puede ser suministrada por el programador o se puede utilizar la rutina integrada al compilador. Las bases de datos B+tree almacenan sus datos en orden preestablecido. El sentido de la ordenación está determinado por una función suministrada por el programador o por una función predeterminada que clasifica las claves de manera lexicográfica. La figura 10-1 muestra cómo están relacionados entre sí los tres tipos de almacenamiento y acceso.

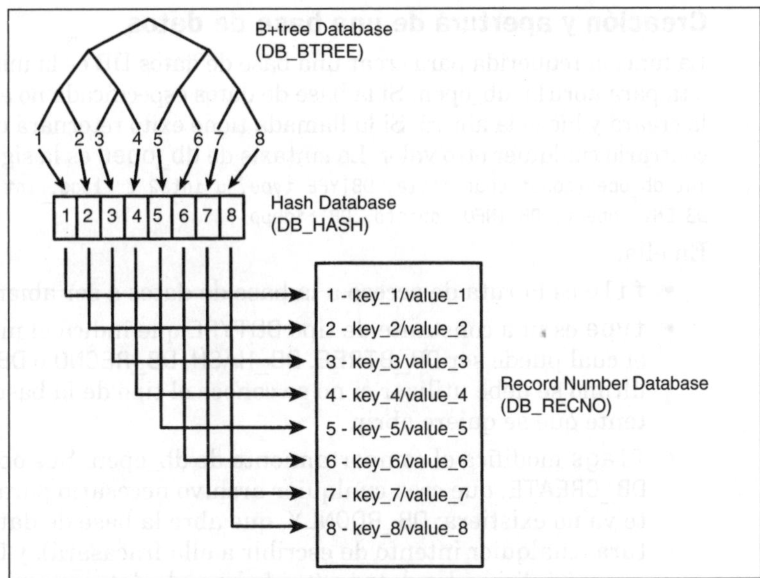

Figura 10.1. *Cómo son almacenados los registros en las bases de datos DB o Berkeley.*

La verdadera implementación de los métodos de almacenamiento y acceso que admite DB exceden los alcances de este libro (en verdad, muchos científicos especializados en informática dedican toda su carrera a estudiar algoritmos de ordenamiento y de búsqueda), pero los principios básicos son simples. La figura 10-1 muestra una base de datos que contiene ocho registros, indicados por los números uno hasta el ocho. Una base de datos de tipo B+tree almacena los datos formando una estructura semejante al tronco y las ramas de un árbol (*tree*=árbol), tal como se muestra en la figura 10-1. Esta disposición logra que ubicar un registro específico sea extremadamente rápido y eficiente. Las bases de datos de tipo hash almacenan los datos en una tabla. La ubicación de un registro individual en la tabla depende de un valor arbitrario que se computa basándose en la clave del registro. Las bases de datos orientadas a número de registro almacenan estos últimos en orden secuencial. Los registros son accedidos y manipulados por su correspondiente número de registro.

Creación, apertura y cierre de una base de datos

Para emplear una DB se debe incluir en el código fuente del programa el archivo de encabezado `<db.h>` y vincular al código objeto del mismo `libdb.a` (`-ldb`). Cada función DB retorna cero si tiene éxito y un valor distinto de cero si se produce algún error. En el caso de un error de sistema, tal como un argumento no lícito o un error de disco, DB retorna un valor en `errno` que puede ser utilizado en conjunto con la función `perror`. Otros códigos de retorno irán siendo documentados a medida que se vayan explicando las funciones que los generan.

Creación y apertura de una base de datos

La función requerida para crear una base de datos DB es la misma que se necesita para abrirla, db_open. Si la base de datos especificada no existiera, `db_open` la creará y luego la abrirá. Si la llamada tiene éxito retornará el valor 0 y en caso contrario cualquier otro valor. La sintaxis de `db_open` es la siguiente:

```
int db_open(const char *file, DBTYPE type, u_int32_t flags, int mode,
DB_ENV *dbenv, DB_INFO *dbinfo, DB **dbpp);
```

En ella:

- `file` es la ruta de acceso a la base de datos a ser abierta.
- `type` es una constante de tipo `DBTYPE` que indica el método de acceso, el cual puede ser `DB_BTREE`, `DB_HASH`, `DB_RECNO` o `DB_UNKNOWN`; este último se debe utilizar si no se conoce el tipo de la base de datos existente que se quiere abrir.
- `flags` modifica el comportamiento de db_open. Sus opciones son: `DB_CREATE`, que crea cualquier archivo necesario para el proceso si éste ya no existiera; `DB_RDONLY`, que abre la base de datos sólo para lectura (cualquier intento de escribir a ella fracasará), y `DB_TRUNCATE`, que inicializará los datos a 0 si la base de datos ya existiera.
- El argumento `mode` es un valor octal que especifica los permisos de acceso al archivo que contiene la base de datos. Es similar al argumento `mode` requerido por la llamada a sistema `open`.

✔ La llamada a sistema `open` y su argumento `mode` están cubiertos en "El modo de un archivo", página 134.

- Los parámetros `dbenv` y `dbinfo` controlan características avanzadas del comportamiento de DB que se encuentran fuera del alcance de este libro y no serán cubiertos. Para obtener el comportamiento predeterminado de DB se le deberá transferir `NULL` en lugar de cada uno de los mismos.
- `dbpp` (*database pointer to pointer*), finalmente, es un handle o *descriptor de base de datos* a la base de datos abierta, un puntero a otro puntero que apunta a una estructura de patrón DB (base de datos). Si la base de datos debiera ser previamente creada, dbpp será inicializado por la función `db_open` al valor adecuado o a `NULL` en caso de que ocurra algún error.

El handle o descriptor de base de datos que inicializa `db_open` es la clave para todas las operaciones de base de datos subsiguientes, porque casi toda la interfaz con la Berkeley DB tiene lugar utilizando punteros a funciones contenidos en el mismo.

Cierre de una base de datos

Para cerrar una base de datos, utilice la función close. El prototipo de la misma es el siguiente:

```
int DB->close(DB *db, u_int32_t flags);
```

db es el handle retornado previamente por una llamada a `db_open`. `flags` debe valer `0` o `DB_NOSYNC`. `DB_NOSYNC` le indica a DB que no sincronice, o sea que no vuelque a disco los datos de la base de datos que se encuentren presentes en memoria antes de proceder a cerrar la misma. Si `flags` es igual a `0`, los datos presentes serán escritos a disco.

PRECAUCIÓN

¡DB_NOSYNC es una mala opción! La Berkeley DB mantiene información en su propio cache y la escribe a disco independientemente de lo que indique el kernel. Si no se sincroniza la información en memoria con la de disco se obtendrá una base de datos no confiable, inconsistente y/o corrupta.

EJEMPLO

Ejemplo

Este programa, `abrir_db`, abre y cierra una base de datos en el directorio corriente de trabajo.

```
/* Nombre del programa en Internet: opendb.c */
/*
 * abrir_db.c - Apertura y posterior cierre de una base de datos Berkeley DB
 */
#include <stdlib.h>
#include <stdio.h>
#include <errno.h>
#include "db.h"

int main(void)
{
    DB puntero_db;        /* Handler o descriptor de base de datos */
    int valor_retornado;

    valor_retornado = db_open("test.db", DB_BTREE,
                    DB_CREATE, 0600, NULL, NULL, &puntero_db);
    if(valor_retornado) {
        perror("db_open");
        exit(EXIT_FAILURE);
    }

    db->close(puntero_db, 0);
    exit(EXIT_SUCCESS);
}
```

La llamada a `db_open` trata de abrir una base de datos de tipo B+tree denominada test.db en el directorio corriente. Si la base de datos aún no existiera, el indicador `DB_CREATE` le indica a `DB` que cree el archivo. Después de abrir (o crear, si fuese necesario) la base de datos, la llamada a `db_close` cierra la misma. `opendb` no produce una salida visible, pero un rápido ls en el directorio corriente de trabajo muestra que ha sido creada `test.db`. Aunque el archivo `test.db` no contará aún con ningún registro, Berkeley DB escribe en ella, en el momento de crearla, alguna información de tipo administrativo. Uno no debe preocuparse por ello, sin embargo, porque se trata de información que sólo es empleada por la API de base de datos.

Almacenamiento de registros en una base de datos

Para añadir registros a una base de datos se debe utilizar la función put, cuyo prototipo es el siguiente:

```
int DB->put(DB *db, DB_TXN *txnid, DBT *key, DBT *value, u_int32_t flags);
```

db es un handle a una base de datos previamente retornado por db_open; txnid es un ID de transacción, una característica avanzada no cubierta en este libro, de modo que se la inicializará a NULL. flags debe ser uno de los siguientes valores: 0, que permite que un registro existente que tenga la misma clave sea sobrescrito; DB_NOOVERWRITE, que invalida el put si se encuentra presente un par clave/valor con la misma clave; o DB_APPEND, que se utiliza sólo con bases de datos del tipo DB_RECNO. put retorna DB_KEYEXIST si la clave ya se encuentra presente; también tienen lugar los códigos estándar de retorno.

Para asegurar compatibilidad con futuras versiones de la Berkeley DB, uno siempre debe inicializar los argumentos key (*clave*) y value (*valor*) que, como se vio anteriormente, son dos punteros, antes de utilizarlos. La manera más sencilla de hacerlo es utilizar la llamada memset de la biblioteca estándar de C. Por ejemplo, supongamos que uno necesite utilizar en un programa una clave denominada dbkey. Antes de utilizarla, inicialícela tal como lo ilustra el siguiente fragmento de programa:

```
DBT clave, valor;
memset(&clave, 0, sizeof(DBT *clave));
memset(&valor, 0, sizeof(DBT *valor));
```

En este ejemplo, memset asigna a todos los bloques de memoria asociados con DBT el valor cero.

Ejemplo

El programa del ejemplo siguiente añade un registro a la base de datos creada por opendb:

```
/* Nombre del programa en Internet: adddb.c */
/*
 * añadir_registro.c - Añade un registro a una base de datos Berkeley DB
 */
#include <stdlib.h>
#include <stdio.h>
#include <errno.h>
#include "db.h"

int main(void)
{
    DB *puntero_db;
    int valor_retornado, i = 0;
    DBT clave, valor;

    valor_retornado = db_open("test.db", DB_BTREE, DB_CREATE, 0600, NULL, NULL,
&puntero_db);
```

```
        if(valor_retornado) {
            perror("dbopen");
            exit(EXIT_FAILURE);
        }

        /* Inicializar primero el par clave/valor */
        memset(&clave, 0, sizeof(clave));
        memset(&valor, 0, sizeof(valor));

        /* Asignarles valores a clave y valor */
        clave.data = "uno";
        clave.size = sizeof("uno");
        valor.data = "Compilacion de programas";
        valor.size = sizeof("Compilacion de programas");

        /* Almacenar el par clave/valor */
        valor_retornado = puntero_db->put(db, NULL, &key, &value, DB_NOOVERWRITE);
        if(valor_retornado == DB_KEYEXIST) {
            fprintf(stderr, "Clave %s ya existe\n", (char *)clave.data);
            exit(EXIT_FAILURE);
        } else {
            perror("put");
            exit(EXIT_FAILURE);
        }

        db->close(puntero_db, 0);
        exit(EXIT_SUCCESS);
}
```

Otra vez, este programa de ejemplo, si todo funciona bien, no produce ninguna salida a pantalla. Sin embargo, si se lo ejecuta dos veces consecutivas, la segunda corrida fracasará porque el valor de `flags`, `DB_NOOVERWRITE`, impide la operación de put si la clave especificada ya existiese en la base de datos. En este caso, la salida de la segunda corrida del programa sería la siguiente:

SALIDA

```
$ ./añadir_registro
Clave uno ya existe
```

Resulta de especial importancia observar que, en este ejemplo, los caracteres `null` (`\0`) de terminación de las cadenas `uno` y `Compilacion de programas` quedan también almacenados en la base de datos, de modo que los miembros `size` de `clave` y `valor` deben equivaler a la longitud de las respectivas cadenas *más sus ceros binarios de terminación.*

Esto explica por qué razón el código fuente del programa utilizó `sizeof` en lugar de `strlen` cuando debió computar la longitud de ambas cadenas (por supuesto, `strlen+1` hubiera arrojado el mismo resultado).

CONSEJO

Habitualmente, los programas que utiliza la Berkeley DB no agregan a la misma datos estáticos, o sea datos compilados con el programa. En cambio, los registros se van agregando dinámicamente en tiempo de ejecución. El programa de demostración utilizó `sizeof` porque esta función opera bien con datos estáticos (uno y `Compilacion de programas`). En tiempo de ejecución, sin embargo, para determinar la longitud de las cadenas que componen las claves y los valores uno debe utilizar llamadas a la función `strlen` y añadirle 1 al valor retornado a fin de tener en cuenta el cero binario de terminación. Almacenar el cero de terminación junto a su respectiva cadena no es una condición obligatoria, pero hacerlo le permite al programador utilizar las funciones de salida de secuencias de caracteres (*streams*) de la biblioteca estándar de C, tales como `puts` y `printf`, que requieren el cero binario de terminación (`\0`) para funcionar correctamente (o directamente para funcionar).

Supresión de registros de una base de datos

Para suprimir registros de una base de datos DB, utilice la función del. Ésta requiere cuatro de los cinco elementos que acepta la función `put`. El prototipo de `del` es el siguiente:

```
int DB->del(DB *db, DB_TXN *txnid, DBT *key, u_int32_t flags);
```

El significado de los argumentos es asimismo idéntico que en el caso de la función `put`. Como no se está interesado en este caso en los datos, sino que sólo le interesa la clave, no existe razón alguna para especificar el valor que se quiere eliminar. La supresión de la clave eliminará su valor asociado. De momento no se han especificado valores para `flags`, de modo que ésta deberá ser igual a `0`. Si la clave especificada no se pudiera encontrar, `del` retorna `DB_NOTFOUND`; en caso contrario, los códigos retornados son los habituales.

EJEMPLO

Ejemplo

El siguiente programa suprime un registro de una base de datos:

```
/* Nombre del programa en Internet: deldb.c */
/*
 * suprimir_registro.c - Suprime un registro de una base de datos Berkeley DB
 */
#include <stdlib.h>
#include <stdio.h>
#include <errno.h>
#include <string.h>
#include "db.h"

int main(void)
{
    DB *puntero_db;
    int valor_retornado;
    DBT clave;
```

```
    valor_retornado = db_open("test.db", DB_BTREE, DB_CREATE, 0600, NULL, NULL,
&puntero_db);
    if(valor_retornado) {
        perror("db_open");
        exit(EXIT_FAILURE);
    }

    /* Inicializar primero la clave */
    memset(&clave, 0, sizeof(clave));

    /* La clave del registro que queremos eliminar */
    clave.data = "uno";
    clave.size = strlen("uno") + 1;

    /* Eliminar el registro */
    valor_retornado = puntero_db->del(puntero_db, NULL, &clave, 0);
    if(valor_retornado == DB_NOTFOUND) {            /* La clave no existe */
        fprintf(stderr, "Clave %s no encontrada\n", (char *)clave.data);
        exit(EXIT_FAILURE);
    } else if(valor_retornado) {                     /* Ocurrio algun otro tipo de
error */
        perror("del");
        exit(EXIT_FAILURE);
    }

        db->close(puntero_db, 0);
    exit(EXIT_SUCCESS);
}
```

Si uno ejecuta este programa dos veces seguidas, en la segunda corrida el mismo informará que la clave deseada, `uno`, no fue encontrada:

SALIDA

```
$ ./suprimir_registro
$ ./suprimir_registro
Clave uno no encontrada
```

Después de abrir la base de datos, `deldb` trata de eliminar un registro que tenga esa clave, `uno`. Si la clave existe, la llamada a `del` la elimina y elimina el registro asociado con la misma. La llamada puede fracasar porque la clave no existe, en cuyo caso del retorna `DB_NOTFOUND`, o porque tuvo lugar algún tipo de error de sistema. Obsérvese también que el programa utilizó `strlen("uno") + 1` para determinar el tamaño de la clave, en lugar del operador `sizeof` del ejemplo anterior.

Obtención de registros desde una base de datos

La función get constituye la manera más simple de obtener registros de la base de datos. La misma requiere que uno conozca la clave del dato que desea recuperar. Su prototipo es el siguiente:

```
int get(DB *db, DB_TXN, *txnid, DBT *key, DBT *data, u_int32_t flags);
```

El significado y el empleo de todos los parámetros de get son exactamente los mismos que para la llamada a put, excepto que get almacenará su información en la estructura referenciada por data. Si la clave especificada no puede ser encontrada, get retornará DB_NOTFOUND. flags puede ser 0 o DB_GET_BOTH, en cuyo caso get recuperará el par clave/valor sólo si tanto la clave como el valor coinciden con los datos suministrados.

Ejemplo

El siguiente programa recupera un registro de la base de datos y lo exhibe.

```
/* Nombre del programa en Internet: getdb.c */
/*
 * obtener_registro.c - Obtener un registro de una base de datos Berkeley DB
 */

#include <stdlib.h>
#include <stdio.h>
#include <errno.h>
#include <string.h>
#include "db.h"

int main(void)
{
    DB *puntero_db;
    int valor_retornado;
    DBT clave, valor;

    valor_retornado = db_open("test.db", DB_BTREE, DB_CREATE, 0600, NULL, NULL,
&puntero_db);
    if(valor_retornado) {
        perror("db_open");
        exit(EXIT_FAILURE);
    }
    /* Inicializar primero el par clave/valor */
    memset(&clave, 0, sizeof(clave));
    memset(&valor, 0, sizeof(valor));
```

```
    /* Asignarles valores a clave y valor */
    clave.data = "uno";
    clave.size = strlen("uno") + 1;
    valor.data = "Compilacion de programas";
    valor.size = strlen ("Compilacion de programas") + 1;

    /* Almacenar el par clave/valor */
    valor_retornado = puntero_db ->get(puntero_db, NULL, &clave, &valor, 0);
    if(valor_retornado == DB_NOTFOUND)
        fprintf(stderr, "Clave %s no encontrada\n", (char *)clave.data);
    else if(valor_retornado)
        perror("get");
    else
        printf("El dato almacenado es %s\n", (char *)valor.data);

    puntero_db ->close(puntero_db, 0);
    exit(EXIT_SUCCESS);
}
```

La salida de este programa es la siguiente:

```
$ ./ obtener_registro
El dato almacenado es Compilacion de programas
```

SALIDA

Para asegurarse que la operación que vaya a realizar `get` tenga éxito, el programa primero añade el registro que luego va a obtener. De nuevo, si la clave especificada no se puede encontrar o si ocurre algún otro tipo de error, el programa exhibe un mensaje adecuado de error y termina. Si todo sale bien, la llamada a `get` almacena en la estructura `valor` los datos que corresponden a `key`, y el programa exhibe en pantalla dicha información.

Navegación de una base de datos

En el ejemplo anterior se vio la manera de encontrar un registro específico, dada su clave. A menudo, sin embargo, uno no conoce la clave de lo que está buscando o bien desea recorrer la base de datos e ir viendo, sucesivamente, cada registro. La base de datos Berkeley DB ofrece un puntero lógico, denominado *cursor*, que uno puede mover hacia adelante y hacia atrás para recorrer la base de datos.

Antes de efectuar operaciones con el cursor asociado con la base de datos, éste debe ser creado. La correspondiente llamada para hacerlo es `cursor`, cuyo prototipo es el siguiente:

```
DB->cursor(DB *db, DB_TXN *txnid, DBC **cursorp, u_int32_t flags);
```

cursor crea un cursor denominado cursorp que referencia la base de datos db. cursorp es, lo mismo que el *handle* retornado por db_open, un *handle* de base de datos, excepto que en este caso se lo emplea sólo para operaciones relacionadas con el cursor. Como habitualmente, txnid debe equivaler a NULL. flags debe ser siempre 0. cursor retorna los códigos DB estándar de error comentados al comienzo de este capítulo.

Para desplazar el cursor por la base de datos, lo mismo que para obtener el registro que el mismo esté señalando, se debe utilizar la llamada a c_get, cuyo prototipo es el siguiente:

```
DBcursor->c_get(DBC *cursor, DBT *clave, DBT *valor, u_int32_t flags
```

c_get recupera de la base de datos un par clave/valor utilizando el cursor dado por cursor, que debe de haber sido inicializado por una llamada a DB->cursor. Los valores comunes para flags (*indicadores*) en c_get se listan en la tabla 10.1.

Tabla 10.1. *Valores habituales para Flags en c_get*

Valor de *flags*	**Significado**
DB_FIRST	Retorna de la base de datos el primer registro
DB_LAST	Retorna de la base de datos el último registro
DB_NEXT	Retorna de la base de datos el siguiente registro (o el primero, si el cursor acaba de ser abierto)
DB_NEXT_DUP	Retorna el siguiente registro que sea un duplicado del registro corriente
DB_PREV	Retorna de la base de datos el registro previo
DB_CURRENT	Retorna de la base de datos el registro corriente
DB_SET	Retorna de la base de datos el registro que coincida con la clave suministrada
DB_SET_RANGE	Retorna el registro de menor orden que sea mayor o igual que la clave suministrada

También se puede utilizar el cursor para añadir pares clave/valor a un base de datos por medio de la función c_put, cuyo prototipo es el siguiente:

```
DBcursor->c_put(DBC *cursor, DBT *clave, DBT *valor, u_int32_t flags)
```

c_put almacena el par clave/valor referenciado por clave y valor, respectivamente, en la ubicación de la base de datos señalada por cursor. El comportamiento exacto de c_put se halla controlado por flags, que puede adoptar uno de los siguientes valores: DB_AFTER, que agrega el registro inmediatamente después del registro corriente, DB_BEFORE, que lo añade inmediatamente antes del registro corriente, o DB_CURRENT, que reemplaza el registro corriente con el nuevo. El parámetro flags puede también adoptar los valores DB_KEYFIRST o DB_KEYLAST a fin de crear la primera o la última de un conjunto de claves duplicadas, si la base de datos ha sido configurada para que pueda admitir elementos duplicados. Esta configuración de una base de datos de modo que permita claves duplicadas constituye un tema avanzado, que se encuentra más allá del alcance de este libro.

Como sería dable de esperar, la llamada a `c_del` elimina el registro corriente. Su prototipo es el siguiente:

```
DBcursor->c_del(DBC *cursor, u_int32_t flags);
```

`c_del` elimina de la base de datos el registro corriente, retornando los códigos estándar de error o `DB_KEYEMPTY` si el registro ya ha sido suprimido.

Después de haber completado todas las operaciones con el cursor, pero antes de proceder a cerrar la base de datos, se debe utilizar `c_close` para eliminar el cursor correspondiente a esa instancia de procesamiento. Dicha función tiene el siguiente prototipo:

```
DBcursor->c_close(DBC *cursor);
```

Después de haber llamado a `c_close`, ya no se puede volver a utilizar el *handle* del cursor.

Sincronización de una base de datos

Cuando se cierra una base de datos, todos los datos de la misma almacenados en memoria son automáticamente descargados a disco. Mientras se trabaja con la base de datos, uno puede desear asimismo volcar a disco el contenido de la memoria. La llamada necesaria para este propósito es `sync` y se encuentra prototipada como sigue:

```
int DB->sync(DB *db, u_int32_t flags);
```

`db` es un *handle* de base de datos retornado por una llamada previa a `db_open`. El parámetro `flags` no se utiliza en esta ocasión y debe ser puesta a `0`.

¿Por qué razón se debe utilizar `sync`? Supongamos que se hayan añadido y suprimido una gran cantidad de registros. En un sistema muy recargado, uno debería llamar a `sync` periódicamente con el fin de asegurarse que la base de datos en cuestión sea escrita a disco para evitar así alguna posible pérdida de datos. La descarga a disco de los datos presentes en la memoria constituye también una excelente manera de prevenir las pérdidas de datos o la corrupción de la base de datos en el caso, poco probable pero posible, de una caída del sistema o una súbita falta de energía eléctrica. De manera similar, si un programa ha instalado un *handler* (administrador) de señal para `SIGTERM`, se debería llamar a `sync` (y probablemente también a `db_close`) para volcar a disco el contenido de la memoria.

EJEMPLO

Ejemplo

Este programa, `cursor`, ilustra algunas operaciones simples con el cursor de una base de datos, así como también el proceso de utilización de la llamada a `sync`.

```
/* Nombre del programa en Internet: cursor.c */
/*
 * cursor.c - Utilizacion del cursor en una base de datos Berkeley DB
 */
#include <stdlib.h>
#include <stdio.h>
#include <errno.h>
#include <string.h>
#include "db.h"
```

```
int main(void)
{
    DB *puntero_db;
    DBC *cursor_db;
    DBT clave, valor;
    int valor_retornado;

    valor_retornado = db_open("test.db", DB_BTREE,
                DB_CREATE, 0600, NULL, NULL, &puntero_db);
    if(valor_retornado) {
        perror("dbopen");
        exit(EXIT_FAILURE);
    }

    /* Crear el cursor */
    valor_retornado = puntero_db ->cursor(puntero_db, NULL, &cursor_db, 0);
    if(valor_retornado) {
        perror("cursor");
        exit(EXIT_FAILURE);
    }
    memset(&clave, 0, sizeof(clave));
    memset(&valor, 0, sizeof(valor));

    /* Desplazarse secuencialmente por la base de datos */
    while((valor_retornado = cursor_db->c_get(cursor_db, &clave, &valor,
        DB_NEXT)) != DB_NOTFOUND) {
        printf("El par clave/valor es %s/%s\n", (char *)clave.data,
(char *)valor.data);

    /* Sincronizar la base de datos */
    puntero_db->sync(puntero_db, 0);

    /* Cerrar el cursor */
    cursor_db->c_close(cursor_db);

    /* Cerrar la base de datos */
    puntero_db->close(puntero_db, 0);
    exit(EXIT_SUCCESS);
}
```

La salida de este programa es la siguiente:

```
$ ./cursor
El par clave/valor es cinco/Señales
El par clave/valor es cuatro/Procesos
El par clave/valor es dos/ Control del proceso de compilacion: el make de GNU
El par clave/valor es tres/Acerca del Proyecto
El par clave/valor es uno/Compilacion de Programas
```

Como se puede ver, al recorrer secuencialmente la base de datos, sus registros están, en realidad, almacenados según un orden basado en la clave de cada registro. Luego de abrir la base de datos y crear el cursor, el programa llama continuamente a `c_get` para obtener el siguiente registro de la misma y luego exhibe en pantalla tanto la clave como su valor asociado. Cuando `c_get` retorna `DB_NOTFOUND`, significa que no existen más registros que recuperar. La llamada a `sync` no es verdaderamente necesaria porque no se ha modificado ningún dato, pero se la incluye para ilustrar su empleo. Obsérvese también que el programa `cursor` cierra el cursor de la base de datos, `cursor_db`, antes de proceder a cerrar la misma. Aunque esto no es obligatorio, el adoptar medidas para asegurarse de que todos los recursos asignados por la interfaz DB sean adecuadamente retornados al sistema operativo es un buen hábito para ser desarrollado.

NOTA

Aunque no se lo ha comentado en este capítulo, en el sitio Web correspondiente a este libro se ha incluido también el programa `addmore.c (agregar_mas.c)`, para añadir registros a la base de datos. El mismo forma parte de la makefile correspondiente a este capítulo, de modo que se lo puede compilar para completar estos ejemplos. El mismo solicita al usuario ingresar cinco registros por vez.

Lo que viene

Este capítulo ha presentado al lector la base de datos Berkeley, que es la primera de varias APIs de Linux que se irán aprendiendo. Los dos capítulos siguientes le mostrarán cómo utilizar las ncurses para controlar la apariencia de las pantallas en modo texto. El lector aprenderá también a interactuar con el ratón, a crear menús y a diseñar formularios.

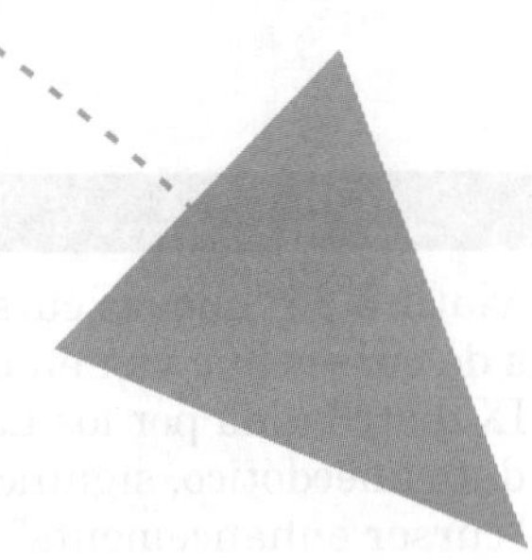

11

Manipulación de pantalla con ncurses

Este capítulo le presenta al lector las *ncurses* (pronunciadas "ene-curses"), una implementación libre de la clásica biblioteca de manipulación de pantalla de UNIX, *curses.* Ncurses provee una interfaz simple de alto nivel para el control y manipulación de la pantalla. También contiene potentes rutinas para manipular el ingreso de datos desde el teclado y el ratón, crear y administrar múltiples ventanas y utilizar menús, formularios y paneles.

Este capítulo cubre los siguientes temas:

- Prestaciones de las ncurses
- Terminología y conceptos relacionados
- Rutinas para inicialización y terminación
- Ingreso de caracteres y cadenas
- Salida de caracteres y cadenas

Todos los programas de este capítulo pueden ser encontrados en el sitio Web `http://www.mcp.com/info` bajo el número de ISBN 0789722151.

Prestaciones de las ncurses

Las ncurses, cuyo nombre es en realidad una abreviatura de "nuevas curses", son clones de libre redistribución de las bibliotecas de curses que vienen incluidas en la System V Release 4.0 (SVR4) de UNIX distribuida por los Laboratorios Bell. El nombre "curses" (que, a título de dato anecdótico, significa en inglés "maldiciones") se deriva de la expresión "cursor enhancements" o "mejoras de cursor", que describe sucintamente lo que hacen las curses.

Independencia de terminales

ncurses generaliza la interfaz entre un programa de aplicación y la pantalla o terminal en la cual se está ejecutando la misma. Dadas las, literalmente, cientos de variedades de terminales y pantallas, y en particular las diferentes características que poseen y los comandos que las invocan, los programadores de UNIX necesitaban contar con una manera de independizarse de la manipulación de pantalla. En lugar de verse obligados a redactar una gran cantidad de código adicional para tomar en cuenta los distintos tipos de terminal, mediante las ncurses los programadores obtienen una interfaz uniforme y generalizada. Las API para ncurses independizan al programador del hardware sobre el cual van a correr sus programas.

Capacidades

Las ncurses le suministran a las aplicaciones en modo texto muchas de las mismas características que se encuentran en las aplicaciones gráficas de X Window: múltiples ventanas, formularios, menús y paneles. Cada ventana realizada mediante una ncurse puede ser administrada de manera independiente, puede contener el mismo texto u otro diferente, puede o no desplazarse, y puede ser ocultada. El editor `vi` y el popular administrador de archivos *Midnight Commander* han sido escritos utilizando ncurses.

Los formularios le permiten al programador crear ventanas sencillas de utilizar para el ingreso y exhibición de los datos, simplificando así lo que habitualmente constituye una tarea de programación difícil y específica de la aplicación de que se trate. Los paneles extienden la capacidad de las ncurses de manejarse con ventanas superpuestas y apiladas. Los menús, que le proporcionan al usuario una sencilla interfaz para invocar las opciones que ofrecen las aplicaciones, son implementados de manera sencilla utilizando la simple y generalizada interfaz de programación de menús de las ncurses. La versión utilizada en este libro es la 4.2, aunque a la fecha de publicación del mismo se encuentra en su etapa beta la versión 5.0.

Compilación de programas que incluyan ncurses

Para compilar un programa que contenga ncurses, se necesita de las definiciones de sus funciones y variables, de modo que se debe incluir `<curses.h>` en el código fuente del mismo:

```
#include <curses.h>
```

Muchos sistemas Linux hacen que `/usr/include/curses.h` sea un vínculo simbólico a `/usr/include/ncurses.h`, de modo que resulte posible incluir <`ncurses.h`>. Sin embargo, para obtener la máxima portabilidad de una aplicación, utilice <curses.h> porque, créase o no, ncurses no se encuentra disponible en todas las plataformas UNIX y afines a UNIX. También se necesitará linkear las bibliotecas de ncurses, de modo que cuando se linkea se deberá utilizar la opción `-lcurses`, o añadir `-lcurses` a la variable `LDFLAGS` o a la variable de entorno `$LDFLAGS` de `make`:

```
$ gcc curses_prog.c -o curses_prog -lcurses
```

En los programas que emplean ncurses el compilador tiene deshabilitada, como opción predeterminada, el seguimiento de errores. Para habilitar la depuración hará falta linkear la biblioteca de depuración de ncurses, `ncurses_g`, y ya sea llamar a `trace(N)` en el código fuente del programa asignarle a la variable de entorno `$NCURSES_TRACE` el valor `N`, donde `N` es un entero positivo y distinto de cero. Hacer esto obliga al compilador a enviar una salida de depuración a un archivo denominado adecuadamente `trace` (seguimiento), ubicado en el directorio corriente. Cuanto mayor sea el valor de N, más detallada, y por lo tanto más voluminosa, será la salida de depuración. Los valores útiles para N están documentados en <`ncurses.h`>. Por ejemplo, el nivel de seguimiento estándar, `TRACE_ORDINARY`, es de 31.

Ejemplos

1. Este es el programa más simple posible utilizando ncurses. Meramente arranca y detiene el subsistema de ncurses; no se genera ninguna salida.

```
/* Nombre del programa en Internet; simple.c */
/*
 * sencillo.c - Programa sencillo con ncurses
 */
#include <curses.h>

int main(void)
{
    initscr();
    endwin();
    return 0;
}
```

Para compilarlo y ejecutarlo se debe tipear lo siguiente:

```
$ gcc simple.c -o simple -lcurses
```

2. El próximo programa utiliza la biblioteca de depuración y recurre a un par de otras llamadas adicionales a funciones a fin de generar una salida:

```
/* Nombre del programa en Internet: debugit.c */
/*
 * depurador.c - Programa con ncurses que llama a trace()
 */
#include <curses.h>

int main(void)

{
```

```
    initscr();

    trace(TRACE_CALLS);
    printw("Establecer nivel de depuracion para TRACE_CALLS");
    refresh();
    endwin();

    return 0;
}
```

Las líneas de comandos necesarias para compilar y ejecutar este programa son las siguientes:

```
$ gcc depurador.c -o depurador -lncurses_g
$ ./depurador
```

Si uno es verdaderamente rápido, tal vez pueda ver el mensaje que aparece fugazmente en la pantalla. La llamada a `trace` da como resultado que cada llamada a una función de ncurses sea escrita al archivo `trace` que se crea en el directorio corriente. A continuación se reproduce un fragmento de dicho archivo:

SALIDA

```
TRACING NCURSES version 4.2 (990213)
printw("Establecer nivel de depuracion para TRACE_CALLS", . . .) called
called waddnstr(0x80675f8,"Establecer nivel de depuracion para TRACE_CALLS",-1)
... current {A_NORMAL}
return 0
called wrefresh(0x80675f8)
clearing and updating from scratch
ClrUpdate() called
ClearScreen() called
screen cleared
updating screen from scratch
return 0
TransformLine(0) called
TransformLine(1) called
. . .
TransformLine(24) called
return 0
called endwin()
return 0
```

CONSEJO

El paquete de ncurses viene con un guión, `tracemunch`, que comprime y resume la información de depuración en un formato más legible y amigable.

Terminología y Conceptos

Esta parte explica algunos de los términos y conceptos que aparecen frecuentemente cuando se comentan las ncurses.

Términos

La palabra *pantalla* se refiere a la pantalla del terminal físico funcionando en modos texto o consola. Cuando se está en un sistema X Window, pantalla significa una ventana de emulación de terminal. *Ventana* se utiliza para referirse a una zona rectangular independiente exhibida en una pantalla. La misma puede ser o no del mismo tamaño que la pantalla.

La programación con ncurses se apoya en dos punteros a estructuras de datos de patrón WINDOW (es decir, `struct WINDOW *`). Los nombres de estas estructuras son, respectivamente, `stdscr` y `curscr`. La estructura stdscr representa lo que uno ve en la pantalla. Puede ser sólo una ventana o un conjunto de ventanas, pero llena la pantalla. Se lo puede considerar como una paleta sobre la cual uno pinta utilizando rutinas de ncurses. `curscr` contiene la idea de ncurses sobre el aspecto que tiene en ese momento la pantalla. Igual que `stdscr`, su tamaño es del ancho y altura de la misma. Las diferencias entre `curscr` y `stdscr` son las modificaciones que aparecen en la pantalla.

Refrescar se refiere tanto a una función de ncurses (`refresh`) como a un proceso lógico. La función `refresh` compara `curscr`, la noción de ncurses sobre cómo luce corrientemente la pantalla, con `stdscr`, copia cualquier diferencia entre `stdscr` y `curscr` a `curscr`, y luego exhibe dichas actualizaciones en la pantalla. Refrescar también se refiere al proceso lógico de actualizar la pantalla.

Cursor, lo mismo que refrescar, tiene dos significados similares, pero siempre se refiere a la ubicación (sea ésta en la pantalla o en una ventana) donde será exhibido el siguiente carácter. En una pantalla (la pantalla física de un monitor), *cursor* se refiere a la ubicación del cursor físico. En una ventana (una ventana de ncurses), *cursor* se refiere a la ubicación lógica donde será exhibido el siguiente carácter. En este capítulo, generalmente, se utiliza el segundo significado del término. Para ubicar el cursor en una ventana las ncurses utilizan un par ordenado de coordenadas (y, x).

Disposición de cada ventana

Las ncurses definen la disposición de cada ventana de manera "inambigua" y predecible. Las ventanas son dispuestas de tal manera que la esquina superior izquierda posee las coordenadas (0,0) y la esquina inferior derecha las coordenadas (LíNEAS-1, COLUMNAS-1), como lo ilustra la figura 11-1.

`ncurses` mantiene dos variables globales, `LINES` y `COLS`, que contienen lo que es la idea de ncurses sobre el número de filas y columnas, respectivamente, que corresponde al tamaño corriente de la ventana. En lugar de utilizar estas variables globales, sin embargo, para obtener el tamaño de la ventana donde se está trabajando en un momento determinado se debe utilizar la llamada a la función `getmaxyx`.

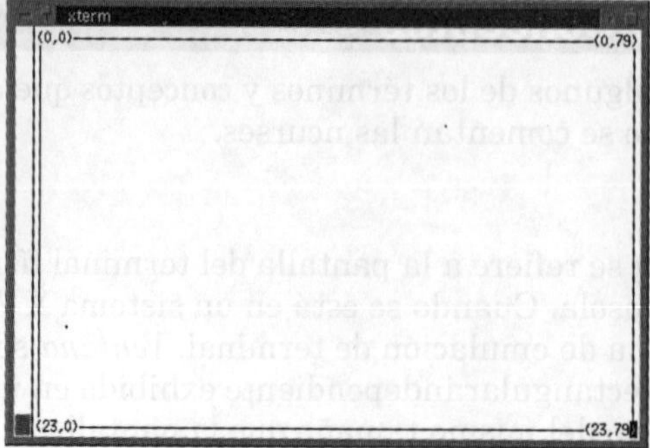

Figura 11.1. Disposición de una ventana con ncurses.

Ejemplo

Este programa de ejemplo utiliza `getmaxyx` para obtener cuántas líneas y columnas tiene la ventana corriente.

```
/* Nombre del programa en Internet: cols.c */
/*
 * filasycolumnas.c - ¿Cuantas filas y columnas tiene la ventana corriente?
 */
#include <curses.h>

int main(void)
{
    int x, y;

    initscr();
    getmaxyx(stdscr, y, x);
    printw("Cantidad de lineas = %d\n", y);
    printw("Cantidad de columnas = %d\n", x);
    refresh();
    sleep(3);
    endwin();
    return 0;
}
```

La ventana que crea este programa se encuentra ilustrada en la figura 11-2.

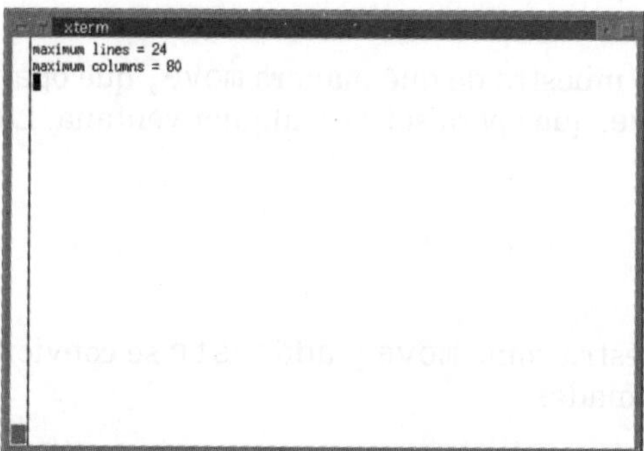

Figura 11.2. *getmaxyx retorna el número total de líneas y de columnas de una ventana.*

Convenciones sobre nombres de funciones

Aunque muchas de las funciones de ncurses' están definidas de modo de utilizar `stdscr` como opción predeterminada, existen muchas situaciones en las cuales uno quiere operar en una ventana diferente a `stdscr`. Las ncurses utilizan para sus rutinas una convención sobre nombres sistemática y consistentemente aplicada que puede ser utilizada con cualquier ventana. Las funciones que pueden operar en una ventana de tamaño arbitrario llevan como prefijo el carácter "w" y aceptan como primer argumento una variable (WINDOW *).

Por ejemplo, la llamada a `move`, que desplaza el cursor sobre `stdscr`, puede ser reemplazada por `wmove`, que desplaza el cursor sobre una ventana específica.

NOTA

En verdad, la mayoría de las funciones que son válidas para `stdscr` son pseudo-funciones. Son macros de preprocesador definidos con una directiva `#define` que en las llamadas a las funciones específicas de ventanas utilizan `stdscr` como ventana predeterminada. Este es un detalle de implementación sobre el cual uno no tiene por qué preocuparse, pero lo puede ayudar a comprender mejor la biblioteca de ncurses. Emitiendo desde la línea de comandos la instrucción `grep '#define' /usr/include/ncurses.h` le revelará el grado en que las ncurses utilizan macros y le servirá también como un buen ejemplo de uso del preprocesador.

De manera similar, muchas funciones de entrada y de salida con ncurses tienen formas que combinan un desplazamiento y una operación de E/S en una única llamada. Estas funciones *prependen* (concatenan al comienzo en vez de al final) la expresión `mv` al nombre de la función y las coordenadas (y, x) deseadas a la lista de argumentos. De modo que, por ejemplo, una `move` seguida de `addchstr` puede combinar los nombres de ambas funciones y crear `mvaddchstr`.

El lector ya debe haber pensado que probablemente existan también funciones que combinan una E/S y un desplazamiento dirigidos a una ventana específica. Por lo tanto, `wmove` y `waddchstr` equivalen a `mvwaddchstr`.

Esta especie de abreviaturas tiene vigencia en todas las ncurses. La convención es simple y contribuye a poder utilizar menos líneas de programa.

Ejemplos

EJEMPLO

1. El primer ejemplo muestra de qué manera `move`, que opera sobre `stdscr`, se convierte en `wmove`, que opera sobre cualquier ventana. La función

```
move(y, x);
```

es equivalente a

```
wmove(stdscr, y, x);
```

EJEMPLO

2. Este ejemplo muestra cómo `move` y `addchstr` se convierten en una única función. Las dos llamadas

```
move(y, x);
addchstr(str);
```

son equivalentes a la única llamada

```
mvaddchstr(y, x, str);
```

EJEMPLO

3. El siguiente fragmento de código nuestra la combinación de `wmove` y `waddchstr`. Las dos llamadas

```
wmove(some_win, y, x);
waddchstr(some_win, str);
son identicas a la unica llamada
mvwaddchstr(some_win, y, x, str)
```

Inicialización y terminación

Antes de poder utilizar las ncurses, uno debe inicializar adecuadamente el subsistema de ncurses, establecer varias estructuras de datos para ncurses e interrogar al terminal respecto de las capacidades y características de su pantalla.

Inicialización de ncurses

Las funciones `initscr` y `newterm` administran los requerimientos de inicialización de las ncurses. `initscr` tiene a cargo dos tareas: crear e inicializar `stdscr` y `curscr`, y averiguar las prestaciones y características del terminal interrogando a la base de datos `terminfo` o `termcap`. Si no pueda completar una de estas tareas, o si tiene lugar algún otro tipo de error, `initscr` exhibe en pantalla útil información de diagnóstico y da fin a la aplicación. Por ejemplo, `initscr` fracasará si la variable de entorno `$TERM` no se encontrase inicializada a algún tipo de terminal que ncurses reconozca. En este caso, `initscr` aborta y exhibe en pantalla el mensaje de error `"Error opening terminal: unknown"` (*Error al abrir terminal: desconocido*).

Se debe llamar a `initscr` antes de proceder a utilizar cualquier otra rutina que manipule `stdscr` o `curscr`. El hecho de no hacerlo hará que su programa aborte con una falla de segmentación. Tenga al mismo tiempo en cuenta, sin embargo, de llamar a `initscr` sólo cuando se encuentre seguro de que la necesita, tal como por ejemplo, después de otras rutinas que verifican errores de arranque del programa. Las funciones que modifican el estado de un terminal, tales como cbreak o noecho, deberían ser llamadas después de que retorne initscr. La primera llamada a refresh que venga después de initscr borrará la pantalla. Si su operación tiene éxito, initscr retorna un puntero stdscr, que uno puede guardar para empleo posterior; en caso contrario, la llamada retorna NULL y finaliza el programa, imprimiendo al mismo tiempo un útil mensaje de error en la pantalla.

Si el programa va a enviar salida o recibir entrada desde más de un terminal, en lugar de initscr utilice la función newterm. Para cada terminal con el cual espere interactuar, llame una vez a newterm. La función newterm retorna un puntero que señala una estructura de datos de C de patrón SCREEN (otro tipo definido por ncurses), que debe ser utilizada cuando se refiera a ese terminal. Antes de poder enviar salida a dicho terminal o recibir entrada del mismo, deberá convertirlo en el terminal corriente. Esto se logra por medio de la función set_term. Transfiera como argumento de set_term el puntero a la estructura de patrón SCREEN (retornado por una llamada previa a newterm) que desee convertir en el terminal corriente.

EJEMPLO

Ejemplo

El siguiente programa, inicytermin_curses, muestra las maneras estándar de inicialización y terminación de ncurses, utilizando initscr y endwin. La figura 11-3 muestra la ventana que crea este programa.

```
/* Nombre del programa en Internet: initcurs.c */
/*
* inicytermin_curses.c - Inicializacion y terminacion de curses
 */
#include <stdlib.h>
#include <curses.h>

int main(void)
{
    if((initscr()) == NULL) {
    perror("initscr");
        exit(EXIT_FAILURE);
    printw("Esta es una ventana obtenida mediante ncurses\n");
    refresh();
    sleep(3);

    printw("Terminar ahora la ventana\n");
    refresh();
    sleep(3);
```

```
        endwin();

        exit(0);

}
```

```
$ ./inicytermin_curses
```

SALIDA

```
This is an ncurses window
Going bye-bye now
```

Figura 11.3. Ventana obtenida con ncurses luego de ser inicializada.

Las declaraciones de funciones y definiciones de variables necesarias se encuentran en <curses.h>. Como no existen instrucciones para el inicio, inicialice las estructuras de datos de ncurses con la llamada a `initscr`. (Normalmente uno guardaría el puntero WINDOW * que retorna esta función para uso posterior.) Por medio de la función `printw` (cubierta en mayor detalle en la próxima sección), el programa exhibe alguna salida en la ventana después de haber llamado a `refresh` para asegurar que la salida aparezca realmente en la pantalla. Luego de una pausa de tres segundos, la llamada a `endwin`, cubierta en el próximo título, "Terminación de ncurses", finaliza el programa y libera los recursos asignados por `initscr`.

Terminación de ncurses

Antes de salir de una aplicación basada en ncurses, uno necesita retornar al sistema operativo los recursos de memoria que hubiera asignado ncurses y retornar el terminal a su estado original, pre-ncurses. Las funciones de inicialización asignan recursos de memoria y establecen en el terminal las condiciones adecuadas como para utilizar ncurses.

Por lo tanto, uno tiene que liberar la memoria asignada a tales fines y restablecer el terminal a su estado pre-ncurses. Esa tarea la llevan a cabo las funciones de terminación `endwin` y `delscreen`. Cuando se deja de trabajar con una estructura de patrón SCREEN, y antes de que ningún otro terminal pase a ser el terminal corriente, se debe llamar en el terminal que se está por abandonar a `endwin` y luego a `delscreen` para liberar los recursos asignados al mismo para SCREEN, porque `endwin` no libera la memoria asignada a las pantallas creadas por `newterm`.

Si no se ha llamado a `newterm`, sin embargo, y se ha utilizado únicamente `curscr` y `stdscr`, lo único que se necesitará es una única llamada a `endwin` antes de salir. `endwin` desplaza el cursor hacia la esquina inferior izquierda de la pantalla y restablece el terminal a su estado no gráfico anterior al empleo de las ncurses. La memoria asignada a `curscr` y a `stdscr` no queda liberada porque el programa puede suspender temporariamente los ncurses llamando a `endwin`, llevar a cabo algún otro tipo de tarea y luego llamar nuevamente a `refresh` para restaurar la pantalla a su estado anterior.

Ejemplo

El siguiente programa de demostración, `nuevoterminal`, ilustra la inicialización y terminación de las ncurses por medio de `newterm` y `delscreen`.

```
/* Nombre del programa en Internet: newterm.c */
/*
 * nuevoterminal.c - Inicializacion y terminacion de ncurses
 */
#include <stdlib.h>
#include <curses.h>

int main(void)
{
    SCREEN *ventana;

    if((ventana = newterm(NULL, stdout, stdin)) == NULL) {
        perror("newterm");
        exit(EXIT_FAILURE);
    }

     if(set_term(ventana) == NULL) {
        endwin();
        delscreen(ventana);
        perror("set_term");
        exit(EXIT_FAILURE);
    }

    printw("Esta ventana de ncurses ha sido creada por newterm\n");
    refresh();
    sleep(3);
    printw("Terminar ahora la ventana\n");
    refresh();
```

```
    sleep(3);
    endwin();
    delscreen(ventana);
    exit(0);
}
```

La salida de este programa se parece mucho a la ventana de la figura 11-3. En el mismo, `newterm` inicializa el subsistema de ncurses, simulando estar interactuando con un terminal distinto. Sin embargo, la entrada de datos seguirá siendo obtenida de `stdin` y la salida dirigida a `stdout`, respectivamente, por lo que los punteros a FILE para `outfd` y `infd` siguen siendo `stdout` y `stdin`.

Antes de que el programa pueda utilizar `scr`, sin embargo, debe convertirla en el terminal corriente; de ahí la llamada a `set_term`. Si la llamada fracasa, uno debe asegurarse de todos modos de llamar a `endwin` y a `delscreen` a fin de liberar la memoria asociada con `scr`; a ello se debe la presencia del código añadido antes de la llamada a `err_quit`. Luego de dirigir alguna salida hacia el "terminal", el programa cierra el subsistema de ncurses por medio de la llamada a delscreen requerida para ello.

Rutinas de salida de datos

El subsistema de ncurses cuenta con muchas funciones para enviar salida a pantallas y ventanas. Resulta importante comprender que las rutinas estándar de C *no funcionan* con las ventanas generadas por ncurses porque ncurses asume el control de la salida al terminal. Afortunadamente, las rutinas de E/S de las ncurses' se comportan de manera muy similar a la de las rutinas de E/S estándar presentes en `<stdio.h>`, de modo que la curva de aprendizaje para las mismas es tolerablemente plana. A los propósitos de este análisis, las rutinas de salida de las ncurses han sido divididas en tres categorías: caracteres, cadenas y misceláneas. Las secciones que siguen a continuación comentan cada una de dichas categorías en detalle.

Salida de caracteres

La principal función de salida de caracteres de ncurses es `addch`, prototipada en `<ncurses.h>` como sigue:

```
int addch(chtype ch);
```

Casi todas las demás funciones de salida de caracteres realizan su tarea mediante llamadas a `addch`. La función `addch` exhibe el carácter `ch` en la ventana corriente (habitualmente `stdscr`) a la altura de la posición corriente del cursor y avanza este último hacia la posición siguiente. Si dicha acción fuese a colocar el cursor más allá del margen derecho, esta función lo desplaza automáticamente hacia el comienzo de la línea siguiente. Si el cursor estuviera ubicado en la última línea de la ventana, aparecerá automáticamente la línea siguiente. Si `ch` fuera un carácter de tabulación, de nueva línea o de retroceso, el cursor se desplazará acordemente. Los demás caracteres de control son exhibidos empleando la notación ^X, donde X el carácter de que se trate y el acento circunflejo (^) indica que el mismo es un carácter de control. Si se necesita que el carácter de control lleve efectivamente a cabo su función se deberá enviarlo a pantalla por medio de la función `echochar(chtype ch)`.

NOTA

La documentación de las ncurses se refiere a los caracteres tipeados en formato `chtype` como "pseudo-caracteres". Las ncurses declaran a los pseudo-caracteres como valores enteros sin signo de tipo `long`, y emplea los bits superiores de los mismos para enviar información adicional, tal como por ejemplo sus atributos de video. Esta distinción entre pseudo-caracteres y caracteres normales de C (el tipo `char`) representa sutiles diferencias de comportamiento para las funciones que administran cada uno de ambos tipos. Estas diferencias se comentan en este capítulo cuando y donde resulte adecuado.

Como se mencionó anteriormente, `mvaddch` añade un carácter a la ventana que se le especifique después de desplazar el cursor hacia la ubicación deseada; `mvwaddch` combina un desplazamiento y una operación de salida hacia una ventana específica. `waddch` exhibe un carácter en una ventana especificada por el usuario. La función `echochar` y su contraparte específica para ventanas, `wechochar`, combinan una llamada a `addch` con otra llamada a refresh o a `wrefresh`. Esta combinación permite obtener importantes mejoras de desempeño cuando se la utiliza con caracteres que no sean de control.

Una característica particularmente útil (que se discute a continuación) de las rutinas de ncurses que utilizan la función `chtype` para generar su salida de caracteres y cadenas es que el carácter o cadena a ser enviado puede ser objeto de una operación de O lógico, antes de ser exhibida, con una diversidad de atributos de video. Un listado parcial es dichos atributos incluye los siguientes:

- `A_NORMAL` Modo normal de exhibición de caracteres
- `A_STANDOUT` Utiliza el mejor modo de resaltado del terminal
- `A_UNDERLINE` Subrayado
- `A_REVERSE` Video inverso
- `A_BLINK` Texto parpadeante
- `A_DIM` Medio brillo
- `A_BOLD` Caracteres en letra negrita
- `A_INVIS` Texto invisible
- `A_CHARTEXT` Crea una máscara personalizada de salida del carácter

Sin embargo, y según sean la capacidad de emulación de terminales o el hardware de la pantalla, puede que no todos los atributos resulten posibles o se exhiban correctamente. Ver la página `curs_attr(3)` del manual para obtener mayor información al respecto.

Además de los caracteres de control y de los caracteres realzados con atributos de video, las funciones de salida de caracteres también pueden exhibir caracteres gráficos de líneas (caracteres de la mitad superior del conjunto de caracteres ASCII, 128 a 255), tales como caracteres de cuadros y diversos símbolos especiales. La lista completa de los mismos se puede obtener en la página `curs_addch(3)` del manual o en los apéndices de la mayoría de los libros de programación. Los nombres de las constantes empleadas en Linux para designarlos empiezan todos con ACS (*Ascii Character Set*). A continuación se listan algunos de los caracteres gráficos más comunes. En esta breve lista, CORNER significa *esquina.* El listado es el siguiente:

- ACS_ULCORNER Esquina superior izquierda (+) UL=Upper Left
- ACS_LLCORNER Esquina inferior izquierda (+) LL= Lower Left
- ACS_URCORNER Esquina superior derecha (+) UR=Upper Right
- ACS_LRCORNER Esquina inferior derecha (+) LR=Lower Right
- ACS_HLINE Línea horizontal (—)
- ACS_VLINE Línea vertical (|)
- ACS_BLOCK Signo de numeral (#)

Las funciones descriptas hasta ahora "añaden" efectivamente caracteres a una ventana sin incidir sobre la ubicación de los demás caracteres que ya se encuentren presentes. Existe otro grupo de rutinas que inserta caracteres en ubicaciones arbitrarias sobre texto existente en la ventana. Estas últimas funciones comprenden a insch, winsch, mvinsch y mvwinsch.

Continuando con la convención de nombres comentada anteriormente en este mismo capítulo, cada una de estas funciones inserta un carácter delante (antes) del carácter que se encuentre debajo del cursor, desplazando los demás caracteres una posición hacia la derecha. Si el último carácter se encuentra sobre el margen derecho, se perderá. Obsérvese, sin embargo, que la posición del cursor no se modifica luego de una operación de inserción. Las inserciones están totalmente documentadas en la página curs_insch(3) del manual. Los prototipos de las funciones mencionadas hasta ahora se encuentran en la lista siguiente:

```
int addch(chtype ch);
int waddch(WINDOW *win, chtype ch);
int mvaddch(int y, int x, chtype ch);
int mvwaddch(WINDOW *win, int y, int x, chtype ch);
int echochar(chtype ch);
int wechochar(WINDOW *win, chtype ch);
int insch(chtype ch);
int winsch(WINDOW *win, chtype ch);
int mvinsch(int y, int x, chtype ch);
int mvwinsch(WINDOW *win, int y, int x, chtype ch);
```

Salvo indicación en contrario, todas las funciones que retornan un entero retornan OK si tienen éxito o ERR fracasan (tanto OK y ERR como otras constantes más están definidas en <ncurses.h>). Los argumentos win, y, x, y ch son, respectivamente, la ventana en la cual será exhibido el carácter, las coordenadas (y, x) en las cuales se ubicarán el cursor y el carácter a ser exhibidos (incluyendo los atributos opcionales).

A manera de recordatorio, las rutinas cuyo nombre se inicia con una "w" utilizan un puntero `win`, el cual especifica la ventana target; el prefijo "`mv`" combina una operación de desplazamiento hacia la ubicación (`y`, `x`) con una operación de salida.

Ejemplo

Los ejemplos que vienen a continuación ilustran el empleo de algunas de las rutinas comentadas en esta sección. Para lograr acortar en alguna medida los ejemplos, el código de inicialización y de terminación de las ncurses ha sido colocado en un archivo separado, `utilfcns.c`. También se incluye el archivo de encabezado (`utilfcns.h`) que contiene esta interfaz. Ambos archivos se encuentran en la carpeta correspondiente a este capítulo que halla ubicada en el sitio Web que corresponden a este libro.

El siguiente programa ilustra algunas de las funciones de salida correspondientes a las ncurses. La figura 11-4 muestra la salida de caracteres de las mismas.

```
/* Nombre de este programa en Internet: curschar.c */
/*
 * ncurse_salidacar.c - Funciones de ncurses para salida de caracteres */
*/
#include <stdlib.h>
#include <curses.h>
#include <errno.h>
#include "utilfcns.h"

int main(void)
{
    app_init();

    addch('X');
    addch('Y' ¦ A_REVERSE);
    mvaddch(2, 1, 'Z' ¦ A_BOLD);
    refresh();
    sleep(3);

    clear();
    waddch(stdscr, 'X');
    waddch(stdscr, 'Y' ¦ A_REVERSE);
    mvwaddch(stdscr, 2, 1, 'Z' ¦ A_BOLD);
    refresh();
    sleep(3);
    app_exit();
}
```

$ ./ncurse_salidacar

SALIDA

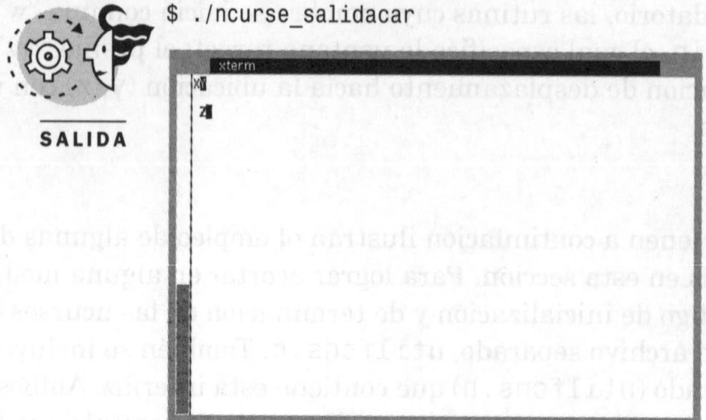

Figura 11.4. Salida de caracteres por medio de ncurses.

La rutina addch da salida al carácter deseado y avanza el cursor. Las dos llamadas a waddch ilustran cómo combinar los atributos de video con el carácter a exhibir. El programa también demuestra una típica función de las de nombre comenzado con "mv". Luego de refrescar la pantalla, una breve pausa le permite a quien corra el programa visualizar la salida del mismo. La segunda mitad del programa muestra cómo utilizar las rutinas específicas de ventana, empleando stdscr como ventana target.

Salida de cadenas

Las rutinas de ncurses para salida de cadenas se comportan generalmente de manera similar a las rutinas de caracteres, excepto que tratan con cadenas de pseudo-caracteres o con cadenas normales terminadas en ceros binarios (\0). Insistimos, los diseñadores de las ncurses crearon una notación estándar que permitiera a los programadores distinguir entre ambos tipos de funciones. Los nombres de funciones que contengan en ellos la secuencia chstr operan sobre cadenas de pseudo-caracteres, mientras que los nombres de funciones que contengan sólo str operan sobre cadenas estándar de estilo C (terminadas cada una de ellas en un cero binario). El siguiente es un listado parcial de las funciones que operan sobre cadenas de pseudo-caracteres:

```
int addchstr(const chtype *chstr);
int addchnstr(const chtype *chstr, int n);
int waddchstr(WINDOW *win, const chtype *chstr);
int waddchnstr(WINDOW *win, const chtype *chstr, int n);
int mvaddchstr(int y, int x, const chtype *chstr);
int mvaddchnstr(int y, int x, const chtype *chstr, int n);
int mvwaddchstr(WINDOW *win, int y, int x, const chtype *chstr);
int mvwaddchnstr(WINDOW *win, int y, int x, const chtype *chstr, int n);
```

Todas las funciones listadas copian `chstr` a la ventana deseada comenzando por la ubicación corriente del cursor, pero este último no es avanzado (a diferencia de lo que hacen las funciones de salidas de caracteres). Si la cadena no cabe en la línea corriente, la misma es truncada en el margen derecho. Las cuatro rutinas que aceptan un argumento `int n` -`addchnstr`, `waddchnstr`, `mvaddchnstr` y `mvwaddchnstr`- copian hasta la cantidad de `n` caracteres, deteniéndose en el margen derecho. Si `n` vale `-1` será copiada toda la cadena, pero será truncada en el margen derecho si llegase a tener que excederlo.

El siguiente conjunto de funciones de salida operan sobre cadenas terminadas en un cero binario. A diferencia del conjunto anterior, estas funciones avanzan el cursor. Además, la cadena a la que se esté dando salida continuará desde el margen izquierdo de la línea siguiente, en lugar de ser truncada. En todo lo demás, estas funciones se comportan igual que sus contrapartes `chtype` de nombres semejantes.

```
int addstr(const char *str);
int addnstr(const char *str, int n);
int waddstr(WINDOW *win, const char *str);
int waddnstr(WINDOW *win, const char *str, int n);
int mvaddstr(int y, int x, const char *str tr);
int mvaddnstr(int y, int x, const char *str, int n);
int mvwaddstr(WINDOWS *win, int y, int x, const char *str);
int mvwaddnstr(WINDOWS *win, int y, int x, const char *str, int n);
```

Recuerde, `str` en estas rutinas es un arreglo estándar C de caracteres terminado en un cero binario.

EJEMPLO

Ejemplo

Este programa de demostración permite apreciar el empleo de las funciones para salida de cadenas de caracteres.

```
*/ Nombre del programa en Internet: cursstr.c */

/*
 * ncurse_salidacadena.c - Funciones de salidas de cadenas de caracteres de las
ncurses
 */
#include <stdlib.h>
#include <curses.h>
#include <errno.h>
#include "utilfcns.h"

int main(void)
{
    int xmax, ymax;
    WINDOW *ventana_temp;
```

```
    app_init();

    getmaxyx(stdscr, ymax, xmax);

    addstr("Utilizacion de la familia *str()\n");
    hline(ACS_HLINE, xmax);
    mvaddstr(3, 0, "Esta cadena aparece completa \n");
    mvaddnstr(5, 0, "Esta cadena resulta truncada\n", 20);
    refresh();
    sleep(3);

    if((ventana_temp = newwin(0, 0, 0, 0)) == NULL)
        salir_si_error("newwin"); /* err_quit, en la version presente en
Internet */

    mvwaddstr(ventana_temp, 1, 1, "Este mensaje deberia aparecer en una nueva
ventana");
    worded(ventana_temp, 0, 0, 0, 0, 0, 0, 0, 0);
    touchwin(ventana_temp);
    wrefresh(ventana_temp);
    sleep(3);

    delwin(ventana_temp);
    app_exit();
}
```

La llamada a `getmaxyx` de la línea 14 obtiene el número de filas y columnas para `stdscr`. Esta rutina está habitualmente implementada como un macro, de modo que la sintaxis necesaria para llamarla no requiere que tanto `ymax` como `xmax` sean punteros. La llamada a `mvaddnstr` con un valor para n igual a 20 obliga a que la cadena impresa sea truncada antes de la letra "t" de "truncada." Luego, el programa crea la nueva ventana, `ventana-_temp`, con las mismas dimensiones de la pantalla corriente. Luego imprime en la nueva ventana un mensaje, dibuja un borde a todo lo largo de su perímetro y llama a `refresh` para exhibirlo en pantalla. Antes de terminar, la llamada a `delwin` para la ventana recientemente creada libera los recursos de memoria asignados.

La salida de este programa se muestra en las figuras 11-5 y 11-6.

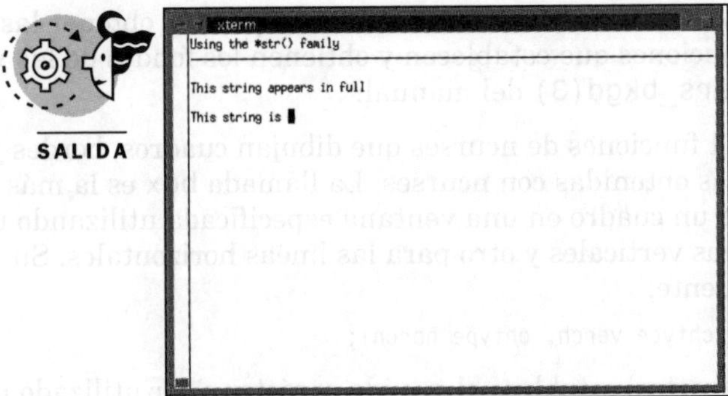

Figura 11.5. *Funciones tipo *str() de salida de ncurses.*

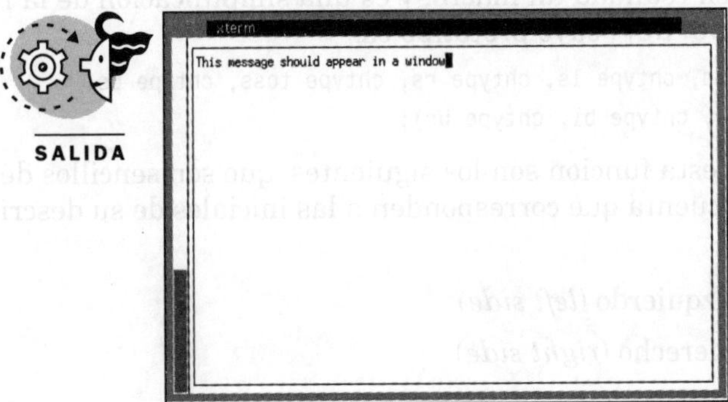

Figura 11.6. *Salida de una cadena hacia una ventana.*

Salida miscelánea

El siguiente y último grupo de rutinas de salida que consideraremos es una serie de llamadas que dibujan bordes y líneas, borran y establecen el fondo (*background*) del sistema, controlan las opciones de salida, desplazan el cursor y envían salida formateada a una ventana obtenida con ncurses. Estas rutinas de salida "misceláneas" comprenden una extensa variedad de funciones. En esta parte se comentarán las más comunes de ellas.

Para comenzar, se puede establecer las propiedades del fondo de una ventana por medio de una llamada a la función `bkgd` (abreviatura de *background,* fondo o segundo plano), cuyo prototipo es el siguiente:

```
int bkgd(const chtype ch);
```

`ch` es una combinación obtenida mediante un O lógico del carácter que se quiere exhibir y uno o más de los atributos de video listados anteriormente.

Para obtener el estado corriente del fondo de una ventana, llame a `getbkgd`, cuyo prototipo es el siguiente:

```
chtype getbkgd(WINDOW *win);
```

En este prototipo `win` es la ventana en cuestión. Se pueden obtener las descripciones de las funciones que establecen y obtienen los fondos de las ventanas en la página `curs_bkgd(3)` del manual.

Existen al menos 11 funciones de ncurses que dibujan cuadros, bordes y líneas en las ventanas obtenidas con ncurses. La llamada `box` es la más simple de todas; dibuja un cuadro en una ventana especificada utilizando un carácter para las líneas verticales y otro para las líneas horizontales. Su prototipo es el siguiente:

```
int box(WINDOW *win, chtype verch, chtype horch);
```

`verch` (*ver*tical *ch*aracter) establece el pseudo-carácter a ser utilizado para trazar las líneas verticales, mientras que `horch` (*hor*izontal *ch*aracter) hace lo mismo para el carácter correspondiente a las líneas verticales.

La función `box` es en realidad un macro, y es una simplificación de la función más general `wborder`, cuyo prototipo es:

```
int border(WINDOW *win, chtype ls, chtype rs, chtype toss, chtype bs,
chtype tl, chtype ctr, chtype bl, chtype br);
```

Los argumentos de esta función son los siguientes, que son sencillos de recordar teniendo en cuenta que corresponden a las iniciales de su descripción en inglés:

- `ls` Costado izquierdo (*left side*)
- `rs` Costado derecho (*right side*)
- `ts` Parte superior ("lado de arriba" o *top side*)
- `bs` Parte inferior ("lado de abajo" o *bottom side*)
- `tl` Esquina superior izquierda (*top-left corner*)
- `tu` Esquina superior derecha (*top-right corner*)
- `bl` Esquina inferior izquierda (*bottom-left corner*)
- `br` Esquina inferior derecha (*bottom-right corner*)

Tanto las funciones `box` como `wborder` dibujan un recuadro en la ventana a lo largo de su perímetro.

Utilice la función `hline` para trazar en la ventana corriente una línea horizontal de longitud arbitraria. `vline`, análogamente, traza en la misma una línea vertical de longitud arbitraria.

```
int hline(chtype ch, int n);
int vline(chtype ch, int n);
```

Siguiendo la convención de nombres para las funciones de ncurses, se puede también especificar una ventana en la cual trazar líneas utilizando las funciones que se listan a continuación:

```
int whline(WINDOW *win, chtype ch, int n);
int wvline(WINDOW *win, chtype ch, int n);
```

Si uno lo deseara, antes de dibujar las correspondientes líneas puede desplazar el cursor hacia una ubicación específica por medio de las siguientes funciones:

```
int mvhline(int y, int x, chtype ch, int n);
int mvvline(int y, int x, chtype ch, int n);
```

Con las dos funciones siguientes se puede inclusive especificar una ventana y requerir una operación de desplazamiento:

```
int mvwhline(WINDOW *win, int y, int x, chtype ch, int n);
int mvwvline(WINDOW *win, int y, int x, chtype ch, int n);
```

Como es habitual, estas rutinas retornan `OK` si tienen éxito o `ERR` si fracasan. `win` indica la ventana target; n especifica la longitud de la línea, que puede alcanzar el máximo de la ventana tanto vertical como horizontalmente. Las funciones de trazado de bordes `line`, `box` y `border` no modifican la posición del cursor. Las operaciones de salida subsiguientes pueden llegar a sobrescribir los bordes, de modo que uno debe asegurarse de ya sea incluir llamadas que permitan mantener la integridad de los bordes o establecer sus llamadas a las funciones de salida de datos de manera tal que las mismas no sobrescriban los bordes.

Las funciones que no establecen específicamente la ubicación del cursor (`line`, `vline`, `whline` y `wvline`) comienzan a dibujar en la posición corriente del mismo. La página del manual que documenta estas rutinas es la `curs_border(3)`. La página `curs_outopts(3)` contiene asimismo información relevante sobre el tema.

El último conjunto de funciones misceláneas que veremos borran toda la pantalla o parte de ella. Como de costumbre, estas funciones se encuentran disponibles tanto en variedades para pantalla completa como sólo para ventanas:

```
int erase(void);
int werase(WINDOW *win);
int clear(void);
int wclear(WINDOW *win);
int clrtobot(void);
int wclrtobot(WINDOW *win);
int clrtoeol(void);
int wclrtoeol(WINDOW *win);
```

El par de funciones `erase` escribe espacios en blanco a cada posición de una pantalla o ventana; el par `clrtobot` borra la pantalla o ventana desde la ubicación corriente del cursor hasta la parte inferior de la misma inclusive; el par `clrtoeol`, finalmente, borra la línea corriente desde la posición del cursor hasta el margen derecho, inclusive.

Si se ha utilizado `bkgd` o `wbkgd` para establecer las propiedades de segundo plano en ventanas que serán borradas, ese conjunto de propiedades (denominado "rendición" en la documentación de las ncurses) es aplicado a cada uno de los espacios en blanco creados. La correspondiente página del manual para estas funciones es `curs_clear(3)`.

Ejemplo

Este programa ilustra el empleo de caracteres gráficos de líneas y de las funciones `box` y `wborder`. Algunas rutinas de salida de las ncurses desplazan el cursor una vez que tiene lugar la salida, y otras no. Obsérvese también que la familia de funciones trazadoras de líneas, tales como `vline` y `hline`, trazan de abajo hacia arriba y de izquierda a derecha, así que cuando las utilice tenga cuidado con la ubicación del cursor.

```
/* Nombre del programa en Internet: cursbox */

/*
* cursbox.c - Funciones de trazado de lineas y de cuadros que ofrece ncurses */
 */
#include <stdlib.h>
#include <curses.h>
#include <errno.h>
#include "utilfcns.h"

int main(void)
{
    int ymax, xmax;

    app_init();
    getmaxyx(stdscr, ymax, xmax);
    mvaddch(0, 0, ACS_ULCORNER);
    hline(ACS_HLINE, xmax - 2);
    mvaddch(ymax - 1, 0, ACS_LLCORNER);
    hline(ACS_HLINE, xmax - 2);
    mvaddch(0, xmax - 1, ACS_URCORNER);
    vline(ACS_VLINE, ymax - 2);
    mvvline(1, xmax - 1, ACS_VLINE, ymax - 2);
    mvaddch(ymax - 1, xmax - 1, ACS_LRCORNER);
    mvprintw(ymax / 3 - 1, (xmax - 30) / 2, "Borde dibujado de manera laboriosa");
    refresh();
    sleep(3);

    clear();
    box(stdscr, ACS_VLINE, ACS_HLINE);
```

```
    mvprintw(ymax / 3 - 1, (xmax - 30) / 2, "Borde dibujado de manera sencilla");
    refresh();
    sleep(3);

    clear();
    wborder(stdscr, ACS_VLINE ¦ A_BOLD,  ACS_VLINE ¦ A_BOLD, ACS_HLINE ¦ A_BOLD,
    ACS_HLINE ¦ A_BOLD, ACS_ULCORNER ¦ A_BOLD, ACS_URCORNER ¦ A_BOLD,
ACS_LLCORNER ¦ A_BOLD,
    ACS_LRCORNER ¦ A_BOLD);
    mvprintw(ymax / 3 - 1, (xmax - 25) / 2, "Borde dibujado con wborder");
    refresh();
    sleep(3);

    app_exit();
}
```

Las figuras 11-7 y 11-8 muestran la salida de este programa.

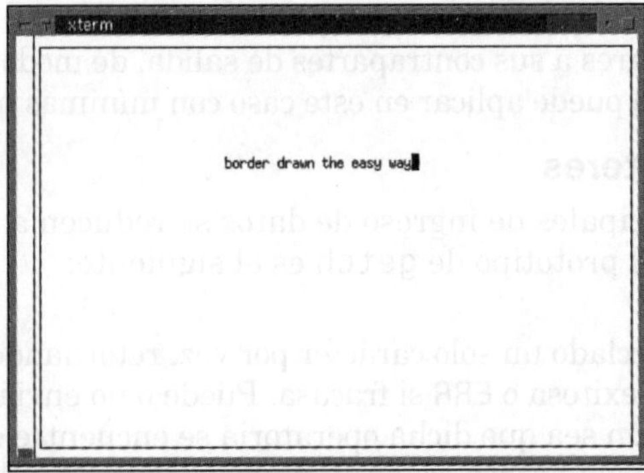

Figura 11.7. *Trazado de un borde por medio de líneas.*

Como era de esperar, la función `mvvline` mueve el cursor antes de trazar una línea vertical. Después de todas las complicaciones necesarias para dibujar un simple borde, la función `box` resulta un verdadero alivio. La función `wborder` es más comunicativa que `box`, pero permite un control más preciso sobre los caracteres utilizados para dibujar el borde. El ejemplo ilustró el carácter predeterminado que se emplea con cada argumento, pero cualquier carácter (y sus atributos opcionales de video) también servirá, siempre y cuando el mismo sea aceptado por el correspondiente emulador de terminal o el hardware de video.

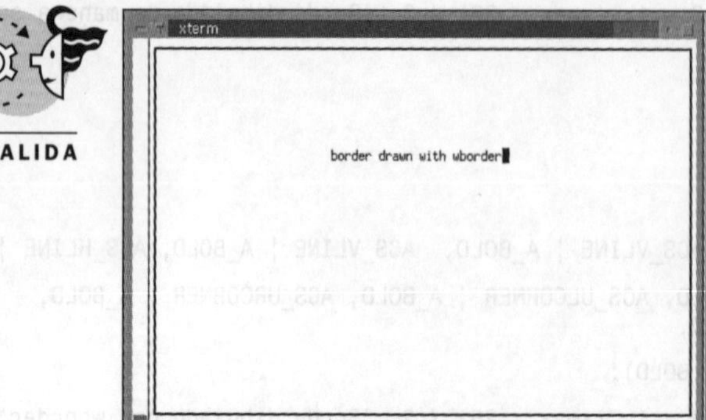

Figura 11.8. Borde trazado utilizando wborder.

Rutinas de ingreso de datos

Las rutinas de ingreso de datos, tal como sucedía con las rutinas de salida, comprenden diversos grupos. Este capítulo se concentra, sin embargo, sólo en entrada sencilla de caracteres y de cadenas por dos razones. Primero y principal, las rutinas que se comentarán en esta sección satisfacen el 90 por ciento de las necesidades de programación. Segundo, las funciones de ncurses para entrada de datos son muy similares a sus contrapartes de salida, de modo que el material del punto anterior se puede aplicar en este caso con mínimas modificaciones.

Ingreso de caracteres

Las funciones principales de ingreso de datos se reducen a tres: `getch`, `getstr` y `scanw`. El prototipo de `getch` es el siguiente:

```
int getch(void);
```

`getch` busca en el teclado un solo carácter por vez, retornando dicho carácter si la operación resulta exitosa o `ERR` si fracasa. Puede o no enviar el carácter obtenido a `stdscr`, según sea que dicha operatoria se encuentre o no habilitada en el terminal (por la misma razón, `wgetch` y sus variantes también obtienen caracteres individuales desde el teclado y pueden o no enviarlos a una ventana especificada por el programa). Para que los caracteres sean enviados a la pantalla o a una ventana, primero se debe efectuar una llamada a `echo` (en este caso, *enviar*); Para deshabilitar el correspondiente envío se deberá llamar a `noecho`. Se debe tener en cuenta que, con el envío de caracteres a `stdscr` habilitado, los mismos son exhibidos por `waddch` en una ventana en la ubicación corriente del cursor, que luego es desplazado una posición hacia la derecha.

La cuestión se complica aún más por el modo de entrada de caracteres que se encuentre vigente, el cual determina la cantidad de procesamiento que efectúa el kernel sobre dicha entrada antes de que el programa reciba finalmente el carácter. En un programa que utiliza ncurses, uno generalmente desea procesar por sí mismo la mayoría de las pulsaciones de teclas efectuadas por los usuarios. Para poder hacer eso se requiere ya sea una llamada a `crmode` u operar en `raw mode` (*modo crudo*). Las ncurses comienzan en su modo predeterminado, que significa que el kernel envía los caracteres a un *buffer* de memoria, donde los va acumulando mientras espera recibir un carácter de nueva línea antes de transferir los caracteres acumulados todos juntos a las ncurses. Uno raramente desea este tipo de ingreso de caracteres.

En *modo crudo,* el kernel no envía los caracteres a un buffer ni los procesa de cualquier otra manera, mientras que en `crmode`, el kernel procesa los caracteres de control del terminal, tales como ^S, ^Q, ^C o ^Y, y transfiere todos los demás a las ncurses sin que sean perturbados. En algunos sistemas, la constante "carácter siguiente", ^V, puede requerir ser repetida. Según sean las necesidades de la aplicación, `crmode` debería bastar. En uno de los siguientes programas de demostración, se utiliza `crmode` y el envío de caracteres a `stdscr` es habilitado y luego deshabilitado con el fin de simular obtención oculta de contraseñas.

Ejemplo

Este programa utiliza `crmode` y `noecho` para simular un programa verificador de contraseñas.

```
/* Nombre del programa en Internet: cursinch.c */
/*
 * ncurs_ingresocar.c - Funciones de ncurses para ingreso de caracteres
 */
#include <stdlib.h>
#include <curses.h>
#include <errno.h>
#include "utilfcns.h"

int main(void)
{
    int c, i = 0;
    int xmax, ymax;
    char cadena[80];
    WINDOW *puntero_ventana;

    app_init();
    crmode();
    getmaxyx(stdscr, ymax, xmax);
    if((puntero_ventana = subwin(stdscr, 3, 40, ymax / 3, (xmax - 40) / 2 )) ==
NULL)
        salir_si_error("subwin");         /* err_quit, en la version presente en
Internet */
    box(pwin, ACS_VLINE, ACS_HLINE);
    mvwaddstr(puntero_ventana, 1, 1, "Contraseña: ");
    noecho();
    while((c = getch()) != '\n' && i < 80) {
        cadena[i++] = c;
        waddch(puntero_ventana, '*');
        wrefresh(puntero_ventana);
```

```
    }
    echo();
    cadena[i] = '\0';
    wrefresh(puntero_ventana);

    mvwprintw(puntero_ventana, 1, 1, "Se tipeo: %s\n", cadena);
    box(puntero_ventana, ACS_VLINE, ACS_HLINE);
    wrefresh(puntero_ventana);

    sleep(3);
    delwin(puntero_ventana);
    app_exit ();
}
```

Las pantallas que crea este programa se ilustran en las figuras 11-9 y 11-10.

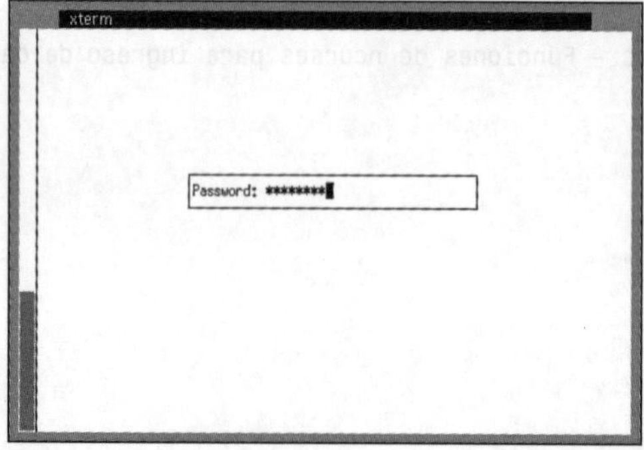

Figura 11.9. *Pedido de contraseña y modo noecho.*

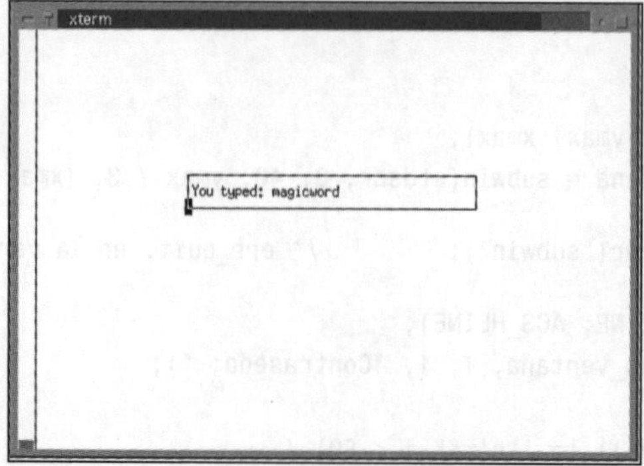

Figura 11.10. *Exhibición de contraseña.*

Ingreso de cadenas

La función getstr, cuya declaración es la siguiente:

```
int getstr(char *str);
```

llama repetidamente a getch hasta que encuentre un carácter de nueva línea o de retorno de carro (que no formará parte de la cadena retornada). Los caracteres ingresados son almacenados en str. Como getstr no efectúa verificación de límites, se debería emplear en su reemplazo getnstr, que acepta un argumento adicional que especifica el número máximo de caracteres a ser almacenados. Independientemente de que uno utilice getstr o getnstr, el *buffer* str de almacenamiento debe ser lo suficientemente grande como para almacenar la cadena recibida más un cero binario (\0) de terminación, que debe ser agregado por el programa. El prototipo de getnstr es el siguiente:

```
int getnstr(char *str, int n);
```

getnstr copia un máximo de n caracteres desde stdscr hacia el *buffer* al cual apunta str. Cada carácter que quiera ser ingresado después de que se alcance el máximo n especificado hace sonar el timbre de la computadora.

scanw obtiene ingreso formateado de caracteres desde el teclado al estilo de scanf(3) la respectiva familia de funciones. En verdad, las ncurses transfieren los caracteres recibidos como entrada a sscanf(3), de modo que los caracteres que no se correspondan con los argumentos disponibles en el campo de formato serán desechados. Como de costumbre, scanw tiene variantes que incluyen operaciones de desplazamiento (las funciones precedidas por "mv") y variantes que son aplicables a ventanas específicas (las precedidas por "w"). Además, la familia de funciones scanw incluye un miembro, vwscanw, que opera sobre listas de argumentos de longitud variable. Los prototipos de las funciones relevantes de este grupo son los siguientes:

```
int scanw(char *fmt [, arg] ...);
int vwscanw(WINDOW *win, char *fmt, va_list varglist);
```

Las páginas del manual curs_getch(3), curs_getstr(3) y curs_scanw(3) documentan plenamente estas rutinas y sus diversas variantes.

Ejemplo

```
/* Nombre del programa en Internet: cursgstr.c */
/*
 * ncurs_obtcadena.c - Funciones de ncurses para ingreso de cadenas. */
/* Sintaxis ncurs_obtcadena cadena */
 */
#include <stdlib.h>
#include <curses.h>
#include <errno.h>
#include <string.h>
#include "utilfcns.h"

#define TAMAÑO_BUF 20
```

```
int main(int argc, char *argv[])
{
    int c, i = 0;
    char cadena[20];
    char *puntero_cadena;

    app_init();
    crmode();

    printw("Archivo para abrir: ");
    refresh();
    getnstr(cadena, TAMAÑO_BUF);
    printw("Se tipeo: %s\n", cadena);
    refresh();
    sleep(3);

    if((puntero_cadena = malloc(sizeof(char) * TAMAÑO_BUF + 1)) == NULL)
        salir_si_error("malloc");           /* err_quit, en la version presente en
Internet */

    printw("Ingrese su nombre: ");
    refresh();
    getnstr(puntero_cadena, 20);
    printw("Usted ingreso: %s\n", puntero_cadena);
    refresh();
    sleep(3);
    free(puntero_cadena);
    app_exit();
}
```

La figura 11-11 muestra el resultado de una corrida del programa.

En este programa el envío de caracteres a pantalla permanece habilitado porque probablemente los usuarios deseen observar lo que estén tipeando. El programa utiliza primero `getstr` para obtener el nombre del archivo a ser abierto. En un programa "real", uno intentaría abrir el archivo cuyo nombre ha sido tipeado. `getnstr` ilustra el comportamiento de las ncurses' cuando uno trata de ingresar una cadena más larga que lo especificado por la longitud máxima `n`, en este caso `20`. En ese caso, ncurses detiene la aceptación y el envío a pantalla de los datos ingresados y la computadora emite un sonido cada vez que el usuario intente ingresar un nuevo carácter.

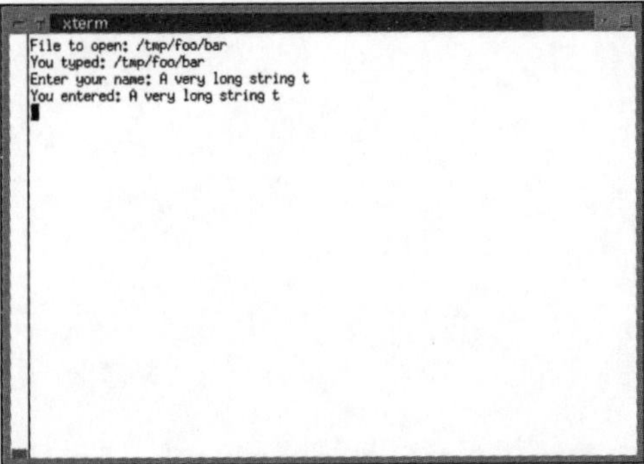

Figura 11.11. *Utilización de las rutinas de ingreso de cadenas de ncurses.*

Lo que viene

Este capítulo presentó al lector la API de ncurses, una interfaz diseñada para poder controlar la pantalla en los programas de modo texto. Aunque Linux es un sofisticado sistema operativo de avanzada, aún posee muchas aplicaciones en modo texto (no-GUI) que son muy populares, de modo que resulta importante comprender cómo redactar aplicaciones que manipulen la pantalla en modo texto. El próximo capítulo continúa con la exploración de las funciones de ncurses concentrándose en las que son utilizadas para emplear color, crear menús, aceptar ingreso de datos desde el ratón y trazar formularios y paneles.

Figura 11.11. Utilización de las rutinas de ingreso de órdenes de ncurses.

Lo que viene

Este capítulo presentó al lector la API de ncurses, una interfaz diseñada para poder controlar la pantalla en los programas de modo texto. Aunque Linux es un sofisticado sistema operativo de avanzada, aún posee muchas aplicaciones en modo texto (no-GUI) que son muy populares, de modo que resulta importante comprender cómo redactar aplicaciones que manipulen la pantalla en modo texto. El próximo capítulo continúa con la exploración de las funciones de ncurses concentrándose en las que son utilizadas para emplear color, crear menús, aceptar ingreso de datos desde el ratón y trazar formularios y paneles.

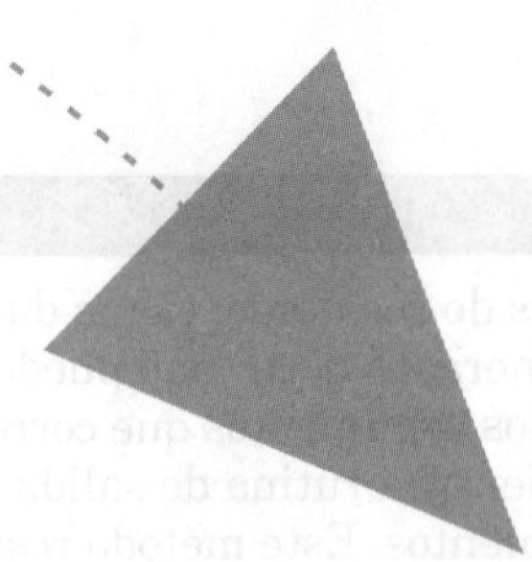

12

Programación avanzada con ncurses

Este capítulo continúa con lo iniciado en el capítulo anterior. Explora muchas de las características avanzadas de las ncurses que le permiten a uno crear una interfaz más atractiva y sencilla de utilizar en sus programas de modo texto.

Este capítulo cubre los siguientes temas:

- Utilización del subsistema de color de las ncurses
- Creación y manipulación avanzada de ventanas
- Cómo interactuar con el ratón
- Trabajo con menús
- Utilización de formularios y paneles en programas mediante ncurses

Todos los programas de este capítulo pueden ser encontrados en el sitio Web `http://www.mcp.com/info` bajo el número de ISBN 0789722151.

Utilización de color

Ya se ha visto que las ncurses aceptan varios modos de resaltado. Como dato interesante, también admite color de la misma manera; es decir, uno puede efectuar un O lógico del valor deseado de color con los argumentos que correspondan al carácter en una función `addch` o cualquier otra rutina de salida (`chtype`) que acepte pseudo-caracteres como argumentos. Este método resulta tedioso, sin embargo, de modo que las ncurses también disponen de un conjunto de rutinas para establecer los atributos de pantalla ventana por ventana.

También para utilizar las prestaciones para color de las ncurses, uno debe asegurarse de que el terminal corriente admita color. La función `has_colors` retorna `VERDADERO` o `FALSO` según sea que el terminal corriente disponga de capacidad para color o no. `has_colors` tiene la sintaxis siguiente:

```
bool has_colors(void);
```

El tipo `bool` (*booleano*) de valor retornado se encuentra definido en `<curses.h>`.

Los colores predeterminados de las ncurses son los siguientes:

- `COLOR_BLACK` (negro, valor numérico 1)
- `COLOR_RED` (rojo, valor numérico 2)
- `COLOR_GREEN` (verde, valor numérico 3)
- `COLOR_YELLOW` (amarillo, valor numérico 4)
- `COLOR_BLUE` (azul, valor numérico 5)
- `COLOR_MAGENTA` (magenta o púrpura, valor numérico 6)
- `COLOR_CYAN` (cian o azul verdoso, valor numérico 7)
- `COLOR_WHITE` (blanco, valor numérico 8)

Después de haber determinado que el terminal efectivamente admite color se deberá llamar a la función `start_color` para iniciar el subsistema de color de las ncurses. El prototipo de la misma es:

```
int start_color(void);
```

NOTA

Los programas que utilizan rutinas de color de las ncurses deben ser corridos en un emulador de terminal que acepte color, tal como un `xterm`, `rxvt` o `nxterm` con color.

Antes de poder utilizar colores, sin embargo, se deberá inicializar un conjunto de pares de colores. Dicha acción asocia los pares de colores a los colores de la lista anterior. La función que realiza esto es `init_pair`, cuyo prototipo es el siguiente:

```
int init_pair(short pair, short f, short b);
```

Esta función asocia `pair` con un color f (por foreground, frente o primer plano), que representa el color de fuente, y otro de fondo `b` (por *background,* fondo o segundo plano), y retorna `OK` si tiene éxito o `ERR` si fracasa.

En lugar de tener que efectuar para cada llamada a `chtype` un tedioso O lógico de los valores de color, utilice las llamadas a `attron` y `attroff`. Los prototipos de estas dos funciones son los siguientes:

```
int attron(int attrs);
int attroff(int attrs);
```

`attrs` puede ser una o más combinaciones obtenidas mediante un O lógico de colores y atributos de video. Ambas retornan OK si tienen éxito o ERR si ocurre algún tipo de error.

EJEMPLO

Ejemplo

El siguiente programa traza sobre la pantalla líneas de colores:

```
/* Nombre del programa en Internet: color.c. */
/* Este programa se encuentra junto con los del Capitulo 11 */
/*
 * color.c - Administracion del color con ncurses
 */
#include <stdlib.h>
#include <curses.h>
#include <errno.h>
#include <unistd.h>
#include "utilfcns.h"
int main(void)
{
    int n, maxx, maxy;
    int  NEGRO_NEGRO= 1, VERDE_NEGRO= 2,  ROJO_NEGRO= 3,  CIAN_NEGRO= 4,
         BLANCO_NEGRO= 5, MAGENTA_NEGRO= 6, AZUL_NEGRO= 7, AMARILLO_NEGRO= 8
    char *puntero_cadena;
    app_init();
    /* Determinar si el terminal admite colores */
    if(!has_colors()) {
    printw("Este terminal no admite color\n");
    refresh();
    sleep(3);
    exit(EXIT_FAILURE);
    }
    /* Iniciar el subsistema de color de las ncurses */
    if(start_color() == ERR)
    salir_si_error("start_color");          /* err_quit, en la version presente en
Internet */
    /* Efectuar algunas asignaciones simples de pares de color */
    init_pair(NEGRO_NEGRO, COLOR_BLACK, COLOR_BLACK);
    init_pair(VERDE_NEGRO, COLOR_GREEN, COLOR_BLACK);
```

```
    init_pair(ROJO_NEGRO, COLOR_RED, COLOR_BLACK);
    init_pair(CIAN_NEGRO, COLOR_CYAN, COLOR_BLACK);
    init_pair(BLANCO_NEGRO, COLOR_WHITE, COLOR_BLACK);
    init_pair(MAGENTA_NEGRO, COLOR_MAGENTA, COLOR_BLACK);
    init_pair(AZUL_NEGRO, COLOR_BLUE, COLOR_BLACK);
    init_pair(AMARILLO_NEGRO, COLOR_YELLOW, COLOR_BLACK);

    getmaxyx(stdscr, maxy, maxx);
    if((puntero_cadena = malloc(sizeof(char) * maxx)) == NULL)
    salir_si_error("malloc");      /* err_quit, en la version presente en Internet
*/

    for(n = 1; n <= 8; n++) {      /* Estos son los codigos de los colores en la
lista de la pag. 250 */
    memset(puntero_cadena, ACS_BLOCK, maxx);        /* Ver Tabla de ACS en Cap. 11,
pag. 232 */
    attron(COLOR_PAIR(n));     /* COLOR_PAIR es un macro que es parte de las ncurses,
        que admite valores entre 1 y 8, ambos inclusive */
    printw("%s", puntero_cadena);
    refresh();
    }
    sleep(3);

    app_exit();
    exit(EXIT_SUCCESS);
}
```

El primer bloque condicional de este programa comprueba que el terminal admita color a fin de decidir si continuar o no; si el terminal no admite la aplicación de colores el programa termina. Luego de inicializar los pares de colores, efectúa algunas asignaciones simples de color utilizando `init_pair`. Después, el programa dibuja líneas en el terminal, compuestas por el carácter # (ACS_BLOCK), utilizando `memset` y `attron` para establecer los atributos correspondientes de exhibición para la ventana corriente, en este caso `stdscr`. `attroff` cancela el modo en vigencia antes de pasar al siguiente par de colores.

Como de costumbre, las ncurses proveen un extenso conjunto de funciones de manipulación de los atributos de la exhibición en ventanas. Los mismos están totalmente documentados en la página del manual correspondiente a `curs_attr`. Las páginas del manual que corresponden a `curs_color` comentan con sumo detalle la interfaz de manipulación del color que ofrecen las ncurses.

La salida de este programa se muestra en la figura 12-1. Lamentablemente, los colores aparecen en dicha figura sólo como tonalidades de gris.

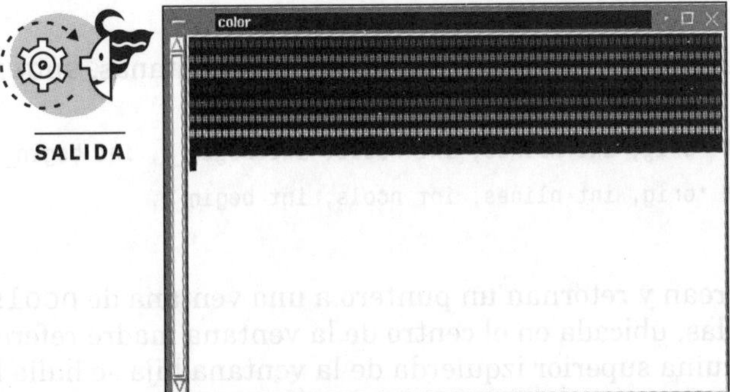

***Figure 12.1.** ncurses usa color en una terminal de colores apta.*

Administración de ventanas

Una de las principales ventajas de las ncurses, además de la total independencia que permiten obtener de los terminales donde se correrá el programa, es su capacidad de crear y administrar múltiples ventanas además de la `stdscr` provista por las ncurses. Estas ventanas definidas por el programador vienen en dos variedades: sub-ventanas y ventanas independientes. Todas las rutinas de manipulación de ventanas que se comentan en esta sección están documentadas en la página del manual `curs_window`.

CONSEJO

Excepto donde se lo haga notar específicamente, las ncurses manejan los códigos de retorno de manera muy coherente: las funciones que retornan un valor entero retornan `OK` si tienen éxito o `ERR` si fracasan; las que retornan punteros retornan `NULL` en caso de que se produzca un error.

Las sub-ventanas se crean por medio de la función `subwin`. Se denominan así porque constituyen ventanas basadas en una ventana existente. A nivel del lenguaje C, las sub-ventanas son punteros a otros punteros que señalan a un subconjunto de una estructura de datos de patrón `WINDOW` ya existente. Este subconjunto puede incluir toda la ventana o sólo parte de ella. Las sub-ventanas, también denominadas ventanas hijas o derivadas, pueden ser administradas prescindiendo de sus ventanas madre, pero los cambios hechos en las ventanas hijas quedan reflejados en las ventanas principales.

Las nuevas ventanas autónomas o independientes se crean mediante la función `newwin`. Esta función retorna un puntero a una nueva estructura de patrón `WINDOW` que no tiene ninguna relación con las demás ventanas. Los cambios efectuados en una ventana independiente no aparecen en pantalla a menos que se lo requiera explícitamente. La función `newwin` añade al repertorio de programación potentes prestaciones de manipulación de pantalla pero, como resulta frecuentemente el caso con el poder añadido, el mismo trae aparejada una mayor complejidad. Se requiere que uno mantenga un seguimiento detallado de la ventana y que solicite explícitamente su exhibición en la pantalla, en tanto que la actualización de las sub-ventanas es automática.

Sub-ventanas

Las ncurses cuentan con dos funciones para crear sub-ventanas, subwin y derwin:

```
WINDOW *subwin(WINDOW *brig, int nlines, int noels, int begin_y, int begin_x);
WINDOW *derwin(WINDOW *orig, int nlines, int ncols, int begin_y,
int begin_x);
```

subwin y derwin crean y retornan un puntero a una ventana de ncols columnas y nlines filas, ubicada en el centro de la ventana madre referenciada por orig. La esquina superior izquierda de la ventana hija se halla localizada en las coordenadas begin_y, begin_x relativas a la pantalla, no a la ventana madre. derwin se comporta igual que subwin, excepto que la ventana hija se ubica en las coordenadas begin_y, begin_x relativas a la ventana madre referenciada por orig, no a la pantalla.

Ejemplo

El programa siguiente crea una ventana hija, escribe cierta cantidad de texto en la misma y luego la desplaza por la ventana madre, ilustrando así cómo las sub-ventanas pueden ser administradas con prescindencia de sus ventanas madre.

```
/* Nombre del programa en Internet: subwin.c */
/*
 * sub_ventana.c - Rutinas utilitarias de las ncurses para gestion de
sub-ventanas */
 */
#include <stdlib.h>
#include <curses.h>
#include <errno.h>
#include <unistd.h>
#include "utilfcns.h"

int main(void)
{
    WINDOW *ventana_hija;
    int ymax, xmax, n = 0;

    app_init();

    wbkgd(stdscr, 'X');
    wrefresh(stdscr);
    if((ventana_hija = subwin(stdscr, 10, 10, 0, 0)) == NULL)
        salir_si_error("subwin");       /* err_quit, en la version presente en
Internet */
    wbkgd(ventana_hija, ' ');
    wprintw(ventana_hija, "\nSUB-VENTANA\n");
```

```
        wrefresh(ventana_hija);
        sleep(1);

        getmaxyx(stdscr, ymax, xmax);
        while(n < xmax - 10) {
            mvwin(ventana_hija, ((ymax - 10) / 2), n);
            refresh();
            sleep(1);
        n += 7;
        }

        delwin(ventana_hija);
        app_exit();
        exit(EXIT_FAILURE);
}
```

Primero, la ventana madre se llena de X mayúsculas, y luego se crea una sub-ventana en blanco de 10 filas por 10 columnas. Después de imprimir en ella la palabra SUB-VENTANA, la última parte del programa mueve la sub-ventana dentro de su ventana madre. Obsérvese que como el contenido de la sub-ventana nunca cambia, sólo resulta necesario refrescar la ventana madre. Debido a la naturaleza dinámica de la salida de este programa, en la figura 12-2 sólo se muestra parte de la misma.

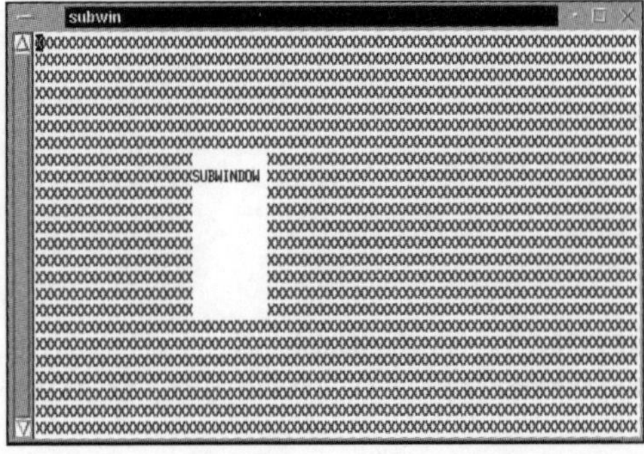

Figura 12.2. *Desplazamiento de una sub-ventana dentro de su ventana madre.*

Ventanas nuevas

Tal como se comentó anteriormente, `newwin` crea una ventana que no guarda relación con las demás ventanas presentes y debe ser administrada de manera independiente.

```
WINDOW *newwin(int nlines, in ncols, int begin_y, int begin_x);
```

newwin crea y retorna un puntero hacia una nueva ventana de ncols columnas y nlines filas. La esquina superior izquierda de la nueva ventana se encuentra ubicada en las coordenadas begin_y, begin_x. Si uno quiere efectuar un duplicado de una ventana existente deberá utilizar la función dupwin, cuyo prototipo es el siguiente:

```
WINDOW *dupwin(WINDOW *win);
```

dupwin retorna un puntero hacia un duplicado exacto de la ventana a la que apunta win.

Ejemplo

Este programa se comporta de manera similar al del ejemplo anterior, excepto que utiliza newwin en lugar de subwin para crear la ventana.

```
/* Nombre del programa en Internet: newwin.c */
/*
 * newwin.c - Rutinas utilitarias de las ncurses para gestion de ventanas
 */
#include <stdlib.h>
#include <curses.h>
#include <errno.h>
#include <unistd.h>
#include "utilfcns.h"

int main(void)
{
    WINDOW *puntero_ventana;
    int ymax, xmax;

    app_init();

    if((win = newwin(15, 30, 1, 1)) == NULL)
         salir_si_error("newwin");        /* err_quit, en la version presente en
Internet */
    mvwprintw(puntero_ventana, 1,1, "NUEVA VENTANA");
    box(puntero_ventana, ACS_VLINE, ACS_HLINE);   /* Ver Tabla de ACS en Cap. 11
*/
    wrefresh(puntero_ventana);
    sleep(1);

    mvwin(puntero_ventana, 5, 10);
    werase(stdscr);
    refresh();
    wrefresh(win);
    sleep(2);
```

```
        getmaxyx(stdscr, ymax, xmax);
        mvwin(win, ymax - 16, xmax - 31);
        werase(stdscr);
        refresh();
        wrefresh(puntero_ventana);
        sleep(2);

        delwin(puntero_ventana);
        app_exit();
        exit(EXIT_FAILURE);
}
```

La diferencia principal entre este programa y el anterior es que éste crea nuevas ventanas independientes en lugar de derivar sub-ventanas. Como resultado, el programa debe tener cuidado de asegurarse de que cada ventana, `stdscr` y `win`, sea refrescada y que lo sea en el orden debido. El programa es por lo tanto un poco más extenso en cuanto a código pero al mismo tiempo le brinda al lector algo más de flexibilidad porque se puede preparar una ventana y luego hacerla aflorar en el lugar debido con una única llamada a `wrefresh`. La pantalla cambia varias veces durante la ejecución, por lo que la figura 12-3 representa un solo estado de la misma durante la ejecución.

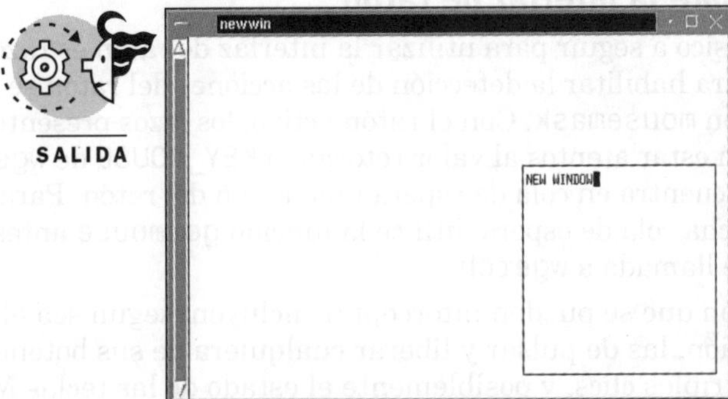

Figura 12.3. *Moviendo una ventana dentro de otra.*

Empleo del ratón

La capacidad de responder al ratón constituye estrictamente una extensión de las ncurses a la API estándar para curses. Habida cuenta de esta acotación, esta parte mostrará cómo interceptar y utilizar las acciones que lleva a cabo el ratón en los programas que emplean ncurses.

CONSEJO

Como la interfaz con los ratones no se verifica en otro ámbito que no sea el de las ncurses, el lector se debe asegurar de rodear todo código relacionado con el ratón con una expresión #ifdef/#else/#endif, de modo que el programa no sea compilado en un sistema que no utilice ncurses. De hecho, el mejor diseño es el que aísle las secciones del código fuente relacionadas con el ratón en tan pocos módulos de compilación condicional como resulte posible (preferiblemente sólo uno). Por ejemplo, para compilar de manera condicional código para el ratón, utilice una construcción que se asemeje a la siguiente:

```
#ifdef NCURSES_MOUSE_VERSION
/*
 * Si se dan las condiciones para aceptar el raton
 * el codigo que involucra al raton iria aqui
 */
#else
/*
 * Si el raton no pudiese ser aceptado
 * Colocar aqui algun metodo alternativo
 */
#endif
```

Si el sistema admite el uso del ratón, la #ifdef evaluará a 1 (verdadero) y se ejecutará la sección de código que viene después de #ifdef. En caso contrario lo que se ejecutará será el bloque de código que viene después de #else.

Generalidades sobre la interfaz de ratón

El procedimiento básico a seguir para utilizar la interfaz de ratón es razonablemente simple. Para habilitar la detección de las acciones del ratón se deberá llamar a la función mousemask. Con el ratón activo, los lazos presentes en el programa deberán estar atentos al valor retornado KEY_MOUSE de wgetch, que indica que se encuentra en cola de espera una acción del ratón. Para extraer la acción de dicha cola de espera, utilice la función getmouse antes de efectuar la siguiente llamada a wgetch.

Las acciones de ratón que se pueden interceptar incluyen, según sea el entorno de programación, las de pulsar y liberar cualquiera de sus botones, los clics, dobles clics y triples clics, y posiblemente el estado de las teclas Mayús, Alt y Ctrl. Para ingresar acciones del ratón, se debe estar ejecutando ya sea gpm(1), el servidor para ratón de Alessandro Rubini para la consola Linux, o xterm y programas similares, tales como rxvt, que informa de las acciones del ratón a través del servidor X.

PRECAUCIÓN

Lamentablemente, la mayoría de las versiones de gpm, el controlador de consola para ratón que hace funcionar el controlador de ratón de las ncurses, están linkeadas con la biblioteca de curses BSD (libcurses.[a.so]). Como resultado de ello, el código diseñado para administrar el ratón no funciona adecuadamente fuera del cuadro. Para lograr que funcione correctamente, se debe descargar y recompilar el código fuente de las ncurses que viene con la correspondiente distribución y luego reconstruir el daemon y la biblioteca (libgpm) del gpm, linkeándola con las ncurses así reconstruidas.

DETECCIÓN DE ACCIONES DEL RATÓN

La tabla 12.1 lista las acciones más comunes de ratón que pueden ser interceptadas. La lista completa se encuentra disponible en la página del manual `curs_mouse(3)`.

Tabla 12.1. *Informe de las ncurses sobre acciones del ratón.*

Nombre descriptivo	Acción que es informada
BUTTON1_PRESSED	Botón #1del ratón oprimido
BUTTON1_RELEASED	Botón #1del ratón liberado
BUTTON1_CLICKED	Botón #1del ratón efectuó clic
BUTTON1_DOUBLE_CLICKED	Botón #1del ratón efectuó doble clic
BUTTON1_TRIPLE_CLICKED	Botón #1del ratón efectuó triple clic
BUTTON2_PRESSED	Botón #2del ratón oprimido
BUTTON2_RELEASED	Botón #2del ratón liberado
BUTTON2_CLICKED	Botón #2del ratón efectuó clic
BUTTON2_DOUBLE_CLICKED	Botón #2del ratón efectuó doble clic
BUTTON2_TRIPLE_CLICKED	Botón #2del ratón efectuó triple clic
BUTTON3_PRESSED	Botón #3del ratón oprimido
BUTTON3_RELEASED	Botón #3del ratón liberado
BUTTON3_CLICKED	Botón #3del ratón efectuó clic
BUTTON3_DOUBLE_CLICKED	Botón #3del ratón efectuó doble clic
BUTTON3_TRIPLE_CLICKED	Botón #3del ratón efectuó triple clic
BUTTON_SHIFT	Durante el cambio de estado del botón estaba oprimida la tecla Mayús
BUTTON_CTRL	Durante el cambio de estado del botón estaba oprimida la tecla Ctrl
BUTTON_ALT	Durante el cambio de estado del botón estaba oprimida la tecla Alt
ALL_MOUSE_EVENTS	Todos los cambios de estado de los botones
REPORT_MOUSE_POSITION	Todos los desplazamientos del ratón

El botón de ratón #1 es el botón de la izquierda; el botón #2 es el botón del medio en un ratón de tres botones o el botón de la derecha en un ratón de dos botones; el botón de ratón #3 es el botón de la derecha en ambos tipos de ratón.

EJEMPLO

Ejemplo

Este programa demuestra el procedimiento básico de intercepción e interpretación de acciones de ratón en un programa ncurses.

```
/* Nombre del programa en Internet: usemouse.c */
/*
 * ncurse_raton1.c - Programa sencillo de intercepcion de acciones de mouse
mediante ncurses
*/
```

```
#include <curses.h>
#include <stdlib.h>
#include <errno.h>
#include <ctype.h>
#include "utilfcns.h"

int main(void)
{
    mmask_t mascara;
    MEVENT accion_raton;
    int codigo_ascii;

    app_init();
    cbreak();    /* Activa modo cbreak */
    /* Establecer stdscr */
    keypad(stdscr, TRUE);        /* Permite interpretar pulsaciones de teclas y
botones de raton */

    /* Establecer la mascara de acciones para registrarlas todas */
    mascara = mousemask(ALL_MOUSE_EVENTS, NULL);

    /* Decodificar acciones hasta que el usuario oprima 's' o 'S' */
    while((toupper(codigo_ascii = getch())) != 'S') {    /* Salir */
        if(codigo_ascii == KEY_MOUSE) {
            getmouse(&accion_raton);
            switch(accion_raton.bstate) {
            case BUTTON1_CLICKED :
                printw("Clic con boton #1\n");
                break;
            case BUTTON2_CLICKED :
                printw("Clic con boton #2\n");
                break;
            case BUTTON3_CLICKED :
                printw("Clic con boton #3\n");
                break;
            default :
                printw("Accion de raton no interceptada\n");
            }
            refresh();
        }
    }
    nocbreak();  /* Desactiva modo cbreak */
    app_exit();
```

```
    exit(EXIT_FAILURE);
}
```

El programa establece el modo `cbreak`, de modo que la mayoría de las pulsaciones de teclas pasarán por el controlador de terminal del kernel sin ser afectados. `keypad` interpreta las secuencias de escape generada por los clics y otras acciones del ratón, lo que evita que tenga que decodificarlas el propio programador y su código fuente se llene de montones de símbolos similares a `^[[M#1)`.

Después de configurar la máscara de acciones del ratón para que capture todas sus acciones, el programa ingresa a un lazo y aguarda alguna acción del ratón para interceptarla. La mera acción de oprimir uno de los tres botones del ratón genera el mensaje correspondiente; si la acción es otra, el programa imprime un mensaje de `Accion de raton no interceptada`. Tipeando "s" o "S" se desactiva el modo `cbreak` y se sale del programa.

La figura 12-4 muestra la salida obtenida luego de oprimir cada botón del ratón en orden de izquierda a derecha, y luego haciendo doble clic con los botones derecho e izquierdo.

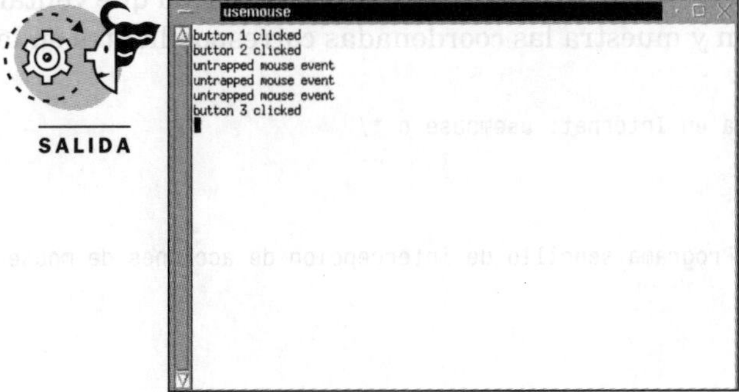

Figura 12.4. *Intercepción de acciones de ratón con la interfaz para ratón de ncurses.*

DETECCIÓN DE LA UBICACIÓN DEL RATÓN

Además de poder interpretar acciones individuales del ratón tales como clics y dobles clics, la API de ncurses para ratón también le permite a uno determinar sobre en cuál de las ventanas está ubicado el ratón y las coordenadas corrientes de su cursor.

La función `wenclose` le permite al lector determinar en qué ventana tuvo lugar la acción realizada por el ratón. Su prototipo es:

```
bool wenclose(WINDOW *win, int y, int x);
```

`wenclose` retorna `VERDADERO` si las coordenadas relativas a la pantalla `x` e `y` se encuentran en la ventana especificada por `win`, y `FALSO` en caso contrario.

Para determinar las coordenadas en donde se ha llevado a cabo una acción del ratón, examine los miembros x, y y z de la estructura de patrón MEVENT. La estructura completa está definida como sigue:

```
typedef struct {
    short id;  /* ID distinguishing multiple mice */
    int x, y, z; /* event coordinates */
    mmask_t bstate;       /* button state bits */
} MEVENT;
```

De acuerdo con la documentación de las ncurses (específicamente, man curs_mouse) el miembro z se encuentra presente para ser utilizado con las pantallas sensibles al tacto, los ratones 3D, las *trackballs* y los guantes para empleo en aplicaciones de realidad virtual. Por lo tanto no se recomienda utilizarla en programas que operan sólo con ratones convencionales.

EJEMPLO

Ejemplo

Este ejemplo crea dos ventanas sensibles a la presencia de un ratón. Cuando uno hace clic en una de las ventanas, el programa exhibe en qué ventana tuvo lugar dicha acción y muestra las coordenadas correspondientes en la ventana adecuada.

```
/* Nombre del programa en Internet: usemouse.c */
/*
/*
 * ncurse_raton2.c - Programa sencillo de intercepcion de acciones de mouse me-
diante ncurses
 */
#include <curses.h>
#include <stdlib.h>
#include <errno.h>
#include <unistd.h>
#include <ctype.h>
#include "utilfcns.h"

int main(void)
{
    mmask_t mascara;
    MEVENT accion_raton;
    WINDOW *puntero_ventana;
    int caracter_ascii;

    app_init();
    cbreak();   /* Activa modo cbreak */
```

```
    /* Establecer stdscr */

    keypad(stdscr, TRUE);           /* Permite interpretar pulsaciones de teclas y
botones de raton */

    mvprintw(2, 1, "*** VENTANA 1 ***\n\n");

    box(stdscr, ACS_VLINE, ACS_HLINE);

    refresh();


    /* Establecer la nueva ventana */
    if((puntero_ventana = newwin(10, 40, 10, 10)) == NULL) {

        salir_si_error("newwin");       /* err_quit, en la version presente en
Internet */

        exit(EXIT_FAILURE);

    } else {

        keypad(puntero_ventana, TRUE);

        mvwprintw(puntero_ventana, 2, 1, "*** VENTANA 2 ***\n\n");

        box(puntero_ventana, ACS_VLINE, ACS_HLINE);

        wrefresh(puntero_ventana);

    }


    /* Establecer la mascara de acciones para registrarlas todas */
    mascara = mousemask(ALL_MOUSE_EVENTS, NULL);


    /* Decodificar acciones hasta que el usuario oprima 's' o 'S' */
    while((toupper(caracter_ascii = getch())) != 'S') {

        if(caracter_ascii == KEY_MOUSE) {
            getmouse(&accion_raton);
            if(wenclose(puntero_ventana, accion_raton.y, accion_raton.x)) {

                mvwprintw(puntero_ventana, 3, 1, "Accion detectada en
ventana 2\n");

                mvwprintw(puntero_ventana, 4, 1,
                "en las coordenadas (%d,%d)\n", accion_raton.y, accion_raton.x);

            }

            else if(wenclose(stdscr, accion_raton.y, accion_raton.x)) {

                mvprintw(3, 1, "Accion detectada en ventana 1\n");

                mvprintw(4, 1, "en las coordenadas (%d,%d)\n", accion_raton.y,
accion_raton.x);

            }
            box(stdscr, ACS_VLINE, ACS_HLINE);

            box(win, ACS_VLINE, ACS_HLINE);
```

```
                refresh();
                wrefresh(puntero_ventana);
                sleep(2);
            }
        }
        nocbreak();  /* Desactiva modo cbreak */
        app_exit();
        exit(EXIT_FAILURE);
}
```

La figura 12-5 muestra la salida generada por una breve corrida de este programa:

SALIDA

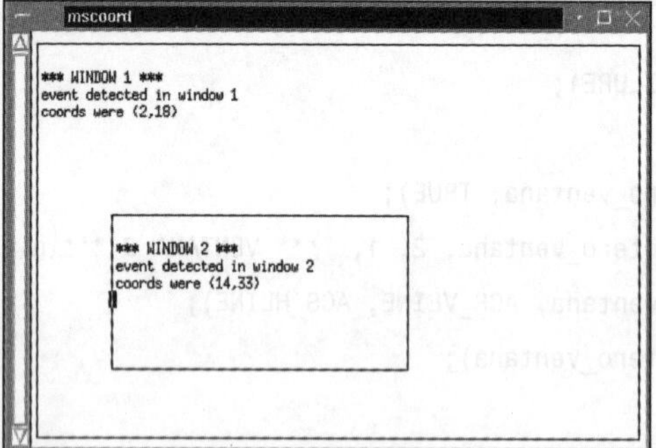

***Figura 12.5**. Ubicación de la ventana y sus coordenadas donde se encuentra el ratón.*

Como se puede ver del programa de demostración, para utilizar el ratón se requiere un poco más de acciones preliminares que lo habitual, pero el código de detección en sí es muy simple y a cambio se obtiene un programa que acepta ingreso de datos desde el ratón aun desde una ventana de consola. La estructura `accion_raton` es global al programa, y la diferenciación de los miembros de la estructura para obtener la acción del ratón es muy sencilla, tal como se aprecia en las dos llamadas a wenclose.

Nótese que el programa también utiliza las abreviaturas de función comentada anteriormente, `mvprintw` y `mvwprintw`, para reducir el número de líneas de código a ser tipeadas. Obsérvese que las coordenadas listadas en la segunda ventana son relativas a la pantalla original, denominada *VENTANA1* en el programa.

Utilización de menús

La biblioteca de menús de las ncurses provee prestaciones independientes de terminal para crear sistemas de menús en terminales de modo texto. Las mismas incluyen funciones para crear y modificar ítems de menú y para agrupar ítems en menús, exhibir los menús en la pantalla y administrar varias otras interacciones de usuario. Igual que con casi todas las rutinas de las ncurses, antes de que se puedan utilizar los fragmentos de código correspondientes a los menús se debe llamar primero a `initscr`. Para poder utilizar la biblioteca de menús se debe incluir en el código fuente el archivo de encabezado `<menu.h>` y linkear dicha biblioteca al programa utilizando para ello las opciones de linkeo `-lmenu` y `-lcurses`.

Los menús son presentaciones de pantalla que permiten a los usuarios optar por alguna acción o ítem entre un conjunto de acciones o ítems posibles. La biblioteca de menús de las ncurses opera creando conjuntos de ítems que son luego agrupados y añadidos a los elementos componentes de una ventana determinada, luego de lo cual son exhibidos en dicha ventana. Uno puede también quitar un menú de una ventana y así liberar los recursos utilizados por el mismo.

Desde la perspectiva de los lenguajes de alto nivel, el procedimiento para crear y utilizar menús se asemeja a lo siguiente:

1. Inicializar las ncurses.
2. Utilizar la función `new_item` para crear ítems de menú.
3. Utilizar la función `new_menu` para crear el menú en sí.
4. Utilizar la función `post_menu` para exhibir el menú en pantalla.
5. Refrescar la pantalla.
6. Procesar los datos ingresados por usuario en un lazo de comandos.
7. Utilizar `unpost_menu` para quitar el menú de la pantalla.
8. Utilizar `free_menu` para liberar los recursos asignados al menú en sí.
9. Utilizar `free_item` para liberar los recursos asignados a cada ítem.
10. Terminar las ncurses.

A continuación se listan las funciones y macros necesarios para crear menús. Las mismas se explican en detalle en los párrafos posteriores.

```
ITEM *new_item(const char *name, const char *description);
int free_item(ITEM *item);
MENU *new_menu(ITEM **items);
int free_menu(MENU *menu);
int set_menu_format(MENU *menu, int rows, int cols);
int post_menu(MENU *menu);
int unpost_menu(MENU *menu);
int menu_driver(MENU *menu, int c);
```

`new_item` asigna una nueva entrada de menú y la inicializa a partir de los parámetros `name` y `description` que le son transferidos. Retorna un puntero a un nuevo `ITEM` o `NULL` si se produce algún error.

`free_item` libera el espacio asignado en memoria, retorna `E_OK` si tiene éxito, `E_SYSTEM_ERROR` si tuvo lugar algún error de sistema (en cuyo caso se deberá evaluar `errno`), `E_BAD_ARGUMENT` si se detectó algún argumento que era inválido por alguna razón, o E_CONNECTED si item se encuentra aún conectado a un menú (es decir, no ha sido llamada free_menu para el menú con el cual se hallaba asociado ese ítem). La E inicial de todas estas funciones corresponde a la inicial de EXECUTION.

new_menu crea un menú nuevo que contiene el menú transferido en items. Obsérvese que items debe estar terminado en NULL (ver el programa de demostración que viene después). La función retorna un puntero hacia la estructura de menú recién creada o NULL si ocurre algún error.

free_menu, a la inversa, libera los recursos asignados al menú y lo disocia de items, que puede ser utilizado entonces en otro menú. Los valores retornados por free_menu son los mismos que los de free_item, excepto que E_CONNECTED es reemplazado por E_POSTED, lo que significa que se está tratando de liberar un menú que todavía no ha sido retirado de la pantalla.

Las funciones post_menu y unpost_menu exhiben y retiran el menú respectivamente, en la pantalla asociada. Cuando se exhibe un menú es necesario llamar a refresh o alguna función equivalente. Si tienen éxito, ambas funciones retornan E_OK. La tabla 12.2 lista algunas condiciones de error adicionales a las ya mencionadas para free_item y free_menu.

Tabla 12.2. *Errores retornados por las funciones post_menu y unpost_menu.*

Valor retornado	Descripción
E_BAD_STATE	La función fue llamada desde una rutina de inicialización o de terminación
E_NO_ROOM	El menú es demasiado grande para su ventana
E_NOT_POSTED	La función unpost_menu fue llamada desde una ventana donde ya se había quitado el menú
E_NOT_CONNECTED	No hay ítems conectados al menú

set_menu_format establece el máximo tamaño de exhibición del menú. El mismo no tendrá más que rows filas y cols columnas. Los valores predeterminados son 16 filas y 1 columna. Como de costumbre, la función retorna E_OK si tiene éxito o uno de los valores E_SYSTEM_ERROR, E_BAD_ARGUMENT o E_POSTED si ocurre algún error.

menu_driver, el verdadero núcleo de la biblioteca de menús de las ncurses, administra toda entrada al menú basándose en el valor de c. Es responsabilidad del programador canalizar todas las entradas asociadas con los menús a menu_driver. El parámetro c almacena la acción o requerimiento asociados con dicha entrada. Los requerimientos a menu_driver caen en una de las siguientes tres categorías:

- Requerimiento de navegación por el menú.
- Carácter especial KEY_MOUSE generado por una acción del ratón.
- Carácter ASCII imprimible.

Un requerimiento de navegación corresponde a las pulsaciones de las teclas de movimiento del cursor, tales como flecha arriba o flecha abajo. Los requerimientos de KEY_MOUSE son las acciones de ratón cubiertas en la parte "Empleo del ratón", tratada anteriormente en este mismo capítulo. Los caracteres ASCII imprimibles generan una búsqueda progresiva menú arriba y menú abajo para encontrar ítems de menú que se correspondan, de manera similar a lo que hace Microsoft Windows. La lista completa de requerimientos a `menu_driver` se encuentra documentada en la página `menu_driver` del manual. En el siguiente programa de demostración se suministran algunos ejemplos.

Ejemplo

Este programa crea un menú sencillo con una lista de cervezas. Muestra cómo navegar menú arriba y menú abajo.

```
/* Nombre del programa en Internet: usemenu.c */
/*
 * uso_menu.c - Utilizacion de los menus provistos por ncurses
 */
#include <curses.h>
#include <menu.h>
#include <stdlib.h>
#include <ctype.h>
#include "utilfcns.h"

int main(void)
{
    static const char *cervezas[] =
    {
        "Budweiser", "Miller", "Pabst", "Schlitz", "MGD", "Coors",
        "Shiner", "Pearl", "Lone Star", "Rainer", "Carlson", NULL
    };
    const char **puntero_cervezas;
    int codigo_ascii;
    ITEM *items[sizeof(cervezas)];
    ITEM **puntero_items = items;
    MENU *mi_menu;

    /* Inicializar ncurses */
    app_init();

    /* Interpretar pulsaciones de teclas para cursor/funcion */
    keypad(stdscr, TRUE);   /* Permite interpretar pulsaciones de teclas y
botones de raton */

    /* Crear items de menu */
    for(puntero_cervezas = cervezas; *puntero_cervezas; puntero_cervezas ++)
```

```
        *puntero_items ++ = new_item(*puntero_cervezas, "");
    *puntero_items = NULL;

    /* Crear el menu y establecer su formato */
    mi_menu = new_menu(items);
    set_menu_format(mi_menu, 5, 1);

    /* Ubicar el menu en la pantalla y refrescar esta ultima */
    post_menu(mi_menu);
    refresh();

    /* Recorrer un lazo hasta que el usuario pulse s o S */
    while(toupper(codigo_ascii = getch()) != 'S') {
        if(codigo_ascii == KEY_DOWN || codigo_ascii == KEY_NPAGE)
            menu_driver(mi_menu, REQ_DOWN_ITEM);
        else if(codigo_ascii == KEY_UP || KEY_PPAGE)
            menu_driver(mi_menu, REQ_UP_ITEM);
    }

    /* Retirar el menu */
    unpost_menu(mi_menu);

    /* Liberar recursos asignados a menu y a items de menu */
    free_menu(mi_menu);
    for(puntero_items = items; *puntero_items; puntero_items++)
        free_item(*puntero_items);

    /* Finalizar las ncurses */
    keypad(stdscr, FALSE);
    app_exit();
    exit(EXIT_FAILURE);
}
```

La salida generada por una corrida de demostración de este programa se muestra en la figura 12-6.

SALIDA

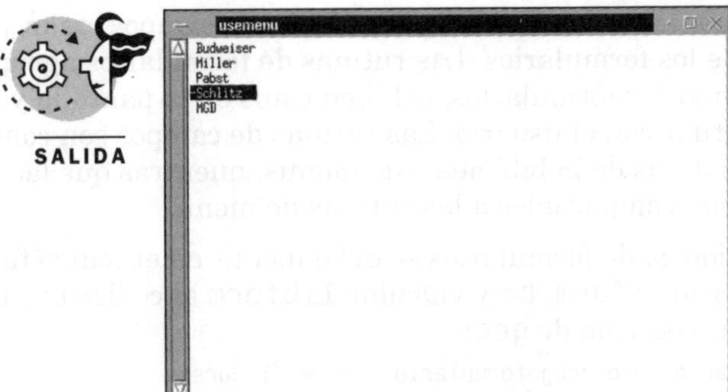

Figura 12.6. *Utilización de la biblioteca de menús de las ncurses.*

La primera cosa que realiza este programa es crear un arreglo estático de texto que se convertirá luego en el menú, lo mismo que otras variables que serán utilizadas. Utiliza la función `keypad` para interpretar las teclas alfanuméricas y las teclas de cursor. Luego, recorre el arreglo estático de texto, extrayendo cada una de las cadenas contenidas en el arreglo y añadiéndola a la variable señalada por `puntero_items`. Para crear el menú, uno debe transferir `items` a `new_menu`, la cual retorna un puntero a `mi_menu` que apunta a una estructura de menú adecuadamente inicializada. La llamada a `set_menu_format` de programa,

```
set_menu_format(mi_menu, 5, 1);
```

crea un menú que tiene cinco filas de largo y una columna de ancho, de modo que el programa pueda demostrar cómo desplazarse hacia arriba y hacia abajo por el menú. Luego que este último ha sido creado y formateado, `post_menu` asocia `mi_menu` con `stdscr` y se hace cargo de la administración de todas las tareas de refrescado y de actualización de pantalla. Finalmente, el primer refrescado de la pantalla hace visible el menú. En esa instancia, uno puede recorrer el menú hacia arriba y hacia abajo por medio de las teclas de cursor flecha arriba y flecha abajo y de las teclas Av Pág y Re Pág.

El núcleo de este programa de demostración lo constituye el lazo `while`. El mismo recibe entrada desde el teclado y la transfiere a la función `menu_driver`, que es la que administra todas las acciones que conciernen al menú. Si se presiona la tecla flecha abajo, por ejemplo, ésta genera una señal `KEY_DOWN` que menu_driver recibe como `REQ_DOWN_ITEM`, lo que le indica a `menu_driver` que resalte el siguiente ítem hacia abajo del menú.

`unpost_menu`, `free_menu` y el lazo `for` que libera cada uno de los ítems del menú retornan al kernel los recursos previamente asignados. Finalmente, el programa termina con las llamadas a las funciones `app_exit` y `exit`.

Utilización de formularios

La biblioteca de formularios permite, en los programas en modo texto que emplean ncurses, la creación de formularios que resulten independientes de los terminales donde son empleados. El diseño de esta biblioteca es análogo al de la biblioteca de menús: las rutinas para diseño de campos crean y modifican los campos de los formularios. Las rutinas de formularios agrupan los campos para formar los formularios, exhiben éstos en la pantalla y se hacen cargo de interactuar con el usuario. Las rutinas de campos son comparables a las rutinas de ítems de la biblioteca de menús, mientras que las rutinas de formularios son comparables a las rutinas de menú.

Para utilizar la biblioteca de formularios se debe incluir en el código fuente el archivo de encabezado `<form.h>` y vincular `libform` al código objeto, como lo muestra esta invocación de `gcc`:

```
$ gcc  -g prog_formulario.c -o prog_formulario -lform -lncurses
```

El procedimiento general para crear y utilizar formularios tiene el siguiente aspecto:

1. Inicializar las ncurses.
2. Utilizar la función `new_field` para crear los diversos campos.
3. Utilizar la función `new_form` para crear el formulario.
4. Utilizar la función `post_form` para ubicar el formulario en posición.
5. Refrescar la pantalla.
6. Procesar los datos ingresados por el usuario en un lazo de comandos.
7. Utilizar `unpost_form` para retirar el formulario.
8. Utilizar `free_form` para liberar los recursos asignados al formulario.
9. Utilizar `free_field` para liberar los recursos asignados a cada uno de los campos.
10. Finalizar las ncurses.

Obviamente, el diseño de la biblioteca de formularios sigue el patrón establecido por la biblioteca de menús. Lamentablemente, sin embargo, el lazo de comandos para `form_driver` debe ejecutar más tareas que el que fue empleado con la biblioteca de menús. La complicación adicional vale sin embargo la pena, en comparación con tener que escribir uno mismo su biblioteca de manejo de formularios.

Las rutinas listadas a continuación, y explicadas en los párrafos siguientes, resultan suficientes para que el lector pueda comenzar a realizar formularios simples pero funcionales:

```
FIELD *new_field(int height, int width, int toprow, int leftcol, int offscreen,
int nbuffers);

int free_field(FIELD *field);

int set_field_buffer(FIELD *field, int buf, const char *value);

int set_field_opts(FIELD *field, int opts);

int set_field_userptr(FIELD *field, void *userptr);

void *field_userptr(FIELD *field);

FORM *new_form(FIELD **fields);
```

```
int free_form(FORM *form);
int post_form(FORM *form);
int unpost_form(FORM *form);
int form_driver(FORM *form, int c);
```

`new_field` crea un nuevo campo de `height` filas y width columnas. Esta llamada ubica la esquina superior izquierda del campo en las coordenadas (y, x) especificadas por el par (`toprow`, `leftcol`). Si cualquiera de las filas del campo tuviera que permanecer oculta, se deberá transferir su número respectivo a `offscreen`. `nbuffers` representa el número de buffers adicionales a ser asociados con el respectivo campo. `new_field` retorna un puntero al nuevo campo o `NULL` si tiene lugar algún error.

`free_field` libera los recursos asociados con `field`. La función retorna `E_OK` si tiene éxito y `E_SYSTEM_ERROR` o `E_BAD_ARGUMENT` si se produce algún error. La `E` inicial de todas estas funciones corresponde a la inicial de `EXECUTION`.

`new_form` crea un nuevo formulario, asociando con el mismo los campos presentes en `fields` y retornando un puntero que señala la ubicación del nuevo formulario, o `NULL` si ocurre algún error.

`free_form` libera los recursos asignados a `new_form` y desvincula del mismo los respectivos campos. Si free_form tiene éxito, retorna `E_OK`. Si tiene lugar algún, retorna `E_SYSTEM_ERROR`, `E_BAD_ARGUMENT` o `E_POSTED`.

`post_form` exhibe el formulario en su ventana, después de una llamada a `refresh` o alguna función similar.

`unpost_form` retira el formulario de la ventana. Esta función retorna `E_OK` si tiene éxito. Si ocurre algún tipo de error, retornará uno de los siguientes valores: `E_SYSTEM_ERROR`, `E_BAD_ARGUMENT`, `E_BAD_STATE`, `E_NO_ROOM`, `E_NOT_POSTED` o `E_NOT_CONNECTED`.

`set_field_buffer` asigna el valor de la cadena al buffer indicado por buf que esté asociado con field. Estos buffers son creados por el argumento nbuffers transferido a `new_field_buffer0` es el que es manipulado por la biblioteca de menús. Todos los demás buffers deben ser administrados por el programador.

`set_field_opts` permite establecer diversas opciones. Todas las opciones válidas para `field` están activadas como opción predeterminada, de modo que opts contiene las opciones a desactivar. La tabla 12.3 lista las opciones que se pueden desactivar.

`set_field_userptr` asocia a `field` los datos de aplicaciones transferidos a userptr. Dado que `userptr` es un puntero vacío, puede señalar a cualquier tipo de puntero.

`field_userptr` permite recuperar los datos señalados por field de `set_field_userptr`, que retorna el puntero a `field`.

Tabla 12.3. *Opciones de Field que se pueden desactivar.*

Opción	**Descripción**
`O_VISIBLE`	El campo es exhibido.
`O_ACTIVE`	El campo será visitado durante el procesamiento. Un campo invisible no puede ser visitado.

continúa

Tabla 12.3. Continuación

Opción	Descripción
O_PUBLIC	El contenido del campo es exhibido durante la entrada de datos.
O_EDIT	El campo puede ser editado.
O_WRAP	Las palabras que no quepan en una línea pasan a la línea siguiente.
O_BLANK	El campo será borrado cuando se ingrese un carácter en su primera posición.
O_AUTOSKIP	Cuando un campo se llena, pasar automáticamente al siguiente.
O_NULLOK	Permitir campos en blanco.
O_STATIC	Los *buffers* para cada campo se fijan al tamaño original del mismo.
O_PASSOK	Valida la fecha sólo si ésta resulta modificada.

Ejemplo

La mayoría de estas llamadas se ilustran en el ejemplo siguiente:

```
/* Nombre del programa en Internet: useform.c */
/*
* uso_formularios.c - Demostracion sencilla de empleo de formularios
*/
#include <curses.h>
#include <form.h>
#include <stdlib.h>
#include <ctype.h>          /* Para isprint() */
#include "utilfcns.h"


int main(void)
{
    FORM *formulario;
    FIELD *campos[5];
    int codigo_ascii, i = 0;

    /* Iniciar las curses */
    app_init();
    cbreak();      /* Activa modo cbreak */
    keypad(stdscr, TRUE);        /* Permite interpretar pulsaciones de teclas y
botones de raton */

    /* Creacion de los campos del formulario */
    campos[0] = new_field(1, 12, 1, 1, 0, 0);
    set_field_buffer(campos[0], 0, "Primer nombre: ");
    set_field_opts(campos[0], field_opts(campos[0]) & ~O_ACTIVE);

    campos[1] = new_field(1, 20, 1, 14, 0, 0);
```

```
    set_field_userptr(fields[1], NULL);

    campos[2] = new_field(1, 12, 2, 1, 0, 0);
    set_field_buffer(campos[2], 0, "Apellido : ");
    set_field_opts(campos[0], field_opts(campos[2]) & ~O_ACTIVE);

    campos[3] = new_field(1, 20, 2, 14, 0, 0);
    set_field_userptr(campos[3], NULL);

    campos[4] = NULL;

    /* Crear el formulario y ubicarlo en pantalla */
    formulario = new_form(campos);
    post_form(campos);   /* Esta funcion deja el formulario listo para exhibir en
pantalla */
    refresh();   /* Esta funcion es la que verdaderamente ubica el formulario en
pantalla */

    /* Dar comienzo al lazo de comandos */
    form_driver(formulario, REQ_OVL_MODE);
    while(toupper(codigo_ascii = getch()) != KEY_F(10)) {
        if(codigo_ascii == KEY_UP || codigo_ascii == KEY_PPAGE)
            form_driver(formulario, REQ_PREV_FIELD);
        else if(codigo_ascii == '\n' || codigo_ascii == KEY_DOWN || codigo_ascii
== KEY_NPAGE)
            form_driver(formulario, REQ_NEXT_FIELD);
        else if(codigo_ascii == KEY_BACKSPACE)
            form_driver(formulario, REQ_DEL_PREV);
        else if(isprint(codigo_ascii))
            form_driver(formulario, codigo_ascii);
        else
            form_driver(formulario, E_UNKNOWN_COMMAND);
    }

    unpost_form(formulario);
    free_form(formulario);
    for(i = 0; i < 5; i++)
        free_field(campos[i]);
    keypad(stdscr, FALSE);
    nocbreak();
```

```
        app_exit();
        exit(EXIT_FAILURE);
    }
```

Antes de analizar lo que tiene lugar en el código fuente de este programa, observe la figura 12-7, que muestra a este programa en acción. Obtendrá así una mucho mejor apreciación de la manera en que éste trabaja, tal vez, si construye el programa. Utilice las teclas flecha abajo o Av Pág para avanzar al campo siguiente, las teclas flecha arriba o Re Pág para retroceder al campo anterior y F10 para salir. Para llenar los campos, simplemente tipee algo y luego oprima Intro.

SALIDA

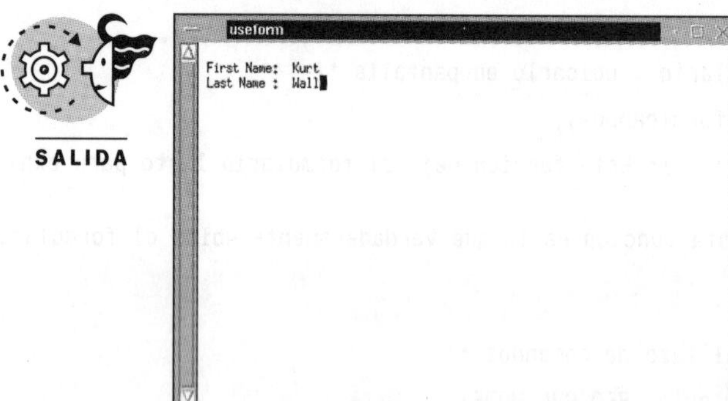

Figura 12.7. *Pantalla de ingreso de datos construida con ncurses de la respectiva biblioteca.*

La inicialización de las ncurses comprende establecer el modo `cbreak` para que el kernel permita pasar la mayoría de las pulsaciones de teclas hacia la aplicación sin previamente procesarlas. El fragmento de código fuente que viene luego crea cinco campos, o sea dos rótulos y tres campos para entrada de texto, y además un campo `NULL` para terminar el puntero de campos. El puntero `campos` constituye el argumento para `post_form`, que crea el formulario y lo exhibe en pantalla por medio de una llamada a `refresh`.

Antes de ingresar al lazo `while`, en el cual son procesadas las teclas pulsadas por el usuario, `form_driver` establece para los caracteres de entrada el modo sobrescribir. Hasta que el usuario pulse `F10`, la aplicación procesa todas las pulsaciones de teclas que recibe. La pulsación de las teclas flecha arriba o Re Pág (interpretadas como `KEY_UP` o `KEY_PPAGE`) es redirigida a un pedido de desplazamiento hacia el campo anterior (`REQ_PREV_FIELD`). Análogamente, la pulsación de las teclas de flecha abajo y Av Pág conduce a un pedido de avance hacia el campo siguiente (`REQ_NEXT_FIELD`). El programa también permite el empleo de la tecla de retroceso, redirigiendo su pulsación hacia `REQ_DEL_PREV`, que borra el carácter anterior a donde se encuentra el cursor. Cuando se pulsa `F10`, el programa prolija el directorio corriente de trabajo y termina.

Lo que viene

En este capítulo el lector completó su estudio de algunas de las prestaciones más avanzadas de las ncurses. El próximo capítulo, "La API de sonido: OSS/Free", continúa con el recorrido de las interfaces de programación que ofrece Linux.

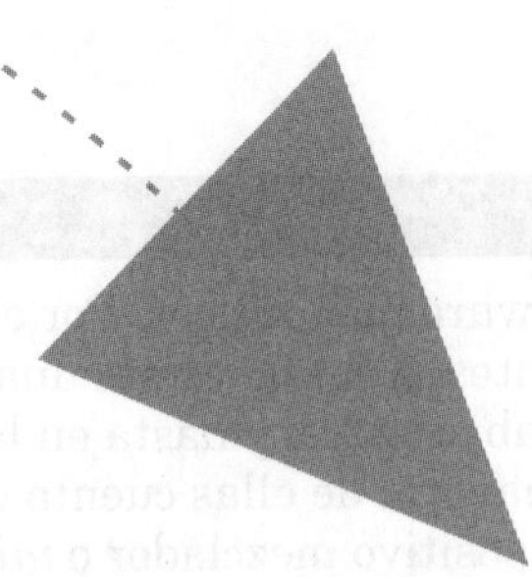

13

La API de sonido: OSS/Free

Hasta no hace tanto tiempo, las tarjetas de sonido y su correspondiente software se podían obtener sólo como dispositivos complementarios o accesorios (*add-ons*) que se instalaban después de la compra de una PC. Actualmente, hasta las denominadas "PCs para negocios" incluyen en su plaqueta principal (*motherboard*) algún tipo de hardware de sonido. Este capítulo enseña los fundamentos de la programación de una tarjeta de sonido. El mismo ofrece un breve panorama general de la tecnología de las tarjetas de sonido y luego comienza con el análisis de la API de sonido de Linux OSS/Free (*Open Source Sound/Free,* en español *Sonido de código fuente abierto/Gratis*):

Este capítulo cubre los siguientes temas:

- Descripción del hardware de sonido
- Pautas generales para programar el hardware de sonido
- Manipulación de dispositivos mezcladores
- Programación del hardware para MIDI
- Redacción de programas de reproducción de sonido
- Presentación de prestaciones avanzadas de sonido

Todos los programas de este capítulo pueden ser encontrados en el sitio Web `http://www.mcp.com/info` bajo el número de ISBN 0789722151.

Generalidades

Las tarjetas de sonido no son dispositivos de hardware monolíticos. Por el contrario, se hallan formados por varios componentes. Aunque existe una considerable variedad de diseños entre los distintos fabricantes, y hasta en las tarjetas producidas por un mismo fabricante, la mayoría de ellas cuenta con una interfaz MIDI, un digitalizador de voz, un dispositivo mezclador o *mixer* y un sintetizador. La comunicación de Linux con este tipo de dispositivos se obtiene por medio de archivos ubicados en el filesystem `/dev`, a saber: `/dev/mixer`, `/dev/dsp`, `/dev/audio`, `/dev/sequencer` y `/dev/midi`.

Hardware de sonido

La interfaz MIDI (*Musical Instrument Digital Interface*) es un puerto por donde se puede conectar a una computadora dispositivos externos, especialmente sintetizadores, pero también equipos de iluminación y otros accesorios de empleo en espectáculos.

El mezclador o *mixer* es un dispositivo de control que supervisa los niveles de volumen de la entrada y la salida y conmuta entre los dispositivos de entrada disponibles, tales como micrófonos y discos compactos.

Los digitalizadores de voz se emplean para grabar y reproducir voces digitalizadas. Generalmente se los denomina según los *codecs,* o algoritmos, utilizados para grabar y codificar una muestra.

Los dispositivos sintetizadores se utilizan para ejecutar música y generar una amplia variedad de sonidos y efectos de sonido. En general, los sintetizadores comprenden dos categorías. Uno de los grupos está basado en los chips Yamaha OPL2 y OPL3, que son los empleados en la mayoría de las tarjetas de sonido. El segundo grupo son los sintetizadores de tabla de ondas, que producen sonido a partir de muestras de instrumentos pregrabadas en chips presentes en la tarjeta. De los dos tipos, los sintetizadores de tabla de ondas producen sonidos mucho más ricos y completos.

Dispositivos de sonido

El filesystem de Linux `/dev` contiene archivos de dispositivo que se corresponden aproximadamente equipo por equipo con el hardware de sonido disponible. Todos los archivos de dispositivo finalizan en un número N, generalmente `0`, `1` o `2`, al cual es vinculado simbólicamente el nombre de dispositivo. Por ejemplo, en mi sistema, `/dev/mixer` es un vínculo simbólico a `/dev/mixer0`. El resto de este capítulo, excepto cuando sea necesario aludir a archivos específicos de dispositivo, hace referencia a vínculos simbólicos.

`/dev/mixer` es la interfaz al hardware del mixer, mientras que `/dev/dsp` y `/dev/audio` son las interfaces principales con los dispositivos digitales de voz. Las únicas diferencias entre los dos es que `/dev/audio` utiliza como opción predeterminada la codificación que responde a la Ley μ (μ es la letra griega *mu*), que representa muestras de 12 o 16 bits en 8 bits, mientras que `/dev/dsp` utiliza codificación lineal sin signo de 8 bits. El dispositivo utilizado para administrar la música electrónica y los sonidos emitidos por los juegos electrónicos es `/dev/sequencer`. Es la interfaz a los chips del sintetizador presente en la tarjeta de sonido y también puede ser utilizado para acceder dispositivos externos de MIDI y a la tabla de ondas. Finalmente, `/dev/midi` se utiliza para las salidas de MIDI de bajo nivel.

Pautas para programar sonido

Las siguientes pautas han sido extraídas de la guía de programación del OSS, escrita por Hannu Savolainen, autor original de la API de sonido de Linux. El documento completo puede ser encontrado en la Web en `http://www.4front-tech.com/pguide/intro.html`.

Primero y principal, la API de sonido está diseñada para permitir que las aplicaciones escritas con ella sean portables tanto entre sistemas operativos como entre hardware de sonido. A ese fin, la API se apoya en macros definidos en `<sys/soundcard.h>`. Aunque la implementación ha cambiado y continuará modificándose a medida que el controlador de sonido se vaya desarrollando, los macros siguen siendo coherentes. Además, no redacte en sus aplicaciones código que emplee los archivos numerados de dispositivo. En su lugar, utilice los vínculos simbólicos descritos en la parte anterior, "Dispositivos de sonido". Los usuarios pueden contar con varios dispositivos de sonido diferentes o tener otras razones para utilizar números de dispositivo diferentes, pero los vínculos simbólicos apuntarán siempre hacia los dispositivos que los mismos deseen emplear para un propósito determinado.

Evite sobrecargar su aplicación de prestaciones glamorosas pero de poca importancia para el propósito principal de la misma. Si va a escribir un reproductor de CDs, por ejemplo, éste no necesita contar con la capacidad adicional de grabar sonidos. En la misma tesitura, no dé por sentado que todo el mundo vaya a emplear la tarjeta de sonido más avanzada de todas. En cambio, escríbala para el mínimo común denominador, la tarjeta Sound Blaster, y luego agréguele código que detecte otras tarjetas de sonido específicas y utilice con ellas determinadas prestaciones avanzadas o especiales (ver el título "Programación avanzada de audio" para obtener información sobre cómo hacerlo).

Utilización de la API de sonido

Para utilizar la API de sonido se debe incluir en el código fuente el archivo de encabezado `<sys/soundcard.h>`. No se requiere de ninguna opción de linkeado especial pero, por supuesto, se deberá contar con una tarjeta de sonido que funcione bien. Antes de que comentemos la API de sonido en detalle, el lector deberá conocer la función `ioctl`, cuyo nombre proviene de *input/output control* (control de entrada/salida) y es utilizada para manipular un dispositivo de caracteres por medio de un descriptor de archivo. Su prototipo, declarado en `<ioctl.h>`, es el siguiente:

```
int ioctl(int fd, int request, ...);
```

`ioctl` controla el dispositivo abierto cuyo descriptor de archivo es `fd`, y ejecuta el comando contenido en request. Un tercer argumento, `char *argp` por convención, a menudo contiene un argumento especificador de tamaño. `ioctl` es una función de tipo general destinada a ser utilizada en operaciones que no encajen nítidamente en el modelo Linux de secuencia de caracteres de E/S. Un listado parcial de las acciones de `ioctl`, típicamente conocidas como *ioctls,* puede ser encontrado en la página del manual `ioctl_list(2)`, pero la misma se encuentra terriblemente desactualizada.

Las `ioctls` para el mezclador caen en tres categorías: control de volumen, fuente de ingreso de datos de sonido y funciones de interrogación. La capacidad de interrogar es especialmente importante. Algunas tarjetas de sonido no poseen un *mixer*, por ejemplo, o no cuentan con un control maestro de volumen. Generalmente se debería utilizar primero los macros de interrogación para determinar así las prestaciones de la tarjeta o la mera presencia de un dispositivo de sonido antes de comenzar a manipularlo.

Con respecto al mezclador de sonidos, la API de sonido agrupa sus prestaciones en un conjunto de canales, de manera que la primera cosa que se debe hacer es determinar cuántos canales se encuentran disponibles y qué son los mismos. La tabla 13.1 provee un listado parcial de los canales más comunes (la lista completa está contenida en `<sys/soundcard.h>`).

Tabla 13.1. *Canales comunes de los mezcladores de sonido.*

Canal	Descripción
SOUND_MIXER_VOLUME	Nivel maestro de salida
SOUND_MIXER_BASS	Nivel de graves de todos los canales de salida
SOUND_MIXER_TREBLE	Nivel de agudos de todos los canales de salida
SOUND_MIXER_SYNTH	Control de volumen de todas las entradas al sintetizador, tales como el chip de FM o la tabla de ondas
SOUND_MIXER_PCM	Nivel de salida de los dispositivos de audio /dev/audio y /dev/dsp
SOUND_MIXER_SPEAKER	Nivel de salida para el parlante de la PC, si está conectado directamente a la tarjeta de sonido
SOUND_MIXER_LINE	Nivel de volumen para el conector de entrada de línea
SOUND_MIXER_MIC	Nivel de volumen para la entrada de micrófono
SOUND_MIXER_CD	Nivel de volumen para la entrada de CD de audio
SOUND_MIXER_ALTPCM	Nivel de volumen para dispositivo alternativo de audio (tal como las plaquetas PAS16 de emulación de Sound Blaster)
SOUND_MIXER_RECLEV	Control de nivel de volumen maestro de grabación

`SOUND_MIXER_NRDEVICES` es un macro que informa sobre el máximo número de dispositivos reconocidos por el controlador de sonido en un momento dado.

`SOUND_MIXER_READ_DEVMASK` establece una máscara de bits que indica los canales disponibles.

`SOUND_MIXER_READ_RECMASK` establece una máscara de bits que indica el número de dispositivos de grabación disponibles.

`SOUND_MIXER_READ_STEREODEVS` establece una máscara de bits que indica qué canales pueden aceptar salida estereofónica. Esta información le brinda a uno la posibilidad de establecer el volumen de cada canal independientemente, proveyendo así cierto control del balance.

`SOUND_MIXER_READ_CAPS` establece una máscara de bits que describe las capacidades o prestaciones globales que brinda un *mixer*.

La porción de la API de sonido correspondiente al *mixer* también provee dos macros, SOUND_DEVICE_LABELS y SOUND_DEVICE_NAMES, que contienen cadenas imprimibles para proveer así salida legible por el usuario. La única diferencia entre ambos es que los rótulos presentes en SOUND_DEVICE_NAMES no cuentan con espacios en blanco o letras en mayúscula.

Para obtener y fijar el volumen del mixer, finalmente, se deben utilizar los macros SOUND_MIXER_READ(canal) y SOUND_MIXER_WRITE(canal). El siguiente fragmento de código, por ejemplo, fija el volumen corriente del dispositivo mezclador al cincuenta por ciento de su rango máximo:

```
int vol = 50;
if((ioctl(fd, SOUND_MIXER_WRITE(SOUND_MIXER_MIC), &vol)) < 0)
    /* La llamada fallo, asi que se deben adoptar las acciones pertinentes */
else
    /* La llamada tuvo exito, asi que aqui va el resto del codigo */
```

`vol` contiene el nivel de volumen (a menudo denominado ganancia) que va a ser establecido, y SOUND_MIXER_MIC es el canal sobre el cual se establecerá dicho volumen. El primer byte contiene el volumen para el canal izquierdo, y el segundo el volumen para el canal derecho. Después de la llamada a `ioctl` el parámetro `vol` contendrá un nuevo valor, que es ligeramente diferente al del volumen que se estableció en la llamada debido a las características propias del hardware.

Ejemplos

1. El programa siguiente, `estado_mezclador`, interroga al dispositivo mezclador para determinar sus canales disponibles y exhibe los valores corrientes de los mismos:

```
/* Nombre del programa en Internet: mixer_status */
/*
 * estado_mezclador.c - Programa de ejemplo que exhibe
 * los valores corrientes de los controles del mezclador.
 * Copyright (c) 1994-96 Jeff Tranter (jeff_tranter@mitel.com)
 * Sumamente modificado por Kurt Wall (kwall@xmission.com)
 */
#include <unistd.h>
#include <stdlib.h>
#include <stdio.h>
#include <sys/ioctl.h>
#include <fcntl.h>
#include <sys/soundcard.h>

void imprimir_estados(int condicion); /* Funcion p/ imprimir estados corrientes
de controles */

int main(void)
{
    int descriptor_archivo;         /* Descriptor de archivo para el dispositivo
mezclador */
```

```
int nivel;  /* Nivel del volumen */
char *dispositivo = "/dev/mixer";
const char *rotulos[] = SOUND_DEVICE_LABELS;  /* Nombres de los canales del
mezclador */
int i;
/* Mascaras de bits para ajuste de los dispositivos */
int fuente_grabacion, mascara_dispositivos, mascara_grabacion,
    dispositivo_estereo, capacidades;

    /* Abrir el dispositivo mezclador solo para lectura */
    if((descriptor_archivo = open(dispositivo, O_RDONLY)) < 0) {
    errors("open");
    exit(EXIT_FAILURE);
    }

    /* Obtener informacion sobre el mezclador */
    if((ioctl(descriptor_archivo, SOUND_MIXER_READ_RECSRC, &fuente_grabacion)) < 0)
        perror("SOUND_MIXER_READ_RECSRC");
    if((ioctl(descriptor_archivo, SOUND_MIXER_READ_DEVMASK, &mascara_dispositivos))
< 0)
        perror("SOUND_MIXER_READ_DEVMASK");
    if((ioctl(descriptor_archivo, SOUND_MIXER_READ_RECMASK, &mascara_grabacion))
< 0)
        perror("SOUND_MIXER_READ_RECMASK");
    if((ioctl(descriptor_archivo, SOUND_MIXER_READ_STEREODEVS, &dispositivo_estereo))
< 0)
        perror("SOUND_MIXER_READ_STEREODEVS");
    if((ioctl(descriptor_archivo, SOUND_MIXER_READ_CAPS, &capacidades)) < 0)
        perror("SOUND_MIXER_READ_CAPS");

    /* Imprimir informacion sobre el mezclador */
    printf("Estado de %s:\n\n", dispositivo);
    printf("Canal              Fuente          Fuente        Dispositivo
Nivel\n");
    printf("Mezclador     Grabacion     Activa       Estereo
Corriente\n");
    printf("------------------------------------------------------
-------------------\n");

    for (i = 0 ; i < SOUND_MIXER_NRDEVICES ; ++i) {    /* Recorrer todos los
dispositivos */
        if((1 << i) & mascara_dispositivos) {     /* Solo interesan los
dispositivos disponibles */
            printf("%2d %-8s", i, rotulos[i]);      /* Imprimir nombre y numero de
canal */
            prn_stat((1 << i) & mascara_grabacion);       /* ¿Se trata de una
fuente para grabacion? */
```

```
                prn_stat((1 << i) & fuente_grabacion);          /* ¿Se encuentra
activo? */

                prn_stat((1 << i) & dispositivo_estereo);       /* ¿Puede operar en
modo estereo? */

                if ((1 << i) & dispositivo_estereo) { /* Si el dispositivo es este-
reo, mostrar los niveles de los dos canales */

                    if((ioctl(descriptor_archivo, MIXER_READ(i), &nivel)) < 0)

                        perror("SOUND_MIXER_READ");

                    printf("  %3d%% %3d%%", nivel & 0xff, (nivel & 0xff00) >> 8);

                } else { /* Si es mono, mostrar solo un canal */

                    if((ioctl(descriptor_archivo, MIXER_READ(i), &nivel)) < 0)

                        perror("SOUND_MIXER_READ");

                    printf("    %3d%%", nivel & 0xff);

                }

            printf("\n");

            }

        }

        /* ¿Son excluyentes las fuentes para grabacion? */

        printf("\nAtencion: Las opciones de fuente para grabacion son ");

        if (!(capacidades & SOUND_CAP_EXCL_INPUT))

            printf("no ");

        printf("excluyentes.\n");


        /* Cerrar el dispositivo mezclador */

        close(descriptor de archivo);

        return 0;

    }


    void imprimir_estados(int condicion)

    {

        condicion ? printf("   SI    ") : printf("   NO    ");


    }
```

Las primeras cinco llamadas a `ioctl` establecen para las máscaras de bits sus correspondientes argumentos enteros (`fuente_grabacion`, `mascara_dispositivos`, `mascara_grabacion`, `dispositivo_estereo` y `capacidades`). Después de imprimir dos líneas de títulos para una tabla, estado_mezclador recorre los canales del mezclador que se encuentren disponibles. Si el mezclador cuenta con un canal determinado libre, se ejecuta el bloque condicional y se exhibe parte de la información disponible para ese canal.

Obsérvese en particular la manera en que son comprobadas las máscaras de bits:

```
(1 << channel) & bitmask;
```

La expresión entre paréntesis desplaza a la izquierda una posición, los bits del número de canal y luego efectúa una operación lógica bit a bit de Y entre el valor resultante y la máscara de bits. Si dicho canal existe, la correspondiente expresión lógica evalúa a `1`. Si el canal no se encuentra disponible, la expresión evalúa a `0`. De modo que, por ejemplo, si algún canal, digamos `SOUND_MIXER_VOLUME`, ofrece prestaciones estereofónicas, (`1 << SOUND_MIXER_VOLUME`) & dispositivo_estereo (tal como aparece en el programa) evaluará a `1`.

En mi sistema, que tiene un Sound Blaster genuino, `estado_mezclador` produjo la siguiente salida (la información que brindan todas las APIs es en inglés):

SALIDA

```
$ ./estado_mezclador
Estado de /dev/mixer:
Canal          Fuente         Fuente       Dispositivo     Nivel
Mezclador      Grabacion      Activa       Estereo         Corriente
----------------------------------------------------------------
----------------
 0 Vol         NO             NO           YES              90%     90%
 1 Bass        NO             NO           YES              75%     75%
 2 Trebl       NO             NO           YES              75%     75%
 3 Synth       YES            NO           YES              75%     75%
 4 Pcm         NO             NO           YES             100%    100%
 5 Spkr        NO             NO           NO                       75%
 6 Line        YES            NO           YES              75%     75%
 7 Mic         YES            YES          NO                        0%
 8 CD          YES            NO           YES              75%     75%
 9 Mix         NO             NO           NO                        0%
12 Igain       NO             NO           YES              75%     75%
13 Ogain       NO             NO           YES              75%     75%
Atencion: Las opciones de fuente para grabacion son no excluyentes.
```

Como se puede apreciar, el dispositivo mezclador carece de dos canales (`10` y `11`), tales como uno para un dispositivo alternativo de audio (`SOUND_MIXER_ALTPCM`).

2. El siguiente programa, `fijar_volumen`, le permite al usuario fijar el nivel de volumen de manera interactiva.

```
/Nombre del dispositivo en Internet: setvol.c
/*
 * fijar_volumen.c - Fijar el nivel de volumen del
 * dispositivo mezclador de forma interactiva
 * Copyright (c) 1994-96 Jeff Tranter (jeff_tranter@mitel.com)
 * Sumamente modificado por Kurt Wall (kwall@xmission.com)
 */
#include <unistd.h>
#include <stdlib.h>
#include <stdio.h>
#include <sys/ioctl.h>
#include <fcntl.h>
#include <sys/soundcard.h>

int main(int argc, char *argv[])
{
    int canal_izquierdo, canal_derecho, nivel;          /* Ajustes de volumen
*/
    int dispositivo;                                /* Que dispositivos configurar */
    int i;
    int descriptor_archivo;         /* Descriptor de archivo del dispositivo
mezclador */
    int mascara_dispositivos, dispositivo estereo;       /* Mascaras de bits para
ajuste de los
        dispositivos */
    char *dispositivo = "/dev/mixer";
    char buf[5];

    if((descriptor_archivo = open(dispositivo, O_RDWR)) < 0) {       /* Abrir el
mezclador para
        lectura y escritura */
        perror("open");
        exit(EXIT_FAILURE);
    }
    /* Obtener informacion sobre el mezclador */
    if((ioctl(descriptor_archivo, SOUND_MIXER_READ_DEVMASK, &,mascara_dispositivos))
< 0)
        perror("SOUND_MIXER_READ_DEVMASK");

    if((ioctl(descriptor_archivos, SOUND_MIXER_READ_STEREODEVS, &dispositivo_estereo))
< 0)
        perror("SOUND_MIXER_READ_STEREODEVS");
```

```
    /* Establecer el canal al que deseamos fijar el volumen */
    dispositivo = SOUND_MIXER_VOLUME;

    /* Especificar el nuevo nivel de volumen */
    do {
        fprintf(stdout, "Nuevo nivel de volumen [0-100]: ");
        fgets(buf, 5, stdin);
        canal_derecho = atoi(buf);
    } while(canal_derecho < 0 || canal_derecho > 100);
    /* Ajustar canales derecho e izquierdo al mismo nivel */
    canal_izquierdo = canal_derecho;

    /*
     * Codificar el volumen de ambos canales en un solo valor de 16 digitos.
     * El canal izquierdo sera almacenado en el byte menos significativo.
El canal
     * derecho sera almacenado en el byte superior, de modo que habra que
     * desplazarlo 8 bits hacia la izquierda.
     */
    nivel = (canal_derecho << 8) + canal_izquierdo;

    /* Fijar el nuevo nivel de volumen */
    if((ioctl(descriptor_archivo, MIXER_WRITE(dispositivo), &nivel)) < 0) {
        perror("MIXER_WRITE");
        exit(EXIT_FAILURE);
    }

    /* Decodificar el nivel retornado por el controlador de sonido */
    canal_izquierdo  = nivel && 0xff;
    canal_derecho = (nivel && 0xff00) >> 8;

    /* Exhibir el nivel corriente del volumen */
    printf("Nivel de volumen de %s establecido en %d%% / %d%%\n",
        dispositivo, canal_izquierdo, canal_derecho);

    /* Cerrar el dispositivo mezclador y salir */
```

```
    close(descriptor_archivo);
    return 0;
}
```

La salida de este programa es la siguiente:

```
$ ./fijar_volumen
Nuevo nivel de volumen [0-100]: 75
Nivel de volumen de /dev/mixer establecido en 75% / 75%
```

Después de declarar sus variables, `fijar_volumen` abre el mezclador acceso de lectura y escritura luego llama a `ioctl` con los macros SOUND_MIXE-R_READ_DEVMASK y SOUND_MIXER_READ_STEREODEVS como argumentos a fin de determinar las prestaciones del mezclador. El paso siguiente es obtener el nivel de volumen preferido por el usuario. Obsérvese que el lazo `do-while` continúa hasta que se ingrese un nivel de volumen válido (entre `0` y `100`).

La fijación del volumen es un poco más intrincada. Tal como se vio anteriormente, para codificar el volumen del canal derecho en el byte superior (o más significativo) de `nivel` se debe utilizar el operador de C de desplazamiento de bits hacia la izquierda. La expresión requerida es:

```
nivel = (canal_derecho << 8) + canal_izquierdo;
```

La expresión entre paréntesis desplaza el valor de `canal_derecho` ocho bits hacia la izquierda, ubicando todos sus bits en el byte superior, y luego le agrega el valor de `canal_izquierdo`, asignando el resultado a `nivel`. La API de sonido decodifica adecuadamente `nivel` de modo de obtener los niveles de volumen impuestos a los canales izquierdo y derecho.

Programación de audio

Este punto mostrará cómo llevar a cabo una programación sencilla de audio concentrándose en la reproducción de sonido y dejando de lado la grabación, principalmente debido a limitaciones de espacio (bueno, y también al pequeño y trivial detalle de que yo no dispongo de manera alguna de grabar sonidos en mi sistema). Las técnicas de grabación, sin embargo, son esencialmente las mismas. Donde la reproducción requiere una llamada a `write` que incluya el descriptor de archivo del dispositivo de audio, la grabación requerirá una llamada del mismo tipo a `read`.

NOTA

Para llevar a cabo lo más simple, grabar sonidos en tarjetas de sonido semi-duplex, todo lo que se requiere hacer es insertar un micrófono a la entrada de la misma rotulada MIC y comenzar a grabar. Las tarjetas de duplex pleno, o full-duplex, en cambio, son más completas a este respecto porque uno puede grabar y reproducir al mismo tiempo. De modo que, además de grabar utilizando un micrófono, una tarjeta full-duplex permite grabar por su canal o canales de entrada lo que se está ejecutando en ese momento por su canal o canales de salida, y aplicarle a la señal que se grabe todo tipo de transformaciones.

CONSEJO

Para obtener más información sobre la programación para multimedia, especialmente sonido, en Linux, ver *Linux Multimedia Guide*, de Jeff Tranter.

EN QUÉ CONSISTE LA PROGRAMACIÓN DE SONIDO

Antes de sumergirnos en la programación de reproductores de sonido, se necesitará adquirir alguna base técnica que permita comprender los conceptos y la terminología empleados.

Las computadoras representan el sonido como una secuencia de muestras de una señal de audio, tomadas a intervalos de tiempo precisamente controlados. Una *muestra* es el volumen de la señal de audio en el momento en que la misma fue comprobada. La forma más simple del audio digital es el audio sin *comprimir,* en la cual cada muestra es almacenada tan pronto como es recibida en una secuencia de uno o más bytes. El audio *comprimido,* a su vez, codifica N bits de una señal de audio en N-x bits de modo de ahorrar espacio en disco.

Existen varios tipos de formatos de muestras, siendo los más comunes los de 8 bits, 16 bits y Ley μ (un formato logarítmico). Este formato de la muestra, combinado con el número de canales –que puede ser 1 o 2 según que la señal sea monoaural o estereofónica– determina la *frecuencia de muestreo,* la cual a su vez determina la cantidad de bytes de almacenamiento que requiere para cada muestra. Las frecuencias típicas de muestreo van desde los 8 kHz, que produce un sonido de baja calidad, a 48 kHz.

Dado que el sonido es una propiedad física, existe algunas limitaciones con las que uno debe confrontarse. Como las computadoras son dispositivos digitales o discretos, en las que las transiciones de unos a ceros son abruptas, pero el sonido es en cambio un fenómeno analógico y por lo tanto de desarrollo continuo, las tarjetas de sonido cuentan con conversores de señales analógicas a digitales y viceversa (ADCs y DACs, respectivamente) para convertir entre ambas formas de señal. La eficiencia de la conversión afecta la calidad de la señal. Existen también otras propiedades físicas que pueden incidir negativamente sobre la calidad del sonido.

La limitación más básica es que la frecuencia más alta que puede ser grabada equivale a la mitad de la frecuencia de muestreo, o sea que, por ejemplo, a una frecuencia de muestreo de 16 kHz, la frecuencia más alta que se puede grabar no puede ser mayor de 8 kHz. Antes de que la señal pueda ser enviada a un DAC o un ADC deben por lo tanto eliminarse las frecuencias más altas que 8 kHz, o todo lo que se escuche será un fuerte ruido. Lamentablemente, para incrementar la calidad del sonido se debe también aumentar la frecuencia de muestreo, lo que trae aparejado que se eleve el intervalo de transmisión y disminuya a su vez la *duración* de la señal, o sea por cuánto tiempo la misma se ejecuta.

FIJACIÓN DE LOS PARÁMETROS DE LOS DISPOSITIVOS DE SONIDO

Para lograr producir sonidos, el flujo básico de procedimientos es el siguiente:

1. Seleccionar el dispositivo que se desea utilizar.
2. Abrir el mismo.
3. Establecer el formato de muestreo del dispositivo.
4. Establecer el número de canales (1 o 2, mono o estéreo).
5. Establecer la frecuencia de muestreo para reproducción.
6. Leer un bloque del archivo que se quiere ejecutar.

7. Escribir dicho bloque al dispositivo de reproducción abierto.
8. Repetir los pasos 4 y 5 hasta encontrarse con EOF (el final del archivo).
9. Cerrar el dispositivo.

Existen diversas restricciones a tener en cuenta cuando se reproducen sonidos. Primero, seleccionar el dispositivo adecuado. Para todos los datos de sonido excepto los de Sun Microsystems (muestras de formato Ley µ) se debe utilizar `/dev/dsp`; para ley µ, emplear `/dev/audio`. Cuando se abra el dispositivo de reproducción se tiene que utilizar `O_WRONLY` a menos que se deba, simultáneamente, emplear ese dispositivo tanto para lectura como para escritura de datos. Luego corresponde asegurarse de que los parámetros predeterminados del dispositivo sean los adecuados. De no ser así se los debe establecer en el orden siguiente: formato de la muestra, número de canales (mono o estéreo) y la frecuencia del muestreo. Este orden resulta menos importante para reproducción que para grabación, pero no obstante vale la pena atenerse al mismo.

Tanto para obtener como para establecer el formato de las muestras, utilice los comandos `SNDCTL_DSP_GETFMTS` y `SNDCTL_DSP_SETFMT` con uno de los macros listados en la tabla 13.2.

Tabla 13.2. *Macros para formato de muestras de audio.*

Macro	**Descripción**
AFMT_QUERY	Utilizado cuando se interroga el formato de audio corriente (SNDCTL_DSP_GETFMTS)
AFMT_MU_LAW	Codificación logarítmica Ley µ
AFMT_A_LAW	Codificación logarítmica Ley µ
AFMT_IMA_ADPCM	Codificación ADPCM estándar (incompatible con el formato utilizado por Creative Labs en su Sound Blaster de 16 bits)
AFMT_U8	Codificación estándar de 8 bits sin signo
AFMT_S16_LE	Formato de 16-bit con signo little endian (x86) sin signo
AFMT_S16_BE	Formato de 16-bit con signo big endian (M68k, PPC, Sparc) sin signo
AFMT_S8	Formato de 8 bits con signo
AFMT_U16_LE	Formato de 16 bits sin signo little endian
AFMT_U16_BE	Formato de 16 bits sin signo big endian
AFMT_MPEG	Formato de audio MPEG (MPEG2)

Para obtener los formatos de audio que puede aceptar corrientemente un dispositivo, se debe llamar a `ioctl` utilizando el comando `SNDCTL_DSP_GETFMTS` y un macro `AFMT_QUERY` como argumento. Esta llamada rellena `AFMT_QUERY` con una máscara de bits que representa todos los formatos de audio que normalmente admite ese dispositivo. Los demás macros de la tabla 13.2 son los valores a transferir como argumento a `SNDCTL_DSP_SETFMT`. Por ejemplo, consideremos el siguiente fragmento de código:

```
int formato;
ioctl(descriptor_archivo, SNDCTL_DSP_GETFMTS, &formato);
```

```
formato = AFMT_U16_LE;
ioctl(descriptor_archivo, SNDCTL_DSP_SETFMT, &formato);
if(formato != AFMT_U16_LE)
    printf("AFMT_U16_LE no admitido\n");
```

La primera `ioctl` rellena formato con una máscara de bits que se corresponde con todos los formatos de audio que admite corrientemente el dispositivo. La `ioctl` que viene luego trata de establecer el formato a AFMT_U16_LE. El valor que verdaderamente establece es retornado en formato, de modo que la sentencia condicional que le sigue confirma si en verdad la llamada tuvo éxito.

Para establecer el número de canales se procede a llamar a `ioctl` con el macro SNDCTL_DSP_STEREO:

```
int canales = 1;    /* estereo = 1, mono = 0 */
ioctl(descriptor_archivo, SNDCTL_DSP_STEREO, &canales;
```

De manera similar, para establecer la frecuencia de muestreo, utilice SNDCTL_DSP_SPEED:

```
int frecuencia = 11025;
ioctl(descriptor_archivo, SNDCTL_DSP_SPEED, &frecuencia);
```

Como siempre, se debe verificar el código de retorno de `ioctl` para asegurarse que la llamada a sistema tuvo éxito o proceder a procesar adecuadamente el error.

EJEMPLO

Ejemplo

El siguiente ejemplo es un programa largo y relativamente completo que ilustra el material provisto en esta sección respecto de la manera de programar la reproducción de audio:

```
/* Nombre del programa en Internet: lpeplay.c */
/*
 * config_audio.c - Reproduccion de audio
 */
#include <sys/ioctl.h>
#include <unistd.h>
#include <fcntl.h>
#include <sys/soundcard.h>
#include <stdlib.h>
#include <stdio.h>
#include <string.h>                /* Para strerror */
#include <errno.h>                 /* Para errno */
#define TAMAÑO_BUF 4096
int main(void)
{
```

```
    int descriptor_dispositivo, descriptor_muestra;                /*
Descriptores de archivo */
    int longitud;                          /* Valor retornado por read */
    int formato, frecuencia, estereo;      /* Argumentos para las ioctls */
    char *dispositivo = "/dev/dsp";
    unsigned char buffer_muestra[TAMAÑO_BUF];      /* Buffer para la muestra */

    /* Fijar algunos parametros */
    frecuencia = 8000;
    modo = 0;
    formato = AFMT_QUERY;

    /* Abrir /dev/dsp */
    if((descriptor_dispositivo = open(dispositivo, O_WRONLY)) < 0) {
        if(errno == EBUSY) {
            fprintf(stderr, "%s esta en uso\n", dispositivo);
        }
        fprintf(stderr, "%s: %s\n", dispositivo, strerror(errno));
        exit(EXIT_FAILURE);
    }

    /* ¿Que formatos son admitidos actualmente? */
    if((ioctl(descriptor_dispositivo, SNDCTL_DSP_GETFMTS, &formato)) < 0) {
        perror("SNDCTL_DSP_GETFMTS");
        exit(EXIT_FAILURE);
    }

    /* Listar los formatos actualmente disponibles. */
    /* Es cierto, luce mal, pero efectua la tarea deseada. */
    puts("Los formatos corrientes de muestra aceptador por /dev/dsp son:");
    if(formato & AFMT_MU_LAW)     puts(("\tAFMT_MU_LAW");
    if(formato & AFMT_A_LAW)      puts("\tAFMT_A_LAW");
    if(formato & AFMT_IMA_ADPCM) puts("\tAFMT_IMA_ADPCM");
    if(formato & AFMT_U8)         puts("\tAFMT_U8");
    if(formato & AFMT_S16_LE)     puts("\tAFMT_S16_LE");
    if(formato & AFMT_S16_BE)     puts("\tAFMT_S16_BE");
    if(formato & AFMT_S8)         puts("\tAFMT_S8");
```

```
        if(formato & AFMT_U16_LE)     puts("\tAFMT_U16_LE");
        if(formato & AFMT_U16_BE)     puts("\tAFMT_U16_BE");
        if(formato & AFMT_MPEG)       puts("\tAFMT_MPEG");

        /* Establecer el numero de canales, mono o estereo */
        if((ioctl(descriptor_dispositivo, SNDCTL_DSP_STEREO, &modo)) < 0) {
            perror("SNDCTL_DSP_STEREO");

            exit(EXIT_FAILURE);
        }
        printf("\tModo establecido: %s\n", modo ? "ESTEREO" : "MONO");
        /* Establecer la frecuencia de muestreo */
        if((ioctl(descriptor_dispositivo, SNDCTL_DSP_SPEED, &frecuencia)) < 0) {
            perror("SNDCTL_DSP_SPEED");
            exit(EXIT_FAILURE);
        }
        printf("\tFrecuencia de muestreo: %d Hz\n", frecuencia);

        /* Ahora reproducir un archivo de prueba */
        if((descriptor_muestra = open("8000.wav", O_RDONLY)) < 0) {
            perror("open 8000.wav");
            exit(EXIT_FAILURE);
        }

        /* Leer un bloque, luego escribirlo */
        while((longitud = read(descriptor_muestra, buffer_muestra, TAMAÑO_BUF)) > 0)
            write(descriptor_dispositivo, buffer_muestra, longitud);

        /* Cerrar los archivos abiertos y salir */
        close(descriptor_dispositivo);
        close(descriptor_muestra);
        exit(EXIT_SUCCESS);
}
```

Aunque parece relativamente complicado, `config_audio` es bastante sencillo. `TAMAÑO_BUF` simplemente establece el tamaño que tendrá el *buffer* donde se almacenarán los bloques que serán leídos, que por lo tanto será también el de los bloques escritos. Después de las habituales declaraciones de variables, `config_audio` abre el archivo de dispositivo `/dev/dsp` y comienza a comprobar y a fijar sus características. La primera `ioctl` del programa establece en `formato` una máscara de bits que contiene los formatos de audio que admite corrientemente el dispositivo. Se podría elegir cualquier formato retornado, pero uno de los formatos disponibles,

AFMT_S16_SE, será suficiente. El bloque largo de código simplemente exhibe en stdout los formatos que admite corrientemente /dev/dsp.

De la manera en que está escrito, config_audio reproduce una muestra monoaural de formato 8 bits. En consecuencia, el programa fija el número de canales en 1 (aunque, algo perversamente, se estableció la salida monoaural transfiriendo un valor 0 –lo considero perverso porque utilizar un 0 en un caso y un 1 en otro es tanto contraintuitivo como inconsistente– y fija la frecuencia máxima de la salida en 8 kHz (8000 Hz). Finalmente, config_audio abre el archivo de sonido y va leyendo bloques sucesivos del mismo y escribiéndolos al dispositivo de salida hasta que encuentra el final del archivo (EOF), momento en que procede a cerrar los archivos y termina de correr.

La salida de una corrida de demostración en su sistema debería parecerse a la siguiente, seguida por un par de segundos de sonido:

SALIDA

```
0$ ./config_audio
Los formatos corrientes de muestra aceptados por /dev/dsp son:
        AFMT_MU_LAW
        AFMT_U8
        AFMT_S16_LE
        Modo establecido: MONO
        Frecuencia de muestreo: 8000 Hz
```

NOTA

En el sitio Web de este libro se encuentran disponibles varios sonidos de muestra entre los que se halla 8000.wav. Para que config_audio funcione adecuadamente, 8000.wav debe estar en el mismo directorio en que se encuentre la versión ejecutable de config_audio.

PROGRAMACIÓN AVANZADA DE AUDIO

La mayor parte de las características y prestaciones comentadas hasta ahora son comunes a todas las tarjetas de sonido. Esta parte examina las prestaciones que pueden o no estar presentes en una tarjeta de sonido específica.

Existe una llamada a ioctl que puede ser utilizada para verificar la disponibilidad de ciertas características avanzadas del hardware de sonido: SNCTL_DSP_GETCAPS. La misma se utiliza de la siguiente manera:

```
int capacidades;
ioctl(descriptor_archivo, SNDCTL_DSP_GETCAPS, &capacidades);
```

Esta llamada devuelve en capacidades una máscara de bits que describirá las prestaciones disponibles según cuáles sean los bits que se encuentren activados. Las posibles configuraciones de bits se listan en la tabla 13.3.

Tabla 13.3. Máscaras de bits devueltas por SNDCTL_DSP_GETCAPS.

Capacidad	Descripción
DSP_CAP_REVISION	Configurada al número de versión de SNDCTL_DSP_GETCAPS; reservada para uso futuro
DSP_CAP_DUPLEX	Activada si el dispositivo puede operar en modo full duplex; desactivada si sólo puede operar en modo semi duplex
DSP_CAP_REALTIME	Activada si el dispositivo admite informe de alta precisión sobre la posición del puntero de salida
DSP_CAP_BATCH	Activada si el dispositivo cuenta con almacenamiento temporario (*buffering*) local para grabación y reproducción
DSP_CAP_COPROC	Activada si el dispositivo cuenta con un procesador programable o un DSP; reservada para uso futuro
DSP_CAP_TRIGGER	Activada si el dispositivo cuenta con grabación o reproducción gatillada, es decir de activación inmediata
DSP_CAP_MMAP	Activada si resulta posible el acceso directo al buffer de grabación o reproducción del dispositivo a nivel de hardware

DSP_CAP_DUPLEX informa si un dispositivo es *full duplex* o *semi duplex. Full duplex (duplex pleno)* significa simplemente que un dispositivo puede llevar a cabo tanto su ingreso como su salida de datos de sonido en forma simultánea. La mayoría de los dispositivos de audio, por desgracia, son *semi duplex*. Pueden grabar y reproducir, pero no al mismo tiempo.

Si el bit DSP_CAP_REALTIME se encuentra activado, significa que se puede efectuar un seguimiento muy preciso de la cantidad de datos que ha sido grabada o reproducida. Este no es, generalmente, el caso con aquellos dispositivos donde se activa el bit de información de DAP_CAP_BATCH. DAP_CAP_BATCH informa que el dispositivo verificado emplea almacenamiento temporario interno de su entrada y de su salida.

Si el bit de DSP_CAP_TRIGGER se encuentra activado significa que el dispositivo cuenta con grabación y reproducción *gatillada* (*triggered*). Esta es una característica que es útil para los programas que requieran poder arrancar y detener la grabación y la reproducción con gran precisión. Los juegos, en particular, necesitan de esta prestación.

El bit de DSP_CAP_MMAP se activa si el dispositivo cuenta con *buffers* a nivel de hardware que pueden ser accedidos de manera directa. Uno puede mapear esos *buffers* al espacio de direcciones de memoria de su programa. De esa manera se puede sincronizar la grabación y la reproducción del dispositivo por medio de la combinación de /dev/sequencer y /dev/dsp. Lamentablemente, el método para lograr esto es sumamente dependiente del sistema operativo y por lo tanto tiene el desafortunado efecto secundario de que los programas que lo utilizan no son portables.

NOTA

Fuera de ilustrar cómo determinar con qué tipo de prestaciones avanzadas cuenta un dispositivo de hardware, este capítulo no cubre las mismas.

El siguiente programa permite utilizar algunos de los componentes de la máscara de bits de la tabla 13.3.

```
/* Nombre del programa en Internet: getcaps.c */
/*
 * obtener_prestaciones.c - Permite determinar
 * prestaciones avanzadas de un dispositivo de sonido
 */
#include <sys/soundcard.h>
#include <fcntl.h>
#include <sys/ioctl.h>
#include <unistd.h>
#include <stdlib.h>
#include <stdio.h>
#include <errno.h>

int main(void)
{
    int descriptor_archivo;
    int prestaciones;      /* Mascara de bits */
    char dispositivo[] = "/dev/dsp";

    if((descriptor_archivo = open(device, O_RDWR)) < 0) {
        perror("open");
        exit(EXIT_FAILURE);
    }
    if((ioctl(descriptor_archivo, SNDCTL_DSP_GETCAPS, &prestaciones)) < 0) {
        perror("SNDCTL_DSP_GETCAPS");
        exit(EXIT_FAILURE);
    }
    printf("Prestaciones del dispositivo %s:\n", dispositivo);
    if(caps & DSP_CAP_DUPLEX)
        puts("\tAdmite full duplex");
    if(caps & DSP_CAP_REALTIME)
        puts("\tAdmite operacion en tiempo real");
    if(caps & DSP_CAP_BATCH)
        puts("\tCuenta con almacenamiento local");
    if(caps & DSP_CAP_COPROC)
```

```
        puts("\tCuenta con DSP u otro coprocesador");
    if(caps & DSP_CAP_TRIGGER)
        puts("\tCuenta con gatillado (triggering) de grabacion y reproduccion");
    if(caps & DSP_CAP_MMAP)
        puts("\tPermite acceso directo a los buffers de su hardware");

    close(descriptor_archivo);
    exit(EXIT_SUCCESS);
}
```

La siguiente salida muestra las prestaciones algo limitadas de mi Sound Blaster de 16 bits:

SALIDA

```
$ ./obtener_prestaciones
/Prestaciones del dispositivo dev/dsp:
        Cuenta con gatillado (triggering) de grabacion y reproduccion
        Permite acceso directo a los buffers de su hardware
```

Lo que viene

En este capítulo el lector ha aprendido la programación básica de las tarjetas de sonido mediante la API de sonido OSS/Free que se encuentra integrada en el kernel de Linux. Lamentablemente, la programación de sonido es un tema extenso que merece su propio libro, de modo que con este análisis apenas hemos rozado la superficie del mismo. El próximo capítulo, "Creación y utilización de bibliotecas de programación", le mostrará cómo utilizar en sus programas las bibliotecas de programación existentes y cómo crear sus propias bibliotecas. Dado que las bibliotecas en general implementan las APIs comentadas en esta parte del libro, resulta esencial comprender adecuadamente, las técnicas y cuestiones relacionadas con la creación y utilización de bibliotecas.

14

Creación y utilización de bibliotecas de programación

Este capítulo trata sobre la creación y utilización de *bibliotecas de programación,* que son colecciones de módulos de código que pueden ser reutilizados cada vez que resulte necesario en un programa. Las bibliotecas son un ejemplo clásico del Santo Grial del desarrollo de software: la reutilización de código. Las mismas reúnen rutinas de programación empleadas con frecuencia y módulos utilitarios en una misma ubicación.

Las bibliotecas estándar de C son ejemplos de reutilización de código. Las mismas contienen cientos de rutinas frecuentemente utilizadas, tales como la función de impresión `printf` y la función de ingreso de caracteres `getchar`, que serían tediosas de rescribir cada vez que se creara un nuevo programa. Más allá de la reutilización de código y de la conveniencia del programador, sin embargo, las bibliotecas proveen una considerable cantidad de módulos utilitarios totalmente depurados y bien probados, tales como rutinas para programación de redes, manejo de gráficos, manipulación de datos y llamadas a sistema.

Este capítulo cubre los siguientes temas:

- Obtención de información de una biblioteca
- Manipulación de bibliotecas
- Creación y empleo de bibliotecas estáticas
- Creación y empleo de bibliotecas compartidas
- Utilización de objetos cargados dinámicamente

Todos los programas de este capítulo pueden ser encontrados en el sitio Web `http://www.mcp.com/info` bajo el número de ISBN 0789722151.

Herramientas para bibliotecas

Antes de sumergirnos en la creación y el empleo de bibliotecas, el lector debe conocer las herramientas que tiene a su disposición para la creación, mantenimiento y administración de bibliotecas de programación. Se puede encontrar información más detallada sobre el tema en las páginas del manual y en los documentos tex-info (información en formato tex) de cada comando y programa comentado en las próximas secciones.

El comando `nm`

El comando `nm` lista todos los símbolos codificados presentes en un objeto o archivo binario. El mismo se utiliza para ver qué funciones utiliza un programa o para constatar si una biblioteca o un archivo objeto proveen una función requerida. nm tiene la siguiente sintaxis:

```
nm [opciones] archivo
```

nm lista los símbolos almacenados en `archivo`, y `opciones` determina el comportamiento que exhibirá esa instancia de `nm`. La tabla 14.1 lista varias opciones útiles de `nm`.

***Tabla 14.1.** Opciones del comando nm*

Opción	Descripción
-C	Convierte los nombres de símbolos a nombres a nivel de usuario. Esto resulta especialmente útil para hacer legibles los nombres de las funciones de C++.
-s	Cuando se la utiliza con archivos de almacenaje de archivos comprimidos (archivos .a), además de los símbolos que éstos contienen, nm imprime el índice que vincula los nombres de dichos símbolos con los nombres de los módulos o miembros de tales archivos en los cuales se encuentran definidos esos símbolos.
-u	Exhibe sólo símbolos que no están definidos en el archivo que está siendo examinado pero que pueden estar definidos en otras bibliotecas o archivos.
-l	Utiliza la información de depuración para imprimir el número de línea en el cual está definido cada símbolo, o el respectivo asiento de reubicación si el símbolo no se encuentra definido.

EJEMPLO

Ejemplo

El ejemplo siguiente utiliza `nm` para exhibir los símbolos que contiene la biblioteca `/usr/lib/libdl.a`:

SALIDA

```
$ nm /usr/lib/libdl.a ¦ head -10
dlopen.o:
00000000   T  __dlopen_check
                U    _dl_open
                U    _dlerror_run

00000000  W    dlopen
0000002c   T    dlopen_doit
dlclose.o:
          U _dl_close
```

La primera columna producida por esta salida informa la ubicación, o sea el corrimiento relativo (*offset*) en bytes, expresado en notación hexadecimal, respecto del origen del miembro `dlopen.o`, de los diversos símbolos que se encuentran listados en la tercera columna de dicha salida. La segunda columna es una única letra que indica la condición de cada símbolo. `U` (por *undefined*) significa que el símbolo listado no está definido en el miembro, aunque puede estar definido en otro archivo. Una `T` (por *text*) indica que el correspondiente símbolo se encuentra definido en el área de texto (código) del miembro. `W` (por *writable*) especifica un símbolo que, o bien no será tenido en cuenta si llegara a estar presente un símbolo de idéntico nombre en otro archivo o, si no se llegase a encontrar otro de nombre idéntico, será de todas maneras reemplazado por un 0.

El comando `ar`

El comando `ar` crea, modifica o extrae archivos del archivo comprimido donde se encuentren almacenados. Su uso más común es en la creación de bibliotecas estáticas, que son archivos que contienen uno o más archivos objeto. Las bibliotecas estáticas son archivos objeto cuyo código está diseñado para ser linkeado a un programa en tiempo de compilación en lugar de serlo dinámicamente en tiempo de ejecución. Las *bibliotecas estáticas* constituyen la antítesis conceptual de las bibliotecas de linkeado dinámico de Windows (DLL o *Dynamic Link Library*). Los archivos objeto que las constituyen se denominan miembros. El comando `ar` también crea y mantiene una tabla que efectúa una referencia cruzada entre los nombres de los símbolos y los miembros en los cuales aquellos se encuentran definidos. En la parte "Creación de una biblioteca estática", que se encuentra más adelante en este mismo capítulo, se brinda un ejemplo de uso del comando ar. El mismo tiene la siguiente sintaxis:

```
ar {-c -d -m -p -q -r -s -t -x} [opciones] [miembro] archivo_comprimido archivo [...]
```

`ar` crea el archivo comprimido de almacenaje de archivos denominado `archivo_comprimido` a partir de la lista de archivos que sigue a archivo. Se requiere al menos una de las opciones `d`, `m`, `p`, `q`, `u`, `r` y `x`. Normalmente se utiliza r. La tabla 14.2 describe las opciones de `ar` utilizadas con mayor frecuencia.

***Tabla 14.2.** Opciones del comando ar.*

Opción	Descripción
`-c`	Crea `archivo_comprimido` si este no existiese y suprime el mensaje que emitiría `ar` si aquel no existiera. El archivo sería creado igualmente aunque `-c` no fuera especificado. Lo que se suprimiría es el correspondiente mensaje.
`-s`	Crea o actualiza el mapa que relaciona entre sí los símbolos con el miembro de `archivo_comprimido` en el cual se encuentran definidos.
`-r`	inserta un `archivo` en `archivo_comprimido` y suprime cualquier miembro existente cuyo nombre coincida con el que está siendo agregado. Los nuevos miembros son añadidos al final de `archivo_comprimido`.
`-q`	Agrega archivos al final de `archivo_comprimido` sin verificar si se deben efectuar reemplazos.

El comando ldd

Aunque nm lista los símbolos definidos en una biblioteca, no resulta demasiado útil a menos que uno sepa qué bibliotecas requiere un programa. Para eso está ldd. Este comando lista las bibliotecas compartidas que requiere un programa a fin de poder ser corrido. Su sintaxis es la siguiente:

```
ldd [opciones] archivo
```

ldd imprime los nombres de las bibliotecas compartidas que requiere archivo. Dos de las opciones más útiles de ldd son -d, que informa sobre las posibles funciones faltantes, y -r, que informa tanto sobre las funciones faltantes como sobre los objetos que no se encuentran presentes. Las otras dos opciones que reconoce ldd son -v, que informa el número de versión de ldd, y -V, que informa el correspondiente número de versión del linker dinámico, ld.so.

Ejemplo

ldd informa que el cliente de correo mutt (que puede o no estar instalado en el sistema en uso) requiere de cinco bibliotecas compartidas.

```
$ ldd /usr/bin/mutt
libnsl.so.1 => /lib/libnsl.so.1 (0x40019000)
libslang.so.1 => /usr/lib/libslang.so.1 (0x4002e000)
libm.so.6 => /lib/libm.so.6 (0x40072000)
libc.so.6 => /lib/libc.so.6 (0x4008f000)
/lib/ld-linux.so.2 => /lib/ld-linux.so.2 (0x40000000)
```

(el signo => es meramente un símbolo de indicación y no un operador). Téngase en cuenta que la salida de ldd puede ser diferente en el sistema del lector. La salida indica las bibliotecas que el archivo binario mutt requiere para ser corrido. La primera columna muestra el nombre de la biblioteca, que a menudo es un vínculo simbólico a la ruta de acceso completa a la biblioteca que está listada en la segunda columna.

El comando ldconfig

El comando ldconfig, cuya sintaxis es la siguiente:

```
ldconfig [opciones] [bibliotecas]
```

determina los vínculos en tiempo de ejecución que requieren los programas a bibliotecas compartidas que se hallan ubicados en /usr/lib y /lib y que son especificadas en bibliotecas en la línea de comandos, y almacenadas en /etc/ld.so.conf. Opera juntamente con ld.so, el linker/cargador dinámico, para poder crear y mantener vínculos hacia las versiones más corrientes que se encuentren disponibles en el sistema de bibliotecas compartidas. La función de ld.so es completar el linkeo final entre los programas que utilizan funciones presentes en bibliotecas compartidas y los archivos compartidos de biblioteca que definen esas funciones.

Un comando ldconfig sin ningún argumento simplemente actualiza el archivo de caché, /etc/ld.so.cache. El argumento opciones controla el comportamiento de ldconfig. La opción -p le indica a ldconfig que liste todas las bibliotecas compartidas que ld.so ha almacenado en su caché, sin modificar nada. La opción -v instruye a ldconfig para que actualice el caché de ld.so y que al mismo tiempo liste las bibliotecas encontradas. Si uno compila un programa que no se puede correr porque el mismo no puede encontrar una biblioteca requerida, se deberá ejecutar `ldconfig -p` a fin de listar las bibliotecas conocidas. Para verdaderamente actualizar el archivo caché de bibliotecas se deberá ejecutar `ldconfig` como usuario root.

NOTA

Como se puede ver, la administración de bibliotecas compartidas puede resultar compleja y proclive a generar confusión. Un programa que utiliza una función definida en bibliotecas compartidas sabe solamente el nombre de la función, que a menudo se denomina cabo (*stub*). El programa no sabe cómo está definida la función o cómo acceder a su código en tiempo de ejecución. La tarea de `ld.so` consiste en conectar el cabo (el nombre de la función) al código que efectivamente implementa la misma (que reside en una biblioteca compartida). El método que utiliza `ld.so` para lograr esto se encuentra mucho más allá del alcance de este libro. Como programador de aplicaciones, todo lo que le debe preocupar al lector es linkear a su programa las bibliotecas que correspondan. Puede dar por asumido sin ningún inconveniente que Linux se hace cargo de los detalles complejos de la tarea.

Variables de entorno y archivos de configuración

El linker/cargador dinámico ld.so emplea dos variables de entorno para personalizar su comportamiento. La primera de ellas es `$LD_LIBRARY_PATH`, una lista de los directorios, separados entre sí por signos de dos puntos (:), donde buscará `ld.so` bibliotecas compartidas en tiempo de ejecución, además de hacerlo en los directorios predeterminados `/lib` y `/usr/lib`. La segunda variable, `$LD_PRELOAD`, es una lista separada por espacios en blanco de bibliotecas compartidas adicionales, especificadas por el usuario, que deberán ser cargadas antes que todas las demás bibliotecas. Esta variable de entorno se emplea de manera selectiva para anteponerse a funciones que pudiesen estar definidas por otras bibliotecas compartidas.

`ld.so` también se vale de dos archivos de configuración cuyos propósitos emulan los de las variables de entorno que acabamos de mencionar. `/etc/ld.so.conf` contiene una lista de directorios en los cuales el linker/cargador deberá buscar las bibliotecas compartidas que requiere el programa. Ello como agregado a los directorios estándar, `/usr/lib` y `/lib`, que ld.so siempre recorre. `/etc/ld.so.preload` es una versión basada en disco de la variable de entorno `$LD_PRELOAD`: contiene una lista separada por espacios en blanco de las bibliotecas compartidas que deberán ser cargadas antes de la ejecución del programa.

Bibliotecas estáticas

Las *bibliotecas estáticas* (y también las *bibliotecas compartidas,* para el caso) son colecciones de uno o más archivos objeto que contienen código precompilado reutilizable. Cada uno de los archivos objetos que la integran se denomina también *módulo* o miembro. Las bibliotecas estáticas son almacenadas en un formato especial junto a una tabla o *mapa* que vincula los nombres de los símbolos a los miembros en los cuales éstos se encuentran definidos. Dicho mapa permite acelerar los procesos de compilación y linkeo. Las bibliotecas estáticas generalmente tienen un nombre que termina en una extensión `.a` (por archivo de almacenamiento de módulos). Recordemos que los módulos presentes en las bibliotecas estáticas son linkeados a un programa cuando éste es compilado, mientras que sus contrapartes presentes en las bibliotecas compartidas son linkeadas por `ld.so` a un programa en tiempo de ejecución.

Creación de una biblioteca estática

Para utilizar los módulos presentes en una biblioteca estática se debe incluir en el código fuente del programa que los va a emplear el archivo de encabezado de dicha biblioteca estática y linkear la misma al programa durante su compilación. Para crear una biblioteca propia se deberá reunir en un único archivo las rutinas que uno utiliza con mayor frecuencia y luego crear un archivo de encabezado que declare las funciones y las estructuras de datos. El archivo de encabezado contiene la interfaz a dicha biblioteca. Los dos ejemplos siguientes crean en conjunto una biblioteca de rutinas para manejo de errores que le puede resultar de utilidad.

NOTA

Quienes hayan leído *Advanced Programming in the UNIX Environment* de Richard Stevens reconocerán estos dos programas. Yo los he utilizado durante muchos años porque cubren perfectamente mi necesidad de una biblioteca de administración de errores sencilla y funcional. Quedo reconocido a la generosidad del Sr. Stevens al haberme permitido reproducir estos programas aquí.

Asimismo me produjo mucha tristeza el enterarme de su fallecimiento a comienzos de septiembre de 1999. Richard Stevens fue un excelente programador y un sobresaliente expositor de los detalles de la programación en UNIX y TCP/IP. Sus aportes a la claridad de exposición de los detalles de las APIs tanto de UNIX como de TCP/IP van a ser dolorosamente extrañados.

Ejemplo

El primer listado que viene a continuación, `liberr.h`, es el archivo de encabezado de una sencilla biblioteca de manejo de errores, mientras que el segundo listado, que viene inmediatamente después del primero, es la implementación de la interfaz definida en el archivo de encabezado. Podría resultar útil emitir previamente algunos comentarios acerca del código. El archivo de encabezado incluye `<stdarg.h>` debido a que se utilizará la utilidad de ANSI C para funciones con número variable de argumentos (si no se encuentra familiarizado con las funciones con número variable de argumentos, consulte algún texto o manual de referencia sobre C). Este número variable de argumentos se indica en las funciones mediante puntos suspensivos (`. . .`).

Para protegerse contra múltiples inclusiones del encabezado, el mismo viene inserto en un macro vacío de preprocesador, `LIBERR_H_`.

Esta biblioteca no debería ser empleada en la construcción de daemons porque la misma escribe a `stderr`. Los daemons generalmente no cuentan con una terminal de control, de modo que no pueden efectuar salida a `stderr` (ver capítulo 9, "Daemons", para obtener más información sobre la construcción de estos programas).

```
/* Nombre de este archivo de encabezado en Internet: liberr.h */
/*
* biblioteca_errores.h
* Declaraciones para una sencilla biblioteca de manejo de errores
```

```
 */
#ifndef LIBERR_H_
#define LIBERR_H_
#include <stdarg.h>
#define MAX_LONG_TEXTO 4096
/*
 * Imprimir un mensaje de error a stderr y retornar a quien efectuo la llamada
 */
void retornar_si_error(const char *puntero_TablaDeMiembros, . . .);

/*
 * Imprimir un mensaje de error a stderr y salir
 */
void salir_si_error(const char *puntero_TablaDeMiembros, . . .);
/*

 * Asentar mensaje de error en archivo registro_errores y retornar a quien
efectuo la llamada
 */
void asentar_y_retornar(char *ArchivoRegistroErrores,
        const char *puntero_TablaDeMiembros, . . .);
/*
 * Asentar un mensaje de error en registro_errores y salir
 */
void asentar_y_salir(char * ArchivoRegistroErrores,
       const char *puntero_TablaDeMiembros, . . .);

/*
 * Imprimir un mensaje de error y retornar a quien efectuo la llamada
 */
void imprimir_error(const char *puntero_TablaDeMiembros, va_list puntero_argumentos,
       char *ArchivoRegistroErrores);
#undef LIBERR_H_
#endif /* LIBERR_H_ */
```

FIN DE ARCHIVO DE ENCABEZADO Y COMIENZO DE ARCHIVO DE PROGRAMA

```
/* Nombre del programa en Internet: liberr.c */
/*
 * biblioteca_errores.c - Implementacion de la biblioteca de modulos de manejo de
errores
 */
#include <errno.h>                 /* Para la definicion de errno */
#include <stdarg.h>                /* Para las declaraciones de funciones que
aceptan
       listas variables de argumentos */
#include <stdlib.h>
#include <stdio.h>
#include "biblioteca_errores.h"    /* Nuestro propio archivo de encabezado */


void retornar_si_error(const char *puntero_TablaDeMiembros, . . .)
```

```
{
   va_list puntero_argumentos; /*

   va_start(puntero_argumentos, puntero_TablaDeMiembros);
   imprimir_error(puntero_TablaDeMiembros, puntero_argumentos, NULL);
   va_end(puntero_argumentos);
   return;
}

void salir_si_error(const char *puntero_TablaDeMiembros, ...)
{
   va_list puntero_argumentos;
   va_start(puntero_argumentos, puntero_TablaDeMiembros);
   imprimir_error(puntero_TablaDeMiembros, puntero_argumentos, NULL);
   va_end(puntero_argumentos);
   exit(1);
}

void asentar_y_retornar (char *ArchivoRegistroErrores,
      const char *puntero_TablaDeMiembros, ...)
{
   va_list puntero_argumentos;

   va_start(puntero_argumentos, puntero_TablaDeMiembros);
   imprimir_error(puntero_TablaDeMiembros, puntero_argumentos,
ArchivoRegistroErrores);
   va_end(puntero_argumentos);
   return;
}

void asentar_y_salir (char * registro_errores, const char *puntero_TablaDeMiembros,
. . .)
{
   va_list puntero_argumentos;

   va_start(puntero_argumentos, puntero_TablaDeMiembros);
   imprimir_error(puntero_TablaDeMiembros, puntero_argumentos,
ArchivoRegistroErrores);
   va_end(puntero_argumentos);

   exit(1);
```

```
}
void imprimir_error (const char *puntero_argumentos, va_list puntero_argumentos,
        char *ArchivoRegistroErrores)
{
   int guardar_error;
   char buf[MAX_LONG_TEXTO];
   FILE *puntero_ArchivoRegistroErrores;


   guardar_error = errno;           /* Valor que quien efectuo la llamada puede
desear imprimir */
   vsprintf(buf, fmt, puntero_argumentos);  /* Tanto vsprintf() como sprintf(),
strlen(),
        strerror() y fflush() son funciones estandar de C */
   sprintf(buf + strlen(buf), ": %s\n", strerror(guardar_error));
   fflush(stdout); /* En caso de que stdout y stderr coincidan */
   if(ArchivoRegistroErrores != NULL)
       if((puntero_ArchivoRegistroErrores = fopen(ArchivoRegistroErrores, "a"))
!= NULL) {
           fputs(buf, puntero_ArchivoRegistroErrores);
           fclose(puntero_ArchivoRegistroErrores);  /Archivo abierto y cerrado
con funciones
        estandar de C, no con llamadas a sistema */
       } else
           fputs("No se pudo abrir el archivo de registro\n", stderr);
   else
       fputs(buf, stderr);
   fflush(NULL); /* Prolijar todo */
   return;
}
```

Para crear una biblioteca estática, uno debe primero compilar su código a formato de objeto. Luego, usar la utilidad `ar` para crear el archivo que contendrá los módulos. Si todo anda bien (si no existen errores lógicos ni de tipeo en el código fuente), se habrá creado la biblioteca estática `biblioteca_errores.a`.

SALIDA

```
$ gcc -c biblioteca_errores.c -o biblioteca_errores.o
$ ar -r -c -s biblioteca_errores.a biblioteca_errores.o
$ nm biblioteca_errores.a
biblioteca_errores.o:
          U  __errno_location
000000a4 T  imprimir_error
00000024 T  salir_si_error
00000000 T  retornar_si_error
          U exit
          U fclose
```

```
                 U fflush
                 U fopen
                 U fputs
00000000 t gcc2_compiled.
00000078 T asentar_y_salir
00000054 T asentar_y_retornar
                 U sprintf
                 U stderr
                 U stdout
                 U strcat
                 U strerror
                 U strlen
                 U vsprintf
```

El segundo comando crea `biblioteca_errores.a` a partir del archivo objeto creado por el compilador. El tercer comando, `nm biblioteca_errores.a`, lista los miembros del archivo que aloja los módulos de la biblioteca seguido por las funciones que contiene la misma. Como se puede apreciar a partir de la salida de `nm`, el archivo que aloja la biblioteca contiene las funciones definidas en el archivo objeto `biblioteca_errores.o`. Las mismas van precedidas en el listado por una `T`.

Empleo de una biblioteca estática

Ahora que ha sido creada la biblioteca, se necesita un programa para poder controlarla. El programa de prueba forma parte del próximo ejemplo. Insistimos, para utilizar la biblioteca, incluya el archivo correspondiente archivo de encabezado en su código fuente, utilice gcc con su opción `-l` para vincular la biblioteca al código fuente, y luego emplee la opción `-L` para ayudar a `gcc` a encontrar el archivo de biblioteca.

EJEMPLO

Ejemplo

El siguiente programa, `comprobar_biblioteca`, intenta abrir un archivo inexistente cuatro veces, una vez por cada una de las funciones de procesamiento de errores presentes en la biblioteca.

```
/* Nombre del archivo en Internet: errtest.c */
/*
 * comprobar_biblioteca.c - Programa de comprobacion de la biblioteca de manejo
de errores
 */
#include <stdio.h>
#include <stdlib.h>
#include "liberr.h"

#define SALTEAR_SALIR_SI_ERROR 1
#define SALTEAR_ASENTAR_Y_SALIR 1
```

```
int main(void)
{
    FILE *puntero_archivo;

    fputs("Comprobando retornar_si_error...\n", stdout);
    if((puntero_archivo = fopen("foo", "r")) == NULL)
        ratornar_si_error("%s %s", "retornar_si_error", "no pudo abrir foo.
        No existe dicho archivo o directorio.");

    fputs("Comprobando asentar_y_retornar...\n", stdout);
    if((puntero_archivo = fopen("foo", "r")) == NULL);
        asentar_y_retornar("comprobar_biblioteca.log", "%s %s", "asentar_y_retornar",
        "no pudo abrir foo. No existe dicho archivo o directorio.");

#ifndef SALTEAR_SALIR_SI_ERROR
    fputs("Comprobando salir_si_error...\n", stdout);
    if((puntero_archivo = fopen("foo", "r")) == NULL)
        retornar_si_error("%s %s", "salir_si_error", "no pudo abrir foo.
        No existe dicho archivo o directorio.");
#endif /* ERR_QUIT_SKIP */

#ifndef SALTEAR_ASENTAR_Y_SALIR
    fputs("Comprobando asentar_y_salir...\n", stdout);
    if((puntero_archivo = fopen("foo", "r")) == NULL)
        asentar_y_retornar("comprobar_biblioteca.log", "%s %s", "asentar_y_salir",
        "no pudo abrir foo. No existe dicho archivo o directorio.");
#endif /* LOG_QUIT_SKIP */
    exit(EXIT_SUCCESS);

}
```

Luego de compilar y correr `comprobar_biblioteca` se obtiene la siguiente salida:

SALIDA

```
$ gcc -g comprobar_biblioteca.c -o comprobar_biblioteca -L. -lerr
$ ./comprobar_biblioteca
Comprobando retornar_si_error . . .
retornar_si_error no puedo abrir foo. No existe dicho archivo o directorio.
Comprobando retornar_y_asentar. . .
$ cat comprobar_biblioteca.log
asentar_y_retornar no pudo abrir foo. No existe dicho archivo o directorio.
```

Los dos bloques `#ifndef`-`#endif` evitan la ejecución de las funciones `*_quit`. Para comprobarlas, comente uno de los macros y vuelva a compilar, y luego comente la otra y recompile de nuevo. Pruebe la comprobación de las funciones `*_quit` como ejercicio de práctica.

Bibliotecas compartidas

Las bibliotecas compartidas tienen varias ventajas por sobre las bibliotecas estáticas. Primero, utilizan menor cantidad de recursos del sistema. Utilizan menos espacio en disco porque el código de las bibliotecas compartidas no debe ser compilado con cada archivo objeto sino que se lo linkea y carga dinámicamente en tiempo de ejecución desde una única ubicación. Estas bibliotecas emplean menor cantidad de memoria de sistema porque el kernel distribuye la memoria que ocupa la biblioteca entre todos los programas que hacen uso de la misma en un momento dado.

Otra ventaja de las bibliotecas compartidas es que son ligeramente más rápidas porque deben ser cargadas a la memoria sólo una vez. Finalmente, las bibliotecas compartidas simplifican el código y el mantenimiento del sistema. A medida que se van corrigiendo errores o agregando prestaciones, los usuarios lo único que tienen que hacer es procurarse una versión actualizada de la biblioteca e instalarla en sus sistemas. Con las bibliotecas estáticas, cada programa que haga uso de la biblioteca debe ser recopilado.

Como ya fue señalado, el linker/cargador dinámico, `ld.so`, vincula los nombres de los símbolos en tiempo de compilación a la biblioteca compartida en donde los mismos estén definidos. Las bibliotecas compartidas tienen un nombre especial, soname, derivado de la extensión .so (*shareable object* u *objeto compartible*) de sus archivos (*name* significa nombre), que consiste del nombre de la biblioteca y el número principal de su versión. El nombre completo de la biblioteca de C en uno de mis sistemas, por ejemplo, es `libc.so.5.4.46`. El nombre de la biblioteca es libc.so; el número principal de la versión es 5; el número secundario es `4`; y `46` es el nivel de su edición o parche. De modo que el soname de esa biblioteca de C es `libc.so.5`.

El *soname* de la nueva biblioteca de C, `libc6`, es `libc.so.6`; el cambio de dígito principal de la versión indica una modificación de la biblioteca, al grado de que la misma y la anterior resultan (¡muy!) incompatibles. Los números secundarios de la versión y los números del nivel de parche van apareciendo a medida que se van corrigiendo los errores, pero el *soname* permanece invariable, lo que significa que las nuevas versiones son esencialmente compatibles con las versiones anteriores.

Resulta importante tener en cuenta el *soname* de una biblioteca porque las aplicaciones se vinculan contra el soname. ¿Cómo funciona eso? La utilidad ldconfig crea un vínculo simbólico desde la biblioteca efectiva, digamos `libc.so.5.4.46`, hacia el soname, `libc.so.5`, y almacena dicha información en `/etc/ld.so.cache`. En tiempo de ejecución, `ld.so` recorre el archivo de caché, encuentra el soname requerido y, debido a la presencia del vínculo simbólico, carga a la memoria la biblioteca que efectivamente corresponde y linkea las llamadas a funciones de la aplicación a los símbolos adecuados en la biblioteca situada en la memoria.

Las sucesivas versiones de una misma biblioteca se vuelven incompatibles en las siguientes condiciones:

- Han sido modificadas las interfaces de función exportadas.
- Han sido añadidas nuevas interfaces de funciones.
- El comportamiento de ciertas funciones varía respecto de su especificación original.
- Han sido modificadas las estructuras de datos exportadas.
- Han sido añadidas estructuras de datos exportables.

Para mantener la compatibilidad entre bibliotecas, utilice como guía las siguientes pautas:

- En lugar de proceder a cambiar funciones existentes o modificar su comportamiento, añada a su bibliotecas funciones con nuevos nombres.
- Añada elementos de estructura sólo al final de las estructuras de datos existentes, y o bien deles carácter opcional o inicialícelas dentro de la propia biblioteca.
- No expanda las estructuras de datos utilizadas en arreglos.

Construcción de una biblioteca compartida

El proceso de construir una biblioteca compartida difiere ligeramente del que es empleado para construir una biblioteca estática. La siguiente lista esboza los pasos necesarios para construir una biblioteca compartida:

1. Cuando se compile el archivo objeto se debe utilizar la opción `-fPIC` de `gcc`, que genera código PIC (Código Independiente de la Posición) que se puede linkear y cargar en cualquier dirección de memoria.
2. No se debe utilizar la opción `-fomit-frame-pointer` de `gcc`; si se lo hiciera, la depuración del programa se volvería prácticamente imposible de realizar.
3. Se deben utilizar las opciones de `gcc -shared -soname`.
4. Para pasar argumentos al linker, `ld`, utilizar la opción `-Wl de gcc's`.
5. Se debe linkear expresamente la biblioteca de C utilizando la opción -l de `gcc's`. Esto garantiza que el programa el módulo no sea compilado a un programa que carezca de la versión correcta de la biblioteca de C porque las referencias a las funciones nuevas o modificadas ocasionarán errores en el compilador.

Ejemplo

Este ejemplo construye la biblioteca de manejo de errores como una biblioteca compartida. Primero construye el archivo objeto y luego linkea la biblioteca. Después crea vínculos simbólicos entre el nombre completo de la biblioteca y su *soname* y entre el nombre completo de la misma y el nombre de la biblioteca compartida que, simplemente, termina en `.so`.

```
$ gcc -fPIC -g -c biblioteca_errores.c -o biblioteca_errores.o
$ gcc -g -shared -Wl,-soname, biblioteca_errores.so -o
    biblioteca_errores.so.1.0.0 biblioteca_errores.o -lc
$ ln -s biblioteca_errores.so.1.0.0 biblioteca_errores.so.1
$ ln -s biblioteca_errores.so.1.0.0 biblioteca_errores.so
```

Como esta biblioteca no será instalada como biblioteca de sistema en `/usr` o `/usr/lib`, se deben crear dos vínculos, uno para el *soname* y uno para la biblioteca compartida. Cuando linkee biblioteca_errores, es decir, cuando se utilice -lerr, el linker empleará el nombre de la biblioteca compartida.

Empleo de una biblioteca compartida

Ahora, para emplear la nueva biblioteca compartida, regresemos al programa de prueba presentado en la última sección, comprobar_biblioteca.c. Otra vez, hace falta indicarle al linker qué biblioteca utilizar y dónde encontrarla, de modo que se deberán utilizar las opciones -l y -L. Finalmente, para ejecutar el programa, se necesita indicarle a ld.so, el linker/cargador dinámico, dónde encontrar la biblioteca compartida, de manera que habrá que emplear la variable $LD_LIBRARY_PATH.

EJEMPLO

Ejemplo

Este ejemplo linkea a comprobar_biblioteca la versión compartida de la biblioteca biblioteca_errores y luego corre comprobar_biblioteca.

```
$ gcc -g comprobar_biblioteca.c -o comprobar_biblioteca -L. -lerr
$ LD_LIBRARY_PATH=$(pwd) ./errtest
Comprobando retornar_si_error...
Retornar_si_error no pudo abrir foo. No existe dicho archivo o directorio.
Comprobando asentar_y_retornar...
```

SALIDA

Tal como se lo señaló anteriormente, la variable de entorno $LD_LIBRARY-_PATH añade la(s) ruta(s) de acceso que contiene a los directorios de bibliotecas confiables /lib y /usr/lib. ld.so buscará primero en la ruta especificada en dicha variable de entorno y le brindará la seguridad de encontrar su biblioteca. Una alternativa a emplear esa complicada línea de comandos es añadir la ruta de su biblioteca a /etc/ld.so.conf y actualizar el caché (/etc/ ld.so.cache) corriendo (como usuario root) ldconfig.

Aun otra alternativa consiste en instalar su biblioteca como biblioteca de sistema. Para efectuarlo, conviértase en usuario root, coloque la biblioteca en /usr/lib y corra ldconfig a fin de actualizar el archivo de caché. La ventaja de este último método es que para añadir la ruta de acceso a dicha biblioteca uno no tiene que utilizar la opción -L de gcc.

Objetos cargados dinámicamente

Existe una manera adicional de utilizar las bibliotecas compartidas: cargarlas dinámicamente en tiempo de ejecución, no como bibliotecas linkeadas y cargadas de forma automática sino como módulos totalmente independientes que se cargan explícitamente empleando la interfaz dl (carga dinámica). Se puede querer emplear la interfaz dl porque provee mayor flexibilidad tanto para el programador como para el usuario y porque resulta una solución más general para la cuestión de la reutilización de código.

En qué consiste este tipo de objetos

Los objetos cargados dinámicamente son módulos de código cargados específicamente en tiempo de ejecución con el propósito de utilizar la funcionalidad que proveen sin que sea requerido que la correspondiente aplicación sea linkeada con los módulos que contienen el código cargado. Supongamos que uno esté escribiendo un programa gráfico importante. En su aplicación, se manipula datos gráficos de una manera personal pero sencilla de utilizar. Sin embargo, se desea poder importar y exportar los datos desde y hasta cualquiera de los cientos de formatos gráficos de archivo disponibles.

Una manera de lograr esto sería redactar una o más bibliotecas que manipulen los diversos formatos. Aunque se trata de un enfoque de tipo modular, cada modificación de una biblioteca requeriría la correspondiente recompilación, o por lo menos un nuevo linkeo, de su programa, lo mismo que lo requerirían el añadido de nuevos formatos y las modificaciones a los existentes. El efecto del agregado de bibliotecas se ilustra en la figura 14-1.

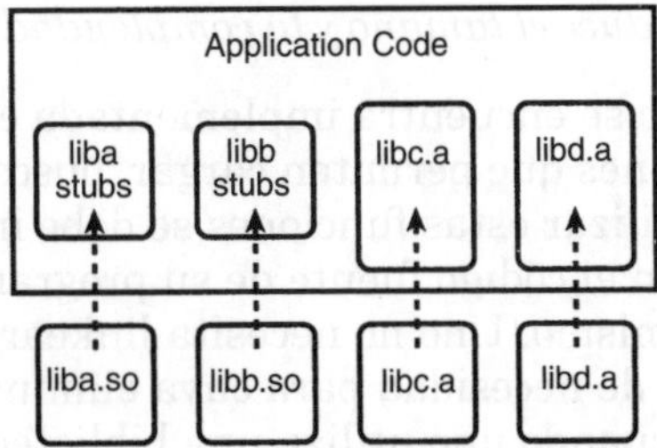

Figura 14.1. *Cada módulo de biblioteca añadido a un programa incrementa su tamaño y obliga a su recompilación.*

Como se puede apreciar en la figura 14-1, cada vez que se añade otra biblioteca a un programa, aumentan el tamaño y la complejidad del mismo. El tamaño crece especialmente rápido cuando se lo vincula con bibliotecas estáticas, representadas en la figura por `libc.a` y `libd.a`.

La interfaz `dl` permite un enfoque diferente: uno diseña una interfaz genérica, de formato neutro, para lectura, escritura y manipulación de archivos gráficos de cualquier formato. Para añadir a su aplicación un formato gráfico nuevo o modificado, uno simplemente redacta un nuevo módulo que administre el nuevo formato y advierta de su existencia a la aplicación, tal vez modificando un archivo de configuración colocando el nuevo módulo en un directorio predefinido (los añadidos [*plug-ins*] que incrementan las prestaciones del navegador de Web Netscape emplean una variante de este enfoque).

Para extender las prestaciones de su aplicación, los usuarios deben procurarse un nuevo módulo editando un archivo de configuración o copiando el módulo a un directorio preestablecido. La recompilación se hace innecesaria. El código existente en su aplicación carga los nuevos módulos y, oh sorpresa, uno puede comenzar a importar y exportar un nuevo formato gráfico. Este enfoque se muestra en la figura 14-2.

Cada vez que se necesite obtener código de una biblioteca diferente, simplemente empleará la interfaz dl a fin de cargar la función que se requiere, lo que se ilustra en la figura por las flechas que apuntan desde la aplicación hacia las diversas bibliotecas. Los requerimientos globales de recursos por parte de la aplicación se mantienen reducidos, y el tamaño de su archivo en disco es notablemente menor comparado con el que se obtiene linkeando al código objeto de la misma a bibliotecas estáticas o compartidas.

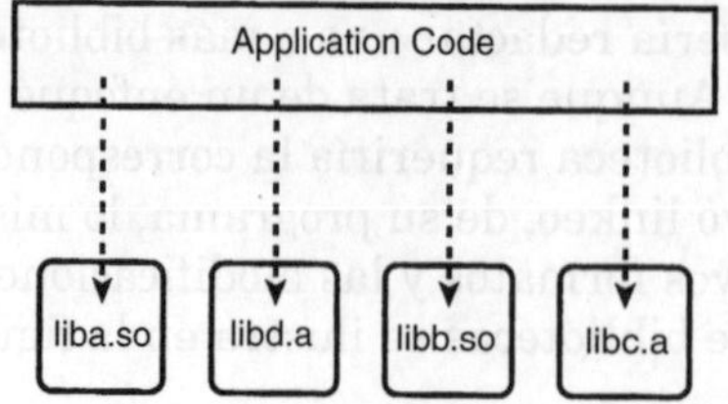

Figura 14.2. *La interfaz dl reduce el tamaño y la complejidad de los programas.*

La interfaz `dl` (que asimismo se encuentra implementada como una biblioteca, `libdl`), contiene funciones que permiten cargar, buscar y descargar objetos compartidos. Para utilizar estas funciones se debe incluir el archivo de encabezado `<dlfcn.h>` en el código fuente de su programa y linkear `libdl` al archivo objeto del mismo. Uno no necesita linkear la biblioteca que desea utilizar: éste es el tipo de necesidad para cuya eliminación ha sido diseñada la interfaz `dl`. Aun cuando uno utiliza una biblioteca compartida estándar, no la emplea de la manera normal. El linker nunca se entera de la presencia de objetos compartidos y, de hecho, ni siquiera se requiere que existan los módulos cuando se está construyendo la aplicación.

La interfaz dl

La interfaz `dl` provee cuatro funciones que administran todas las tareas necesarias para cargar, emplear y descargar objetos compartidos: `dlopen`, `dlclose`, `dlsym` y `dlerror`. Para cargar los objetos compartidos utilice la función `dlopen`. Su prototipo es el siguiente:

```
void *dlopen(const char *nombreArchivo, int indicador);
```

`dlopen` carga el objeto compartido indicado por `nombreArchivo` utilizando el modo especificado por `indicador`. `nombreArchivo` puede ser una ruta absoluta (es decir, todo el recorrido desde el directorio raíz), un simple nombre de archivo o `NULL`. Si nombreArchivo es `NULL`, `dlopen` abre el programa corrientemente en ejecución, por ejemplo el del lector. Si `nombreArchivo` es una ruta de acceso absoluta, dlopen abre el archivo indicado. Si es en cambio un mero nombre de archivo, `dlopen` lo busca en las siguientes ubicaciones y en el orden dado: `$LD_ELF_LIBRARY_PATH`, `$LD_LIBRARY_PATH`, `/etc/ld.so.cache`, `/usr/lib` y `/lib`.

`indicador` puede ser `RTLD_LAZY`, lo que significa que los símbolos del objeto cargado serán resueltos a medida que vayan siendo llamados, o `RTLD_NOW`, que significa que todos los símbolos del objeto cargado serán resueltos antes de que `dlopen` retorne. Cualquiera de los dos indicadores, si se efectúa con los mismos un O lógico con `RTLD_GLOBAL`, hará que todos los símbolos sean exportados, tal como si hubieran sido linkeados directamente. `dlopen` retorna un handle al objeto cargado si encuentra `nombreArchivo` o `NULL` si se produce un error.

Antes de que se pueda utilizar cualquier rutina presente en una biblioteca cargada dinámicamente, se debe saber qué es lo que se está buscando y estar en condiciones de accederlo. La función `dlsym` satisface ambos requerimientos. Su prototipo es el siguiente:

```
void *dlsym(void *handle, char *simbolo);
```

`dlsym` busca en el objeto cargado por dlopen el símbolo o función especificada por el argumento simbolo al cual se refiere handle. Este último debe ser un `handle` retornado por `dlopen`. El argumento `simbolo` es una cadena estándar de C. `dlsym` retorna un puntero de tipo `void` que apunta hacia el símbolo requerido o `NULL` si fracasa.

Un buen programa verifica y administra la mayor cantidad de errores posibles. La función `dlerror` le permite a uno conocer más sobre los errores que ocurran cuando se empleen objetos cargados dinámicamente. Su prototipo es el siguiente:

```
const char *dlerror(void);
```

Si alguna de las demás llamadas a funciones de la interfaz `dl` fracasara, `dlerror` retorna una cadena que describe el error. La llamada a `dlerror` también restablece la cadena que describe el error a `NULL`. Como resultado de ello, una segunda e inmediata llamada a `dlerror` retornará `NULL`. `dlerror` retorna una cadena que describe el error más reciente, o `NULL` en caso contrario.

Para conservar recursos del sistema, en especial memoria, asegúrese de descargar de la memoria el código presente en un objeto compartido cuando haya terminado de utilizarlo. Sin embargo, debido al trabajo que representa la carga y descarga de objetos compartidos, antes de descargarlo asegúrese de que efectivamente ya no lo necesite más. `dlclose`, cuyo prototipo es el siguiente, descarga de la memoria un objeto compartido:

```
int dlclose(void *handle);
```

`dlclose` descarga el objeto al que se refiere `handle`. La llamada también invalida handle. Como la biblioteca `dl` mantiene conteos de vínculos para los objetos cargados dinámicamente, estos últimos no son cancelados ni descargados hasta que `dlclose` halla sido llamada para descargar un objeto la misma cantidad de veces que hubiese sido llamada con éxito `dlopen` para ese mismo objeto.

Empleo de la interfaz `dl`

Para ilustrar el uso de la interfaz `dl`, refiérase nuevamente a la biblioteca de manejo de errores utilizada en todo este capítulo. Esta vez, sin embargo, utilice un nuevo programa, tal como se muestra en el siguiente ejemplo.

Ejemplo

Antes de utilizar este ejemplo, asegúrese de haber construido la versión compartida de la `biblioteca biblioteca_errores`, `biblioteca_errores.so`, aplicando las instrucciones provistas en el título "Construcción de una biblioteca compartida", ubicado anteriormente en este capítulo.

```
/* Nombre del programa en Internet: dltest.c */
/*
 * comprobar_dl.c - Llama dinamicamente a biblioteca_errores.so y llama a
retornar_si-error
```

```
*/
#include <stdio.h>
#include <stdlib.h>
#include <dlfcn.h>

int main(void)
{
    void *handle;
    void (*rutina_requerida)(); /* Puntero a la rutina cargada a ser utilizada */
    const char *mensaje_error;
    FILE *puntero_archivo;

/* Cargar el objeto que necesitamos */
    handle = dlopen("biblioteca_errores.so", RTLD_NOW);
    if(handle == NULL) {
        printf("No se pudo cargar biblioteca_errores.so: %s\n", dlerror());
        exit(EXIT_FAILURE);
    }

/* Eliminar la cadena descriptiva del error, si esta existe */
    dlerror();
    rutina_requerida = dlsym(handle, "retornar_si_error");
    if((mensaje_error = dlerror()) != NULL) {
        printf("No se encontro retornar_si_error(): %s\n", mensaje_error);
        exit(EXIT_FAILURE);
    }
/* Ahora utilizar el simbolo cargado, retornar_si_error */
    if((puntero_archivo = fopen(" foobar", "r")) == NULL)
        rutina_requerida("No se pudo abrir foobar.");

/* Sea considerado con el projimo y descargue el objeto cargado */
    dlclose(handle);
    exit(EXIT_SUCCESS);
}
```

La salida de este programa es la siguiente:

SALIDA

```
$ gcc -g -Wall comprobar_dl.c -o comprobar_dl -ldl
$ LD_LIBRARY_PATH=$(pwd) ./ comprobar_dl
No se pudo abrir foobar. No existe dicho archivo o directorio
```

Tal como se puede observar, uno no tiene que linkear `biblioteca_errores` ni incluir el archivo de encabezado `biblioteca_errores.h` en su código fuente. Todos los accesos a `biblioteca_errores.so` se realizan por medio de la interfaz `dl`. El uso que realiza `comprobar_dl` de la llamada a `dlerror` ilustra sobre la manera correcta de utilizarla. Se llama una vez a `dlerror` para poner la cadena descriptiva de errores a NULL, se llama a dlsym y luego se busca nuevamente a dlerror para guardar el valor retornado por la misma en otra variable, de modo de poder utilizar dicha cadena cuando se lo requiera. Llame a rutina_requerida de la misma manera que lo haría normalmente a la función a la que apunta la misma. Finalmente, descargue el objeto compartido y termine el programa.

Lo que viene

Este capítulo ha explicado el empleo y la creación de bibliotecas de programación. También concluye con la cobertura de las APIs de programación. La Parte IV, "Comunicación entre procesos", examina una diversidad de maneras con las cuales los programas pueden comunicarse entre sí. En particular, el lector aprenderá sobre pipes y FIFOs, memoria compartida y colas de mensajes, y también sobre sockets.

Comunicación entre procesos

15. Pipes y FIFOs

16. Memoria compartida

17. Semáforos y colas de mensajes

18. Programación de TCP/IP y sockets

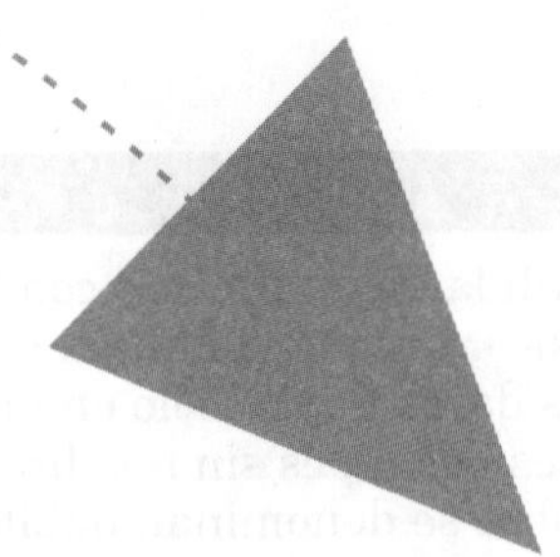

15

Pipes y FIFOs

Este es el primero de cuatro capítulos que cubrirán los diversos métodos empleados por Linux para permitir la comunicación entre procesos, también denominada IPC (*Interprocess Communication*). IPC es una sigla genérica que se refiere a los métodos que utilizan los procesos para comunicarse entre sí. Sin una IPC, los procesos podrían intercambiar, sólo intercambiar, datos u otra información entre ellos únicamente por medio del filesystem o –en el caso de procesos que tuvieran un ancestro común (tal como ocurre con la relación padre/hijo después de un `fork`)– por medio de cualquier posible descriptor de archivo heredado. Este capítulo trata sobre pipes y FIFOs, las formas más antiguas de IPC con la que cuentan UNIX y los sistemas operativos derivados del mismo.

Este capítulo cubre los siguientes temas:

- Pipes sin nombre
- Apertura y cierre de pipes sin nombre
- Lectura y escritura en pipes sin nombre
- Utilización de `popen` y `pclose`
- Qué son los FIFOs
- Creación, apertura y cierre de FIFOs
- Lectura y escritura de FIFOs

✔ La herencia de descriptores de archivos por parte de procesos se trata en "Empleo de `fork`", página 78.

Todos los programas de este capítulo pueden ser encontrados en el sitio Web `http://www.mcp.com/info` bajo el número de ISBN 0789722151.

Pipes

Los pipes (*conductos*) simplemente conectan la salida de un proceso con la entrada de otro. Lo mismo que su contraparte física, un pipe de Linux es (habitualmente) unidireccional o semi duplex; los datos fluyen sólo en una dirección. Este capítulo analiza dos clases de pipes, los pipes sin nombre y con nombre, respectivamente. Los pipes con nombre se denominan habitualmente FIFOs (*First In First Out,* lo que entra primero sale primero), con el mismo significado que en la práctica comercial. Los pipes sin nombre carecen del mismo porque nunca necesitan una ruta de acceso, y por lo tanto nunca existen en el filesystem. Hablando con precisión, todo lo que son consiste en dos descriptores de archivo asociados con un inode en memoria. El último proceso que cierra uno de estos descriptores de archivo hace que el inode, y por lo tanto el pipe, desaparezcan. Los pipes con nombre, por el contrario, cuentan con una ruta de acceso y existen en el filesystem. Son denominados FIFOs porque los datos se leen de los mismos en el mismo orden en que han sido escritos, de modo que el primer dato que entra a un FIFO es también el primer dato que sale del mismo. La figura 15-1 ilustra las diferencias y similitudes entre pipes sin nombre y FIFOs.

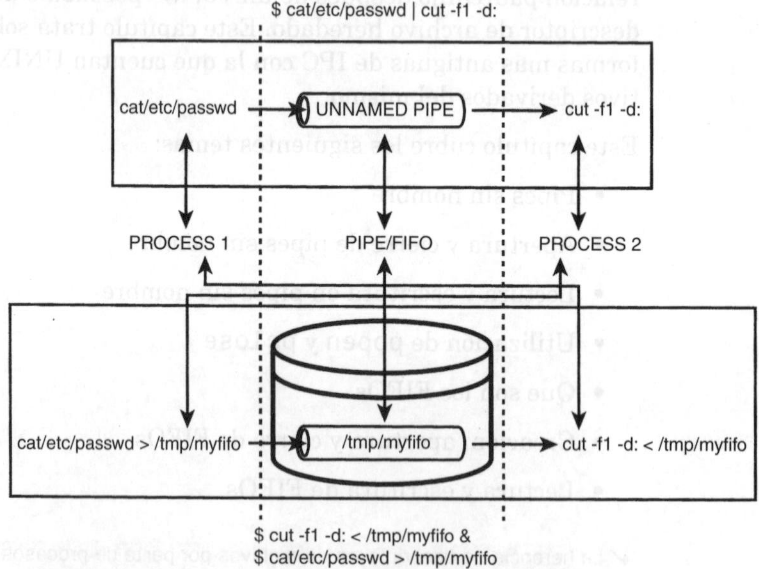

Figure 15.1. *Los pipes y los FIFOs funcionan de manera similar pero tienen diferente semántica.*

La mitad superior de la figura 15-1 ilustra la ejecución de la pipeline de interfaz `cat /etc/passwd ¦ cut -f1 -d:`. La mitad inferior de la misma muestra cómo sería ejecutada la pipeline de la parte superior de la misma si se empleara un pipe con nombre en lugar de uno sin nombre. Las líneas verticales de guiones representan el punto en el cual los datos son escritos o leídos de un pipe. Las flechas de doble cabeza muestran cómo se corresponden entre sí la entrada y la salida de los dos tipos de pipes. Todos los detalles serán explicados en las secciones subsiguientes, de modo que, posiblemente, regrese a esta figura a medida que avance por el capítulo. En la parte superior de la misma, la salida del comando `cat` es transmitida a través de un pipe sin nombre creado en el kernel. La salida del mismo se convierte en la entrada de `cut`. Este constituye un empleo típico de las pipelines de interfaz.

En particular, nótese que la utilización de pipes sin nombre requiere que el orden de los comandos `cat` y `cut` sea invertido. Por razones que serán explicadas más adelante, el comando `cut` debe ser ejecutado primero (y corrido en segundo plano) para que uno pueda, en el mismo terminal o desde la misma consola, emitir el comando `cat` que provee su entrada de datos al pipe con nombre.

El pipe con nombre, `/tmp/myfifo`, y el pipe sin nombre cumplen el mismo propósito, alimentar su salida con los datos que arriban a su entrada. Todo lo que realmente difiere cuando se trabaja con pipes con nombre es el orden en el cual son ejecutados los comandos y la utilización de los operadores de redirección de la interfaz, > y <, en el caso de los pipes sin nombre.

NOTA

Los FIFOs se crean por medio de la función `mkfifo`.

La mayoría de los usuarios de Linux se hallan familiarizados con los pipes sin nombre, aunque tal vez no se lleguen a dar cuenta. Cada comando cuya sintaxis sea similar a la siguiente emplea pipes sin nombre:

```
$ cat /etc/password ¦ cut -f1 -d: ¦ sort
```

En este ejemplo, la salida del comando `cat` se convierte en la entrada del comando `cut`, cuya salida a su vez se convierte en entrada para `sort`. Tal como es sabido, el carácter `|` es el símbolo del pipe. Lo que tal vez el lector no se haya dado cuenta es que su interfaz probablemente implemente `|` utilizando la función `pipe` que conocerá enseguida. De todos modos, resulta claro que nunca hay un archivo real en disco asociado con `|`.

PRECAUCIÓN

Un consejo al paso sobre terminología: A menos que se deba dejar bien en claro la diferencia, pipe en este capítulo se refiere sólo a los pipes sin nombre, y FIFO se aplica únicamente a los pipes con nombre. Tanto los pipes como los FIFOs, sin embargo, son semi duplex; o sea, los datos fluyen sólo en una dirección, lo mismo que el agua en una cañería de desagüe. Tanto los pipes como los FIFOs son `non_seekable`, es decir, no son susceptibles de ser manipulados internamente; es decir, uno no puede utilizar funciones tales como lseek para ubicar donde lo desee un puntero de archivo.

Los pipes sin nombre tienen dos limitaciones. Primero, tal como se observó, son sólo semi duplex, por lo que los datos pueden recorrerlos en una sola dirección a la vez. Segundo, y más importante, los pipes pueden ser utilizados únicamente entre procesos relacionados entre sí, aquellos que tienen un ancestro común. Tal como el lector recordará del capítulo 4, "Procesos", los procesos hijo creados mediante un `fork` o un `exec` heredan los descriptores de archivos presentes en su proceso padre.

La figura 15-2 muestra cómo fluyen los datos por un pipe.

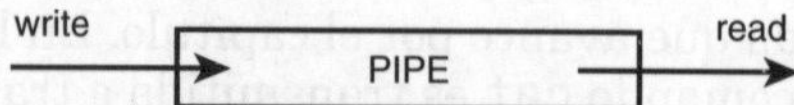

Figura 15.2. *Los pipes sin nombre son semi duplex y pueden ser accedidos sólo por procesos relacionados.*

Tal como lo muestra la figura, los datos son escritos (por un proceso) a un extremo del pipe y leídos (por otro proceso) desde el otro extremo del mismo.

Apertura y cierre de pipes

Naturalmente, antes de que se pueda utilizar un pipe para ser leído o escrito, éste debe existir. La función requerida para crear uno es precisamente `pipe`. Su prototipo está declarado en `<unistd.h>` de la siguiente manera:

```
int pipe(int arreglo_descriptores[2]);
```

Si la función `pipe` tiene éxito, abre dos descriptores de archivo y almacena sus valores en el miniarreglo de tipo int `arreglo_descriptores`. El primer descriptor almacenado en el mismo, `arreglo_descriptores[0]`, es utilizado para lectura, por lo que pipe lo abre empleando el indicador de sólo lectura `O_RDONLY`. El segundo descriptor de archivo, `arreglo_descriptores[1]`, se utiliza para las operaciones de escritura, de modo que pipe lo abre utilizando el indicador de sólo escritura `O_WRONLY` de `open`. `pipe` retorna 0 si tiene éxito o `-1` si ocurre algún error, en cuyo caso esta función asigna también un valor adecuado a la variable global de error `errno`.

✔ La sintaxis de las llamadas a sistema open y close está cubierta en "Apertura y cierre de archivos", página 140.

Las posibles condiciones de error son `EMFILE`, que significa que el proceso que efectuó la llamada tiene ya demasiados descriptores de archivo abiertos, `EFAULT`, que significa que el arreglo `arreglo_descriptores` era inválido, o `ENFILE`, que tiene lugar cuando la tabla de archivos del kernel está llena. Repetimos, debe ser enfatizado que los descriptores de archivo no corresponden a un archivo de disco, sólo lo son a un inode que reside en el kernel. La figura 15-3 ilustra esta cuestión.

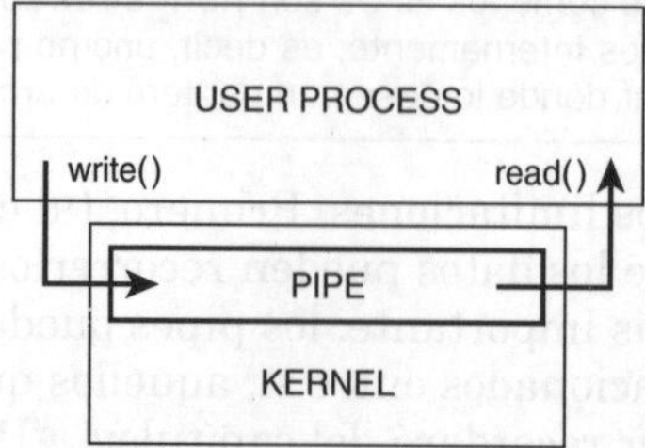

Figura 15.3. *Un pipe de Linux existe sólo en el kernel.*

Para cerrar un pipe se deben cerrar sus descriptores de archivo asociados mediante una llamada a sistema `close`.

Ejemplo

El siguiente ejemplo abre y cierra un pipe:

```
/* Nombre del programa en Internet: pipopn.c */
/*
 * abrir_pipe.c - Abre y cierra un pipe
 */
#include <unistd.h>
#include <stdio.h>
#include <stdlib.h>

int main(void)
{
     int arreglo_descriptores[2];

     if((pipe(arreglo_descriptores)) < 0) {
          perror("pipe");
          exit(EXIT_FAILURE);
     }
     printf("Los descriptores son %d, %d\n", arreglo_descriptores[0],
arreglo_descriptores[1]);

     close(arreglo_descriptores[0]);
     close(arreglo_descriptores[1]);
     exit(EXIT_SUCCESS);
}
```

La salida de este programa muestra que la llamada a `pipe` tuvo éxito (los valores de los descriptores pueden ser diferentes en su sistema). El programa llama a la función pipe, transfiriéndole el arreglo de descriptores de archivo `arreglo_descriptores`. Si la llamada a `pipe` tiene éxito, el programa imprime los valores enteros de los descriptores de archivo, cierra ambos y termina.

```
$ ./abrir_pipe
Los descriptores son 3, 8
```

Lectura y escritura de pipes

Para leer y escribir pipes, simplemente utilice las llamadas `read` y `write`. Recuerde, read lee desde el extremo del pipe cuyo descriptor es `arreglo_descriptores[0]` y `write` escribe al extremo cuyo descriptor es `arreglo_descriptores[1]`.

✔ Para obtener un rápido recordatorio de las llamadas a sistema `read` y `write`, refiérase a la sección "Lectura y escritura de archivos", página 142.

En realidad, no tiene demasiado propósito para un proceso abrir un pipe para uso propio. Los pipes se utilizan para intercambiar datos con otro proceso. Como un proceso ya tiene en vigencia el acceso a los datos que compartiría por medio de un pipe, no tiene sentido compartir dichos datos consigo mismo. Normalmente, un proceso llama a pipe y después llama a fork para engendrar un proceso hijo. Como el proceso hijo hereda todo descriptor de archivo que mantuviera abierto su padre, queda establecido entre ambos procesos un canal de comunicación IPC. Cuando un proceso está leyendo debe mantener cerrado el extremo de escritura del pipe, y recíprocamente. El paso siguiente dependerá entonces de cuál sea el proceso que realice la lectura y cuál el que efectúe la escritura del pipe. La regla general es que los respectivos cierres sean cruzados, es decir que el proceso que lee mantenga cerrado el extremo de escritura del pipe mientras dure su lectura y el proceso que escribe cierre el correspondiente extremo de lectura mientras procede a escribir sus datos. Los siguientes comentarios hacen este proceso más evidente:

- Si el proceso padre está enviando datos a su hijo, el padre cierra `arreglo_descriptores[0]` y escribe a `arreglo_descriptores[1]`, mientras que el hijo cierra `arreglo_descriptores[1]` y lee de `arreglo_descriptores[0]`.
- Si el proceso hijo es el que envía sus datos al proceso padre, el hijo cierra `arreglo_descriptores[0]` y escribe a `arreglo_descriptores[1]`, mientras que el padre cierra `arreglo_descriptores[1]` y lee de `arreglo_descriptores[0]`.

La figura 15-4 le debería servir al lector para visualizar el procedimiento adecuado y recordar la regla.

PRECAUCIÓN

Cualquier intento de leer y escribir en ambos extremos de un único pipe constituye un serio error de programación. Si dos procesos necesitan la funcionalidad de un pipe full duplex, el proceso padre debe proceder a abrir dos pipes en lugar de uno antes de llamar a `fork`.

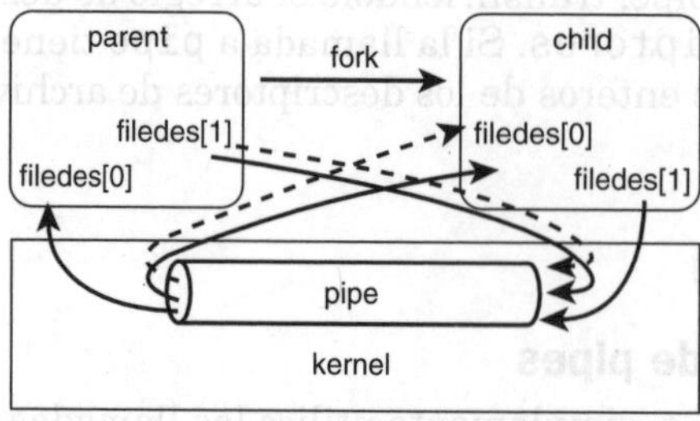

Figure 15.4. *Luego de efectuar una llamada a fork, un proceso deberá solamente leer o escribir, no ambas cosas a la vez.*

La porción superior de la figura 15-4 muestra la disposición de ambos descriptores inmediatamente después del fork: tanto el proceso padre como su hijo tienen ambos descriptores de archivo abiertos. Esta figura presupone que el proceso padre será el que escriba y su hijo el que lea. La mitad inferior de la figura ilustra el estado de los descriptores de archivo después que el proceso padre cierra el descriptor que corresponde al extremo de lectura del pipe y su hijo cierra el correspondiente descriptor del extremo de escritura.

PRECAUCIÓN

Después que haya sido cerrado el extremo de escritura de un pipe, cualquier intento de leer de ese pipe retornará 0 para indicar el fin del archivo. Sin embargo, si es el extremo de lectura el que ha sido cerrado, cualquier intento de escribir al pipe generará la señal SIGPIPE para el proceso que lo intentó hacer, y la propia llamada a `write` retornará -1 y establecerá la variable global errno a EPIPE. Si el proceso que está escribiendo no intercepta o ignora a SIGPIPE, el proceso de escritura terminará.

✔ Para repasar sobre la manera de interceptar o pasar por alto las señales, ver "Intercepción de señales", página 102.

EJEMPLO

Ejemplo

El siguiente programa, `abrirpipe_rw`, muestra el procedimiento correcto de apertura de un pipe entre procesos relacionados.

```
/* Nombre del programa en Internet: piperw */
/*
 * usar_pipe.c - La manera correcta de abrir un pipe
 * y engendrar un proceso hijo. Sintaxis: usar_pipe nombre de archivo
 */
#include <unistd.h>
#include <stdio.h>
#include <stdlib.h>
#include <fcntl.h>
#include <limits.h>

#define TAMAÑO_BUF PIPE_BUF

void salir_si_error(char *mensaje);
int main(int argc, char *argv[])
{
    int arreglo_descriptores[2];                /* Arreglo de descriptores de
archivo para el pipe */
    int descriptorArchivoDatos;     /* Descriptor del archivo que suministra los
datos que desea */
                                               /* transmitir por el pipe el
proceso padre a su hijo (el */
                                               /* archivo que va como argumento
en la linea de comandos) */
    char buf[TAMAÑO_BUF];
    int pid, bytes_leidos;

    /* Creacion del pipe */
    if((pipe(arreglo_descriptores)) < 0)
        salir_si_error("pipe");
```

```
    /* Efectuar un fork y cerrar los descriptores adecuados */
    if((pid = fork()) < 0)
        salir_si_error("fork");
    if (pid == 0) {
        /* El proceso hijo lee del pipe, asi que cierra el descriptor del extremo
de escritura */
        close(arreglo_descriptores[1]);
        while((bytes_leidos = read(arreglo_descriptores[0], buf, TAMAÑO_BUF)) >
0)
            write(STDOUT_FILENO, buf, bytes_leidos);
        close(arreglo_descriptores[0]);
    } else {
        /* El proceso padre escribe al pipe, asi que cierra el descriptor del
extremo de lectura */
        close(arreglo_descriptores[0]);
        if((descriptorArchivoDatos = open(argv[1], O_RDONLY)) < 0) {
            perror("open");  /* No se puede abrir el archivo de datos */
            write(arreglo_descriptores[1], "123\n", 4); /* Al menos enviar por el
pipe algo

prederminado */
        } else {       /* Todo anduvo bien */
            while((bytes_leidos = read(descriptorArchivoDatos, buf, TAMAÑO_BUF))
> 0)
                write(arreglo_descriptores[1], buf, bytes_leidos);
            close(descriptorArchivoDatos);
        }
        /* Como el proceso padre ya termino de escribir al pipe, */
       /* procede a cerrar el descriptor del extremo de escritura */
        close(arreglo_descriptores[1]);
    }
    /* Obtener la condicion de salida del proceso hijo */
    waitpid(pid, NULL, 0);

    exit(EXIT_SUCCESS);
}
void salir_si_error(char *mensaje)
{
    perror(mensaje);
    exit(EXIT_FAILURE);
}
```

usar_pipe espera en la línea de comandos el nombre del archivo que contiene los datos. Si la línea de comandos no contuviera ningún argumento, usar_pipe, que es el proceso padre, enviará a su hijo la cadena predeterminada 123\n. Una corrida de prueba que utilizó el programa anterior, abrir_pipe, como archivo de datos, produjo la siguiente salida (truncada por razones de espacio):

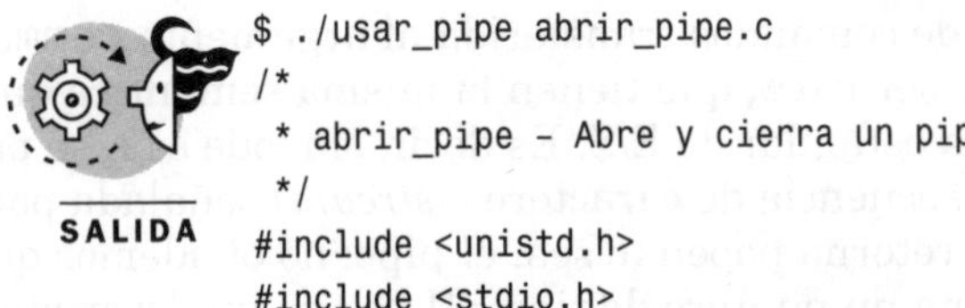


```
$ ./usar_pipe abrir_pipe.c
/*
 * abrir_pipe - Abre y cierra un pipe
 */
#include <unistd.h>
#include <stdio.h>
#include <stdlib.h>
. . .
```

Como es dable ver a partir de la correspondiente salida, `abrirpipe_rw` se comporta de manera similar al comando `cat`, excepto que utiliza un pipe en lugar de remitirse simplemente a mostrar los datos que recibe en `stdout`. Después del `fork`, el proceso hijo cierra el extremo de escritura del pipe cuyo descriptor heredó, porque el proceso hijo es el que se encarga de leer del pipe. Análogamente, el proceso padre es el que escribe al pipe, de modo que es el que cierra el descriptor del extremo de lectura del pipe.

En lugar de disponer la terminación del programa si no pudiese abrir su archivo de entrada de datos (`argv[1]`), el proceso padre procederá en cambio a enviar a su hijo por el pipe la cadena predeterminada `123\n`. Cuando el proceso padre termina de enviar datos a su hijo a través del pipe, cierra el descriptor del extremo de escritura y se apresta a terminar. Cuando el proceso hijo constata que no hay más datos que leer desde el pipe (lee 0 bytes), cierra el descriptor del extremo de lectura y también termina. Finalmente, aunque no resulta claro si es el proceso padre o su hijo el que termina primero, el proceso padre llama a `waitpid` para obtener la condición de salida del proceso hijo y prevenir así la creación de un proceso zombie o huérfano.

NOTA

Si varios procesos están escribiendo al mismo pipe, cada llamada a write debe escribir menos de `PIPE_BUF` bytes, que es un macro definido en <limits.h>, a fin de asegurar operaciones de escritura que sean atómicas; es decir, que los datos escritos por un proceso no se entremezclen con los datos de otro proceso. Para hacer de esto una regla, asegurar escrituras atómicas, limite la cantidad de datos escritos en cada llamada a write a menos que `PIPE_BUF` bytes.

Una manera más simple

El programa `usar_pipe` tuvo que realizar mucho trabajo tan solo para lograr replicar la acción del comando `cat` sobre un archivo: debió crear un pipe, efectuar un `fork`, cerrar descriptores innecesarios tanto en el proceso padre como en su hijo, abrir un archivo de datos, escribir y leer del pipe, cerrar los archivos y descriptores abiertos y luego obtener la condición de salida del proceso hijo. Esta secuencia de acciones es tan común que el ANSI/ISO C las incluyó en dos funciones de biblioteca estándar, `popen` y `pclose`, cuyo prototipo en `<stdio.h>` es el siguiente:

```
FILE *popen(const char *command, const char *mode);
int pclose(FILE *stream);
```

`popen` crea un pipe y luego utiliza un `fork` para generar un proceso hijo, seguido por un `exec` que llama a `/bin/sh -c` para que el mismo ejecute la cadena presente en la línea de comandos transferida al argumento `command`. El argumento `mode` puede ser `r` o `w`, que tienen la misma semántica que la que poseen en la biblioteca estándar de E/S. Es decir, si mode es r, se procede a abrir para lectura la secuencia de caracteres (*stream*) señalada por el puntero de tipo FILE que retorna popen (o sea, el pipe; no olvidemos que la función fopen() de C retorna un puntero de tipo FILE y no un descriptor de archivo, tal como lo hace su respectiva contraparte, la llamada a sistema `open()` de Linux), lo que significa que dicha secuencia queda agregada a la salida estándar de `command`, tal como si se redirigiera la misma desde la línea de comandos; leer de dicha secuencia es lo mismo que leer la salida estándar de `command`. De manera similar, si `mode` es `w`, la correspondiente secuencia de caracteres queda agregada a la entrada estándar de `command`, de modo que escribir a esa secuencia de caracteres (nuevamente el pipe) equivale a escribir a la entrada estándar de `command`. Si la llamada a `popen` fracasa, la misma retorna `NULL`. La condición de error que ocasionó la falla de la llamada es entonces asentada en la variable de error `errno`.

Para cerrar la secuencia de caracteres se debe utilizar `pclose` en lugar de la función estándar de C `fclose`. La función `pclose` cierra la secuencia de caracteres de E/S, aguarda a que se complete `command` y retorna su correspondiente condición de salida al proceso que la llamó. Si la llamada a pclose fracasa, la misma retorna `-1`.

EJEMPLO

Ejemplo

El siguiente programa es una versión alternativa de `usar_pipe` que utiliza `popen` y `pclose`:

```
/* Nombre del programa en Internet: newrw.c */
/*
 * nuevo_usar_pipe.c - La manera correcta de abrir un pipe y engendrar
 * un proceso hijo. Sintaxis: nuevo_usar_pipe nombre de archivo
 */
#include <unistd.h>
#include <stdio.h>
#include <stdlib.h>
#include <fcntl.h>
#include <limits.h>

#define TAMAÑO_BUF PIPE_BUF

void salir_si_error(char *mensaje);
int main(void)
{
    FILE *puntero_archivo;                              /* stream de tipo FILE para
popen */
    char *cadena_linea_comandos = "cat abrir_pipe.c";
    char buf[TAMAÑO_BUF];                      /* Buffer para "entrada" de datos */

    /* Creacion del pipe */
    if((puntero_archivo = popen(cadena_linea_comandos, "r")) == NULL)
        salir_si_error("popen");
```

```
    /* Leer la salida de cadena_linea_comandos */
    while((fgets(buf, TAMAÑO_BUF, puntero_archivo )) != NULL)
      printf("%s", buf);

    /* Cerrar y obtener la condicion de salida */
    pclose(puntero_archivo);
    exit(EXIT_SUCCESS);
}
void salir_si_error(char *mensaje)
{
    perror(mensaje);
    exit(EXIT_FAILURE);
}
```

Como se puede observar en el listado, `popen` y `pclose` logran que trabajar con pipes requiera mucho menos código. La contrapartida es tener que renunciar a cierta capacidad de control. Por ejemplo, el lector se ve forzado a utilizar la biblioteca de secuencias de caracteres de C en reemplazo de las llamadas de E/S de bajo nivel `read` y `write` de Linux. Además, popen obliga al programa a realizar un `exec`, que tal vez uno no desee o no necesite. Finalmente, la función que utiliza `pclose` para obtener el estado de salida del proceso hijo puede no acomodarse a los requerimientos de su programa. Dejando de lado esta pérdida de flexibilidad, `popen` permite ahorrar entre 10 y 15 líneas de código, y el código empleado para administrar la lectura y la escritura de los datos es asimismo mucho más sencillo que el empleado anteriormente en `abrir_pipe`. La salida, parte de la cual se muestra a continuación, permanece invariable. La semántica empleada con mode puede parecer algo extraña, así que conviene recordar que r significa que uno lee de `stdout` y w significa que uno escribe a `stdin`.

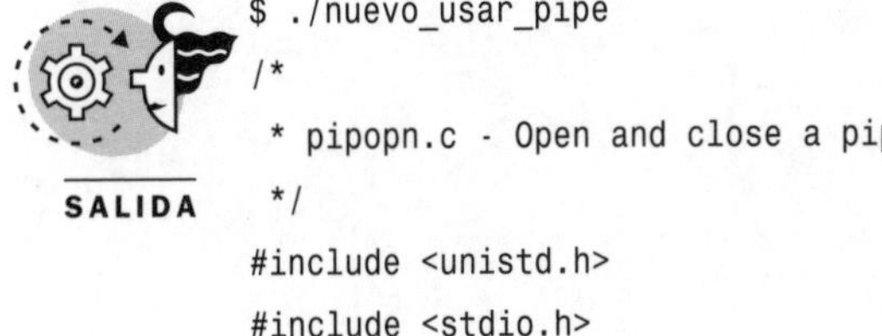


```
$ ./nuevo_usar_pipe
/*
 * pipopn.c - Open and close a pipe
 */
#include <unistd.h>
#include <stdio.h>
#include <stdlib.h>
...
```

FIFOs

Tal como se comentó anteriormente, los FIFOs se denominan también pipes con nombre porque equivalen a archivos, es decir, tienen presencia en el filesystem. Los FIFOs son especialmente útiles, porque permiten el intercambio de datos entre procesos no relacionados entre sí.

Qué es un FIFO

Un sencillo ejemplo que emplea comandos de interfaz podrá ayudarlo a comprender los FIFOs. El comando `mkfifo(1)` tiene por función crear FIFOs:

```
mkfifo [opcion] nombre_fifo [...]
```

Este comando crea un FIFO denominado `nombre_fifo`. El parámetro `opcion` es generalmente `-m modo`, donde modo indica el modo (en dígitos octales) del FIFO que se procede a crear, sujeto a modificaciones por parte de la umask. Después de haber sido creado el FIFO, uno puede utilizarlo como si fuera parte de una pipeline (secuencia de pipes) normal.

Ejemplo

El ejemplo que viene a continuación envía la salida de `nuevo_usar_pipe` a través de un FIFO imaginativamente denominado `fifo1` que, a su vez, envía su salida hacia el comando `cut`.

Primero se crea el FIFO utilizando el siguiente comando:

```
$ mkfifo -m 600 fifo1
```

Luego se ejecutan los dos comandos siguientes:

```
$ cat < fifo1 | cut -c1-5 &
$ ./nuevo_usar_pipe > fifo1
```

A continuación se suministra la salida de estos comandos de interfaz:

SALIDA

```
/*
 * pi
 */
#incl
#incl
#incl


int m


{
    int


    if((
        per
        Exit
    }
    fpri
    clos
```

```
    clos
    exit
}
```

El comando `cat`, corriendo en segundo plano, lee su entrada desde el FIFO `fifo1`. La entrada de `cat` es la salida del comando `cut`, que recorta todo excepto los primeros cinco caracteres de cada línea de su entrada. La entrada de `cut`, finalmente, es la salida del programa `nuevo_usar_pipe`.

La salida final de estos comandos de interfaz es el código truncado y de aspecto extraño que completa el listado. Si `fifo1` hubiese sido un archivo normal, el resultado habría sido que el mismo fuera rellenado con la salida de `nuevo_usar_pipe`.

CONSEJO

La salida del comando `ls` confirmaría que `mkfifo` creó el FIFO solicitado. Este aparecería con una p (por pipe) en el campo correspondiente a tipo de dispositivo del modo de archivo y también, debido a la acción del switch -F, aparecería con un carácter | agregado al nombre de archivo.

Creación de un FIFO

La función requerida para crear un FIFO se denomina `mkfifo`. Su sintaxis es similar a la de `open`:

```
int mkfifo(const char *nombre_de_fifo, mode_t modo);
```

Para utilizar esta función se deben incluir en el código fuente del programa los archivos de encabezado `<sys/types.h>` y `<sys/stat.h>`. `mkfifo` crea un FIFO denominado `nombre_de_fifo`, donde éste debe incluir su ruta completa de acceso, con los correspondientes permisos especificados, en notación octal, en `mode`. Como de costumbre, el valor asignado a mode será luego modificado por la `umask` del proceso.

NOTA

La `umask` afecta a la mayoría de las funciones que crean archivos o directorios con permisos específicos. Para determinar por adelantado cuáles serán los permisos de un archivo o directorio después de haber sido modificados por la `umask` del proceso, simplemente efectúe una operación de Y bit a bit entre el modo que se desea establecer con el complemento a uno del valor de la `umask`. Expresado en términos de programación, esto tendría el siguiente aspecto:

mode_t mode = 0666;

mode & ~umask;

Por ejemplo, dada una umask de 022, mode & ~umask retornará 0644.

Si tiene éxito, `mkfifo` retorna `0`. En caso contrario, asigna el valor adecuado a la variable de error `errno` y retorna `-1` al proceso que la llamó. Los errores posibles incluyen EACCESS, EEXIST, ENAMETOOLONG, ENOENT, ENOSPC, ENOTDIR y EROFS.

✔ Tabla 6-1, "Códigos de error generados por las llamadas a sistema", en página 125, contiene una lista de los errores que retornan generalmente las llamadas a sistema.

Ejemplo

El siguiente programa crea un FIFO en el directorio corriente:

```
/* Nombre del programa en Internet: newfifo.c */
/*
 * nuevofifo.c  Crea un FIFO. Sintaxis: nuevofifo nombre_fifo
 */
#include <sys/types.h>
#include <sys/stat.h>
#include <errno.h>
#include <stdio.h>
#include <stdlib.h>

int main(int argc, char *argv[])
{
    mode_t modo = 0666;

    if(argc != 2) {      /* El nombre del programa tambien se cuenta como
argumento */
 puts("MODO DE EMPLEO: nuevofifo <nombre_de_fifo>");
        exit(EXIT_FAILURE);
    }
    if((mkfifo(argv[1], modo)) < 0) {
        perror("mkfifo");
        exit(EXIT_FAILURE);
    }
    exit(EXIT_SUCCESS);
}
```

Un par de corridas de ejemplo de este programa produjeron la siguiente salida:

```
$ ./nuevofifo
MODO DE EMPLEO: nuevofifo <nombre_de_fifo>
$ ./nuevofifo fifo1
$ ./nuevofifo fifo1
mkfifo: File exists
```

La primera vez, `nuevofifo` no fue llamado correctamente y por lo tanto exhibió su mensaje de error; el programa espera como único argumento (además de su propio nombre) el nombre del FIFO que se desea abrir. La segunda corrida le proveyó un nombre para el FIFO, y `nuevofifo` procedió a crearlo. Como cuando se realizó la tercera corrida del programa ese FIFO ya existía, la correspondiente llamada a `mkfifo` fracasó y se le asignó a `errno` el valor `EEXIST`. Este valor de `errno` corresponde a la cadena que imprimió `perror`: `File exists` (en inglés por tratarse de un mensaje del sistema).

Apertura y cierre de FIFOs

Los procesos de apertura, cierre, eliminación, lectura y escritura de FIFOs utilizan las mismas llamadas a sistema `open`, `close`, `unlink`, `read` y `write`, respectivamente, que uno ya ha visto, lo cual constituye una de las ventajas del enfoque de Linux según el cual "todo es un archivo". Como la apertura y el cierre de FIFOs es idéntico a la apertura y el cierre de pipes, tal vez le sea provechoso repasar el programa que abre y cierra un pipe, listado anteriormente en este capítulo con el título "Apertura y cierre de pipes".

Se debe tener en mente algunas sutilezas, sin embargo, cuando se lee o escribe FIFOs. primero, ambos extremos de un FIFO deben de encontrarse abiertos antes de que puedan ser utilizados. Segundo, y más importante, es el comportamiento de un FIFO si éste ha sido abierto utilizando el indicador `O_NONBLOCK`. Recuérdese que los indicadores `O_WRONLY` y `O_RDONLY` pueden ser sometidos a una operación de `O` lógico con `O_NONBLOCK`. Si un FIFO se abre con `O_NONBLOCK` y `O_RDONLY`, la llamada retorna inmediatamente, pero si es abierto con `O_NONBLOCK` y `O_WRONLY` pero no también con `O_RDONLY`, `open` retorna un error y asigna a `errno` el valor `ENXIO`.

Si, por el contrario, no se especifica `O_NONBLOCK` entre los indicadores de `open`, `O_RDONLY` hará que open se bloquee (no retorne) hasta que algún otro proceso abra el FIFO para escribir. Análogamente, `O_WRONLY` se bloqueará hasta que el FIFO sea abierto para lectura.

Igual que en el caso de los pipes, escribir a un FIFO que no esté abierto para lectura envía la señal `SIGPIPE` al proceso que está intentando escribir y asigna a `errno` el valor `EPIPE`. Después que el último proceso que haya escrito al FIFO proceda a cerrar el mismo, cualquier proceso que intente leer del mismo detectará en su lectura un carácter de terminación de archivo (EOF). Como fue mencionado con relación a los pipes, para asegurarse que las operaciones de escritura sean atómicas cuando hay varios procesos escribiendo a un mismo FIFO, la cantidad de bytes escrita en cada operación de escritura no debe superar en tamaño el valor `PIPE_BUF`.

Lectura y escritura de FIFOs

Siempre y cuando se respeten las pautas comentadas al final de la última parte, la lectura y escritura de FIFOs es similar a la lectura de pipes y de archivos convencionales.

Ejemplo

Este ejemplo es un tanto complicado. Un programa, `leer_fifo`, crea y abre un FIFO para lectura, y exhibe la salida del FIFO en `stdout`. El otro programa, `escribir_fifo`, abre el FIFO para escritura. Resulta particularmente interesante el proceso de correr en diversas ventanas varias instancias del proceso que tiene a cargo la escritura y observar la salida de cada una de ellas en la ventana donde corre el programa que realiza la lectura.

```
/* Nombre del programa en Internet: rdfifo.c */
/*
 * leer_fifo.c - Create a FIFO and read from it
 */
#include <sys/types.h>
```

```
#include <sys/stat.h>
#include <errno.h>
#include <stdio.h>
#include <stdlib.h>
#include <fcntl.h>
#include <limits.h>

int main(void)
{
    int descriptor_archivo;                              /* Descriptor del FIFO */
    int num_bytes;                          /* Numero de bytes leidos desde el
FIFO */
    char buf[PIPE_BUF];
    mode_t modo = 0666;

    if((mkfifo("fifo1", modo)) < 0) {
        perror("mkfifo");
        exit(EXIT_FAILURE);
    }
    /* Abrir el FIFO para solo lectura */
    if((descriptor_archivo = open("fifo1", O_RDONLY)) < 0) {
        perror("open");
        exit(EXIT_FAILURE);
    }
    /* Leer el FIFO y exhibir su salida de datos hasta encontrar EOF */
    while((num_bytes = read(descriptor_archivo, buf, PIPE_BUF - 1)) > 0)
        printf("leer_fifo leyo: %s", buf);
    close(descriptor_archivo);

    exit(EXIT_SUCCESS);

}       /* FIN DE leer_fifo */

        /COMIENZO DE escribir_fifo
/* Nombre del programa en Internet: wrfifo.c */
/*
 * escribir_fifo.c - Escribir a un  FIFO "bien conocido"
 */
#include <sys/types.h>
#include <sys/stat.h>
#include <errno.h>
```

```
#include <stdio.h>
#include <stdlib.h>
#include <fcntl.h>
#include <limits.h>
#include <time.h>

int main(void)
{
    int descriptor_archivo;                 /* Descriptor del FIFO */
    int len;                              /* Numero de bytes escritos al FIFO */
    char buf[PIPE_BUF];                   /* Garantizar escrituras atomicas */
    mode_t modo = 0666;
    time_t puntero_de_reloj;                /* Para la llamada a time */

    /* Exhibir la identificacion de cada instancia (son mas de una) de este
proceso */
    printf("Yo soy %d\n", getpid());

    /* Abrir el FIFO para solo escritura */
    if((descriptor_archivo = open("fifo1", O_WRONLY)) < 0) {
        perror("open");
        exit(EXIT_FAILURE);

    }
    /* Generar algunos datos que se puedan escribir al FIFO */
    while(1) {
        /* Obtener la hora corriente */
        time(&puntero_de_reloj);
        /* Crear la cadena a ser escrita al FIFO */
        num_bytes = sprintf(buf, "escribir_fifo %d envia %s",
                         getpid(), ctime(&puntero_de_reloj));
        /*
         * Utilizar (num_bytes + 1) porque sprintf no incluye
         * en su conteo el cero binario de terminacion
         */
        if((write(descriptor_archivo, buf, num_bytes + 1)) < 0) {
            perror("write");
            close(descriptor_archivo);
            exit(EXIT_FAILURE);
        }
```

```
        sleep(3);       /* Intervalo de tres segundos entre dos escrituras
consecutivas al FIFO */
    }
    close(descriptor_archivo);
    exit(EXIT_SUCCESS);
}
```

La salida de estos programas se muestra en la figura 15-5. El lector, `leer_fifo`, corre en la xterm grande. Las tres xterms más pequeñas corren cada una de ellas una instancia diferente del programa que escribe al FIFO, `escribir_fifo`. La PID de cada instancia de `escribir_fifo` es exhibida en su respectiva pantalla. Cada tres segundos, cada instancia de `escribir_fifo` pone en el mismo FIFO, `fifo1`, un mensaje que consiste de su respectivo PID y la hora corriente. Como se puede observar, el programa de lectura, `leer_fifo`, exhibe el mensaje recibido y lo precede con la expresión "`leer_fifo leyo:`" para diferenciar su salida de la entrada tomada desde el FIFO.

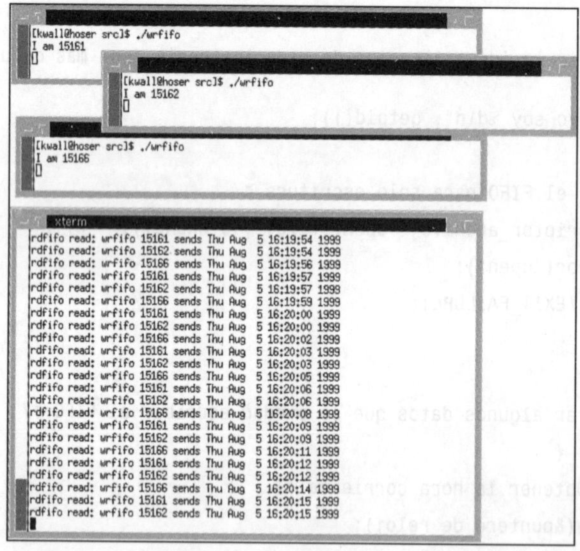

Figura 15.5. *Varios procesos (varias instancias del mismo programa) escriben al mismo FIFO.*

Vale la pena observar que estos programas constituyen una forma primitiva, aunque relativamente inútil, de aplicación *cliente / servidor*. El servidor es `leer_fifo`; el mismo procesa mensajes enviados al mismo a través del FIFO. Los clientes son cada una de las instancias de `escribir_fifo`, cuyo único propósito es enviar mensajes al servidor.

Una aplicación cliente/servidor más sofisticada llevaría a cabo algún tipo de procesamiento de los datos que reciba y enviaría algún tipo de datos o notificación de vuelta a sus clientes. La cobertura a fondo de las aplicaciones cliente/servidor se encuentra muy fuera del alcance de este libro.

Lo que viene

Este capítulo ha cubierto la forma más simple de la comunicación entre procesos: los pipes y FIFOs. El próximo capítulo continúa con la discusión de los métodos IPC, concentrándose en la memoria compartida. Aunque su mecánica es más complicada que la de los pipes y los FIFOs, la IPC por memoria compartida es mucho más potente y flexible y se la utiliza comúnmente en aplicaciones más extensas y sofisticadas, tales como los sistemas de administración de bases de datos relacionales (*RDBMS o Relational Data Base Management Systems*) que ofrecen empresas como Informix y Oracle.

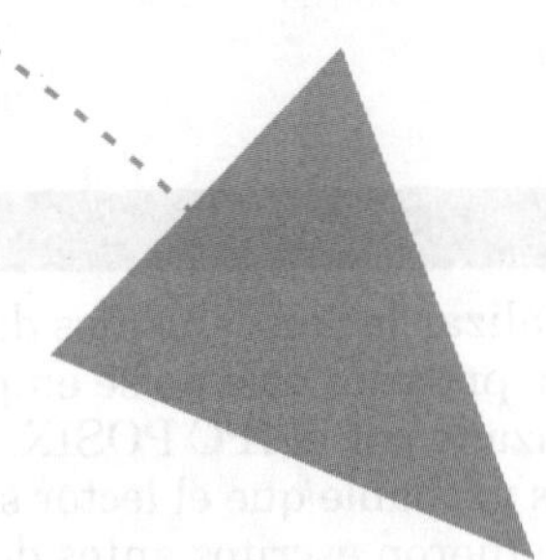

16

Memoria compartida

La memoria compartida es la primera de tres clases de *IPC,* o Comunicación Interprocesos, que se aprenderán en este libro. Los otros dos tipos de IPC son los semáforos y las colas de mensajes, que serán el tema del próximo capítulo. El conjunto que forman estas tres clases de IPC se denomina habitualmente IPC System V, porque los mismos se originaron con el UNIX System V, lanzado originalmente por AT&T. Las implementaciones de UNIX derivadas por BSD y otros sistemas operativos del tipo de UNIX, incluido Linux, también las incluyen.

✔ En el capítulo 17 se suministra una lista completa de "semáforos y colas de mensajes".

Este capítulo cubre los siguientes temas:

- Descripción general del IPC System V
- Problemas que presenta el IPC System V
- Utilización de memoria compartida

Todos los programas de este capítulo pueden ser encontrados en el sitio Web `http://www.mcp.com/info` bajo el número de ISBN 0789722151.

Introducción al IPC System V

Este es el primero de dos capítulos dedicados a analizar los mecanismos del IPC System V. Este sistema de comunicación entre procesos casi no se emplea en las nuevas aplicaciones porque ha sido reemplazado por el IPC POSIX. No obstante, el mismo se cubre en este libro porque es probable que el lector se tope con él en programas de cierta antigüedad que fueron escritos antes del advenimiento del estándar IPC POSIX. Los tres tipos de comunicación entre procesos provistos por el IPC System V tienen básicamente la misma interfaz y el mismo diseño general. Esta sección presenta los conceptos fundamentales del IPC System V y analiza las prestaciones y modalidades de programación que son comunes a semáforos, colas de mensajes y memoria compartida.

Las estructuras IPC (semáforos, colas de mensajes y segmentos compartidos de memoria) existen en el kernel, como si fuesen pipes, en lugar de estar presentes en el filesystem, como los FIFOs. Las estructuras IPC son denominadas a veces en conjunto objetos IPC, para evitar así la necesidad de tener que referirse a ellos como "semáforos, colas de mensajes y segmentos compartidos de memoria". Por la misma razón, la expresión objeto IPC se emplea para referirse a cada uno de estos tipos de estructura en particular sin necesidad de ser específico al respecto. La figura 16-1 muestra cómo se comunican entre sí dos procesos no relacionados mediante un objeto IPC.

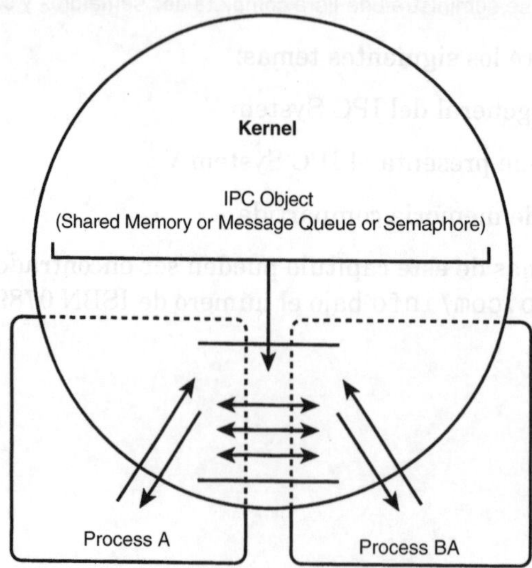

Figura 16.1. *Los objetos IPC permiten que puedan intercambiar datos dos procesos no relacionados entre sí.*

Como se puede observar en la figura 16-1, los objetos IPC son mantenidos en el kernel (en verdad, en la memoria del kernel), permitiendo así que procesos que no se encuentran relacionados entre sí (o sea procesos que no tienen un padre común) se comuniquen entre ellos por medio de uno de los mecanismos IPC, es decir, memoria compartida, semáforos o colas de mensajes. Los datos fluyen libremente entre los distintos procesos por medio de los mecanismos IPC.

Cada objeto es referido y accedido por medio de su *identificador,* un número entero que identifica inambiguamente al objeto y su tipo. Cada identificador es exclusivo para su tipo de objeto, pero el mismo identificador puede hallarse en uso para una cola de mensajes, un semáforo y un segmento de memoria compartida. Es decir, podría haber simultáneamente en uso tres identificadores del mismo valor numérico que se refieran a tres objetos IPC distintos. El identificador se convierte así en un descriptor o *handle* para todas las operaciones que se realicen sobre la estructura.

NOTA

Los identificadores de estructuras de IPC no son valores pequeños, enteros y positivos, que se pueden utilizar y reutilizar a la manera en que se lo hace con los descriptores de archivos. De hecho, a medida que las estructuras van siendo creadas y eliminadas, su número de identificación, denotado formalmente denominado *número secuencial de uso de ranura,* va aumentando hasta alcanzar un valor máximo, en el cual vuelve a 0 y recomienza la secuencia numérica. El valor máximo depende del sistema operativo y del hardware que se estén utilizando. En Linux los identificadores se declaran como enteros sin signo de tipo `int`, de modo que el máximo valor posible para ellos es `65.535`.

Cada estructura IPC es creada por medio de una función que termina en `get`: `semget` para los semáforos, `msgget` para las colas de mensajes y `shmget` para la memoria compartida. Cada vez que se crea un objeto por medio de las funciones `*get`, el proceso que efectúa la llamada debe especificar una *clave* de tipo `key_t` (declarada en `<sys/types.h>`), que el kernel utiliza para generar el identificador. El kernel de Linux 2.2.x define `key_t` como un valor de tipo `int`. Después que una estructura IPC haya sido creada, las llamadas subsiguientes a una función `*get` que utilicen la misma clave no crean una nueva estructura sino que meramente retornan el identificador asociado con una estructura existente. Por lo tanto, dos o más procesos que deseen establecer un canal IPC pueden llamar a una función `*get` con la misma clave.

La cuestión es, por lo tanto, cómo garantizar que todos los procesos que deseen emplear una instancia distinta de la misma estructura IPC puedan utilizar la misma clave. En uno de los métodos, el proceso que inicialmente desea crear una nueva instancia de esa estructura le transfiere a la función `*get` una clave `IPC_PRIVATE`, la cual garantiza se creará una nueva instancia de la misma. El proceso creador de esa instancia de la estructura IPC almacena entonces el identificador retornado por la función `*get` en el filesystem, donde otros procesos puedan accederla. Cuando un proceso efectúa un `fork` para generar un proceso hijo o un exec para cargar determinado proceso, el proceso padre le transfiere a su proceso hijo el identificador retornado por `*get` como uno de los argumentos de la función exec que carga el nuevo proceso en memoria. En el caso del uso de `fork`, dicha transferencia de atributos desde el proceso padre a su hijo es automática.

Otro método almacena una clave estándar en un archivo de encabezado común a todos los programas, de modo que todos los programas que incluyen dicho archivo de encabezado tendrán acceso a la misma clave. Un problema que se presenta con este enfoque es que ningún proceso puede saber si está creando una nueva estructura o simplemente accediendo una que ya ha sido creada por otro proceso. Otro problema es que la clave puede encontrarse ya en uso por un programa no relacionado. Como resultado, el proceso que utilice esta clave debe incluir el código necesario para administrar dicha posibilidad.

Un tercer método requiere el empleo de la función `ftok`, que admite una ruta de acceso y un carácter único cuyo tipo es obviamente `char`, denominado *identificador de proyecto,* y retorna una clave, que luego es transferida a la función `*get` adecuada. Es responsabilidad del programador asegurarse de que tanto la ruta de acceso como el identificador de proyecto sean conocidos por adelantado por todos los procesos. El lector puede lograr esto utilizando uno de los métodos mencionados antes: incluir la ruta de acceso y el identificador de proyecto en un archivo de encabezado común a todos los programas o almacenarlos en un archivo de configuración predefinido. Lamentablemente, `ftok` tiene un serio defecto: no garantiza que generará una clave única, lo que crea los mismos problemas que el segundo enfoque comentado anteriormente. Debido a los posibles problemas que puede generar el empleo de `ftok`, este capítulo no la toma en cuenta.

PRECAUCIÓN

Dicho de manera cruda, la implementación de Linux de la función ftok no funciona bien. La misma genera una clave no única en las siguientes situaciones:

- Cuando dos vínculos simbólicos diferentes vinculan el mismo archivo.
- Cuando los primeros 16 bits del número de inode de la ruta de acceso coinciden.
- Cuando un sistema tiene dos dispositivos de disco con el mismo número menor, lo que ocurre en sistemas que cuentan con múltiples controladores de disco. El número principal del dispositivo será diferente, pero el número menor del mismo puede ser igual.

Dada la debilidad de la implementación por parte de Linux de la función ftok, se recomienda encarecidamente a los lectores considerarla inútil e ignorarla.

Además de una `clave`, las funciones `*get` también aceptan un argumento `indicadores` que controla el comportamiento de `*get`. Si la clave especificada no se encuentra ya en uso para el tipo deseado de estructura y el bit `IPC_CREAT` está activado en `indicadores`, será creada una nueva instancia de la estructura.

Cada estructura IPC tiene un *modo,* un conjunto de permisos que se comportan de manera similar al del modo de un archivo (cuando se lo transfiere a una llamada a `open`), excepto que para las estructuras IPC no rige el concepto de permisos de ejecución. Cuando cree una estructura IPC, uno debe efectuar una operación O bit a bit en el argumento `indicadores` con los permisos específicos, utilizando la notación octal tal como fue definida para las llamadas a sistema `open` y `creat`, o no le resultará posible acceder a la estructura recién creada. El lector encontrará ejemplos específicos de esta situación más adelante. Tal como sería de esperar, el IPC System V incluye una función para modificar los permisos de acceso y la propiedad de las estructuras IPC.

✔ Para un rápido recordatorio sobre modos de archivos, ver "El modo de un archivo", página 134.

Problemas que plantea el IPC System V

El IPC System V tiene varias limitaciones. Primero, la interfaz de programación es compleja para los beneficios que provee. Segundo, las estructuras IPC son un recurso más firmemente restringido en cuanto al número que un sistema permite tener en uso al mismo tiempo que, digamos, el número de archivos abiertos que puede aceptar el mismo o el número de procesos activos que éste permite. Tercero, a pesar de ser un recurso con límites, las estructuras IPC no mantienen un conteo de referencia, o sea un recuento del número de proceso que se encuentran utilizando una estructura al mismo tiempo. Como resultado de ello, el IPC System V no cuenta con una manera automática de recuperar las estructuras IPC abandonadas.

Por ejemplo, si un proceso crea una estructura, ingresa datos a la misma y luego termina sin eliminar adecuadamente ni la estructura ni los datos que ésta contiene, la estructura seguirá allí hasta que suceda una de las siguientes cosas:

- Se reinicie el sistema.
- Sea deliberadamente eliminada utilizando el comando `ipcrm(1)` (*remove IPC structure*).
- Otro proceso que cuente con los permisos de acceso requeridos lea los datos o elimine la estructura, o ambas cosas a la vez.

Esta limitación constituye un importante problema de diseño.

Finalmente las estructuras IPC, como se observó antes, existen sólo en el kernel y no forman parte del filesystem. Como resultado, las operaciones de E/S que involucren a la misma requieren aprender todavía otra interfaz más de programación. Al carecer de descriptores de archivo, uno no puede emplear E/S de tipo multiplex con la llamada a sistema `select`. Si un proceso debe aguardar por su E/S en una estructura IPC, debe utilizar algún tipo de lazo de espera mientras la estructura esté siendo empleada por otro proceso. Un lazo de tipo *aguardar acceso* es un lazo que verifica de manera continua por la modificación de alguna condición; esto constituye casi siempre un mal procedimiento de programación porque consume innecesariamente ciclos de CPU. El lazo tipo aguardar-acceso resulta especialmente pernicioso en Linux, que cuenta con varios métodos de implementar esperas de este tipo, tales como bloquear E/S, la llamada a sistema `select` y las señales.

✔ Para repasar la E/S en multiplex y la llamada a sistema `select`, ver "Multiplexing de E/S", página 169.

Qué es la memoria compartida

La memoria compartida es una región (segmento) de memoria destinada por el kernel para el propósito del intercambio de información entre procesos. Siempre y cuando un proceso cuente con los permisos de acceso al segmento adecuados, el mismo puede acceder a dicho segmento mapeándolo a su propio espacio privado de memoria. Si un proceso actualiza los datos presentes en el segmento, dicha actualización resulta inmediatamente visible a los demás procesos. Un segmento creado por un proceso puede ser leído o escrito (o ambas cosas a la vez) por otros procesos. El nombre, memoria compartida, transmite el hecho de que varios procesos pueden compartir el acceso a dicho segmento y a la información que contiene el mismo.

Cada proceso recibe su propio mapa de la memoria compartida en su espacio privado de memoria. De hecho, la memoria compartida se asemeja conceptualmente a los archivos mapeados en memoria. La memoria compartida se ilustra en la figura 16-2.

✔ La creación y el empleo de archivos mapeados en memoria se analizan en detalle en "Archivos mapeados en memoria", página 174.

La figura 16-2 sobresimplifica de alguna manera el concepto de memoria compartida porque el correspondiente segmento puede consistir tanto de datos en la RAM física como en las páginas de memoria que se encuentren temporariamente presentes en disco. Lo mismo vale para el espacio en memoria de los procesos que hacen uso de dicho segmento de memoria compartida.

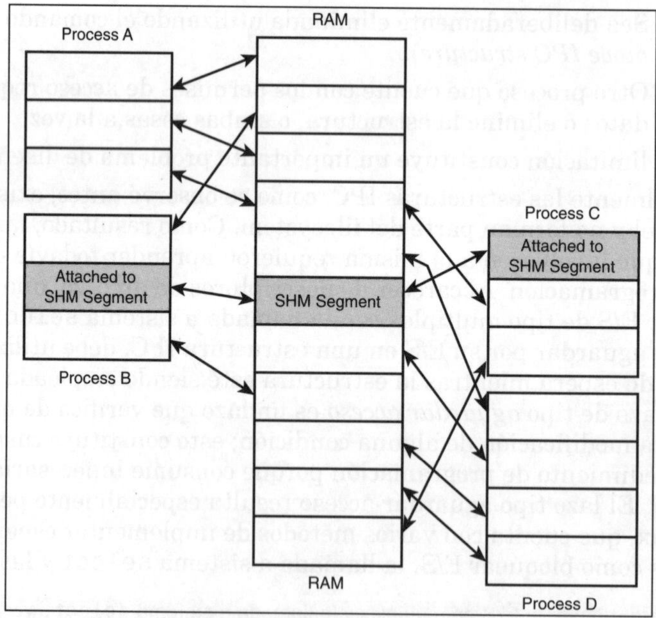

Figura 16.2. *Los procesos mapean los segmentos de memoria compartida a su propio espacio de memoria.*

No obstante, la figura muestra un segmento de memoria compartida (SHM o *Shareable Memory*) creado en la memoria principal (mostrado como un rectángulo sombreado). Los rectángulos sombreados presentes en los procesos B y C ilustran el hecho de que los dos procesos han mapeado dicho segmento a sus propios espacios de memoria. La figura muestra también que cada uno de los cuatro procesos cuenta con su propio espacio en memoria que se mapea a alguña región de la RAM física. Sin embargo, el espacio en memoria de un proceso es privado, es decir, no puede ser accedido por los demás procesos.

Naturalmente, dado que la transferencia de datos tiene lugar de manera estricta en memoria (dejando de lado la posibilidad de que una o más páginas puedan estar residiendo transitoriamente en el disco), la memoria compartida es una manera rápida de que dos procesos se puedan comunicar entre sí. Tiene muchas de las ventajas de los archivos mapeados en memoria.

Creación de un segmento de memoria compartida

La función necesaria para crear un segmento de memoria compartida es `shmget`. Para utilizar cualquiera de las funciones vinculadas con la memoria compartida, se debe incluir en el código fuente de un programa los archivos de encabezado `<sys/types.h>`, `<sys/ipc.h>` y `<sys/shm.h>`. El prototipo de shmget es el siguiente:

```
int shmget(key_t key, int size, int flags);
```

`flags` (*indicadores*) pueden ser uno o más de los siguientes: `IPC_CREAT`, `IP_EXCL` y un conjunto de bits de permiso (modos), todos ellos sometidos entre sí a una operación lógica de `O` bit a bit. Los bits de permiso deben ser especificados en notación octal. `IPC_EXCL` garantiza que si el segmento ya existiera la llamada fracasará, en vez de retornar el identificador de un segmento ya asignado.

CONSEJO

El makefile para los ejemplos de este capítulo (presente en el sitio Web de este libro) incluye un macro de preprocesador, `-D _XOPEN_SOURCE`. Este macro se requiere porque todos los programas incluyen `<ipc.h>`, que requiere que `_XOPEN_SOURCE` esté definido. Curiosamente, cuando yo compilé estos programas en una instalación predeterminada de Linux de Red Hat 6.0 presente en mi sistema, no hizo falta definir el macro, pero sí tuve que definir el macro cuando lo compilé con OpenLinux 2.3.

`IPC_CREAT` indica que si aún no existe ningún segmento asociado con `key` (*clave*) deberá ser creado uno nuevo. `clave` puede ser ya sea `IPC_PRIVATE` o una clave retornada por la función `ftok`. El argumento `size` (*tamaño*) especifica el tamaño del segmento, redondeado hacia arriba al valor de `PAGE_SIZE`, que es el tamaño natural de una página para un procesador determinado (4k para los procesadores de Intel actuales, 8k para el Alpha). Si `shmget` tiene éxito retorna el identificador del segmento y si fracasa retorna `-1`.

EJEMPLO

Ejemplo

El próximo ejemplo, `crear_sgtomemcomp`, crea un segmento de memoria compartida y exhibe el identificador que retorna `shmget`.

```
/* Nombre del programa en Internet: mkshm.c */
/*
 * crear_sgtomemcomp.c - Crea e inicializa un segmento de memoria compartida
 */
#include <sys/types.h>
```

```
#include <sys/ipc.h>
#include <sys/shm.h>
#include <stdio.h>
#include <stdlib.h>

#define TAMAÑO_BUF 4096
int main(void)
{
    int identificadorSegmento;
        if((identificadorSegmento = shmget(IPC_PRIVATE, TAMAÑO_BUF, 0666)) < 0) {
        perror("shmget");
        exit(EXIT_FAILURE);
    }
    printf("Identificador del segmento creado: %d\n", identificadorSegmento);
    system("ipcs -m");

    exit(EXIT_SUCCESS);
}
```

SALIDA

```
$ ./crear_sgtomemcomp
Identificador del segmento creado: 40833

——— Shared Memory Segments ————
key         shmid     owner       perms     bytes     nattch     status
0x00000000  40705     kurt_wall   666       4096      0
```

Tal como la muestra la salida de este programa, `crear_sgtomemcomp` crea con éxito un segmento de memoria compartida.

El ejemplo utiliza asimismo el comando ipcs (*estructuras de IPC*) para confirmar que el proceso que efectuó la llamada haya creado el segmento de memoria requerido. La anteúltima columna, `nattch` (*number of attachments*) de la salida de `ipcs -m` (m = *mapped*), indica el número de procesos que han adosado el segmento (o sea que han *mapeado* dicho segmento a su propio espacio de memoria). Obsérvese que no hay ningún que haya adosado el segmento. Lo único que hace `shmget` es crear el segmento de memoria compartida; los procesos que lo quieran mapear a sus propios espacios de memoria, lo que vimos que se llama adosarse al segmento, deben hacerlo de forma explícita, utilizando la función `shmat` discutida en el próximo punto.

Adosamiento a un segmento de memoria compartida

Un proceso no puede utilizar un segmento de memoria compartida hasta que no *adose* el mismo, o sea, mapee la dirección del mismo a su propio espacio de memoria. De manera similar, cuando el proceso haya terminado de usar un segmento de memoria compartida, debe quitar el correspondiente mapeo de su espacio de memoria. El adosamiento se lleva a cabo mediante una llamada a `shmat`, y su cancelación requiere una llamada a `shmdt`. Estas dos rutinas tienen los siguientes prototipos:

```
char *shmat(int shmid, char *shmaddr, flags);
int shmdt(char *shmadr);
```

shmid es el identificador del segmento que el proceso desea adosar. En shmat, si shmaddr es 0, el núcleo mapeará el segmento hacia el espacio en memoria correspondiente al proceso que efectuó la respectiva llamada, en una dirección que elige el kernel. Si shmaddr no es 0, indica en cambio la dirección a la cual deberá mapear el kernel el segmento de memoria compartida. Obviamente, hacer esto es una tontería, de modo que siempre asigne a shmaddr el valor 0. flags puede ser SHM_RDONLY, que significa que el segmento será adosado como de sólo lectura. La opción predeterminada es que el segmento sea adosado como de lectura-escritura. Si la llamada a shmat tiene éxito, ésta retorna un puntero a la ubicación del segmento adosado dentro del espacio de memoria del proceso. Si fracasa, retorna -1 y asigna el valor adecuado a errno.

shmdt elimina el vínculo entre el segmento que es adosado por shmaddr y el espacio en memoria del proceso que efectuó la llamada; dicha dirección debe haber sido previamente obtenida por medio de una llamada a shmget.

EJEMPLO

Ejemplos

1. El siguiente ejemplo, atshm, adosa un segmento de memoria compartida y luego deja sin efecto dicho vínculo.

```
/* Nombre del programa en Internet: atshm.c */
/*
 * adosar_sgtomemcomp.c - Adosar y luego desacoplar un segmento de memoria
compartida.
 * Sintaxis: adosar_sgtomemcomp identificador
 */
#include <sys/types.h>
#include <sys/ipc.h>
#include <sys/shm.h>
#include <stdio.h>
#include <stdlib.h>

int main(int argc, char *argv[])
{
    int identificadorSegmento;          /* Identificador del segmento */
    char *buf_ sgtomemcomp;            /* Puntero a direccion en espacio de memoria
del proceso */

    /* Se espera que en la linea de comandos haya presente un identificador de
segmento */
    if(argc != 2) {
        puts("MODO DE EMPLEO: atshm <identificador>");
        exit(EXIT_FAILURE);
    }
    identificadorSegmento = atoi(argv[1]);
    /* Adosar el segmento de memoria compartida */
    if((buf_ sgtomemcomp = shmat(identificadorSegmento, 0, 0)) < (char *) 0) {
        perror("shmat");
        exit(EXIT_FAILURE);
    }
```

```
    /* En que direccion ha sido adosado el segmento? */
    printf("El segmento ha sido adosado en %p\n", buf_ sgtomemcomp);

    /* Comprobacion de que efectivamente el segmento ha sido adosado */
    system("ipcs -m");

    /* Eliminar vinculo (desacoplar) */
    if((shmdt(buf_ sgtomemcomp)) < 0) {
        perror("shmdt");
        exit(EXIT_FAILURE);
    }
    puts("Segmento desacoplado\n");
    /* Verificar que efectivamente el segmento haya sido desacoplado */
    system("ipcs -m");

    exit(EXIT_SUCCESS);
}
```

shmat retorna un puntero de tipo char, de modo que cuando se verifica su código de retorno adosar_sgtomemcomp asigna temporariamente (*casts*) al cero el tipo (char *) para evitar así molestas advertencias del compilador. Este ejemplo también utiliza el comando ipcs (*estructuras de IPC*) para confirmar que el proceso que efectuó la llamada haya efectivamente adosado primero y luego desacoplado el segmento de memoria compartida. La siguiente salida del programa ilustra esto. Obsérvese que el número de procesos adosados, nattch, primero se incrementa y luego disminuye.

SALIDA

```
$ ./ adosar_sgtomemcomp 40833
El segmento ha sido adosado en 0x40014000
--- Shared Memory Segments ----
key         shmid    owner      perms    bytes   nattch    status
0x00000000  40833    kurt_wall  666      4096    1

Segmento desacoplado

--- Shared Memory Segments ----
key         shmid    owner      perms    bytes   nattch    status
0x00000000  40833    kurt_wall  666      4096    0
```

Como se puede apreciar en la salida, luego de desacoplar el segmento de memoria compartida el valor de nattch pasó de 1 a 0.

2. El próximo ejemplo adosa al programa un segmento de memoria compartida, escribe datos al mismo, y luego escribe el contenido del respectivo *buffer* en el archivo `salida_sgtomemcomp.out`.

```
/* Nombre del programa en Internet: opshm.c */
/*
 * abrir_sgtomemcomp.c - Attach to a shared memory segment
* Sintaxis: abrir_sgtomemcomp identificador
 */
#include <sys/types.h>
#include <sys/ipc.h>
#include <sys/shm.h>
#include <stdio.h>
#include <stdlib.h>
#include <fcntl.h>

#define TAMAÑO_BUF 4096

int main(int argc, char *argv[])
{
    int identificadorSegmento;    /* Identificador del segmento */
    char *buf_ sgtomemcomp;       /* Puntero a direccion en espacio de memoria del
proceso */
    int descriptor_archivo;       /* Descriptor del archivo de salida */
    int i;                        /* Contador */

    /* Se espera que en la linea de comandos haya presente un identificador de
segmento */
    if(argc != 2) {
        puts("MODO DE EMPLEO: abrir_sgtomemcomp <identificador>");
        exit(EXIT_FAILURE);
    }
    identificadorSegmento = atoi(argv[1]);

    /* Adosar el segmento */
    if((buf_ sgtomemcomp = shmat(identificadorSegmento, 0, 0)) < (char *) 0) {
        perror("shmat");
        exit(EXIT_FAILURE);
    }

    /* Asignar memoria para el segmento mapeado */
    if((buf_ sgtomemcomp = malloc(sizeof(char) * TAMAÑO_BUF)) == NULL) {
        perror("malloc");
        exit(EXIT_FAILURE);
    }
```

```
    for(i = 0; i < TAMAÑO_BUF; ++i)
    buf_ sgtomemcomp [i] = i % 127;
    descriptor_archivo = open("salida_sgtomemcomp.out", O_CREAT ¦ O_WRONLY,
0600);
    write(descriptor_archivo, buf_ sgtomemcomp, TAMAÑO_BUF);
    exit(EXIT_SUCCESS);
}
```

Este ejemplo adosa al espacio de memoria del programa un segmento creado previamente, establece los valores correspondientes de la región de memoria y luego escribe todo el *buffer* a un archivo de disco. El programa no tiene salida visible, pero el siguiente listado es un extracto de ese archivo de salida, `salida_sgtomemcomp.out`:

```
$ ./abrir_sgtomemcomp 40833
^@^A^B^C^D^E^F^^I
➥^K^L^M^N^O^P^Q^R^S^T^U^V^W^X^Y^ZESC^\^]^^^_
➥!"#$%&'()*+,-./0123456789:;<=>?@ABCDEFGHIJKLMNOPQRSTUVWXYZ
➥[\]^_`abcdefghijklmnopqrstuvwxyz{¦}~^@^A^B^C^D^E^F^^
```

La secuencia de caracteres que se muestra es en realidad continua. Los símbolos indican simplemente la continuación del texto desde la línea anterior.

Lo que viene

Este capítulo analizó el sistema de memoria compartida IPC System V. El próximo capítulo, “Semáforos y colas de mensajes”, continúa la exploración del IPC System V, para pasar posteriormente a la programación de TCP/IP y sockets en el capítulo 18.

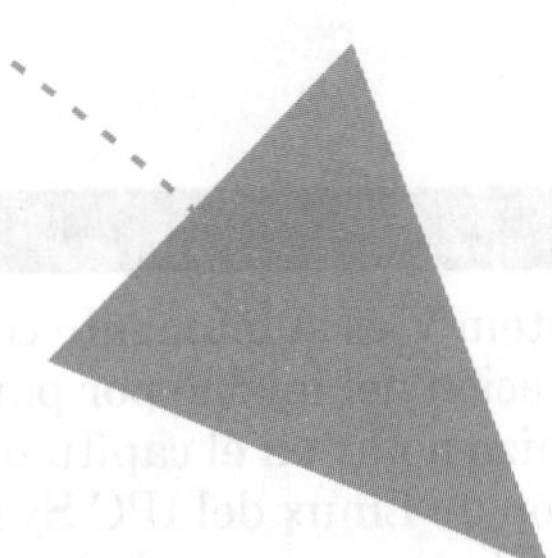

17

Semáforos y colas de mensajes

Este capítulo continúa con el tratamiento del IPC System V que fue comenzado en el capítulo anterior. El análisis del mismo será completado con la cobertura de las colas de mensajes y los semáforos.

Este capítulo cubre los siguientes temas:

- **Qué es una cola de mensajes**
- **Creación de una cola de mensajes**
- **Agregado de elementos a una cola de mensajes existente**
- **Publicación y recuperación de mensajes**
- **Eliminación de una cola de mensajes**
- **Qué son los semáforos**
- **Creación y eliminación de semáforos**
- **Actualización de semáforos**

✔ La utilización de objetos IPC de memoria compartida se analiza en el capítulo 16, "Memoria compartida".

Todos los programas de este capítulo pueden ser encontrados en el sitio Web `http://www.mcp.com/info` **bajo el número de ISBN 0789722151.**

El IPC System V y Linux

El método de comunicación entre procesos IPC System V es sumamente conocido y habitualmente empleado, pero la implementación del mismo por parte de Linux tiene numerosas imprecisiones, como se hizo notar en el capítulo anterior y se lo continuará haciendo en éste. La versión de Linux del IPC System V también es anterior al IPC POSIX, pero son pocos los programas de Linux que en la práctica la implementan, aun cuando se encuentre disponible en los kernels correspondientes a la versión 2.2.x. El IPC POSIX ofrece una interfaz similar a la del System V comentada en este capítulo y en el anterior, pero elimina por un lado algunos de los problemas que tenía el System V y por el otro simplifica la interfaz. El problema es que aunque el IPC System V es estándar, está implementado en Linux de manera deficiente y casi perversa, por razones que son demasiado avanzadas para ser cubiertas aquí.

El resultado es que Linux, que trata denodadamente de satisfacer las normas POSIX (y en general tiene éxito), implementa una versión demasiado antigua tanto del IPC POSIX como del IPC System V. La dificultad es que el System V se encuentra sumamente difundido y es más común, pero la versión POSIX es mejor, más sencilla de utilizar y cuenta con una interfaz más uniforme para poder interactuar desde un programa con los tres tipos de objetos IPC. ¿El resultado? Personalmente elegí romper con mi propia regla y opté por cubrir lo que es probable que se encuentre tanto en los programas existentes como los nuevos en lugar de explicar el Método Correcto ©; o sea, el IPC POSIX.

Cuando se programa utilizando semáforos surge otra cuestión adicional. Los semáforos de System V fueron creados en la Edad de las Tinieblas para poder abordar la multitud de problemas que surgen cuando varios hilos de un único proceso (y también de múltiples procesos) que se encuentran en ejecución necesitan acceder a los mismos recursos de sistema aproximadamente al mismo tiempo. Si bien considero que los programas multi-hilos bien *escritos* son un componente esencial (en realidad, indispensable) de cualquier sistema Linux, lo que deseo enfatizar en realidad es bien escritos. La redacción de programas multi-hilos se encuentra lejos, muy lejos de los alcances de este libro; no es una tarea que deje lugar para programadores novicios. Los programadores experimentados, hasta los súper-programadores, tratarán de encontrar una solución alternativa antes de recurrir a la programación multi-hilos porque la misma es difícil de llevar a cabo correctamente.

¿Mi solución? He procedido a simplificar la discusión de los semáforos porque la versión System V fue creada pensando en los procesos multi-hilos. No obstante, los semáforos empleados en programas estándar, mono-hilo, son muy útiles, como lo apreciará el lector en este capítulo. La interfaz POSIX de semáforos es más sencilla pero su empleo no se encuentra muy difundido, por el momento, en los programas de Linux.

Colas de mensajes

Una cola de mensajes es una lista vinculada de mensajes almacenada dentro del kernel e identificada a los procesos de usuario por un *identificador de cola de mensajes,* un identificador del tipo analizado en el capítulo anterior.

Por razones de brevedad y conveniencia, este capítulo utiliza los términos cola e identificador de cola para referirse a las colas de mensajes y a los identificadores de colas de mensajes. Si el lector añade un mensaje a una cola, la misma aparentará ser un FIFO porque los nuevos mensajes son agregados al final de la cola de mensajes. Sin embargo, el lector no tiene que recuperar los mensajes en orden de arribo como en un FIFO. Las colas de mensajes pueden ser consideradas una forma simple de memoria asociativa porque, tal como se verá más adelante, uno puede utilizar el tipo de un mensaje para recuperar el mensaje fuera de secuencia. La diferencia entre las colas de mensajes y los FIFOs se ilustra en la figura 17-1.

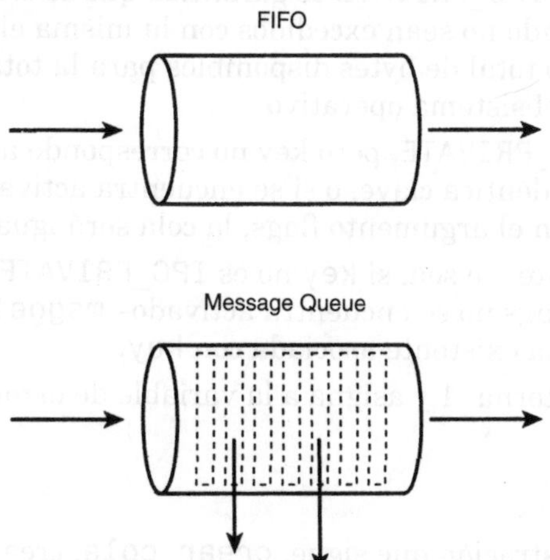

Figura 17.1. *A diferencia de lo que ocurre con las FIFOs, los mensajes pueden ser leídos desde una cola de mensajes en cualquier orden deseado.*

Como el lector ya sabe, desde un FIFO los datos son leídos en el mismo orden en que fueron escritos al mismo. Esto está ilustrado en la mitad superior de la figura 17-1. Sin embargo, si uno conoce el tipo de un mensaje, puede extraerlo de la cola fuera de secuencia. Como lo indican las flechas que salen y se alejan de la cola de mensajes, los elementos integrantes de las mismas son en general leídos en orden FIFO, o sea *el primero que se escribe es el primero que se lee.* Los dos rectángulos dibujados con líneas de puntos con flechas apuntando hacia afuera de la cola de mensajes muestran cómo pueden ser leídos los mensajes en orden arbitrario.

Todas las funciones de manipulación de colas de mensajes se encuentran declaradas en `<sys/msg.h>`, pero se debe también incluir en el código fuente del programa `<sys/types.h>` y `<sys/ipc.h>` para acceder al tipo de variables y constantes que contienen sus declaraciones. Para crear una nueva cola o para abrir una cola existente se deberá emplear la función `msgget`. Para añadir un nuevo mensaje al final de una cola, utilice msgsnd. Para obtener un mensaje de la cola, emplee `msgrcv`. La llamada a `msgctl` le permite a uno tanto manipular las prestaciones de la cola como eliminar la misma, siempre y cuando el proceso que efectúe la llamada sea el creador de la cola o cuente con permisos de superusuario.

Creación y apertura de una cola

La función msgget crea una cola nueva o abre una ya existente. Su prototipo es el siguiente:

```
int msgget(key_t key, int flags);
```

Si la llamada resulta exitosa, retorna el identificador de la cola nueva o existente que corresponda al valor contenido en key (*clave*), de acuerdo con lo siguiente:

- Si key es IPC_PRIVATE, se crea una nueva cola empleando un valor de clave que genera la implementación del sistema operativo de que se trate. Utilizando IPC_PRIVATE se garantiza que se cree una nueva cola siempre y cuando no sean excedidos con la misma el número total de colas o el número total de bytes disponibles para la totalidad de las colas que permita el sistema operativo.
- Si key no es IPC_PRIVATE, pero key no corresponde a una cola existente que tenga idéntica clave, o si se encuentra activado asimismo el bit IPC_CREAT en el argumento flags, la cola será igualmente creada.
- En el caso restante –o sea, si key no es IPC_PRIVATE y el bit de IPC_CREAT de flags no se encuentra activado– msgget retorna el identificador de la cola existente asociada con key.

Si msgget fracasa, retorna -1 y asigna a la variable de error errno el valor adecuado.

EJEMPLO

Ejemplo

El programa de demostración que sigue, crear_cola, crea una nueva cola de mensajes. Si se lo vuelve a ejecutar una segunda vez, en lugar de crear la cola especificada simplemente abre la cola existente.

```
/* Nombre del programa en Internet: mkq.c */

/*
 * crear_cola.c - Crea una cola de mensajes de IPC System V
 */
#include <sys/types.h>
#include <sys/ipc.h>
#include <sys/msg.h>
#include <stdio.h>
#include <stdlib.h>

int main(int argc, char *argv[])
{
    int identificador_cola;
    key_t clave =123;     /* Clave de la cola */

    /* Crear la cola de mensajes */
    if((identificador_cola == msgget(clave, IPC_CREAT | 0666)) < 0) {
```

```
        perror("msgget:create");
        exit(EXIT_FAILURE);
    }
    printf("Creada cola de identificador = %d\n", identificador_cola);

    /* Open the queue again */

    if((identificador_cola == msgget(key, 0)) < 0) {
        perror("msgget:open");
        exit(EXIT_FAILURE);
    }
    printf("Abierta cola de identificador = %d\n", identificador_cola);

    exit(EXIT_SUCCESS);
}
```

La salida de este programa en mi sistema presentó el siguiente aspecto:

SALIDA

```
$ ./crear_cola
Creada cola de identificador = 384
Abierta cola de identificador = 384
```

Si la primera llamada a `msgget` tiene éxito, `crear_cola` exhibe el identificador de la cola recién creada y luego llama a `msgget` una segunda vez. Si la segunda llamada también tiene éxito, `crear_cola` informa esto de nuevo, pero la segunda llamada meramente abre la cola existente en lugar de crear una cola nueva. Obsérvese que la primera cola especifica permisos de lectura/escritura para todos los usuarios empleando la notación octal estándar.

PRECAUCIÓN

A diferencia de lo que ocurre con el comportamiento de la función `open`, cuando se crea una estructura de IPC System V, la `umask` del proceso no modifica los permisos de acceso a la estructura. Si uno no establece permisos de acceso, el modo predeterminado es `0`, ¡lo que significa que ni el creador de la estructura tendrá permisos de acceso de lectura/escritura a la misma!

Escritura de un mensaje a una cola

Tal como fue explicado anteriormente, para añadir un nuevo mensaje al final de una cola se deberá utilizar la función `msgsnd`, cuyo prototipo es el siguiente:

```
int msgsend(int msqid, const void *ptr, size_t nbytes, int flags);
```

`msgsend` retorna `0` si tiene éxito, y en caso de fracasar retorna -1 y asigna a la variable de error `errno` uno de los siguientes valores:

- EAGAIN
- EACCES

- EFAULT
- EIDRM
- EINTR
- EINVAL
- ENOMEM

✔ Los valores posibles de errno y las explicaciones de los mismos están listados en la tabla 6.1, "Códigos de error generados por las llamadas a sistema", página 125.

El argumento msqid (*identificador de cola de mensajes*) debe ser un identificador de cola retornado por una llamada anterior a msgget.

Por su parte, nbytes es el número de bytes de la cola publicada, que no tiene que estar terminada en un cero binario.

El argumento ptr es un puntero a una estructura msgbuf, la cual consiste de un tipo de mensaje y de los bytes de datos que comprenden el mismo.

La estructura msgbuf (*buffer de mensaje*) se encuentra definida en <sys/msg.h> de la siguiente manera:

```
struct msgbuf {
    long mtype;
    char mtext[1];
};
```

Esta declaración de estructura es en realidad sólo una plantilla, ya que mtext debe ser del tamaño de los datos que están siendo almacenados, el cual corresponde al valor de longitud de cadena transferido en el argumento nbytes, menos cualquier posible cero de terminación. mtype puede ser cualquier entero de tipo long mayor que cero. El proceso que efectúa la llamada debe contar también con permiso de acceso a la cola para escritura.

El argumento flags (*indicadores*), finalmente, puede ser 0 o IPC_NOWAIT. Este último valor ocasiona un comportamiento similar al del indicador O_NONBLOCK que se transfiere a la llamada a sistema open: si ya sea el número total de mensajes individuales que forman la cola o el tamaño de la misma, en bytes, es igual al límite especificado por el sistema para el mismo, msgsnd retorna inmediatamente y asigna a errno el valor EAGAIN. Como resultado de ello, uno no podrá añadir más mensajes a la cola hasta que por lo menos uno de los mensajes haya sido leído.

Si flags es 0 y ya sea que la cola tenga el máximo de mensajes permitidos o haya sido escrito a la cola el número total de bytes de datos permitidos, la llamada a msgsnd se bloquea (no retorna) hasta que dicha condición sea modificada. Para modificar esa condición se debe o bien leer mensajes de la cola, eliminar la misma (lo cual asigna a errno el valor EIDRM) o aguardar a que sea interceptada una señal y el handler correspondiente retorne (lo que asigna a errno el valor EINTR).

CONSEJO

La plantilla de la estructura msgbuf puede ser expandida de modo de satisfacer las necesidades de las distintas aplicaciones. Por ejemplo, si uno desea transferir un mensaje que consista de un valor entero y un arreglo de tipo carácter compuesto por 10 bytes, sólo hace falta declarar msgbuf como sigue:

```
struct buffer_mensaje{
    long tipo_mensaje;
    int i;
    char texto_mensaje[10];
};
```

`msgbuf` es simplemente un valor `long` seguido por los datos del mensaje, que pueden estar formateados como uno lo considere adecuado. El tamaño de la estructura declarada en este ejemplo es `sizeof(msgbuf) - sizeof(long)`.

Ejemplo

Este programa, `enviar_a_cola`, añade un mensaje al final de una cola que ya existe. El identificador de la cola le debe ser transferido al programa como único argumento de su línea de comandos.

```
/* Nombre del programa en Internet. qsnd.c */
/*
 * enviar_a_cola.c - Enviar un mensaje a una cola ya abierta con anterioridad
 * Sintaxis: enviar_a_cola identificador de cola
 */
#include <sys/types.h>
#include <sys/ipc.h>
#include <sys/msg.h>
#include <stdio.h>
#include <stdlib.h>
#include <string.h>
#include <unistd.h>

#define TAMAÑO_BUF 512

struct mensaje {                                    /* Estructura para el mensaje */
    long tipo_mensaje;
    char texto_mensaje[TAMAÑO_BUF];
};

int main(int argc, char *argv[])
{
    int identificador_cola;
    int tamaño_texto;                                         /* Longitud del mensaje a
ser enviado */
    struct mensaje buffer_mensaje;              /* Estructura de patron mensaje */
    /* Obtener el identificador de cola transferido en la linea de comandos */
```

```
    if(argc != 2) {      /* A saber: nombre del programa y argumento de su linea
de comandos */
        puts("MODO DE EMPLEO: enviar_a_cola <identificador de cola>");
        exit(EXIT_FAILURE);
    }
    identificador_cola = atoi(argv[1]);

    /* Obtener el mensaje que sera agregado a la cola */
    puts("Ingrese un mensaje para publicar:");
    if((fgets((&buffer_mensaje)-> texto_mensaje, TAMAÑO_BUF, stdin)) == NULL) {
        puts("No hay mensaje para ser publicado");
        exit(EXIT_SUCCESS);
    }

    /* Asociar el mensaje ingresado con este proceso */
    buffer_mensaje.tipo_mensaje = getpid();
    /* Añadir el mensaje al final de la cola */
    tamaño_texto = strlen(buffer_mensaje.texto_mensaje);
    if((msgsnd(identificador_cola, &buffer_mensaje, tamaño_texto, 0)) < 0) {
        perror("msgsnd");
        exit(EXIT_FAILURE);
    }
    puts("Mensaje publicado");

    exit(EXIT_SUCCESS);
}
```

Una corrida de prueba de este programa produjo la siguiente salida. Obsérvese que el programa utiliza el identificador de cola retornado por la llamada a `crear_cola` inmediatamente anterior.

```
$ ./crear_cola
Creada cola de identificador = 640
Abierta cola de identificador = 640
$
$ ./enviar_a_cola 640
Ingrese un mensaje para publicar:
Este es el mensaje de prueba numero uno
Mensaje publicado
```

El primer programa, `crear_cola`, creó una cola nueva cuyo identificador fue 640. El segundo programa, `enviar_a_cola 640`, solicitó un mensaje para ser publicado y almacenó la respuesta tipeada (indicada en negritas) directamente en la estructura de patrón `mensaje` declarada al comienzo del programa. Si msgsnd se completa exitosamente, el programa exhibe un mensaje a tal efecto. Obsérvese que enviar_a_cola establece el tipo del mensaje al PID del proceso que efectuó la llamada. Esto le permite a uno recuperar más tarde (utilizando msgrcv) sólo los mensajes que publicó este proceso.

Obtención de un mensaje presente en una cola de mensajes

Para extraer un mensaje de una cola se debe utilizar msgrcv (*recibir mensaje*), que tiene la siguiente sintaxis:

```
int msgrcv(int msqid, void *ptr, size_t nbytes, long type, int flags);
```

Si tiene éxito, msgrcv elimina de la cola el mensaje que haya extraído. Los argumentos son los mismos que los que acepta msgsnd, excepto que msgrcv rellena la estructura señalada por ptr con el tipo de mensaje y hasta nbytes de datos. El argumento adicional, type, corresponde al miembro tipo_mensaje de la estructura mensaje comentada anteriormente. El valor de type determina qué mensaje es retornado, tal como se indica en la siguiente lista:

- Si type es 0 se retorna el primer mensaje (el superior) de la cola.
- Si type es > 0 se retorna el primer mensaje cuyo tipo_mensaje sea igual a type.
- Si type es < 0 se retorna el primer mensaje cuyo tipo_mensaje sea el valor más bajo menor o igual al valor absoluto de type.

El valor de flags controla además el comportamiento de msgrcv. Si el mensaje retornado tiene una extensión mayor a nbytes y en flags se encuentra activado el bit correspondiente a MSG_NOERROR, el mismo resulta truncado a nbytes (pero no se genera notificación al respecto). Si el bit respectivo no se encuentra activado, msgrcv retorna -1 a fin de indicar un error y asigna a errno el valor E2BIG (*ERROR: DEMASIADO GRANDE*). El mensaje seguirá permaneciendo en la cola.

Si en flags se encontrara activado el bit IPC_NOWAIT (*IPC_NOESPERAR*) y no se encontrase disponible un mensaje del tipo especificado, msgrcv retorna inmediatamente y asigna a errno el valor ENOMSG. De lo contrario, msgrcv se bloquea (no retorna) hasta que tenga lugar para msgsnd una de las mismas condiciones descriptas anteriormente.

NOTA

Se puede emplear un valor negativo para el argumento tipo para crear un tipo de cola denominado LIFO o, último que entra primero que sale (last in - first out) a menudo denominado pila (stack). La transferencia como tipo de un valor negativo permite o uno recuperar mensajes de un tipo dado en el orden inverso al que fueron almacenados en la cola.

Ejemplo

El siguiente programa, leer_cola, lee un mensaje de una cola previamente creada que disponga de mensajes. El identificador de la cola de la cual se leerá se le transfiere al programa como un argumento en la línea de comandos del mismo.

```
/* Nombre del programa en Internet: qrd.c */
/*
 * leer_cola.c - Read all message from a message queue
 * Sintaxis: leer_cola identificador de cola
 */
#include <sys/types.h>
#include <sys/ipc.h>
#include <sys/msg.h>
#include <stdio.h>
#include <stdlib.h>

#define TAMAÑO_BUF 512

struct mensaje {                                    /* Estructura para el mensaje */
    long tipo_mensaje;
    char texto_mensaje[TAMAÑO_BUF];
};

int main(int argc, char *argv[])
{
    int identificador_cola;
    int tamaño_texto;                                          /* Longitud del mensaje a
ser enviado */
    struct mensaje buffer_mensaje;                  /* Estructura de patron mensaje */

    /* Obtener el identificador de cola transferido en la linea de comandos */
    if(argc != 2) {     /* A saber: nombre del programa y argumento de su linea
de comandos */
        puts("MODO DE EMPLEO: leer_cola <identificador de cola>");
        exit(EXIT_FAILURE);
    }
    identificador_cola = atoi(argv[1]);


    /* Recuperar un mensaje de la cola y exhibirlo */
    tamaño_texto = msgrcv(identificador_cola, & buffer_mensaje, TAMAÑO_BUF, 0, 0);
    if(tamaño_texto > 0) {
        printf("Leyendo identificador de cola: %05d\n", identificador_cola);
        printf("\tTipo de mensaje: %05d\n", (&buffer_mensaje)->tipo_mensaje);
        printf("\tTexto del mensaje: %s\n", (&buffer_mensaje)->texto_mensaje);
    } else {
    perror("msgrcv");
```

```
exit(EXIT_FAILURE);
    }
    exit(EXIT_SUCCESS);
}
```

A continuación se muestra la salida de este programa. En este caso, el mismo utiliza el identificador de cola creado por `crear_cola` y lee el mensaje publicado por `enviar_a_cola`.

SALIDA

```
$ ./crear_cola
Creada cola de identificador = 640
Abierta cola de identificador = 640
$
$ ./enviar_a_cola 640
Ingrese un mensaje para publicar:
Este es el mensaje de prueba numero uno
Mensaje publicado
$
$ ./leer_cola 640
Leyendo identificador de cola: 00640
        Tipo de mensaje: 14308
        Texto del mensaje: Este es el mensaje de prueba numero uno
```

Se puede advertir, observando el código fuente, que leer de una cola de mensajes es más sencillo que escribir a la misma y requiere de menos código. Resulta de particular interés en el programa de demostración que el mismo obtiene el primer mensaje que encuentra al comienzo de la cola porque al mismo se le transfirió 0 como argumento `type`. En este caso, como el PID del proceso que escribió el mensaje se conoce o puede ser fácilmente obtenido (`14308`), `leer_cola` podría haber transferido `14308` como `type` y haber recuperado de la cola el mismo mensaje.

Manipulación y eliminación de colas de mensajes

La función `msgctl` provee un cierto grado de control sobre las colas de mensajes. Su prototipo es el siguiente:

```
int msgctl(int msqid, int cmd, struct msqid_ds *buf);
```

`msqid`, como de costumbre, es el identificador de una cola existente.

`cmd` (en este caso, acción) puede adoptar uno de los siguientes valores:

- `IPC_RMID`: elimina la cola de estructura `msquid_ds` cuyo identificador es `msqid`.
- `IPC_STAT`: rellena `buf` con el contenido de la cola de estructura `msqid_ds` identificada por `msquid`. `IPC_STAT` le permite a uno desplazarse por los mensajes contenidos en una cola sin eliminar ninguno de ellos. Como `IPC_STAT` lleva a cabo una lectura no destructiva, se la puede considerar similar a `msgrcv`.

- IPC_SET: le permite a uno modificar los siguientes parámetros de una cola: UID, GID, modo de acceso y el máximo número de bytes que se permite almacenar en la misma.

EJEMPLO

Ejemplo

El siguiente programa utiliza la llamada a msgctl para eliminar una cola cuyo identificador se le transfiere en la línea de comandos.

```
/* Nombre del programa en Internet: qctl.c */
/*
 * eliminar_cola.c - Elimina una cola de mensajes
 * Sintaxis eliminar mensaje identificador de cola
 */
#include <sys/types.h>
#include <sys/ipc.h>
#include <sys/msg.h>
#include <stdio.h>
#include <stdlib.h>
#include <string.h>
#include <unistd.h>

int main(int argc, char *argv[])
{
    int identificador_cola;
    struct msqid_ds cola_de_mensajes;

        if(argc != 2) {
            puts("MODO DE EMPLEO: eliminar_cola <identificador_cola>");
            exit(EXIT_FAILURE);
        }
        identificador_cola = atoi(argv[1]);

        if((msgctl(identificador_cola, IPC_RMID, NULL)) < 0) {
            perror("msgctl");
            exit(EXIT_FAILURE);
        }
        printf("Cola %d eliminada\n", identificador_cola);
        exit(EXIT_SUCCESS);
}
```

```
$ ./crear_cola
Creada cola de identificador = 1280
Abierta cola de identificador = 1280
$
$ ipcs -q
--- Message Queues ----
key         msqid   owner      perms    used-bytes   messages
0x0000007b  1280    kurt_wall  666      0            0
$
$ ./eliminar_cola 1280
Cola 1280 eliminada
$
$ ipcs -q
--- Message Queues ----
key         msqid   owner      perms    used-bytes   messages
```

La salida de este programa muestra que la cola especificada ha sido eliminada. El proceso `crear_cola` crea en efecto la cola. El comando `ipcs` confirma que la cola fue creada. Empleando luego el identificador de cola retornado por `crear_cola`, `eliminar_cola` llama a `msgctl`, especificando el indicador `IPC_RMID` que es requerido por esa rutina para eliminar la cola. Una segunda corrida de `ipcs` confirma que `eliminar_cola` efectivamente eliminó la cola de mensajes.

El comando `ipcs(1)` (*estructuras de IPC*), utilizado en varios de los programas de demostración, muestra el número y el estado de todas las estructuras de IPC System V que se encuentran presentes en el sistema cuando en esa instancia de su ejecución.

El comando `ipcrm(1)` eliminará la estructura IPC cuyo tipo e identificador sea especificado en la línea de comandos. Ver las páginas del manual para obtener mayor información. La figura 17-2 muestra la salida del comando `ipcs`.

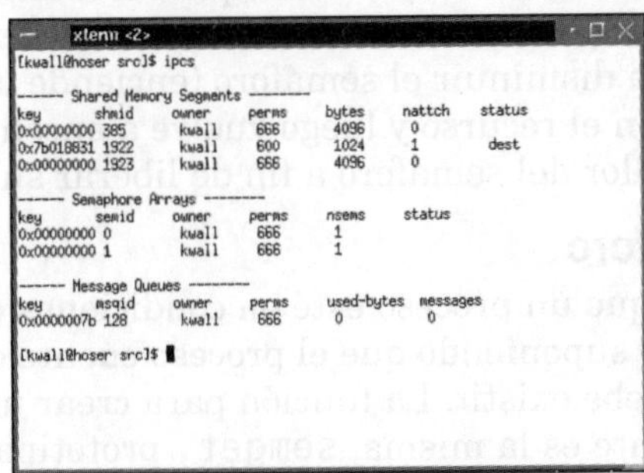

***Figura 17.2.** El comando ipcs muestra todos los objetos del IPC System V que se encuentran presentes en el momento de correr el mismo.*

La figura 17-2 muestra que por lo menos uno de cada tipo de objeto IPC existe. Se encuentran corrientemente en uso tres segmentos de memoria compartida, una cola de mensajes y dos semáforos (los semáforos se analizan en el próximo título). Para cada objeto se listan claramente su clave, identificador, propietario/creador y permisos de acceso. Las estadísticas relativas a cada tipo de objeto se muestran en una o dos columnas del extremo derecho de la tabla, según sea el tipo del objeto.

Sèmáforos

Los *semáforos* controlan el acceso a los recursos compartidos. Son sumamente diferentes de todas las demás formas de IPC que se han visto hasta ahora, porque no ponen información a disposición de los procesos sino que en cambio sincronizan el acceso a los recursos compartidos que no deben de ser accedidos al mismo tiempo por más de un proceso. A ese respecto, las operaciones con semáforos se parecen más a una generalización del bloqueo de archivos, porque se aplican a más recursos que sólo archivos. Esta parte analiza sólo la modalidad más simple de un semáforo, el semáforo binario. Un *semáforo binario* puede adoptar sólo uno de dos valores: `0` cuando un recurso se encuentra bloqueado y no debe ser accedido por otros procesos, y `1` cuando el recurso queda desbloqueado.

✔ Para obtener más información acerca del bloqueo de archivos y registros, ver "Bloqueo de archivos", página 182.

Los semáforos funcionan de una manera muy similar a señales de tránsito de sólo dos luces (roja y verde) ubicadas en un cruce transitado. Cuando un proceso necesita acceder a un recurso controlado, tal como un archivo, primero verifica el valor del semáforo pertinente, lo mismo que un conductor verifica que una luz de tránsito esté en verde. Si el semáforo tiene el valor 0, que es equivalente binario de la luz roja, el recurso se halla en uso, de modo que el proceso se bloquea hasta que el recurso deseado se vuelva disponible (es decir, el valor del semáforo se vuelva no cero. En la terminología empleada por el IPC System V, este bloqueo temporario se denomina `wait` (*espera*). Si el semáforo tiene un valor positivo, lo cual equivale a una luz verde para dicho acceso, el recurso asociado al mismo se encuentra disponible, de modo que el semáforo procede a disminuir el semáforo (enciende la luz roja), lleva a cabo sus operaciones con el recurso y luego vuelve a encender la luz verde, es decir, incrementa el valor del semáforo a fin de liberar su "bloqueo".

Creación de un semáforo

Naturalmente, antes de que un proceso esté en condiciones de incrementar o disminuir un semáforo, y suponiendo que el proceso cuente con los permisos adecuados, el semáforo debe existir. La función para crear un nuevo semáforo o acceder a uno existente es la misma, `semget`, prototipada en `<sys/sem.h>` de la siguiente manera (se debe también incluir en el código fuente los archivos de encabezado `<sys/ipc.h>` y `<sys/types.h>`):

```
int semget(key_t key, int nsems, int flags);
```

`semget` retorna el identificador del semáforo asociado con un conjunto de semáforos cuyo número es `nsems`. Si `key` (*clave*) es `IPC_PRIVATE` o si key no se encuentra ya en uso y además en `flags` se encuentra activado el bit `IPC_CREAT`, el semáforo será creado. Lo mismo que en el caso de los segmentos de memoria compartida y las colas de mensajes, para establecer los modos de acceso al semáforo `flags` puede ser también objeto de una operación lógica de O bit a bit con los bits de permiso, expresados en notación octal. Obsérvese, sin embargo, que los semáforos deben contar con permisos de lectura y de *modificación* en lugar de con permisos de lectura y *escritura.* Los semáforos emplean el concepto de *modificación* en lugar del de escritura porque nunca en realidad se escriben datos a un semáforo, simplemente se altera (o modifica) su estado incrementando o disminuyendo su valor. Si ocurre algún error `semget` retorna `-1` y asigna a `errno` un valor adecuado. Si todo anduvo bien, retorna al proceso que la llamó el identificador del semáforo asociado con el valor de `key`.

NOTA

Las llamadas a semáforos del IPC System V en realidad operan sobre un arreglo, o conjunto, de semáforos, en lugar de hacerlo sobre uno solo de ellos. El deseo de esta explicación, no obstante, es simplificar el tratamiento y presentar el material al lector en lugar de cubrir los semáforos en toda su complejidad. Ya sea que se trabaje con un único semáforo o con muchos al mismo tiempo, el enfoque básico es el mismo, pero resulta importante que el lector comprenda que los semáforos del IPC System V vienen en conjuntos. Personalmente, considero que la interfaz es innecesariamente compleja, y el IPC POSIX estandariza una interfaz más simple pero igualmente potente.

El tratamiento que se efectúa de los semáforos en este capítulo omite también su empleo en otras situaciones en las cuales un proceso tiene muchos hilos de ejecución. Los procesos multi-hilos y el empleo de semáforos en dicho contexto se encuentra más allá del alcance de este libro.

La función `semop` (*abrir semáforo*) constituye el núcleo de las rutinas que involucran semáforos. La misma realiza operaciones sobre uno o más de los semáforos creados o accedidos por la función `semget`. Su prototipo es el siguiente:

```
int semop(int semid, struct sembuf *semops, unsigned nops);
```

`semid` es un identificador de semáforo previamente retornado por `semget` que vincula el conjunto de semáforos a ser manipulado.

`nops` es el número de elementos presentes en el arreglo de estructuras sembuf al cual apunta `semops`.

`sembuf`, a su vez, tiene la siguiente estructura:

```
struct sembuf {
    short sem_num;          /* Numero de semaforo */
    short sem_op;           /* Operacion a llevar a cabo */
    short sem_flg;          /* Indicadores que controlan */
};
```

En las estructuras de patrón `sembuf`, el elemento `sem_num` es un número de semáforo ubicado entre cero y `nsems - 1`, en tanto `sem_op` es la operación a realizar y `sem_flg` modifica con su valor el comportamiento de `semop's`. El valor de `sem_op` puede ser tanto negativo, cero, o positivo.

Si `sem_op` es positivo, el recurso cuyo acceso es controlado por el semáforo resulta liberado y el valor del respectivo semáforo se incrementa.

Si `sem_op` es negativo, el proceso que efectuó la llamada está indicando que desea aguardar hasta que el acceso al recurso requerido esté despejado, en cuyo momento el semáforo será nuevamente decrementado y el recurso quedará bloqueado a fin de que pueda ser utilizado por el proceso que efectuó la llamada.

Si sem_op vale cero, finalmente, el proceso que efectuó la llamada se bloqueará (aguardará) hasta que el semáforo pase a valer cero; si ya se encuentra en cero en ese momento, la llamada retorna inmediatamente.

`sem_flg` puede ser `IPC_NOWAIT` (*NO ESPERAR*), que exhibe el comportamiento ya descrito anteriormente (ver "Escritura de un mensaje a una cola"), o `SEM_UNDO` (*DESHACER*), que significa que la operación realizada deberá ser revertida a su estado original cuando el proceso que llamó a `semop` termine.

Ejemplo

El programa que sigue, `crear_semaforo`, crea un semáforo y luego incrementa su valor, haciendo que el recurso imaginario cuyo acceso será controlado por el semáforo recién creado se encuentre desbloqueado o disponible:

```
/* Nombre del programa en Internet: mksem.c */
/*
 * crear_semaforo.c - Crea y decrementa un semaforo
 */
#include <sys/types.h>
#include <sys/ipc.h>
#include <sys/sem.h>
#include <stdio.h>
#include <stdlib.h>

int main(void)
{
    int identificador_semaforo;
    int total_semaforos = 1;        /* Cuantos semaforos crear */
    int indicadores = 0666;         /* Derechos de lectura y modificacion para
todos los usuarios */
    struct sembuf buf;

    /* Crear el semaforo con derechos de lectura/modificacion para todos los
usuarios */
    identificador_semaforo = semget(IPC_PRIVATE, total_semaforos, indicadores);
    if(identificador_semaforo < 0) {
        perror("semget");
        exit(EXIT_FAILURE);
    }
    printf("Semaforo creado: %d\n", semid);

    /* Asignar valores a la estructura de patron sembuf para semop */
    buf.numero_semaforos = 0;                   /* Un solo semaforo */
    buf.operacion_a_realizar = 1;           /* Incrementar el semaforo,
permitir acceso */
    buf.config_indicadores = IPC_NOWAIT;    /* Bloquear si se llega a maximo
valor permitido */
    if((semop(identificador_semaforo, &buf, total_semaforos)) < 0) {
        perror("semop");
```

```
        exit(EXIT_FAILURE);
    }
    system("ipcs -s");
    exit(EXIT_SUCCESS);
}
```

La siguiente es la salida de una corrida de `crear_semaforo`. Los valores de los identificadores que se ven posiblemente resulten diferentes en su sistema.

SALIDA

```
Semaforo creado: 512
----- Semaphore Arrays -----
key         semid   owner      perms   nsems   status
0x00000000  512     kurt_wall  666     1
```

El ejemplo utiliza `IPC_PRIVATE` para asegurarse de que el semáforo sea creado tal como se lo requiere, y luego exhibe el valor retornado por `semget`, o sea el identificador de ese semáforo. La llamada a `semop` inicializa adecuadamente el semáforo: Como sólo se crea un semáforo, `sem_num` es igual a cero. Como el recurso imaginario no se encuentra en uso (en verdad, este semáforo no ha sido vinculado por el programa con ningún recurso específico), `crear_semaforo` inicializa su valor a `1`, el equivalente a desbloqueado. Al no ser requerida una conducta de bloqueo, el indicador `sem_flg` del semáforo se establece a `IPC_NOWAIT`, para que la llamada retorne de forma inmediata. Finalmente, el programa utiliza la llamada a `system` para invocar la utilidad de línea de comandos `ipcs` a fin de confirmar una segunda vez que la estructura IPC requerida, de hecho existe.

Control y remoción de semáforos

El lector ya ha visto funcionar a `msgctl` y `shmctl`, las rutinas que manipulan las colas de mensajes y los segmentos de memoria compartida. Tal como era dable de esperar, la función equivalente para el caso de los semáforos es `semctl`, cuyo prototipo es el siguiente:

```
int semctl(int semid, int semnum, int cmd, union semun arg);
```

`semid` identifica el conjunto de semáforos que se desea manipular.

`semnum` especifica el semáforo específico en que uno se encuentra interesado. Este libro no toma en cuenta las situaciones en las que hay varios semáforos integrando un conjunto, de modo que `semnum` (en realidad un índice de un arreglo de semáforos) será siempre cero.

El argumento `cmd` (acción) puede ser uno de los valores de la lista siguiente:

- `GETVAL`: Retorna el estado corriente del semáforo (bloqueado o desbloqueado).
- `SETVAL`: Establece el estado corriente del semáforo a `arg.val` (el argumento semun se analizará enseguida).
- `GETPID`: Retorna el PID del último proceso que llamó a `semop`.

- GETNCNT: Hace que el valor retornado por semctl sea el número de procesos aguardando que el semáforo se incremente; es decir, el número de procesos a la espera de luz verde.
- GETZCNT: Hace que el valor retornado por semctl sea el número de procesos que están aguardando para que el valor del semáforo sea cero.
- GETALL: Retorna los valores corrientes de todos los semáforos presentes en el conjunto asociado con semid.
- SETALL: Asigna a todos los semáforos del conjunto asociado con semid los respectivos valores almacenados en arg.array.
- IPC_RMID: Elimina el semáforo cuyo identificador es semid.
- IPC_SET: Establece el modo (bits de permiso) en el semáforo.
- IPC_STAT: Cada semáforo tiene una estructura de datos, semid_ds, que describe enteramente su configuración y comportamiento. IPC_STAT copia esta información de configuración al miembro arg.buf de la estructura semun.

Si la rutina semctl fracasa, retorna -1 y asigna el valor adecuado a la variable errno. Si en cambio tiene éxito, retorna un valor entero que puede ser GETNCNT, GETPID, GETVAL o GETZCNT, según cuál haya sido el valor de cmd que le haya sido transferido.

Tal como el lector debe de haber inferido, el argumento semun desempeña un papel vital en la rutina semctl. Uno debe definirlo en su código fuente de acuerdo con los lineamientos de la siguiente plantilla:

```
union semun {
    int val;                        /* Valor para SETVAL */
    struct semid_ds *buf;           /* Buffer de IPC_STAT */
    unsigned short int *array;  /* Buffer de GETALL y SETALL */
};
```

EJEMPLO

Ejemplo

A esta altura el lector debería estar en condiciones de comprender la razón de mis quejas respecto de que la interfaz de semáforos del IPC System V es demasiado complicada para los simples mortales. A pesar de esa dificultad el próximo ejemplo, eliminar_semaforo, utiliza la rutina semctl para eliminar un semáforo del sistema. Antes de hacerlo se requerirá el empleo de crear_semaforo para crear precisamente ese semáforo y luego emplear el identificador del mismo como argumento para la línea de comandos de eliminar_semaforo.

```
/* Nombre del programa en Internet: sctl.c */
/*
 * eliminar_semaforo.c - Manipular y eliminar un semaforo
 * Sintaxis: eliminar_semaforo identificador de semaforo
 */
```

```
#include <sys/types.h>
#include <sys/ipc.h>
#include <sys/sem.h>
#include <stdio.h>
#include <stdlib.h>

int main(int argc, char *argv[])
{
    int identificador_semaforo;

    if(argc != 2) {
        puts("MODO DE EMPLEO: eliminar <identificador de semaforo>");
        exit(EXIT_FAILURE);
    }
    identificador_semaforo = atoi(argv[1]);

    /* Eliminar el semaforo */
    if((semctl(identificador_semaforo, 0, IPC_RMID)) < 0) {
        perror("semctl IPC_RMID");
        exit(EXIT_FAILURE);
    } else {
        puts("Semaforo eliminado");
        system("ipcs -s");
    }

    exit(EXIT_SUCCESS);
}
```

La salida que produjo `eliminar_semaforo` en mi sistema fue la siguiente:

SALIDA

```
$ ./crear_semaforo
Semaforo creado: 640
--- Semaphore Arrays ----
key          semid      owner       perms      nsems      status
0x00000000   640        kurt_wall   666        1

$ ./eliminar_semaforo 640
Semaforo eliminado
--- Semaphore Arrays ----
key          semid      owner       perms      nsems      status
```

El código de `eliminar_semaforo` sencillamente trata de eliminar un semáforo cuyo identificador le es pasado en la línea de comandos. También utiliza una llamada a `system` para ejecutar `ipcs -s` y confirmar así que el semáforo ha sido efectivamente eliminado.

Lo que viene

Este capítulo ha completado nuestra introducción al IPC System V con un análisis de las colas de mensajes y los semáforos. En el próximo capítulo, “Programación de TCP/IP y sockets”, el lector aprenderá los fundamentos de la programación para redes. Los protocolos TCP/IP y de sockets son los más conocidos y más ampliamente utilizados para realizar un IPC entre servidores (*hosts*) diferentes. Luego de que concluya el próximo capítulo, el lector contará con la suficiente información en su poder como para tomar una decisión fundamentada sobre cuál de los diversos mecanismos de IPC se acomoda mejor a sus necesidades.

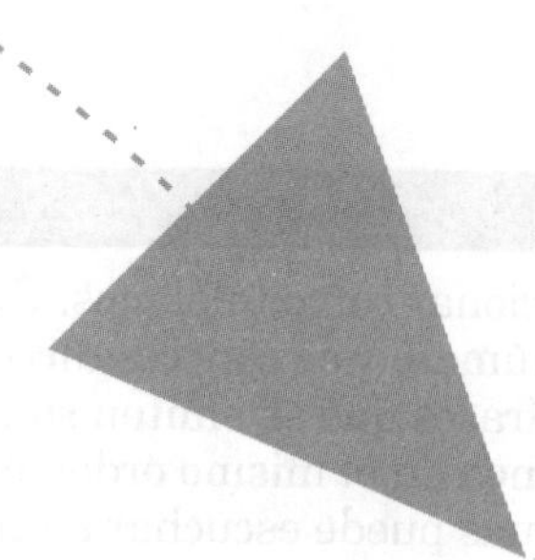

18

Programación de TCP/IP y Sockets

A medida que la Internet desempeña un papel cada vez más central en la sociedad y especialmente en el mundo de la informática, casi toda aplicación no trivial necesita incluir algún tipo de prestación básica para el trabajo en redes.

Este capítulo cubre los siguientes temas:

- Introducción a los conceptos y a la terminología de las redes de computación
- La API Berkeley para sockets
- Operaciones básicas con sockets
- Sockets para UNIX
- Conceptos básicos sobre programación de TCP/IP
- Nombres y números de redes
- Sockets TCP/IP

Todos los programas de este capítulo pueden ser encontrados en el sitio Web `http://www.mcp.com/info` bajo el número de ISBN 0789722151.

Conceptos y terminología de redes

Para la mayoría de la gente, las redes parecen funcionar como teléfonos. Cuando uno efectúa una llamada telefónica, marca un número y se conecta directamente con la persona con quien desea hablar. Las frases que se emiten son transmitidas y recibidas en el otro extremo de la línea en el mismo orden en que se las expresó y, simplificando un poco, nadie más puede escuchar su conversación o incorporarse a la misma a mitad de su desarrollo. Un teléfono, entonces, provee la recepción garantida de su mensaje, lo entrega en el orden en que se lo emitió y no lo manipula mientras el mismo está en tránsito. De manera similar, cuando uno hace clic en un hipervínculo de una página Web, el mismo lo remite casi inmediatamente a la correspondiente página vinculada. No hay paradas intermedias; la página no resulta corrompida o interrumpida.

En realidad, sin embargo, las redes de computación no funcionan de manera tan impecable y eficiente. A diferencia de los sistemas telefónicos, que proveen un circuito directo entre dos ubicaciones, las redes de computación trabajan siguiendo un esquema de almacenamiento y posterior remisión, denominado en la jerga informática conmutación de paquetes. Quien origina el mensaje envía los datos en forma de bloques de tamaño fijo, denominados paquetes, al intermediario más cercano, denominado enrutador. El enrutador examina cada paquete que arriba a fin de determinar si mantenerlo o retransmitirlo. El enrutador transfiere los paquetes que debe conservar hacia su propia red, y por el contrario remite los paquetes que no debe conservar hacia el siguiente enrutador situado a lo largo de la línea, donde se vuelve a repetir el proceso de decisión entre almacenamiento o ulterior remisión. La figura 18-1 ilustra la manera en que trabaja la conmutación de paquetes.

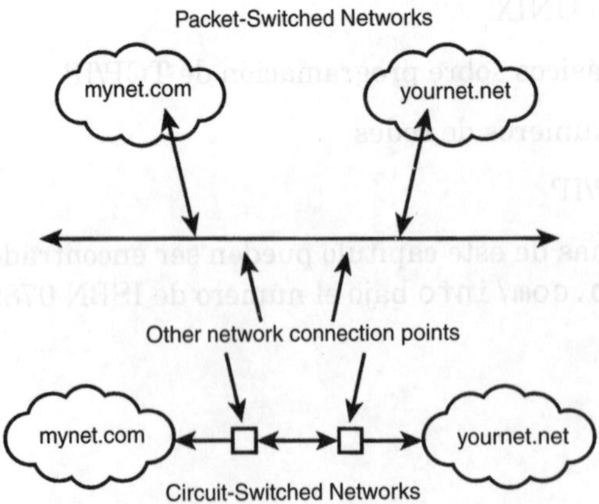

Figura 18.1. *La manera en que viajan los datos por una red de conmutación de paquetes.*

La figura 18-1 resalta la manera en que viajan los datos a través de las redes de conmutación de paquetes (mostradas en la parte superior de la figura) y aquella en que lo hacen por las redes de conmutación de circuitos (mostradas en la parte inferior). `mi_red.com` y `su_red.net` representan dos redes de área local que se encuentran conectadas a la Internet. Como se puede apreciar en la figura, en una red de conmutación de paquetes, los enrutadores de `mi_red.com` y `su_red.net` transfieren sus datos a la red y toman de la misma los datos destinados a sus redes locales. Esto está representado por las líneas oblicuas con flechas en ambos extremos que conectan el flujo de datos a través de la Internet a las redes locales conectadas a la misma. Los datos des tinados a otras redes son simplemente transmitidos al siguiente enrutador. Por el contrario, una red de conmutación de circuitos crea una conexión directa entre `mi_red.com` y `su_red.net`.

Aunque pueda haber puntos de conexión entre ambas redes, como está indicado por los pequeños cuadros de la figura, las mismas se comportan más como cruces de vías férreas que como intersecciones de tránsito automotor. Los datos (el tren que circula por la vía férrea) pasa por los puntos de conexión sin interrupción rumbo a su destino. En una red de conmutación de paquetes, en cambio, tal como en la Internet, los datos deben pasar por varias intersecciones (enrutadores). La ruta que toma cada paquete por la Internet está controlada por el encaminador, de manera muy similar a la manera en que la ruta que sigue un automóvil a través de las transitadas calles de una ciudad está controlada, al menos en parte, por las intersecciones que va encontrando.

Además de la diferencia de operación, las redes de conmutación de paquetes tienen otras limitaciones. Primero, algunos de los paquetes se pierden. Segundo, los mensajes largos son desglosados en múltiples paquetes que pueden arribar a destino en un orden diferente al que fueron enviados, y cualquiera puede interceptar los paquetes y alterar su contenido. A pesar de estos defectos, la conmutación por paquetes funciona sumamente bien porque la gente sumamente inteligente que diseñó el hardware y el software necesarios para este tipo de transmisión de datos imaginó maneras de evitar o de resolver con sencillez todos estos problemas.

NOTA

Estos párrafos apenas son suficientes para describir las complejas operaciones de las redes de computación. El análisis se halla considerablemente sobresimplificado porque la idea es proveer al lector la suficiente información como para colocar la programación para redes en un contexto que tenga significado, sin abrumarlo al mismo tiempo con los detalles. Se ruega por lo tanto tener esto en cuenta a medida que se avanza con la lectura de los mismos.

De manera similar, un capítulo puede apenas rozar la superficie de la programación para redes. Ésta constituye un tema complejo que requiere cientos de páginas para poder desarrollarlo de manera integral.

Cuando se analizan los *protocolos de red* surgen constantemente varios términos, las reglas acordadas sobre cómo deberán ser transmitidos los datos a través de una red. Se dice que un protocolo es *orientado a conexión* si tiene dos extremos definidos, si los demás usuarios no pueden irrumpir en la conexión y si debe existir una conexión previa entre los dos extremos para que tenga lugar la comunicación. Un protocolo que carece de estas características es considerado *sin conexión.*

Secuenciamiento significa que un protocolo garantiza que los datos arriben en el mismo orden en que fueron enviados. Un protocolo tiene *control de errores* si es capaz de detectar las corrupciones de datos, descartar los mensajes corruptos y disponer la retransmisión de los datos corregidos.

Las redes transmiten datos de una de dos maneras: utilizando bytes individuales de datos y utilizando paquetes. Los *protocolos de secuencia de caracteres* realizan sólo transmisiones basadas en bytes, porque únicamente pueden administrar secuencias de bytes, de manera muy similar a los dispositivos de caracteres de Linux y otros sistemas operativos. Los protocolos de secuencia de datos pueden dividir largas secuencias de bytes a los efectos de su transmisión más eficiente, pero los mismos están *secuenciados,* lo que significa que arribarán en el mismo orden en que son enviados. Los protocolos de secuencias de datos son conocidos también como protocolos *confiables* porque adoptan significativos recaudos para garantizar que los mensajes transmitidos por la red sean entregados intactos o se notifique al remitente que durante el trayecto ocurrieron uno o más errores y que el mensaje debe de ser reenviado.

Los protocolos basados en paquetes, a su vez, crean envoltorios (paquetes) de datos de tamaño fijo y arbitrario. Estos protocolos desglosan el contenido de sus paquetes cuando proceden a enviarlos, y únicamente entregan paquetes completos.

Con estos términos en mente, resulta relativamente simple clasificar la mayoría de los protocolos de red, incluyendo TCP/IP, el protocolo básico de Internet, y el IPC local (conocido anteriormente como sockets de UNIX), en una de dos categorías. Los protocolos de *datagrama,* tales como el UDP (*User Datagram Protocol*), están basados en paquetes, que son sin conexión, no secuenciados, y no ofrecen control de errores. Los protocolos de *secuencia de caracteres,* por el contrario, están orientados a bytes y ofrecen tanto secuenciamiento de datos como control de errores. TCP (*Transmission Control Protocol*), constituye un ejemplo clásico de protocolo de secuencia de caracteres:

La API de socket Berkeley

Dada la inmensa variedad de protocolos de red existente, la perspectiva de tener que aprender una interfaz de programación diferente cada vez que uno quisiera aprender a utilizar un nuevo protocolo resulta sin dudas desalentadora. Afortunadamente, la API de *socket Berkeley,* denominada socket Berkeley en razón de que se hizo popular en las versiones BSD de UNIX, fue diseñada para funcionar con una diversidad de protocolos de red y para proveer una única interfaz de programación para uso de los programadores de red.

Esta generalidad de uso introdujo complejidad adicional, pero esta complejidad es un pequeño precio a pagar por no tener que aprender las interfaces de bajo nivel para AppleTalk, AX.25, IPX, NetRom, local IPC y TCP/IP. Este capítulo utiliza los sockets Berkeley para programar tanto en POSIX local IPC, que opera sólo en una computadora aislada, y TCP/IP, que permite comunicarse entre sí a muchas computadoras a través de la Internet.

La estructura de datos fundamental de la API de socket Berkeley es la estructura `sockaddr` (*dirección de socket*), que almacena una dirección de red, el requisito más esencial de cualquier protocolo de red. Esta estructura está declarada en `<sys/socket.h>` de la siguiente manera:

```
struct sockaddr {
```

```
    unsigned short int sa_family;
    char sa_data[14];
};
```

`sa_family` describe el tipo de dirección almacenada (sa = stored address), mientras que `sa_data` contiene la dirección concreta. `sa_family` es típicamente uno de los valores listados en la tabla 18.1.

Tabla 18.1. *Familias de direcciones de sockets*

Familia de direcciones	**Familia de Protocolos**	**Descripción**
AF_UNIX	PF_UNIX	Sockets de entorno UNIX
AF_INET	PF_INET	TCP/IP (Versión 4)
AF_AX25	PF_AX25	Protocolo AX.25 para radioaficionados
AF_IPX	PF_IPX	Protocolo Novell IPX
AF_APPLETALK	PF_APPLETALK	Protocolo AppleTalk DDS

Los dos protocolos que analizará este capítulo son `AF_UNIX` (lo mismo que `AF_LOCAL`), que cubre los sockets de entorno `UNIX`, y `AF_INET`, el protocolo TCP/IP.

NOTA

La lista completa de protocolos y familias de direcciones admitidos se halla en `<sys/socket.h>`.

Fundamentos de los sockets

Las operaciones básicas con sockets abarcan la creación, apertura, cierre, lectura y escritura de los mismos. Gracias al reconfortante hábito de Linux de tratar a todo como si fuese un archivo, uno puede utilizar las mismas funciones de E/S para los sockets que las que se emplean con archivos normales.

✔ Para encontrar un breve análisis de la forma en que trata Linux los archivos, ver "Características y conceptos," página 132.

Las funciones de E/S (`read`, `write` y así siguiendo) tienen una semántica especial cuando son aplicadas a sockets, la cual cubre este capítulo, pero en todo lo demás la interfaz es idéntica. Todas las funciones de sockets requieren incluir en el código fuente de los respectivos programas tanto el archivo de encabezado `<sys/socket.h>` como el archivo de encabezado correspondiente a cada protocolo.

Creación de un socket

La única operación específica para sockets es la función `socket`, que se utiliza para crear un `socket`. Su prototipo es el siguiente:

```
int socket(int domain, int type, int protocol);
```

La función `socket` crea uno de por lo menos dos sockets utilizados para establecer un canal de comunicación entre dos procesos o sistemas que deseen intercambiar datos.

`domain` especifica qué protocolo de red utilizar. Este corresponderá a una de las familias de protocolos de la segunda columna de la tabla 18.1.

`type` establece la categoría del protocolo, o sea si se tratará de un protocolo de secuencia de caracteres o de un protocolo de datagrama. No todas las clases de comunicación se encuentran disponibles para todas las familias de protocolos.

`protocol` indica el protocolo a ser utilizado. Para los propósitos de este libro el valor del argumento `protocol` será siempre `0`, indicando que se emplee el protocolo por defecto, que se base en los argumentos `domain` (familia de protocolos) y `type` (secuencia de caracteres, datagrama y así siguiendo) suministrados. En la tabla 18.2 se suministra la lista de tipos de protocolos aceptados corrientemente, aunque en este capítulo sólo se comentará el socket SOCK_STREAM.

Tabla 18.2. *Tipos de Socket Berkeley.*

Tipo de socket	Descripción
SOCK_STREAM	Acepta secuencias de caracteres (streams) orientadas a conexión, secuenciadas, con control de errores y full duplex.
SOCK_DGRAM	Acepta mensajes sin conexión, sin orden secuencial, orientados a paquetes de datos de tamaño fijo.
SOCK_SEQPACKET	Acepta transmisiones de paquetes secuenciados, full duplex y orientados a conexión, pero el receptor del paquete debe leer un paquete completo en cada llamada a la rutina de sistema *read.*
SOCK_RAW	Está diseñado para proveer acceso de bajo nivel a nivel de protocolo. El código debe ser redactado de modo de procesar los datos según sean las especificaciones del protocolo. No se recomienda a los que sufran del corazón . . .
SOCK_RDM	Acepta la transmisión de paquetes orientada a conexión, pero no se garantiza que los datos serán recibidos en el orden debido.

Si el socket es creado exitosamente, `socket` retorna un descriptor de archivo válido para ser utilizado en las operaciones de E/S subsiguientes. En caso de error, retorna -1 y asigna a la variable `errno` el valor adecuado para indicar el problema. Los posibles valores de error incluyen los siguientes:

- EACCES: El proceso que efectuó la llamada carece de los permisos necesarios para crear el socket requerido Esto tiene lugar si el proceso no cuenta con suficientes permisos de directorio o si los procesos de nivel de usuario (en contraposición a los procesos root) no cuentan con permiso para crear un socket de las características especificadas en `type` o `protocol`.
- EINVAL: Este error tiene lugar debido a que el proceso que efectuó la llamada requirió un protocolo desconocido o porque el kernel no admite la familia de protocolos especificada en `domain`. Esto a menudo proviene de un error de tipeado.
- EMFILE: Se genera cuando la tabla de archivos del proceso está llena y no se pueden crear más procesos. Este error indica la presencia de un sistema muy recargado.
- ENFILE: El kernel carece de suficiente memoria como para crear las estructuras de apoyo necesarias para poder admitir otro socket. ENFILE generalmente indica la presencia de un problema serio en el sistema.

- `ENOBUFS` o `ENOMEM`: El sistema (no el kernel) no cuenta con la suficiente memoria como para crear la estructura requerida. Aunque este problema no es tan serio como el que existe en el caso de `ENFILE`, en el momento en que ocurre el mismo el sistema no se encuentra funcionando a todo su potencial.
- `EPROTONOSUPPORT`: La familia de protocolos especificada en `domain` no admite ya sea el argumento suministrado para `type` o para `protocol`, o ambas cosas a la vez.

Conexión a un socket

Aun cuando un socket ya haya sido creado, resulta inútil sin abrir conexiones hacia el mismo. Además, el proceso de conexión es diferente para los *procesos de servidor* y para los procesos de cliente. Los procesos de servidor son procesos que reciben un pedido de información, datos, u otorgan a quien lo ha pedido algún tipo de acceso hacia algún recurso o facilidad. De manera correspondiente, los procesos de servidor, generalmente, crean un socket y luego aguardan la llegada de pedidos de conexión por parte de los clientes o solicitantes. Los *procesos clientes,* análogamente, requieren del servidor que les provea información o datos vía el socket, o envían un pedido, de nuevo a través del socket, de acceso a algún servicio que provee el servidor.

Un servidor, entonces, tiene más trabajo que realizar que un cliente. Primero, habiendo creado un socket, debe *ligarse* al mismo, lo cual crea una asociación entre el socket y una dirección. En el caso de los sockets de entorno UNIX, esta dirección consiste simplemente de una ruta de acceso y un archivo (tal como se detalla en la próxima sección). En el caso de un socket normal TCP/IP, la dirección es una dirección estándar de Internet (comentada en el título "Programación de TCP/IP", más adelante en este capítulo).

Después de haber ligado la condición, un servidor debe *permanecer a la escucha* de una conexión, lo que significa que debe aguardar hasta que un cliente solicite una conexión a ese socket. Después de recibir el pedido de conexión, el servidor habitualmente acepta la misma; es decir, abre formalmente la conexión para el cliente que lo ha solicitado y comienza a intercambiar información con el mismo a través del socket. Las funciones para realizar cada una de las tareas necesarias del servidor se denominan intuitivamente `bind` (*ligar*), `listen` (*escuchar*) y `accept` (*aceptar*).

El cliente, a su vez, simplemente necesita requerir una conexión al socket que ha sido abierto por el servidor. De manera igualmente intuitiva, el cliente utiliza la llamada a sistema connect para requerir su conexión al socket en el cual se encuentra interesado. La figura 18-2 ilustra el proceso de creación y conexión a un socket tanto para un cliente como para un servidor.

Como se puede observar en la figura 18-2, el servidor controla el acceso del cliente al socket por medio de la llamada a `accept`. No existe ningún requerimiento de que el servidor deba aceptar el pedido de conexión de un cliente.

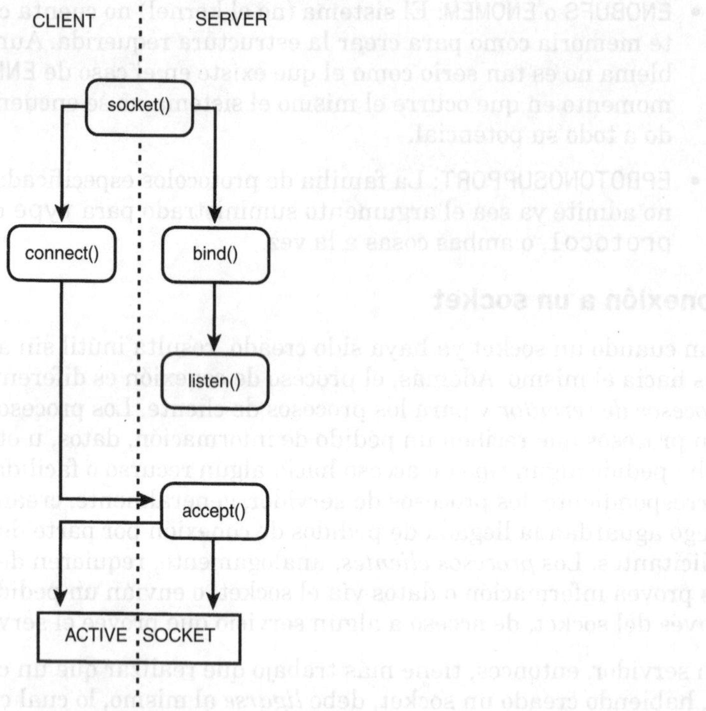

Figura 18.2. *Un cliente y un servidor conectándose a un socket.*

Las cuatro llamadas necesarias para establecer una conexión con un socket tienen los siguientes prototipos:

```
int bind(int sockfd, struct sockaddr *addr, int addrlen);
int listen(int sockfd, int backlog);
int accept(int sockfd, struct sockaddr *addr, int *addrlen);
int connect(int sockfd, strcut sockaddr *addr, int addrlen);
```

Para cada una de las llamadas:

`sockfd` (*socket file descriptor*) es el descriptor de archivo retornado por una llamada anterior a `socket`.

`sockaddr` es un puntero que apunta hacia una estructura de dirección de socket.

`addrlen` es el tamaño de `sockaddr` (adviértase que la llamada `accept` puede modificar este valor al retornar).

`backlog` define para `listen` el máximo número de conexiones pendientes que se permitirá aguardar en cola en un socket dado antes de que sean comenzados a rechazar los pedidos de conexión adicionales. Históricamente, este valor ha sido cinco, pero puede ser modificado.

`bind`, `listen` y `connect` retornan `0` si tienen éxito. Como de costumbre, si fracasan, retornan -1 y asignan a `errno` el valor que sea requerido para reflejar el error ocurrido. La llamada a `accept`, sin embargo, retorna un nuevo descriptor de archivo que puede ser utilizado por el proceso aceptante (habitualmente un servidor) para sus operaciones de E/S utilizando las llamadas a sistema `write` y `read`. Si fracasa, accept retorna -1 y asigna el correspondiente valor a `errno`.

NOTA

Si bien la API POSIX para sockets admite algunas prestaciones de seguridad (concretamente, credenciales) referidas a los mismos, no se las cubre aquí porque el apoyo de Linux para los sockets POSIX se encuentra en estado de evolución. La implementación por parte de Linux de los IPC para POSIX se encuentra incompleta. Gran parte del material de la especificación POSIX efectivamente existe, pero en muchos casos las llamadas que aceptan la nueva especificación parecen ser sólo envoltorios de las antiguas llamadas implementadas por la especificación "clásica" pre-POSIX. Pero aún, las páginas de `man` se encuentran penosamente desactualizadas.

La referencia de programación más completa para la especificación IPC de POSIX la constituye la serie de Richard Stevens *Network Programming.* Si el lector tratara de utilizar el IPC de POSIX, deberá tener en cuenta que el mismo tal vez no se comporte como uno lo esperaría.

Sockets de entorno UNIX

Los sockets de entorno UNIX operan sólo en computadoras aisladas, de modo que se asemejan mucho más a pipes con nombre que a un protocolo de red. Las direcciones a las cuales se ligan los sockets de entorno UNIX son archivos reales presentes en el filesystem. Sin embargo, los sockets no pueden ser *abiertos;* deben ser accedidos utilizando la interfaz para sockets.

Creación de un socket de entorno UNIX

En la parte "La API de socket Berkeley", página 382, el lector aprendió que la estructura sockaddr contiene en sus dos miembros el tipo y los datos de una dirección de red. Eso en realidad fue una sobregeneralización. En realidad, dicha estructura `sockaddr` es el formato general. Todas las familias de protocolos cuentan con su propia versión de sockaddr específica para cada entorno. La estructura `sockaddr` para los sockets de entorno UNIX se encuentra definida en `<sys/un.h>` de la manera siguiente:

```
struct sockaddr_un {
    unsigned short int sun_family;     /* AF_UNIX */
    char sun path[108];                   /* Pathname */
};
```

Para crear un socket de entorno UNIX, `sun_family` debe ser puesta al valor `AF_UNIX`. A su vez, `sun_path` contiene el nombre del archivo que será utilizado como socket. El socket se liga al archivo por medio de la llamada a `bind`, tal como uno lo esperaría, pero el archivo es creado recién cuando se llama a `bind`. Si el archivo ya existiera `bind` fracasa, asigna a `errno` el valor `EADDRINUSE` (*dirección esperada en uso*) y retorna `-1` al proceso que efectuó la llamada. El macro `SUN_LEN`, también definido en `<sys/un.h>`, retorna el tamaño de una estructura de patrón `sockaddr_un`.

Los programas `crear_socket` y `conectar_socket` que vienen a continuación ilustrarán el método correcto conque se puede abrir un socket de servidor y un programa cliente puede conectarse al mismo. Preste especial atención, sin embargo, a cómo tanto `crear_socket` como `conectar_socket` deben asignar provisoriamente (*cast*) a su estructura de protocolo `sockaddr_un` un patrón de estructura sockaddr genérico para cada llamada que se efectúa a la interfaz de la correspondiente API.

Ejemplos

Los siguientes programas de demostración, `crear_socket` y `conectar-socket`, ilustran las operaciones básicas con sockets de entorno UNIX.

1. `crear_socket` crea, liga, queda a la escucha y acepta conexiones a un socket de entorno UNIX.

```
/* Nombre del programa en Internet: mksock.c */
/*
 * crear_socket.c - Crear y ligar un socket. Sintaxis: crear_socket nombre de
socket
 */
#include <sys/socket.h>
#include <sys/un.h>
#include <stdlib.h>
#include <stdio.h>
#include "helper.h"

int main(int argc, char *argv[])
{
    int descriptor_socket;
    struct sockaddr_un struc_servidor;  /* Estructura de socket en el servidor */
    socklen_t tamaño_direccion;
    /* Se aguarda como argumento de la linea de comandos el nombre del socket */
    if(argc != 2) {
        puts("MODO DE EMPLEO: crear_socket <nombre de socket>");
        exit(EXIT_FAILURE);
    }


    /* Crear el socket */
    if((descriptor_socket = socket(PF_UNIX, SOCK_STREAM, 0)) < 0)
        err_quit("socket");    /* Definida en helper.h e implementada en helper.c)


    /* Inicializar y establecer la estructura del servidor */
    memset(&struc_servidor, 0, sizeof(struc_servidor));
    struc_servidor.sun_family = AF_UNIX;
    strncpy(struc_servidor.sun_path, argv[1], sizeof(struc_servidor.sun_path));

    /* Ligar el socket a una direccion */
    if((bind(descriptor_socket, (struct sockaddr *)&struc_servidor,
       SUN_LEN(&struc_servidor))) < 0)
        err_quit("bind");
```

```
    /* Aguardar por las conexiones que arriben */
    if((listen(descriptor_socket, 5)) < 0)
        err_quit("listen");
    printf("Socket disponible: %s\n", struc_servidor.sun_path);

    /* Mantener un lazo infinito, aceptando todas las conexiones */
    while(accept(descriptor_socket, (struct sockaddr *)&srv, & tamaño_direccion)
>= 0)
        puts("La nueva conexion ha sido habilitada");

    exit(EXIT_SUCCESS);
}
```

`crear_socket` acepta un único argumento, el nombre del `socket` a ser creado. El programa primero llama a socket a fin de crear un socket de entorno UNIX (definido por el argumento `PF_UNIX`) orientado a secuencias de caracteres (tal como lo estipula el argumento `SOCK_STREAM`) y que empleará el protocolo por defecto. Después de inicializar la estructura `struc_servidor`, `crear_socket` establece la familia de sockets a `AF_UNIX` y copia la dirección del socket al miembro `sun_path` de la estructura `struc_servidor`. Luego, la llamada a bind procede a asociar el descriptor de archivo `descriptor_socket` con el socket descripto por `struc_servidor`.

Obsérvese que `struc_servidor` fue declarada como una estructura de patrón `sockaddr_un`, la estructura requerida para los sockets de entorno UNIX. Para prevenir eventuales advertencias del compilador, se le asigna temporariamente mediante una operación de *casting* un patrón de `estructura sockaddr (sockaddr *)` de modo de corresponderse con el prototipo de bind. Finalmente, la llamada a listen señala que el servidor está aceptando conexiones a ese socket, y la llamada a `accept` permitirá indefinidamente efectuar nuevas conexiones a dicho socket hasta que `accept` retorne una condición de error o hasta que el programa sea terminado de alguna manera.

El archivo de encabezado `helper.h` y su implementación, `helper.c`, incluyen funciones de utilidad que emplean todos los programas de este capítulo. Su razón de ser es acortar los listados de código fuente. Tanto `crear_socket` como `conectar_socket` utilizan la función `err_quit`, que llama a perror con el mensaje especificado en `msg` y luego terminan el programa. La definición de `err_quit` es la siguiente:

```
void err_quit(char *msg)
{
    perror(msg);
    exit(EXIT_FAILURE);
}
```

2. conectar_socket conecta los procesos al socket atendido por crear_socket.

```
/* Nombre del programa en Internet: sockconn.c */

/*

 * conectar_socket.c - Conectar a un socket. Sintaxis: conectar_socket nombre de
archivo

 */

#include <sys/socket.h>

#include <sys/un.h>

#include <stdlib.h>

#include <stdio.h>

#include "helper.h"


 int main(int argc, char *argv[])
 {
     int descriptor_socket;

     struct sockaddr_un struc_cliente;  /* Estructura de socket de proceso cliente
*/

     socklen_t tamaño_direccion; /* tamaño del miembro sockaddr de estructura
struc_cliente */


     /* Se aguarda como argumento de la linea de comandos el nombre del socket */

     if(argc != 2) {

          puts("MODO DE EMPLEO: conectar_socket <nombre de archivo>");
          exit(EXIT_FAILURE);
     }


     /* Crear el socket */

     if((identificador_socket = socket(PF_UNIX, SOCK_STREAM, 0)) < 0)
          err_quit("socket");


     /* Inicializar y establecer la estructura del cliente */

     memset(&struc_cliente, 0, sizeof(struc_cliente));

     struc_cliente.sun_family = AF_UNIX;

     strncpy(struc_cliente.sun_path, argv[1], sizeof(struc_cliente.sun_path));
```

```
    /* Conectar al socket */
    tamaño_direccion = SUN_LEN(&struc_cliente);
    if(connect(descriptor.socket, (struct sockaddr *)&struc_cliente,
tamaño_direccion))
        err_quit("connect");
    printf("Cliente conectado a socket %s\n", struc_cliente.sun_path);

    exit(EXIT_SUCCESS);
}
```

La configuración de `conectar_socket` es la misma que la de `crear_socket`: crear un socket y poner algunos valores en su estructura operativa. De hecho, los procesos cliente también pueden utilizar para ligar la dirección local una llamada a `bind`, pero esto es opcional porque los clientes habitualmente desean conectarse a un socket remoto. En general los clientes descartan la dirección local. La llamada a `connect` liga el descriptor de archivo `descriptor_socket` del cliente con el socket abierto por el servidor, que es transferido como argumento en la línea de comandos de `conectar_socket`. La salida de estos dos programas se ilustra en la figura 18-3.

SALIDA

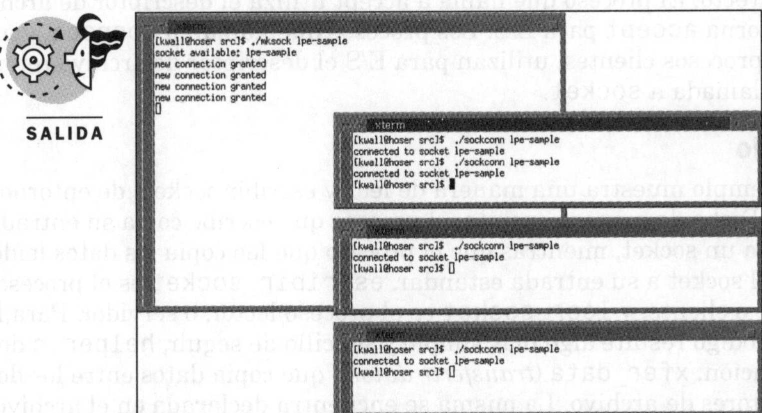

Figura 18.3. *Tres clientes conectándose a un socket de servidor.*

En la figura 18-3, la `xterm` de la izquierda está corriendo el programa del servidor, `crear_socket`, y se halla a la escucha en un socket denominado `lpe-sample`. El programa cliente, `conectar_socket`, fue ejecutado en cada una de las tres xterms más pequeñas de la derecha. `crear_socket` informa sobre cada conexión exhibiendo su leyenda de nueva conexión habilitada cada vez que acepta una nueva conexión. `conectar_socket`, de manera similar, informa las conexiones al servidor exhibiendo la dirección (en este caso el nombre) del socket cada vez que se conecta con éxito.

EJEMPLO

Ejemplo

Este ejemplo muestra qué sucede cuando uno trata de abrir un socket que se encuentra en uso. El ejemplo considera que uno ya ha creado el archivo de socket `lpe-sample` y se ha conectado al mismo corriendo los dos primeros programas de demostración. Luego el comando de Linux rm elimina el archivo `lpe-sample` y se vuelve a correr el programa `crear_socket`:

```
$. ls -l lpe-sample
s rwx r-x r-x   1 kurt_wall    users  0 Aug 17 18:29 lpe-sample=

$ ./crear.socket lpe-sample
bind: Address already in use

$ rm lpe-sample
$ ./crear_socket lpe-sample
Socket disponible: lpe-sample
```

La llamada a `bind` fracasó porque el socket se encontraba en uso pero, luego de eliminarlo, la llamada a `bind` tuvo éxito y el servidor dio paso a su lazo infinito de aceptación de conexiones.

Lectura y escritura de un socket de entorno UNIX

Tal como fue comentado al comienzo del capítulo, para leer y escribir en sockets uno puede utilizar llamadas a sistema estándar de E/S. El procedimiento es directo. El proceso que llama a accept utiliza el descriptor de archivo que retorna `accept` para E/S. Los procesos que llaman a `connect`, generalmente procesos clientes, utilizan para E/S el descriptor de archivo retornado por la llamada a `socket`.

EJEMPLO

Ejemplo

Este ejemplo muestra una manera de leer y escribir sockets de entorno UNIX. Dicho de manera sucinta, el proceso que escribe copia su entrada estándar a un socket, mientras que el proceso que lee copia los datos leídos desde el socket a su entrada estándar. `escribir_socket` es el proceso que escribe, o cliente, y `leer_socket` es el proceso lector, o servidor. Para lograr que el código resulte algo más simple y sencillo de seguir, `helper.c` define una función, `xfer_data` (*transferir datos*), que copia datos entre los dos descriptores de archivo. La misma se encuentra declarada en el archivo local de encabezado `helper.h`. La definición de `xfer_data` es la siguiente:

```
void xfer_data(int srcfd, int tgtfd)
{
    char buf[1024];
    int cont, len;

    /* Leer desde el archivo de entrada y escribir al archivo de salida */
    while((cnt = read(srcfd, buf, sizeof(buf))) > 0) {
        if(len < 0)
            err_quit("helper.c:xfer_data:read");
        if((len = write(tgtfd, buf, cnt)) != cnt)
            err_quit("helper.c:xfer_data:write");
    }
}
```

Esta función lee cualquier entrada que provenga del archivo de entrada cuyo descriptor es `srcfd` (*source file descriptor*) y luego la escribe inmediatamente al archivo de salida cuyo descriptor es `tgtfd` (descriptor de archivo de target). Si ya sea `read` o `write` llegan a toparse con un error, la función retorna. Para utilizar esta función, añada la línea `#include "helper.h"` al código de fuente del programa donde la vaya a utilizar.

Los dos siguientes extractos de código muestran las modificaciones necesarias para convertir el programa de servidor, `crear_socket`, y al programa cliente, `conectar_socket`, en procesos de lectura y escritura, respectivamente. Primero, añada la siguiente declaración al comienzo de `crear_socket`:

```
int descriptorArchivoDatos;
```

Luego, reemplace las líneas 40 a 45 de `crear_socket.c` con las siguientes:

```
/* Aceptar la primera conexion que arribe */
if((descriptorArchivoDatos = accept(descriptor_socket, (struct sockaddr *)&struc-
_servidor,
        &tamaño_direccion)) >= 0)
    puts("La nueva conexion ha sido habilitada");

/* Leer desde el archivo de entrada de datos y escribir a stdout */
xfer_data(descriptorArchivoDatos, fileno(stdout));
```

En lugar de remitirse simplemente a aceptar cualquier conexión que le sea requerida, el nuevo código acepta sólo la primer conexión, y luego llama a `xfer_data` para leer los datos entrantes desde el socket, identificado por `descriptorArchivoDatos`, y escribirlos a `stdout`.

Finalmente, añada el siguiente código justo antes de la sentencia `exit` del programa `conectar_socket.c`:

```
/* Copiar stdin al archivo de socket */
xfer_data(fileno(stdin), descriptor_socket);
```

Este código adicional lee la entrada desde `stdin` y la escribe al archivo ligado al socket. Los respectivos archivos modificados están disponibles en el sitio Web de este libro bajo los nombres `rdsock.c` y `wrsock.c`.

Para correr estos programas, ejecute `rdsock` en una xterm o consola virtual, y luego inicie `wrsock` en otra ventana. Cada vez que se oprima Intro, las líneas de texto ingresadas aparecerán en la ventana donde está corriendo `rdsock`. La salida de demostración de estos programas se ilustra en la figura 18-4.

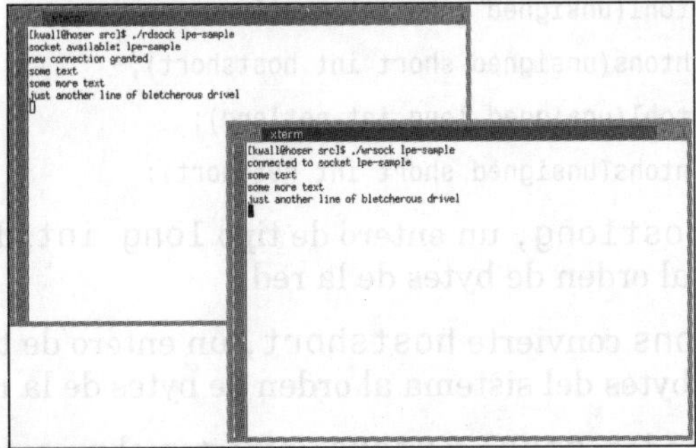

Figura 18.4. *Lectura y escritura de sockets de entorno UNIX.*

En la figura 18-4, el proceso lector/servidor, `rdsock`, está corriendo en la xterm de la izquierda y el proceso escritor /cliente, `wrsock`, se está ejecutando en la xterm de la derecha. Como se puede apreciar en la figura, cada línea de texto tipeada al proceso escritor aparece en el proceso lector cada vez que se oprime Intro.

Programación de TCP/IP

TCP/IP es el protocolo (en realidad, la *familia* de protocolos) que opera la Internet, la mayor red de computadoras interconectadas del mundo. La versión actual de este protocolo es la 4 (IPv4), pero ya ha comenzado la transición a la versión 6 (IPv6). Las especificaciones existentes en las propuestas actuales para IPv6 han sido integradas en los kernels de Linux de la versión 2.2.x. Dado que el nuevo protocolo no está aún muy extendido, sin embargo, esta sección cubre en su lugar IPv4. Como se destacó al comienzo de este capítulo, la programación para redes es un tema importante sobre el cual han sido escritos multitud de libros. Sin embargo, uno puede de hecho redactar programas con prestaciones de red utilizando menos de 10 funciones.

Números de red

Entes de sumergirnos en la programación de redes en sí misma, resulta importante señalar que el protocolo TCP/IP es de tipo *big-endían;* es decir, almacena el bit más significativo de los números multibyte en la dirección de memoria más baja. Muchas computadoras son también de tipo big-endian.

Sin embargo otras computadoras, tales como las que utilizan procesadores Intel x86, son de tipo *little-endian,* lo que quiere decir que en los números multibyte el que se almacena en la dirección de memoria más baja es el byte menos significativo (el término general para indicar la disposición de valores en memoria es *orden de bytes*). La implicancia de esto es que cuando se ingresan valores numéricos a las funciones de TCP/IP, las mismas deben ser convertidas desde su orden de bytes del servidor al orden de bytes imperante en la red. Afortunadamente, la implementación de este protocolo incluye cuatro funciones que realizan precisamente esto. Las mismas se encuentran declaradas en `<netinet/in.h>` de la siguiente manera:

```
unsigned long int htonl(unsigned long int hostlong);
unsigned short int htons(unsigned short int hostshort);
unsigned long int ntohl(unsigned long int netlong);
unsigned short int ntohs(unsigned short int netshort);
```

`htonl` convierte `hostlong`, un entero de tipo `long int`, desde el orden de bytes del sistema al orden de bytes de la red.

Similarmente, `htons` convierte `hostshort`, un entero de tipo `short int`, desde el orden de bytes del sistema al orden de bytes de la red.

Las otras dos llamadas, `ntohl` y `ntohs`, invierten el proceso y por lo tanto convierten desde el orden de bytes de la red al orden de bytes del sistema.

Direcciones de red

Tal como ocurre con los sockets de entorno UNIX, las direcciones de red TCP/IP son almacenadas en una estructura de patrón `sockaddr`, `struct sockaddr_in`, definida en `<netinet/in.h>` de la siguiente manera:

```
struct sockaddr_in {
    short int sin_family;               /* AF_INET */
    uint16_t sin_port;                  /* Numero de puerto */
    struct invaded sin_addr;        /* Direccion IP */
};
```

Para obtener la definición completa de un socket se debe también incluir `<sys/socket.h>`.

```
Para TCP/IP (version 4, por lo menos), sin_family debe ser AF_INET.
sin_port es el numero de puerto al cual conectarse.
sin_addr es la direccion IP (IP = Internet Protocol).
```

Tanto `sin_port` como `sin_addr` (`sin` = *socket input*) deben estar en el orden de bytes de la red. Sin embargo, `sin_addr` es una estructura binaria, de modo que para convertirla a notación estándar decimal con puntos se debe emplear la función `inet_ntoa`; recíprocamente, para convertir una dirección en forma decimal con puntos al formato binario de `sin_addr` se deberá utilizar la función `inet_aton`. Ambas funciones están prototipadas en `<arpa/inet.h>` de la siguiente manera:

```
char *inet_ntoa(struct in_addr addr);
char *inet_aton(const char *ddaddr, struct in_addr *ipaddr);  $I~networks;address
storage,
        Transmission Control Protocol/Internet Protocol (TCP/IP)>
```

`inet_ntoa` convierte la dirección binaria IP almacenada en `addr` y la retorna en forma de cadena de caracteres (la cadena retornada consiste en un *buffer* asignado estáticamente que resulta sobrescrito por las llamadas subsiguientes a `inet_ntoa`).

`inet_aton` convierte una dirección decimal con puntos almacenada en `ddaddr` al formato binario adecuado, y luego la almacena en `ipaddr`. Si la dirección es válida, `inet_aton` retorna un valor distinto de cero, y en caso contrario retorna cero.

PRECAUCIÓN

Varias funciones API de TCP/IP retornan cero si fracasan y un valor distinto de cero si tienen éxito. Este comportamiento es precisamente opuesto al comportamiento de todas las funciones de biblioteca y de sistema que se hayan visto hasta ahora.

CONSEJO

El lector se topará ocasionalmente con una función denominada `inet_addr`. Dicha función hace la misma cosa que `inet_aton`. Tiene el prototipo `unsigned long int inet_addr(const char *ddaddr)`. Es una función obsoleta porque no reconoce 255.255.255.255 como dirección IP válida. Si llegase a encontrar código que utiliza dicha función, hágale un favor al mundo y reemplácela por `inet_aton`.

Las direcciones de red empleadas con TCP/IP son números de 32 bits, generalmente expresados en notación *decimal con puntos,* como por ejemplo www.xxx.yyy.zzz. Como se trata de números de 32 bits, existen potencialmente 4,294,967,295 (contando desde 0) direcciones de red diferentes. Sin embargo, como cada dirección específica puede querer o necesitar correr múltiples aplicaciones TCP/IP simultáneamente, cada dirección tiene también hasta 65,535 puertos a los cuales conectarse.

Los *puertos* son números de 16 bits que representan una conexión o punto final en un sistema dado (los puertos 0-1024 están reservados para ser utilizados por procesos que corran con privilegios root). De modo que un punto específico de conexión en un sistema está definido por la combinación de la dirección IP del servidor y un número de puerto. Una conexión de red completa y específica entre dos sistemas está definida por dos puntos de conexión de dichas características. La figura 18-5 ilustra gráficamente la cuestión.

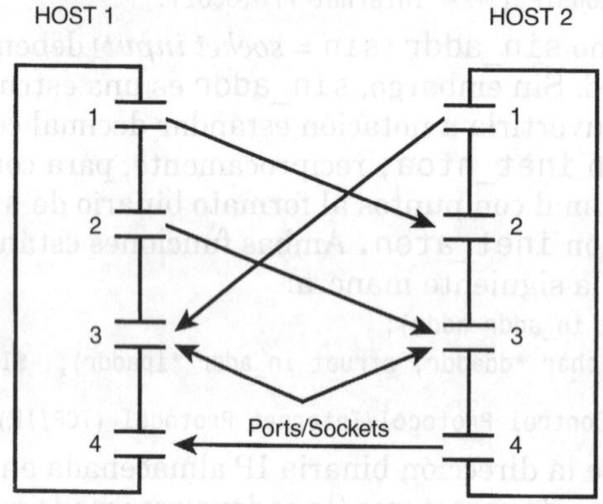

Figura 18.5. *Una conexión completa de red queda definida por dos direcciones IP y dos números de puerto.*

Tal como se puede apreciar en la figura, SERVIDOR1 y SERVIDOR2 disponen de cuatro conexiones alternativas completas entre ellos, SERVIDOR1:PUERTO1 a SERVIDOR2:PUERTO2, SERVIDOR1:PUERTO2 a SERVIDOR2:PUERTO3, SERVIDOR2:PUERTO1 a SERVIDOR1:PUERTO3 y SERVIDOR2:PUERTO4 a SERVIDOR1:PUERTO4.

Antes de examinar los programas de demostración, el lector debe conocer una última función, setsockopt (*establecer opciones de socket*). Después de cerrar un socket, su dirección (la combinación de IP y de número de puerto) no queda disponible durante un cierto período de tiempo. Para reutilizar esta dirección, uno debe establecer una opción para el socket que le permita ser reutilizado. La misma está declarada en el archivo de encabezado <sys/socket.h> de la siguiente manera:

```
int setsockopt(int sockfd, int level, int optname, const void *optval, socklen_t optlen);
```

setsockopt pone la opción almacenada en optname a optval para el socket que tiene el descriptor de archivo sockfd. Para sockets, level debe ser

SOL_SOCKET. Establezca optname a 0 y optval a 1. Es decir, la función setsockopt debería presentar un aspecto semejante al siguiente:

```
int i = 1;
setsockopt(sockfd, SOL_SOCKET, 0, &i, sizeof(i));
```

EJEMPLO

Ejemplos

1. El ejemplo que viene a continuación, crear_tcpip, crea un socket TCP/IP y luego aguarda y acepta todas las conexiones. Utiliza el número de puerto 50000, que no es probable que sea utilizado por otro programa.

```
/* Nombre del programa en Internet: mknet.c */
*
 * crear_tcpip.c - Ligarse a un socket TCP/IP y luego quedar a la espera de
conexiones
 */
#include <sys/socket.h>
#include <netinet/in.h>
#include <arpa/inet.h>
#include <unistd.h>
#include <stdlib.h>
#include <stdio.h>
#include "helper.h"

int main(void)
{
    int descriptor_socket;
    struct sockaddr_in struc_servidor;  /* Estructura de socket del servidor */
    socklen_t tamaño_direccion; /* tamaño del miembro sockaddr de estructura
struc_servidor */

    int i = 1;                     /* Para setsockopt */

    /* Crear el socket */
    if((descriptor_socket = socket(PF_INET, SOCK_STREAM, 0)) < 0)
       err_quit("socket");

    /* Se desea reutilizar la direccion local */
    setsockopt(descriptor_socket, SOL_SOCKET, 0, &i, sizeof(i));

    /* Inicializar y configurar la estructura de socket del servidor */
    memset(&srv, 0, sizeof(struc_servidor));
    struc_servidor.sin_family = AF_INET;
    struc_servidor.sin_port = htons(50000);    /* No olvidar el orden de bytes
de la red */
```

```
    /* Ligar el socket a una direccion */
    tamaño_direccion = sizeof(struc_servidor);
    if((bind(descriptor_socket, (struct sockaddr *)& struc_servidor,
tamaño_direccion)) < 0)
        err_quit("bind");

    /* Aguardar a que arriben conexiones */
    if((listen(descriptor_socket, 5)) < 0)
        err_quit("listen");
    puts("Socket TCP/IP available");
    printf("\tPuerto %d\n", ntohs(struc_servidor.sin_port));
    printf("\tDireccion IP %s\n", inet_ntoa(struc_servidor.sin_addr));

    /* Ejecutar indefinidamente este lazo, aceptando todas las conexiones */
    while((accept(descriptor_socket, (struct sockaddr *)& struc_servidor,
        &tamaño_direccion)) >= 0)
        puts("Nueva conexion habilitada");

    exit(EXIT_SUCCESS);
}
```

crear_tcpip es similar al programa crear_socket visto anteriormente. Las únicas diferencias son el reemplazo de las llamadas y de las estructuras de datos por sus contrapartes correspondientes a sockets TCP/IP. Adviértase que como crear_tcpip especifica una dirección IP de cero, el kernel asigna una dirección predeterminada. La salida de una corrida de demostración de este programa se asemeja a lo siguiente:

SALIDA

```
$ ./crear_tcpip
Socket TCP/IP disponible
        Puerto 50000
        Direccion IP 0.0.0.0
```

EJEMPLO

2. El próximo programa, conectar_tcpip, es una variante de conectar_socket rescrita para utilizar sockets TCP/IP.

```
/* Nombre del programa en Internet: netconn.c */
/*
 * conectar_tcpip.c - Conectarse a un socket TCP/IP. Sintaxis: conectar_tcpip
direccion IP
 */
#include <sys/socket.h>
#include <netinet/in.h>
#include <arpa/inet.h>
#include <stdlib.h>
#include <stdio.h>
#include "helper.h"
```

```
int main(int argc, char *argv[])
{
     int descriptor_socket;
     struct sockaddr_in struc_cliente;  /* Estructura de socket de proceso cliente
*/
     socklen_t tamaño_direccion; /* tamaño del miembro sockaddr de estructura
struc_cliente */


     /* Se aguarda como argumento de la linea de comandos la direccion IP */
     if(argc != 2) {
          puts("MODO DE EMPLEO: conectar_tcpip <direccion IP>");
          exit(EXIT_FAILURE);
     }


     /* Crear el socket */
     if((descriptor_socket = socket(PF_INET, SOCK_STREAM, 0)) < 0)
          err_quit("socket");


     /* Inicializar y establecer la estructura del cliente */
     memset(&struc_cliente, 0, sizeof(struc_cliente));
     struc_cliente.sin_family = AF_INET;
     struc_cliente.sin_port = htons(50000);       /* No olvidar el orden de los
bytes en la red  */
     if(!(inet_aton(argv[1], &struc_cliente.sin_addr)))   /* Esto hara terminar el
programa si la
          direccion IP es invalida */
          herr_quit("inet_aton");


     /* Conectarse al socket */
     tamaño_direccion = sizeof(struc_cliente);
     if(connect(descriptor_socket, (struct sockaddr *)&struc_cliente,
tamaño_direccion))
          err_quit("connect");
     puts("Cliente conectado a socket");

     exit(EXIT_SUCCESS);
}
```

Además del código requerido para administrar sockets TCP/IP, `conectar_tcpip.c` también incluye una nueva función, `herr_quit`, definida en `helper.c`, que llama a una función de manejo de errores específica de TCP/IP, `herror`. Esta se comporta exactamente igual que la función `perror`.

Para ejecutar `conectar_tcpip`, se debe transferir al programa en su línea de comandos la dirección IP, en forma decimal con puntos, del servidor al cual uno desea conectarse, como se ilustra en el salida de `conectar_tcpip` que viene a continuación (correr `conectar_tcpip` en una ventana y `crear_tcpip` en otra):

SALIDA

```
$ ./crear_tcpip
Socket TCP/IP disponible
     Puerto 50000
     Direccion IP 0.0.0.0
La nueva conexion ha sido habilitada
$ ./conectar_tcpip 0
Cliente conectado a socket
```

Una vez más, transferirle `0` a `conectar_tcpip` en su línea de comandos le indica al kernel que utilice para el socket una dirección de su elección. En lugar de 0, uno puede también transferirle 0.0.0.0 o la dirección IP de su sistema, si éste tiene una. La figura 18-6 muestra que `conectar_tcpip` puede ser capaz de comunicarse con cualquier servidor de Internet. Desde otro sistema, yo efectué un `telnet` a mi sistema, donde corría `crear_tcpip`, utilizando la sintaxis de `telnet` que le permite a uno especificar un puerto alternativo (el puerto predeterminado de `telnet` es el 23).

SALIDA

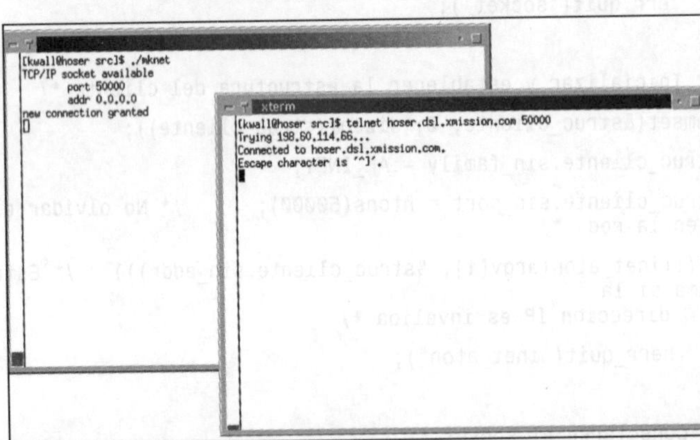

Figura 18.6. *Conectándose a un puerto creado por* `crear_tcpip` *desde otro sistema.*

Lectura y escritura de sockets TCP/IP

Leer y escribir sockets TCP/IP es exactamente lo mismo que leer y escribir sockets de entorno UNIX. Una vez más, la concepción de Linux de tratar a todo dispositivo como un archivo resulta ser una bendición. Un par de sencillas modificaciones a `wrsock` y `rdsock` (programas presentes en el sitio Internet de este libro), listadas en el siguiente ejemplo, muestran lo sencillo que es realizar esto.

EJEMPLO

Ejemplo

```
/* Nombre del programa en Internet: rdnet.c */
/*
 * leer_tcpip.c - Crear y ligarse a un socket TCP/IP, y luego leer del mismo
 */
```

```
#include <sys/socket.h>
#include <netinet/in.h>
#include <arpa/inet.h>
#include <stdlib.h>
#include <stdio.h>
#include "helper.h"

int main(void)
{
    int descriptor_socket, descriptorArchivoDatos;   /* Descriptores de archivo
de los sockets */
    struct sockaddr_in struc_servidor;                      /* Estructura de
socket del servidor */
    socklen_t tamaño_direccion;                                   /* Tamaño de
struc_servidor */

    /* Crear del socket */

    if((descriptor_socket = socket(PF_INET, SOCK_STREAM, 0)) < 0)
        err_quit("socket");
    /* Inicializar y establecer la estructura del servidor */
    memset(&struc_servidor, 0, sizeof(struc_servidor));
    struc_servidor.sin_family = AF_INET;
    struc_servidor.sin_port = htons(50000);

    /* Ligar el socket a una direccion de red */
    tamaño_direccion = sizeof(struc_servidor);
    if((bind(descriptor_socket, (struct sockaddr *)&struc_servidor,
tamaño_direccion)) < 0)
        err_quit("bind");

    /* Quedar a la espera de conexiones entrantes */
    if((listen(descriptor_socket, 5)) < 0)
        err_quit("listen");
    puts("Socket TCP/IP disponible");
    printf("\tPuerto %d\n", ntohs(struc_servidor.sin_port));
    printf("\tDireccion IP %s\n", inet_ntoa(struc_servidor.sin_addr));

    /* Aceptar la primera conexion que arribe */
    if((descriptorArchivoDatos = accept(descriptor_socket, (struct sockaddr *)&
struc_servidor,
        & tamaño_direccion)) >= 0)
        puts("new connection granted");
```

```
        /* Leer del socket y escribir a stdout */
        xfer_data(descriptorArchivoDatos, fileno(stdout));

        exit(EXIT_SUCCESS);
    }
```

Fin de programa leer_tcpip y comienzo de programa escribir_tcpip

```
/* Nombre del programa en Internet: wrnet.c */
/*
 * escribir_tcpip.c - Escribir a un socket TCP/IP abierto. Sintaxis:
escribir_tcpip direccion IP
 */
#include <sys/socket.h>
#include <netinet/in.h>
#include <arpa/inet.h>
#include <stdlib.h>
#include <stdio.h>
#include "helper.h"

int main(int argc, char *argv[])
{
    int descriptor_socket;
    struct sockaddr_in struc_cliente;       /* Estructura de socket del cliente
*/
    socklen_t tamaño_direccion;             /* Tamaño de struc_cliente */
    /* Se aguarda como argumento de la linea de comandos la direccion IP */
    if(argc != 2) {
        puts("MODO DE EMPLEO: escribir_tcpip <direccion IP>");
        exit(EXIT_FAILURE);
    }
    /* Crear un socket */
    if((descriptor_socket = socket(PF_INET, SOCK_STREAM, 0)) < 0)
        err_quit("socket");

    /* Establecer el cliente */
    memset(&struc_cliente, 0, sizeof(struc_cliente));
    struc_cliente.sin_family = AF_INET;
    struc_cliente.sin_port = htons(50000);
    if(!(inet_aton(argv[1], &struc_cliente.sin_addr))) /* Esto hara terminar el
programa si la
        direccion IP transferida es invalida */
        herr_quit("inet_aton");
```

```
    /* Conectarse al socket */
    tamaño_direccion = sizeof(struc_cliente);
    if(connect(descriptor_socket, (struct sockaddr *)&struc_cliente,
tamaño_direccion))
        err_quit("connect");
    puts("Conectado a socket TCP/IP");
    printf("\tPuerto %d\n", ntohs(struc_cliente.sin_port));
    printf("\tDireccion %s\n", inet_ntoa(struc_cliente.sin_addr));
    /* Copiar stdin al socket */
    xfer_data(fileno(stdin), descriptor_socket);
    exit(EXIT_SUCCESS);
}
```

Fueron muy pocos los cambios realizados a los programas originales. En ambos programas, las familias de protocolos y direcciones fueron cambiadas a `PF_INET` y `AF_INET`, respectivamente, y la `strncpy` del archivo especial de socket fue reemplazada por una simple asignación del número de puerto. A `wrnet.c` se le agregó código adicional que copia la dirección IP especificada en la línea de comandos del programa al miembro `struc_cliente.sin_addr` de la estructura `struc_cliente`. Los programas se comportan de idéntica manera, enviando la entrada `stdin` de `escribir_tcpip` a la salida `stdout` de `leer_tcpip`, tal como se ilustra en la figura 18-7.

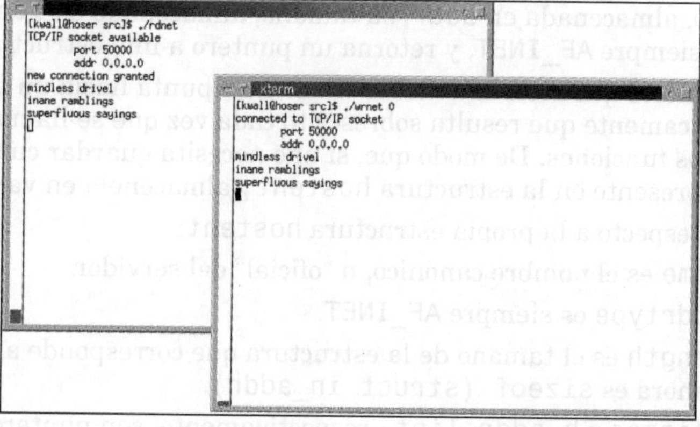

Figura 18.7. *Copiado de la stdin de* `escribir_tcpip` *a la stdout de* `leer_tcpip` *empleando sockets TCP/IP.*

Empleo de *hostnames*

Hasta ahora, toda la exposición se ha concentrado en la utilización de direcciones IP. Esto ha sido correcto porque las computadoras operan tan eficientemente con los valores numéricos como lo hacen con la información de texto. No ocurre lo mismo con los seres humanos, que prefieren las cadenas de texto a las secuencias de dígitos. Afortunadamente, la familia de protocolos TCP/IP incluye el DNS (Sistema de Nombres de Dominios), una base de datos de dominios de red que, entre otras cosas, mapea nombres tales como `www.netscape.com` a direcciones IP, en este caso 205.188.247.73. Aunque DNS brinda numerosas prestaciones, la que se cubre aquí es cómo convertir un *hostname* (nombre de servidor) a una dirección de red y viceversa. Para ello se debe utilizar una estructura, `struct hostent`, y dos funciones, `gethostbyname` y `gethostbyaddr`. Todas ellas están declaradas en `<netdb.h>` de la siguiente manera:

```
struct hostent {
    char *h_name;       /* Nombre canonico del servidor */
    char **h_aliases;   /* Lista de alias */
    int h_addrtype;     /* AF_INET */
    int h_length;       /* sizeof(struct in_addr) */
    char **h_addr_list; /* Lista de direcciones IP */
};

struct hostent *gethostbyname(const char *name);
struct hostent *gethostbyaddr(const char *addr, int len, int type);
```

`gethostbyname` acepta un hostname `name`, tal como por ejemplo `ftp.netscape.com`, y retorna un puntero a una estructura `hostent` que contiene la información relevante que corresponda al respectivo DNS.

De manera análoga, `gethostbyaddr` acepta una estructura de patrón `struct in_addr` correspondiente a una dirección de red, (la cual ya se ha visto), almacenada en `addr`, su tamaño, almacenado en `len`, y su tipo, que será siempre `AF_INET`, y retorna un puntero a una estructura `hostent`.

El puntero que retornan ambas llamadas apunta hacia un *buffer* asignado estáticamente que resulta sobrescrito cada vez que se llama a cualquiera de las dos funciones. De modo que, si uno necesita guardar cualquier información presente en la estructura `hostent`, almacénela en variables locales.

Con respecto a la propia estructura `hostent`:

`h_name` es el nombre canónico, u "oficial" del servidor.

`h_addrtype` es siempre `AF_INET`.

`h_length` es el tamaño de la estructura que corresponde a la dirección, que por ahora es `sizeof (struct in_addr)`.

`h_aliases` y `h_addr_list`, respectivamente, son punteros a cadenas que contienen todos los nombres y direcciones IP que puedan corresponder a ese servidor.

"¡Un momento!", lo escucho pensar. "¿Qué me quiere decir con eso de «todos los nombres y direcciones IP que un servidor pueda tener?»" Dicho de manera simple, el DNS no es un mapeo biunívoco entre nombres de servidores y direcciones IP. Existen muchas razones por las cuales un servidor puede tener múltiples direcciones IP o múltiples nombres de servidor. En el caso de múltiples direcciones IP, consideremos un ruteador o encaminador (*router*), un sistema que incluye varias tarjetas de red. Cada tarjeta de red tiene una dirección IP diferente con la cual encaminar los paquetes entrantes de datos a su correspondiente destino, tal como por ejemplo distintas redes o sistemas diferentes.

A su vez, un sistema que tiene múltiple nombres (estrictamente hablando, tiene un sólo nombre canónico y uno o más alias) se utiliza típicamente para permitir que una sola computadora física sea capaz de proveer múltiples servicios, tales como comportarse al mismo tiempo como servidor de Web y servidor de FTP. Dicha computadora tiene una sola dirección IP pero dos nombres.

Independientemente de la razón que pueda tener un sistema para contar con múltiples hostnames o direcciones IP, `gethostbyname` y `gethostbyaddr` retornan la lista completa de nombres y direcciones, respectivamente, en los miembros `h_aliases` y `h_addr_list` de la estructura de patrón `hostent`. Si la dirección IP o el *hostname* que se le transfirieron a dichas funciones resultan ser inválidos o si ocurre algún otro tipo de error, ambas funciones retornan `NULL`.

EJEMPLO

Ejemplo

El siguiente programa de demostración, `host_info`, acepta un *hostname* como argumento en su línea de comandos y exhibe el contenido de la correspondiente estructura de patrón `hostent`.

```
/* Nombre del programa en Internet: hostinfo.c */0
/*
 * host_info.c - Muestra el contenido de la estructura de patron hostent para
 * un servidor provisto por el usuario. Sintaxis: host_info nombre de servidor
 */
#include <sys/socket.h>
#include <netinet/in.h>
#include <arpa/inet.h>
#include <netdb.h>
#include <stdlib.h>
#include <stdio.h>
#include "helper.h"

int main(int argc, char *argv[])
{
    struct hostent *buf;
    struct in_addr **punteroHaciaDireccionesIP;
    char **punteroHaciaAlias;
    int contador = 0
    /* Se aguarda como argumento de la linea de comandos la direccion IP */
    if(argc != 2) {
        puts("MODO DE EMPLEO: host_info <nombre de servidor>");
        exit(EXIT_FAILURE);
    }
```

```
/* Recopilar los datos requeridos */
if((buf = gethostbyname(argv[1])) == NULL)
    herr_quit("gethostbyname");

/* El nombre del servidor es valido, asi que proseguir */
printf("Informacion de servidor para %s\n", argv[1]);
printf("Nombre canonico: %s\n", buf->h_name);     /* Nombre canonico del
servidor */

printf("Alias:");      /* Todos los alias del servidor */
punteroHaciaAlias = buf->h_aliases;
while(*punteroHaciaAlias) {
    printf("\n\t%s", * punteroHaciaAlias);
    contador ++
    punteroHaciaAlias ++;
}
if contador == 0 puts("Ninguno")
printf("\n")
/* Tipo y tamaño de las direcciones del servidor */
if(buf->h_addrtype == AF_INET)    /* h_addrtype deberia valer AF_INET */
    puts("Tipo de direccion: AF_INET");
else
    puts("Tipo de direcciones: desconocido");
printf("Longitud de direcciones: %d\n", buf->h_length);

/* Todas las direcciones IP almacenadas en el servidor */
puts("Direcciones presentes:");
punteroHaciaDireccionesIP = (struct in_addr **)buf->h_addr_list;
while(*punteroHaciaDireccionesIP) {
    printf("\t%s\n", inet_ntoa(**punteroHaciaDireccionesIP));
    punteroHaciaDireccionesIP ++;
}
exit(EXIT_SUCCESS);
}
```

El siguiente listado muestra la salida de este programa:

```
Informacion de servidor para ftp.redhat.com
Nombre canonico: ftp.redhat.com
Alias: Ninguno
```

```
Tipo de direcciones: AF_INET
Longitud de direcciones: 4
Direcciones presentes:
    199.183.24.205
    208.178.165.228
    206.132.41.212
```

Luego de recopilar los datos requeridos, el programa exhibe cada miembro de la estructura de patrón hostent, `buf`. El código de aspecto algo intimidante que imprime las direcciones IP es necesario porque `buf>h_addr_list` es un mero puntero, pero `inet_ntoa` espera un argumento de tipo `struct in_addr`.

Lo que viene

Este capítulo le brindó al lector un breve recorrido por la programación de sockets y de TCP/IP. Completa asimismo la cobertura que efectúa este libro de las comunicaciones interprocesos. La próxima sección, "Utilidades de Programación en Linux", le presentará varias herramientas y utilidades que facilitan algunas de las tareas de un programador. La misma comienza con el capítulo 19, "Seguimiento de cambios en códigos fuente: el sistema de control de revisiones", que le enseñará cómo utilizar RCS, el Sistema de control de revisiones. RCS es una herramienta que automatiza la mayoría de las tareas asociadas con el seguimiento de las modificaciones realizadas a los códigos fuente de los programas. ¿Para qué se debe efectuar el seguimiento de las modificaciones de los códigos fuente de los programas? ¡Continué leyendo y lo verá!

Utilidades de programación en Linux

19

Seguimientos de cambios en el código fuente: El RCS o Sistema de Control de Revisiones

El control de versión es un proceso que permite mantener el seguimiento de los archivos de código fuente y llevar en un registro adecuado las modificaciones que se les van haciendo. ¿Para qué molestarse en hacer eso? Porque algún día uno realizará esa edición fatal a un archivo de código fuente, eliminará su antecesor y olvidará cuáles fueron exactamente las líneas de código que pretendió modificar. Porque tener que efectuar manualmente el seguimiento de la versión corriente de un programa, de la próxima versión y de los ocho errores que fueron corregidos puede llegar a convertirse en algo demasiado tedioso y proclive a errores. Porque tener que buscar frenéticamente la copia de seguridad en cinta después de que alguno de sus colegas sobrescribió por quinta vez un archivo de código fuente puede hacerle cometer un disparate. Porque, algún día, mientras toma el café de la mañana, se encontrará diciéndose a sí mismo: "Control de versiones, esa es la Cosa Correcta que Hay que Hacer".

Este capítulo analiza el método RCS, el *Revision Control System,* una solución habitual al problema del control de versiones. RCS es una solución común porque se halla disponible en casi todos los sistemas UNIX, no solamente en Linux. RCS está mantenido por el proyecto GNU. Dos alternativas a RCS la constituyen CVS, o *Concurrent Version System,* también mantenido por el proyecto GNU, y SCCS, *Source Code Control System,* que es un producto patentado.

Este capítulo cubre los siguientes temas:

- Terminología relativa al control de versiones
- Creación de un depósito de reposición de código fuente
- Verificación de archivos que entran y salen de ese repositorio
- Palabras reservadas de RCS y el comando ident
- Modificación de los registros de RCS
- Comandos y utilidades adicionales de RCS

Todos los programas de este capítulo pueden ser encontrados en el sitio Web `http://www.mcp.com/info` bajo el número de ISBN 0789722151.

¿Por qué razón utilizar RCS?

Los programadores más experimentados, y especialmente aquellos programadores familiarizados con otras versiones de UNIX o de clones de UNIX, podrían preguntar: "¿Para qué analizar RCS cuando CVS es más popular, tiene mayor cantidad de prestaciones y se halla mejor adaptado para ser empleado con proyectos grandes de programación?" Primero, considero que RCS es la introducción más sencilla a los conceptos sobre el control de versiones. Pocos programadores principiantes han oído hablar alguna vez de control de versiones, y muchos menos han utilizado software para control de versiones. El RCS es sencillo de aprender, requiere de poca configuración inicial y dispone de un conjunto de comandos pequeño. Esto lo convierte en el vehículo ideal para introducir al recién llegado a la programación a los conceptos sobre control de versiones. No obstante, dado que el CVS se encuentra basado en el RCS y es compatible con el mismo, la transición de RCS a CVS se puede efectuar de manera sencilla.

Además, si bien CVS tiene evidentemente un conjunto de prestaciones mucho más elaborado que el de RCS, estas prestaciones aportan escasos beneficios a los programadores que sean neófitos con Linux. Pocos aprendices de hacker necesitarán, por ejemplo, contar con la posibilidad de navegar su propio código fuente utilizando para ello un navegador de Web o de lograr acceso anónimo de lectura/escritura al depósito de reposición de software. Finalmente, la mayoría de los programadores principiantes no trabajarán en ambientes en los cuales se estén desarrollando varios proyectos al mismo tiempo o que dispongan de un único repositorio de código fuente que almacene el código de varios proyectos simultáneos, ambientes para los cuales fue diseñado CVS.

Terminología del control de versiones

Antes de seguir adelante, sin embargo, la tabla 19.1 lista unos pocos términos que serán utilizados reiteradamente en este capítulo. Como los mismos son empleados con frecuencia, resulta importante que el lector los comprenda dentro del contexto del RCS y el control de versiones.

Tabla 19.1. *Términos empleados en el control de versiones.*

Término	Descripción
Archivo RCS	Cualquier archivo ubicado en un directorio RCS, controlado por RCS y accedido por medio de comandos de RCS. Un archivo RCS contiene todas las versiones de un archivo específico. Normalmente, un archivo RCS tiene una extensión ,v (*coma, v*).
Archivo de trabajo	Uno o más archivos recuperados desde el repositorio de código fuente RCS (el directorio RCS) al directorio corriente de trabajo y disponibles para ser editados.
Archivo bloqueado	Un archivo recuperado que está siendo editado, para que nadie más pueda editarlo simultáneamente. Un archivo en uso es bloqueado por el primer usuario contra posibles ediciones que puedan llevar a cabo otros usuarios.
Revisión	Una versión específica y numerada de un archivo fuente. Las revisiones comienzan con 1.1 y se van incrementando a partir de allí, a menos que sean obligadas a utilizar un número de revisión específico.

El *Revision Control System* o Sistema de Control de Revisión administra múltiples versiones de archivos, generalmente, aunque no necesariamente, archivos de código fuente. El RCS automatiza el almacenamiento y recuperación de los archivos correspondientes a versiones anteriores, la modificación del contenido de los mismos, el control de su acceso, la administración de versiones y la identificación y fusión de revisiones. Como beneficio adicional, RCS minimiza los requerimientos de espacio en disco porque sólo lleva el registro de los cambios realizados.

NOTA

Los ejemplos utilizados en este capítulo presuponen que el lector se encuentre empleando el RCS versión 5.7. Para determinar qué versión de RCS se está utilizando, tipee `rcs -V`.

El RCS puede ser utilizado con más archivos que los de código fuente, sin embargo. El mismo es capaz de efectuar seguimientos de cambios en cualquier tipo de archivo de texto, como por ejemplo en informes, capítulos de libros o código de hipertexto HTML. No puede administrar, sin embargo, archivos binarios. CVS, el *Concurrente Version System,* puede operar también con archivos binarios, razón por la que mucha gente emplea CVS en lugar de RCS.

Utilización del método RCS

Uno de los atractivos del RCS lo constituye su simplicidad. Con una mínima configuración y sólo unos pocos comandos, uno puede obtener mucho. Esta sección analiza los comandos `ci`, `co` e `ident`, lo mismo que las palabras reservadas del RCS.

Verificación de archivos de RCS que entran y salen

Uno puede lograr mucho con RCS empleando sólo dos comandos, `ci` y `co`, y un directorio denominado RCS. `ci` viene de *check in,* que significa ingresar un archivo normal al directorio utilizado por RCS, donde pasa a ser un archivo RCS; `co` significa *check out* y se refiere a recuperar un archivo RCS desde el directorio utilizado por RCS.

Para comenzar, uno debe crear un directorio RCS. Como opción predeterminada, todos los comandos de RCS presuponen que existe un subdirectorio denominado `RCS` en el directorio corriente de trabajo. De modo que el primer paso consiste en crear dicho directorio. Supongamos que el lector tuviera varios archivos fuente guardados en `/home/juan/editor`. Haga dicho directorio su directorio corriente y cree en el mismo el subdirectorio `RCS`, tal como se indica a continuación:

```
$ cd /home/juan/editor
$ mkdir RCS
```

Todos los comandos de RCS ejecutados en `/home/juan/editor` utilizarán el subdirectorio `RCS`. El mismo se denomina también el *repositorio.*

CONSEJO

El comportamiento predeterminado de RCS es utilizar un repositorio en cada directorio de trabajo. Esto generalmente resulta suficiente para proyectos pequeños. Lo anterior resalta una de las limitaciones de RCS: no facilita el trabajo con proyectos que tienen varios directorios de trabajo. Esa es otra razón por la cual mucha gente prefiere CVS.

Después de que haya sido creado el repositorio RCS, el paso siguiente es ingresar al mismo todos los archivos existentes de código fuente. La primera vez que el lector ingresa un archivo determinado, RCS solicita una descripción del archivo, lo copia al directorio RCS y elimina el archivo original. "¿Elimina el original? ¡Glup!", dirá el lector. No se preocupe, uno puede recuperarlo con el comando de recuperación, `co`. Pero vayamos paso a paso. El ejemplo siguiente crea un repositorio, un archivo de código fuente para guardar en él, y luego emplea `ci` para inscribir dicho archivo.

EJEMPLO

Ejemplo

Primero, creamos un directorio RCS, tal como se indica a continuación:

```
$ mkdir RCS
```

Después, creamos el archivo de código fuente, `mifuente.c`, en el mismo directorio en el cual se creó el directorio RCS.

```
/*
 * $Id$      /* Ver "Palabras reservadas de RCS", en este capitulo */
 * mifuente.c - Archivo arbitrario de codigo fuente para demostrar el empleo de
RCS
 */
#include <stdio.h>

int main(void)
{
     printf("Esta es una simulacion de archivo de codigo fuente");
     return EXIT_SUCCESS;
}
```

SALIDA

```
$ ci mifuente.c
RCS/mifuente.c,v  <—  mifuente.c
enter description, terminated with single '.' or end of file:
NOTE: This is NOT the log message!
>> Programa sencillo de demostracion para ilustrar el empleo de RCS


>> .
initial revision: 1.1
done
$ co -l mifuente.c
RCS/mifuente.c,v  —>  mifuente.c
revision 1.1 (locked)
done
```

Obsérvese que si no se utiliza la opción `-l` de `co`, el archivo RCS que se recupera en forma de archivo normal es de sólo lectura; si se lo desea editar, se lo debe bloquear. Para hacer esto último, utilice con `co` la opción `-l` (`co -l mifuente.c`). `-l` significa bloquear (*lock*). El concepto de bloqueo de archivo se halla definido en la tabla 19.1. Finalmente, las dos líneas de la salida precedidas de >> son líneas que uno debe tipear.

Realización de cambios a archivos de reposición

Para ver el control de versiones en acción, efectúe una modificación al archivo funcional. Si aún no lo ha hecho, extraiga el archivo RCS del repositorio y bloquéelo (`co -l mifuente.c`). Modifique todo lo que desee, aunque yo recomiendo para ello agregar `\n` al final de la cadena que constituye el argumento de `printf`, porque tanto Linux como UNIX, a diferencia de DOS y Windows, no añaden automáticamente un carácter de nueva línea al final de la salida de consola.

Luego, vuelva a ingresar el archivo modificado al repositorio. Cuando lo haga, RCS llevará a cabo las siguientes acciones:

1. Incrementar el número de la revisión, llevándolo a 1.2
2. Pedir una descripción de los cambios que se han efectuado
3. Incorporar los cambios que se han efectuado al archivo RCS
4. (De manera molesta) eliminar el original

Para evitar la eliminación de sus archivos funcionales durante las operaciones de ingreso al repositorio, utilice juntamente con `ci` las opciones `-l` o `-u`.

Ejemplo

Este ejemplo lleva a cabo la modificación sugerida en el párrafo anterior y luego actualiza el archivo de repositorio.

```
$ ci -l mifuente.c
```

```
RCS/mifuente.c,v  <--  mifuente.c
new revision: 1.2; previous revision: 1.1
enter log message, terminated with single '.' or end of file:
>> Añadido caracter de nueva linea
>> .
done
```

Cuando se las utiliza con `ci`, tanto la opción `-l` como la `-u` generan una extracción implícita del archivo RCS luego de haberse completado el procedimiento de ingreso del mismo al directorio `RCS`. `-l` bloquea el archivo de modo que uno pueda seguir editándolo, mientras que `-u` extrae un archivo normal sin bloquear y de sólo lectura.

Opciones adicionales de línea de comandos

Además de `-l` y `-u`, `ci` y `co` aceptan otras dos opciones muy útiles: `-r` (por *revisión*) y `-f` (por *force* [*obligar*]). La opción `-r` se utiliza para indicarle a RCS cuál es la revisión del archivo que se desea manipular. RCS presupone que uno desea trabajar con la revisión más reciente; `-r` deja sin efecto esa opción predeterminada. La opción `-f` obliga a RCS a sobrescribir el archivo normal corriente. De manera predeterminada, RCS aborta una operación de ingreso de archivo a su directorio si ya existe un archivo normal del mismo nombre en el correspondiente directorio de trabajo. De modo que, si realmente desea liquidar su archivo normal, utilice con `co` la opción `-f` para poder comenzar de nuevo desde el principio.

Las opciones de línea de comandos de RCS son acumulativas, tal como era dable de esperar, y el programa se comporta muy eficientemente en deshabilitar las opciones que sean incompatibles. Para extraer y bloquear una revisión determinada de `mifuente.c`, se utilizaría un comando similar a `co -l -r2.1 mifuente.c`. Análogamente, `ci -u -r3 mifuente.c` ingresa `mifuente.c`, le asigna el número de revisión 3.1 y deposita en el directorio corriente de trabajo una revisión 3.1 de sólo lectura del archivo previamente ingresado al repositorio `RCS`.

Ejemplos

1. Este ejemplo crea la revisión 2.1 de `mifuente.c`. Asegúrese, antes de ejecutar este comando, de haber extraído previamente `mifuente.c` del repositorio y de haberlo modificado de alguna manera.

```
$ ci -r2 mifuente.c
```

```
RCS/mifuente.c,v <—  mifuente.c
new revision: 2.1; previous revision: 1.2
enter log message, terminated with single '.' or end of file:
>> Se modifico algo
>> .
done
```

Este comando es equivalente a `ci -r2.1 mifuente.c`.

2. El siguiente comando extrae la revisión 1.2 de `mifuente.c` y hace caso omiso de la presencia en el directorio de trabajo de revisiones con número más alto.

```
$ co -r1.2 mifuente.c
```

```
RCS/mifuente.c,v  —>  mifuente.c
revision 1.2
done
```

3. El siguiente es un práctico comando que descarta todos los cambios que uno hubiera realizado en un archivo y comienza de nuevo con un archivo de código fuente que se sabe que funciona bien:

SALIDA

```
$ co -l -f mifuente.c
RCS/mifuente.c,v  —>  mifuente.c
revision 2.1 (locked)
done
```

Cuando se lo emplea juntamente con `ci`, `-f` obliga a RCS a ingresar un archivo al repositorio aun cuando éste no hubiese sido modificado.

Palabras reservadas de RCS

Las *palabras reservadas* de RCS son símbolos similares a macros utilizados para insertar y mantener información identificatoria en archivos de código fuente, de código objeto y binarios. Estos símbolos tienen el aspecto `$PALABRA_RESERVADA$`. Cuando se extrae del repositorio un archivo que contiene palabras clave de RCS, el programa procede a expandir cada `$PALABRA_RESERVADA$` a su correspondiente valor `$PALABRA_RESERVADA: VALOR$`.

Id

Esa peculiar cadena ubicada al comienzo del listado de `micadena.c`, `$Id$`, es una palabra clave de RCS. La primera vez que uno extraiga `micadena.c` del repositorio, RCS la expandirá a algo similar a lo siguiente:

```
$Id: micadena.c,v 1.1 1999/07/20 04:56:08 kurt_wall Exp kurt_wall $
```

El formato de la cadena Id es el siguiente:

```
$PALABRA_RESERVADA:NOMBRE_ARCHIVO NUM_REV FECHA HORA AUTOR ESTADO BLOQUEADOR $
```

En el sistema del lector, la mayoría de estos campos tendrán valores diferentes. Si el lector extrajera el archivo con un bloqueo, vería también su nombre de ingreso al sistema luego del valor `Exp`.

$Log: mensaje$

RCS reemplaza la línea que contiene la palabra clave `$Log: mensaje$` con el mensaje de registro que suministró el usuario cuando ingresó su archivo al repositorio. RCS no reemplaza el mensaje de registro anterior con el nuevo, sin embargo, sino va insertando nuevo mensaje por encima del anterior, siguiendo una secuencia inversa.

EJEMPLO

Ejemplo

El siguiente listado muestra cómo resulta expandida la palabra clave `$Log$` después de varios ingresos del archivo al repositorio.

SALIDA

```
/*
 * $Id: mifuente.c,v 1.4 1999/07/20 05:00:56 kurt_wall Exp kurt_wall $
 * mifuente.c - Programa sencillo de demostracion para ilustrar el empleo de RCS
 *
 * **************** Revision History ****************
 * $Log: mifuente.c,v $
 * Revision 1.4  1999/07/20 05:00:56  kurt_wall
 * Se agregaron comentarios respecto de la palabra clave log
 *
```

```
 * Revision 1.3  1999/07/20 04:59:17  kurt_wall
 * Se cambio "return" por "exit"
 *
 * Revision 1.2  1999/07/20 04:58:25  kurt_wall
 * Añadido caracter de nueva linea
 * *************************************************
 */
#include <stdio.h>
#include <stdlib.h>

int main(void)
{
  printf("Esta es una simulacion de archivo de codigo fuente \n");
  exit(EXIT_SUCCESS);
}
```

La palabra clave `$Log: mensaje$` permite ver las modificaciones introducidas a un archivo dado cada vez que se editó dicho archivo. El historial viene dado en orden inverso, es decir lista primero la modificación más reciente y continúa hacia abajo hasta llegar a la más antigua.

Otras palabras reservadas de RCS

La tabla 19.2 lista otras palabras reservadas de RCS y la manera en que éste las expande.

Tabla 19.2. *Palabras reservadas de RCS*

Palabra clave	Descripción
`$Author$`	Nombre de ingreso al sistema del usuario que ingresó la revisión al reservorio
`$Date$`	Fecha y hora en que se ingresó la revisión, en formato UTC
`$Header$`	Ruta completa de acceso al archivo RCS, el número de revisión, la fecha, hora, autor, estado y responsable del bloqueo (si está bloqueado)
`$Locker$`	Nombre de ingreso al sistema del usuario que mantiene bloqueado el archivo de revisión (si éste no estuviese bloqueado, el campo respectivo queda vacío)
`$Name$`	Nombre de símbolo, si lo hay, empleado para extraer la revisión
`$RCSfile$`	Nombre del archivo RCS sin incluir su ruta de acceso
`$Revision$`	Número de revisión asignado al archivo RCS
`$Source$`	Sólo ruta completa de acceso al archivo RCS
`$State$`	Estado de la revisión: *Exp* (experimental) es el predeterminado; *Stab* (estable); *Rel* (emitido [released])

El valor `$Date$` aparece en formato UTC u Hora Universal Coordinada (*Universal Coordinated Time*), conocido anteriormente como Hora Media de Greenwich. El nombre simbólico que representa `$Name$` es un alias que uno puede utilizar para referirse a una revisión en particular. Para asociar un nombre simbólico con un número específico de revisión, cuando ingrese un archivo al repositorio utilice el *switch* `-n<nombre>`. El campo `$State$` tienen experimental (`Exp`) como opción predeterminada porque RCS presupone que todos los ingresos al reservorio corresponden a programas en desarrollo hasta que se los designe taxativamente como estables (`Stab`) o emitidos (`Rel`) utilizando para ello el *switch* `-s<state>`.

El comando `ident`

El comando `ident` localiza palabras clave de RCS en archivos de todo tipo y las exhibe `stdout. en`. Esta prestación de RCS le permite a uno determinar qué revisiones de cuáles módulos están siendo usadas en una versión determinada del programa. `ident` opera extrayendo cadenas de la forma `$PALABRA_RESERVADA:VALOR $` desde archivos fuente, objeto y binarios. Funciona aun con archivos de datos binarios sin procesar y volcados de memoria. De hecho, y dado que `ident` busca en un archivo cada instancia que responda al patrón `$PALABRA_RESERVADA:VALOR $`, se pueden emplear también palabras que no sean palabras reservadas de RCS.

Esto le permite al lector incluir en sus programas información adicional tal como, por ejemplo, el nombre de una empresa. Esta información así incluida puede resultar una herramienta valiosa para circunscribir problemas a un módulo específico de código. El aspecto atractivo de esta prestación es que RCS actualiza las cadenas de identificación automáticamente, lo cual constituye un real beneficio tanto para programadores como para gerentes de proyecto.

EJEMPLO

Ejemplo

Para ilustrar el empleo de `ident` deberemos crear primero el siguiente archivo de código fuente, ingresarlo al repositorio (utilizando para ello la opción `-u`), compilarlo y linkearlo, hacer caso omiso de la advertencia que se puede llegar a recibir por parte del compilador sobre que el arreglo `rcs_id` se encuentra definido pero no utilizado, y luego correr el comando `ident` sobre el archivo resultante.

```
/* Nombre del archivo en Internet: prnenv.c */
/*
 * $Id$
 * imprimir_entorno.c - Exhibir los valores de las variables de entorno.
 */
#include <stdio.h>
#include <stdlib.h>
#include <unistd.h>

static char rcs_id[] = "$Id$\n";

int main(void)
{
    extern char **entorno;
```

```
    char **mi_entorno = entorno;
      while(*mi_entorno)
            printf("%s\n", *mi_entorno++);
      return EXIT_SUCCESS;
}
```

SALIDA

```
$ gcc imprimir_entorno.c -o imprimir_entorno
$ ident imprimir_entorno
imprimir_entorno:
     $Id: imprimir_entorno.c,v  1.1 1999/07/20 05:57:59  kurt_wall Exp $
```

La expresión `static char rcsid[] = "$Id$\n"` saca partido de la expansión por parte de RCS de las palabras reservadas para crear un *buffer* estático de texto que almacena el valor de la palabra reservada `$Id$` en el programa compilado que `ident` puede luego extraer.

¿Qué ha ocurrido? La palabra clave `$Id$` previamente expandida describía el texto expandido, y gcc compiló dicho texto expandido en el archivo binario. Para confirmar esto último, recorra el archivo de código fuente y compare la cadena expandida por `$Id$` en el código fuente con la salida de `ident`. Las dos cadenas se corresponden exactamente.

Empleo de rcsdiff

Si el lector necesita ver las diferencias entre su archivo modificado y su contraparte virginal ubicada en el repositorio RCS, deberá emplear el comando `rcsdiff`. Este comando compara diversas revisiones de un mismo archivo. En su forma más simple, `rcsdiff nombre_de_archivo`, `rcsdiff` compara la última revisión de `nombre_de_archivo` presente en el repositorio con la copia en uso de dicho archivo. Utilizando además la opción `-r` uno puede comparar versiones específicas. El formato general para la comparación entre sí de revisiones específicas de un archivo por medio de `rcsdiff` es el siguiente:

```
rcsdiff [ -rarchivo1[ -rarchivo2 ] ] nombre_de_archivo
```

CONSEJO

El comando `diff(1)` es mucho más potente y generalizado que `rcsdiff`. Este último está concebido sólo para ser utilizado con RCS. Si el lector necesita comparar dos o más archivos de texto entre sí, utilice el comando `diff`.

EJEMPLO

Ejemplos

1. Para analizar el empleo básico de `rcsdiff`, consideremos el programa de demostración recién comentado `imprimir_entorno.c`. Extraiga del repositorio RCS una versión bloqueada del mismo y elimine del listado el buffer estático `rcs_id`. El resultado debería ser muy similar al siguiente listado:

```
/*
 * $Id: imprimir_entorno.c,v 1.1 1999/07/20 05:22:42 kurt_wall Exp kurt_wall $
 * imprimir_entorno.c - Exhibir los valores de las variables de entorno.
 */
```

```
#include <stdio.h>
#include <stdlib.h>
#include <unistd.h>

int main(void)
{
    extern char **entorno;
    char **mi_entorno = entorno;

    while(*mi_entorno)
        printf("%s\n", *mi_entorno++);

    return EXIT_SUCCESS;
}
```

SALIDA

```
$ rcsdiff imprimir_entorno.c
===================================================================
RCS file: RCS/ imprimir_entorno.c,v
retrieving revision 1.1
diff -r1.1 imprimir_entorno.c
9d8
< static char rcs_id[] = "$Id: imprimir_entorno.c,v 1.1 \

1999/07/20 05:57:59 kurt_wall Exp

kurt_wall $\n";
```

Esta salida significa que la línea 9 de la revisión 1.1 hubiera aparecido en la línea 8 de `imprimir_entorno.c` si no hubiera sido suprimida.

2. Para comparar entre sí versiones específicas por medio de la opción `-r`, ingrese `imprimir_entorno.c` al repositorio RCS, extráigalo inmediatamente con un bloqueo, añada una sentencia `sleep(5)` inmediatamente antes de `return` y, finalmente, vuelva a ingresar al repositorio esta tercera revisión, esta vez incluyendo la opción `-u`. Ahora debería tener en el repositorio tres revisiones de `imprimir_entorno.c`. Primero, compare la revisión 1.1 con el archivo en uso:

```
$ rcsdiff -r1.1 imprimir_entorno.c
2c2
<  * $Id: imprimir_entorno.c,v 1.1 1999/07/20 05:57:59 kurt_wall Exp $
—-
>  * $Id: imprimir_entorno.c,v 1.2 1999/07/20 06:00:47 kurt_wall Exp $
```

```
9d8
< static char rcs_id[] = "$Id: imprimir_entorno.c,v 1.1 1999/07/20 05:57:59 kurt-
_wall Exp $\n";
17a17
<
---
>     sleep(5);
```

Luego, compare la revisión 1.2 con la revisión 1.3:

```
$ rcsdiff -r1.2 -r1.3 imprimir_entorno.c
===================================================================
RCS file: RCS/ imprimir_entorno.c,v
retrieving revision 1.2
retrieving revision 1.3
diff -r1.2 -r1.3
2c2
<  * $Id: imprimir_entorno.c,v 1.2 1999/07/20 06:00:04 kurt_wall Exp $
---
>  * $Id: imprimir_entorno.c,v 1.3 1999/07/20 06:00:47 kurt_wall Exp $
16a17
>      sleep(5);
```

`rcsdiff` es una utilidad que resulta práctica para visualizar los cambios realizados a los archivos RCS o para aprestarse a combinar varias revisiones en una única versión.

Otros comandos RCS

Además de `ci`, `co`, `ident` y `rcsdiff`, el conjunto de comandos de RCS incluye `rlog`, `rcsclean` y, por supuesto, `rcs`. Estos comandos adicionales extienden el control del programador sobre su código fuente permitiéndole combinar o suprimir archivos RCS, revisar asientos del registro de cambios y llevar a cabo otras funciones administrativas.

Empleo de `rcsclean`

El comando `rcsclean` hace exactamente lo que sugiere su nombre: prolija los archivos administrados por RCS. Su sintaxis básica es `rcsclean [opciones] [archivo ... ]`. Un comando `rcsclean` al que no le siga ningún argumento eliminará todos los archivos de uso corriente que no hayan sido modificados desde que fueron extraídos. La opción `-u` le indica a `rcsclean` que desbloquee todos los archivos que se encuentren bloqueados y elimine todos los archivos de uso corriente que no hayan sido modificados. Uno puede disponer la eliminación de una revisión específica empleando el formato `-rM.N`, donde `M` es el número mayor y `N` el número menor de la revisión. Por ejemplo, el siguiente comando elimina la revisión 2.3 de `foobar.c`:

```
$ rcsclean -r2.3 foobar.c
```

Ejemplo

El comando siguiente elimina una revisión no bloqueada y no modificada de `imprimir_entorno.c`:

```
$ co -u -r1.1 imprimir_entorno.c
RCS/ imprimir_entorno.c imprimir_entorno.c
revision 1.1 (unlocked)
done
$ rcsclean -r1.1 imprimir_entorno.c
rm -f imprimir_entorno.c
```

El primer comando extrajo una versión sin bloquear de `imprimir_entorno.c` a fin de tener una versión con la cual trabajar. El segundo comando procedió a prolijar el directorio (es decir, la eliminó).

Empleo de `rlog`

`rlog` imprime los mensajes registrados y otra cantidad de información sobre los archivos almacenados en el repositorio RCS. La opción `-R` le indica a `rlog` que exhiba solamente nombres de archivos. Para ver una lista de todos los archivos presentes en el repositorio, por ejemplo, el comando adecuado será `rlog -R RCS/*` (por supuesto, uno puede también tipear `ls -l RCS`). Si el lector desea ver una lista que contenga únicamente los archivos que se encuentran bloqueados, deberá utilizar la opción `-L`. Para ver la información de registro de todos los archivos bloqueados por el usuario denominado Pedro, utilice la opción `-l`.

Ejemplo

Este ejemplo exhibe toda la información registrada para todas las revisiones de `imprimir_entorno.c`:

```
$ rlog imprimir_entorno.c
RCS file: RCS/imprimir_entorno.c,v
Working file: imprimir_entorno.c
head: 1.3
branch:
locks: strict
access list:
symbolic names:
keyword substitution: kv
total revisions: 3; selected revisions: 3
description:
ew
______________
revision 1.3
date: 1999/07/20 06:00:47;  author: kurt_wall; state: Exp;  lines: +2 -1
```

```
added sleep
----------------------------
revision 1.2
date: 1999/07/20 06:00:04;  author: kurt_wall; state: Exp;  lines: +1 -2
deleted buffer
----------------------------
revision 1.1
date: 1999/07/20 05:57:59;  author: kurt_wall; state: Exp;
Initial revision
=============================================================================
```

Empleo de rcs

El comando `rcs` es, principalmente, un comando de tipo administrativo. En la práctica, sin embargo, resulta útil de dos maneras. Si uno extrajo un archivo del repositorio RCS como de sólo lectura, y luego le efectuó cambios cuya pérdida no puede afrontar, `rcs -l nombre_de_archivo` extraerá el `archivo` bloqueado sin sobrescribir al mismo tiempo el archivo editado. Si se necesita eliminar un bloqueo de un archivo extraído por un tercero, se utilizará `rcs -u nombre_de_archivo`. El archivo quedará desbloqueado y se le enviará un mensaje a quien lo bloqueó originalmente, el cual contendrá una explicación de parte suya acerca de las razones por las que debió eliminar el bloqueo del mismo.

Recuerde que cada vez que se ingresa un archivo al repositorio RCS, puede tipear un mensaje donde explique qué es lo que ha sido cambiado o qué es lo que hizo usted con el mismo. Si comete un error de tipeo o de cualquier otro tipo en dicho mensaje, o simplemente desea añadirle al mismo información adicional, puede utilizar para ello el siguiente comando `rcs`:

```
$ rcs -mrev:mensaje
```

`mrev` es el número principal de la revisión cuyo mensaje se desea corregir o modificar y mensaje es la información corregida o la información que contiene el agregado que se desea efectuar.

EJEMPLO

Ejemplo

Este ejemplo utiliza rcs para modificar el mensaje colocado en `imprimir_entorno.c` cuando se ingresó al repositorio RCS su revisión 1.2:

```
$ rcs -m1.2:"Eliminado buffer estatico 'rcs_id[]'" imprimir_entorno.c
RCS file: RCS/imprimir_entorno.c,v
done
```

SALIDA

```
$ rlog -r1.2 imprimir_entorno.c
RCS file: RCS/ imprimir_entorno.c,v
Working file: imprimir_entorno.c
```

```
head: 1.3
branch:
locks: strict
access list:
symbolic names:
keyword substitution: kv
total revisions: 3;     selected revisions: 1
description:
ew
----------------
revision 1.2
date: 1999/07/20 06:00:04;  author: kurt_wall; state: Exp;  lines: +1 -2
Eliminado buffer estatico 'rcs_id[]'
=============================================================================
```

El primer comando llevó a cabo la modificación. El comando `rlog` exhibió la información registrada con el fin de confirmar que la modificación efectivamente tuvo lugar. Al final de la salida de `rlog`, se puede observar el mensaje de registro actualizado.

Para obtener más información sobre RCS, ver las siguientes páginas de man: `rcs(1)`, `ci(1)`, `co(1)`, `rcsintro(1)`, `rcsdiff(1)`, `rcsclean(1)`, `rcsmerge(1)`, `rlog(1)`, `rcsfile(1)` y `ident(1)`.

Lo que viene

En este capítulo el lector aprendió sobre RCS, el Sistema de Control de Revisiones. El próximo capítulo, "Un toolkit de depuración", continúa con el tratamiento de algunas herramientas esenciales que usted necesitará cuando programe para Linux. Los errores constituyen una lamentable realidad, así que el capítulo siguiente le enseñará a desarrollar técnicas de depuración. Después de haber depurado su software, aplicado parches al mismo, corregido otros errores, y luego guardado todos esos cambios utilizando RCS, necesitará distribuir dicho software a sus usuarios, tema que es cubierto en el capítulo 21, "Distribución de software".

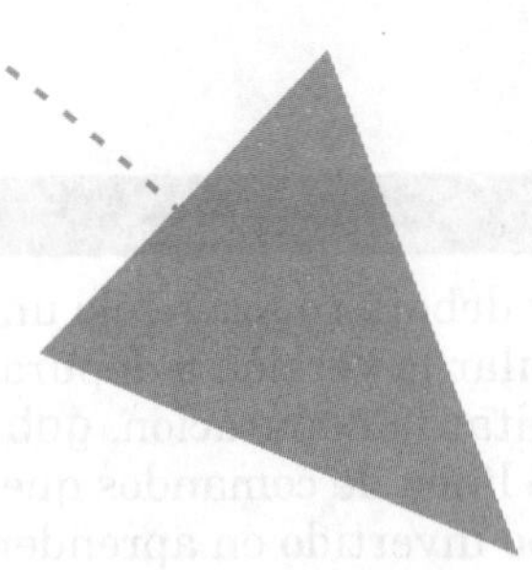

20

Un toolkit de depuración

Aunque odiemos tener que admitirlo, nuestro software siempre contendrá errores. Este capítulo le ayudará al lector a depurar sus programas utilizando `gdb`, el DeBugger de GNU, y también otras técnicas y herramientas más especializadas.

Este capítulo cubre los siguientes temas:

- Empleo del `gdb`
- Tipos de errores de memoria
- Depuración con Electric Fence
- Utilización de `mpr` y `mcheck`

Todos los programas de este capítulo pueden ser encontrados en el sitio Web `http://www.mcp.com/info` bajo el número de ISBN 0789722151.

Empleo del gdb

Para utilizar el gdb de manera efectiva, el lector deberá conocer sólo unos pocos comandos. Le será de suma ayuda el compilar la versión a depurar con la tabla de símbolos especiales destinados a facilitar la depuración. gdb también acepta varias opciones y argumentos de línea de comandos que permiten personalizar su comportamiento. El tiempo invertido en aprender el gdb se compensa ampliamente con la obtención posterior de sesiones de depuración más rápidas y efectivas.

¡Pero espere! ¿Qué es una versión para depuración? ¿Qué es una tabla de símbolos? Comencemos por esto último: una tabla de símbolos es una lista de funciones, variables e información almacenada en un archivo binario u objeto que tanto el entorno en tiempo de ejecución de C, el linker y el cargador de programas emplean para cargar y ejecutar adecuadamente el programa. Una tabla mejorada de símbolos de depuración añade información adicional, tal como los números de línea y más referencias cruzadas entre las funciones y las variables, que los depuradores utilizan para lograr que la depuración sea más sencilla. La sección de este capítulo relativa al gdb le mostrará de qué manera utilizar este tipo de prestaciones.

Compilación con apoyo de depurador

Tal como se aprendió en el capítulo 1, "Compilación de programas", para crear una tabla mejorada de símbolos se necesita compilar con el switch -g. De modo que el siguiente comando:

```
$ gcc -g archivo1.c archivo2.c -o programa
```

hace que programa sea creado con símbolos de depuración en su tabla de símbolos. Se puede utilizar también la opción -ggdb de gcc para generar aún más información para depuración, esta última específica para el gdb. Sin embargo, para trabajar de manera más efectiva, esta opción requiere que uno tenga acceso al código fuente para cada biblioteca que sea linkeada durante la compilación. Aunque esto puede resultar muy útil en ciertas situaciones, puede ser también oneroso en términos de espacio en disco. En la mayoría de los casos, uno debería tratar de arreglárselas con nada más que la opción -g sin aditamentos.

Como también se recalcó en el capítulo 1, es posible utilizar al mismo tiempo las opciones -g -O (*optimización*). Sin embargo, la optimización transforma el código objeto de forma tal que a menudo impide apreciar la relación entre lo que figura en el código fuente y lo que es visible en el depurador. Puede ser que algunas variables o líneas de código fuente parezcan haber desaparecido o que puedan tener lugar asignaciones de valores a variables en momentos en que uno no las espera. Mi recomendación es que uno aguarde para comenzar la optimización de su código hasta que lo haya depurado de la manera más completa posible. En el largo plazo, esto hará que su vida, en particular la parte de ella que dedica a depurar su código, resulte mucho más simple y menos estresante.

PRECAUCIÓN
No remueva de sus archivos ejecutables la información de depuración antes de distribuirlos en forma binaria. Se trata de una cuestión de cortesía con sus usuarios y hasta lo puede ayudar a usted. Si recibe un informe sobre la presencia de un error en el programa por parte de un usuario que recibió sólo el archivo ejecutable final, dicho usuario no estará en condiciones de proveerle información útil si usted eliminó de su programa todos los símbolos necesarios a fin de hacer el correspondiente archivo binario más compacto.

Ejemplo

Este capítulo utiliza en varios de sus ejemplos el siguiente programa:

```
/* Nombre del programa en Internet: para_depurar.c */
/*
 * para_depurar.c - Programa mal escrito para utilizar como ejemplo de depuracion
 */
#include <stdio.h>
#include <stdlib.h>
#define NUMERO_GRANDE 5000
void luna_y_misterio(int sur[]);
int main(void)
{
    int arrabal[10];
     luna_y_misterio(arrabal);
     exit(EXIT_SUCCESS);
}
 void luna_y_misterio(int sur[])
{
    int i;
    for(i = 0; i < NUMERO_GRANDE; ++i)
        sur[i] = i;
}
```

Yo compilé este programa y traté de correrlo, tal como se muestra a continuación:

```
$ gcc -g para_depurar.c -o para_depurar
$ ./para_depurar
Segmentation fault (core dumped)
```

La salida puede variar ligeramente en el sistema del lector.

Comandos básicos

La mayoría de lo que se desea obtener con gdb puede ser efectuado con un conjunto de comandos sorprendentemente pequeño.

INICIO DE gdb

Para iniciar una sesión de depuración, simplemente tipee gdb *nombre_de-_programa* [archivo_de_vuelco_de_memoria], reemplazando nombre-_de_programa por el nombre del programa que desea depurar. La utilización de un archivo de vuelco de memoria es opcional pero reforzará la capacidad de depuración de gdb. El primer paso entonces es iniciar gdb , empleando como argumentos para_depurar y el archivo de memoria, vuelcomem. Para terminar gdb, tipee quit en su línea de comandos, que es (gdb).

```
$ gdb -q para_depurar vuelcomem
```

La pantalla deberá parecerse, una vez iniciado gdb , a la de la figura 20-1.

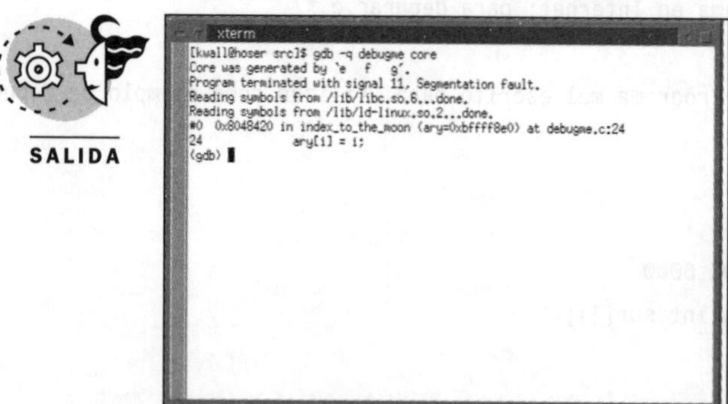

Figura 20.1. *La pantalla de inicio de gdb.*

La opción -q suprimió los molestos mensajes sobre licencias. Otra opción útil de línea de comandos es -d nombre_directorio, donde nombre_directorio es el nombre del directorio donde gdb debe buscar el código fuente del programa (como opción predeterminada gdb busca en el directorio corriente de trabajo). Como se puede ver en la figura 20-1, gdb exhibe el archivo ejecutable que creó el archivo de vuelco de memoria y por qué razón terminó el programa. En este caso, el programa ocasionó una señal 11, que corresponde a una falla de segmentación. También exhibe, de manera útil, la función que se estaba ejecutando y la línea de programa que gdb considera que generó la falla.

EJECUCIÓN DE UN PROGRAMA EN EL DEPURADOR

Lo primero que se debe hacer es correr el programa con problemas en el depurador. El comando para hacer eso es run. Uno le puede pasar a run su programa con todos los argumentos que el mismo aceptaría normalmente. Además, el programa recibirá un entorno adecuadamente configurado, tal como el mismo esté determinado por el valor de la variable de entorno $SHELL. Si uno quiere, sin embargo, puede utilizar comandos de gdb para asignar y eliminar argumentos y variables de entorno después de haberse iniciado una sesión de depuración. Para hacer eso, tipee set args arg1 arg2 [. . .] para establecer los argumentos de la línea de comandos.

CONSEJO

Si se ha olvidado cómo se escribe algún comando de gdb o no se encuentra seguro de su sintaxis correcta, gdb cuenta con una excelente ayuda. Un simple comando `help` tipeado en la línea de comandos de gdb le brindará una breve lista de las distintas categorías de comandos disponibles, mientras que `help` [*tema*] imprimirá ayuda útil sobre ese tema. Como de costumbre, gdb cuenta con un completo sistema de ayuda, la documentación TeXinfo, y un excelente manual, *Debugging with IDB,* que se encuentra disponible en línea y por correo solicitándolo a FSF.

EJEMPLO

Ejemplo

Cuando uno trata de correr este programa en el depurador, el mismo se detiene tras recibir la señal `SIGSEGV`:

```
(gdb) run
Starting program: /usr/local/newprojects/lpe/20/src/para_depurar
```

SALIDA

```
Program received signal SIGSEGV, Segmentation fault.
0x8048420 in luna_y_misterio (sur=0xbffff8c0) at para_depurar.c:24
24            sur[i] = i;
(gdb)
```

INSPECTING CODE

La cuestión, pues, es qué ha estado ocurriendo con la función `luna_y_misterio`. Uno puede ejecutar el comando `backtrace` (*rastrear hacia atrás*) a fin de generar el árbol de la función que condujo a la falla de segmentación. También resulta práctico tener alguna idea del contexto en el cual existen las líneas de código que causaron el problema. A este propósito utilice el comando `list`, que tiene la forma general `list [m,n]`. Los valores `m` y `n` representan los números de línea inicial y final que se desea sean exhibidos. Un comando `list` sin ningún aditamento exhibirá las 10 líneas de código circundante.

EJEMPLO

Ejemplo

La salida sucesiva de los comandos `backtrace` y `list` tiene el siguiente aspecto:

SALIDA

```
(gdb) backtrace
#0  0x8048420 in luna_y_misterio (sur=0xbffff8c9) at para_depurar.c:24
#1  0x80483df in main () at para_depurar.c:15
#2  0xb in ?? ()
(gdb) list
19
20  void luna_y_misterio(int sur[])
21  {
22          int i;

23          for(i = 0; i <NUMERO_GRANDE; ++i)
```

```
24          sur[i] = i;
25  }(gdb)
```

CONSEJO

Cuando se emplea el gdb no resulta necesario tipear los nombres completos de los comandos. Cualquier abreviatura que resulte inequívoca bastará. Por ejemplo, `back` es suficiente en lugar de `backtrace`.

Tal como se puede apreciar a partir de la salida, el problema estaba en `luna_y_misterio`, llamada por la función `main`. Se puede observar también que el problema ocurrió en el archivo `para_depurar.c` en su línea 24 inmediatamente antes de la misma. Teniendo una imagen clara de qué es lo que está sucediendo con el código y dónde tiene lugar, uno puede luego determinar que es lo que anduvo mal y corregirlo.

EXAMINING DATA

Una de las prestaciones más útiles de `gdb` es su capacidad de exhibir tanto el tipo como el valor de casi cualquier expresión, variable o arreglo presente en el programa que está siendo depurado. El comando respectivo imprimirá el valor de cualquier expresión que sea legal en el lenguaje en el cual esté escrito su programa. El nombre del comando es, tal como era de suponer, print. `print nombre_de_variable` imprime el valor de dicha variable.

Uno no está limitado a utilizar valores discretos, tampoco, porque `gdb` puede exhibir los valores presentes en una región arbitraria de memoria. Para imprimir los valores de una cantidad determinada de elementos de un arreglo comenzando a partir del inicio del mismo en memoria, utilice el siguiente tipo de sintaxis:

```
(gdb) print nombre_arreglo@numero
```

donde `nombre_arreglo` es el nombre del arreglo o región de memoria de interés y numero es el número de valores presentes en ubicaciones consecutivas que se desea que sean impresos. Digamos que uno quisiera imprimir los cinco valores almacenados consecutivamente en un arreglo denominado `mi_arreglo` y que comiencen con el elemento número 71. El comando para lograr esto es el siguiente:

```
(gdb) print mi_arreglo[71]@5
```

La notación entre corchetes indica que uno quiere comenzar a imprimir desde ese elemento específico y no desde el comienzo del arreglo.

`Si se utiliza el comando whatis` (*qué es*), `gdb` puede también indicar los tipos de variables presentes. Una de las limitaciones del comando `whatis` es que sólo brinda el tipo de una variable o función. Si uno desea en cambio la definición de una estructura, debe utilizar el comando `ptype`.

Ejemplo

El ejemplo siguiente muestra una serie de comandos `print` consecutivos y sus resultados:

```
(gdb) print i
$1 = 464
(gdb) print sur[i]
Cannot access memory at address 0xc0000000.
(gdb) print sur[i-1]
$2 = 463
(gdb) print $1-1
$3 = 463
(gdb) print sur@10
$4 = {0xbffff8c0, 0x0, 0x1, 0x2, 0x3, 0x4, 0x5, 0x6, 0x7, 0x8
(gdb) print sur[71]@5
$5 = {71, 72, 73, 74, 75}
(gdb) print sur[0]@10
$6 = {0, 1, 2, 3, 4, 5, 6, 7, 8, 9}
 (gdb) whatis i
type = int
(gdb) whatis sur
type = int *
(gdb) whatis luna_y_misterio
type = void (int *)
```

Aunque en este ejemplo el programa se detuvo en `i=464`, en qué lugar específico se detenga en su sistema dependerá de la estructura de la memoria respectiva. El segundo comando, `print sur[i]`, deja bien en claro que el programa no tiene acceso a la ubicación de memoria especificada, aunque tiene acceso formal a la ubicación precedente. Las líneas que comienzan con `$1`, `$2` y así siguiendo se refieren a entradas en el historial de valores de gdb. Si se deseara acceder a dichos valores en un futuro, bastará con utilizar estos alias en lugar de tener que retipear todo el comando.

¿Por qué el primer comando `print sur` exhibió valores hexadecimales y el segundo exhibió en cambio valores decimales? Primero, recuerde que los valores de los índices en C comienzan en cero. Recuerde también que el propio nombre del arreglo es un puntero que señala el comienzo del mismo. Por lo tanto, `gdb` examinó `sur`, vio que era la dirección en memoria del comienzo del arreglo, y en consecuencia exhibió la misma y los siguientes nueve valores como direcciones de memoria. Las direcciones de memoria son habitualmente exhibidas en formato hexadecimal. Si uno quiere exhibir en cambio los valores almacenados en `sur`, utilice el operador de indexación, [ ], tal como se indica en el segundo comando `print sur`.

CONSEJO

Habitualmente gdb es compilado con compatibilidad con la biblioteca realineé de GNU, lo que significa que acepta la edición desde línea de comandos y las prestaciones de historial de la interfaz bash. Por ejemplo, para invocar un nuevo comando, utilice la tecla cursor arriba para recorrer todo el historial de comandos de la sesión, de manera similar a lo que hace el comando doskey de DOS.

- Ctrl+A desplaza el cursor hasta el comienzo de la línea corriente.
- Ctrl+D elimina el carácter situado sobre el cursor.
- Ctrl+E desplaza el cursor hasta el final de la línea corriente.
- -Ctrl+K elimina todo lo que se encuentre entre la ubicación corriente del cursor y el final de la línea.

Para obtener más detalles sobre la edición desde la línea de comandos, ver la página readline del manual.

Setting Breakpoints

Cuando se depura un programa que presenta problemas, a menudo resulta útil detener la ejecución del mismo en algún momento. `gdb` le permite a uno establecer paradas o *puntos de detención* (*breakpoints*) en diversos tipos de construcciones de código, incluyendo números de línea y nombres de funciones. Uno puede también establecer paradas condicionales, donde el programa se detiene sólo cuando se cumple determinada condición.

Para fijar un punto de detención en un número de línea, utilice la siguiente sintaxis:

```
(gdb) break numero_linea
```

Para establecer una parada en una función, emplee esta otra:

```
(gdb) break nombre_de_funcion
```

`gdb` detendrá la ejecución del programa de forma inmediata antes de ejecutar la línea especificada o ingresar a la función requerida. Uno puede entonces utilizar `print` para exhibir, por ejemplo, los valores de las variables, o emplear `list` para examinar el código que está por ser ejecutado. Si el lector tiene entre manos un proyecto multiarchivo y desea detener la ejecución en una línea determinada del programa o en una función que no se encuentra en el código fuente que se encuentra corrientemente abierto, utilice una de las siguientes formas:

```
(gdb) break nombre_de_archivo:numero_de_linea
(gdb) break nombre_de_archivo:nombre_de_funcion
```

Las paradas condicionales son a menudo más útiles. Le permiten a uno detener temporariamente la ejecución del programa cuando se encuentra determinada condición. La síntesis correcta para el establecimiento de puntos de interrupción condicionales es la siguiente:

```
(gdb) break numero_de_linea or nombre_de_funcion if expresion
```

`expresion` puede ser cualquier expresión que evalúe a `VERDADERO` (no cero).

Para proseguir la ejecución después de arribar a un punto de detención, tipee `continue`.

Si ha establecido varios puntos de detención y ha perdido la pista de lo que fue establecido y cuáles puntos de detención ya fueron alcanzados, puede refrescar su memoria utilizando el comando `info breakpoints`.

El comando delete le permite eliminar puntos de detención, o puede meramente deshabilitarlos utilizando justamente el comando `disable` (*deshabilitar*) y volverlos a habilitar con el comando `enable` (*volver a habilitar*).

EJEMPLO

Ejemplo

La salida de una sesión de depuración que se muestra a continuación ilustra el empleo de los puntos de detención:

SALIDA

```
(gdb) break 24 if i == 15
Breakpoint 1 at 0x8048410: file para_depurar.c, line 24.
(gdb) run
The program being debugged has been started already.
Start it from the beginning? (y or n) y
Starting program: /usr/local/newprojects/lpe/20/src/para_depurar

Breakpoint 1, luna_y_misterio (sur=0xbfffa08) at para_depurar.c:25
24              sur[i] = i;
(gdb) print i
$7 = 15
(gdb) info breakpoints
Num     Type       Disp    Enb     Address What
1       breakpoint keep    y       0x08048410      in luna_y_misterio at
para_depurar.c:24
        Stop only if i == 15
        Breakpoint already hit 16 times
(gdb) delete 1
(gdb)
```

Como es dable apreciar, `gdb` se detuvo en la línea 24 del programa. Un breve comando `print` nos confirma que se detuvo en el valor solicitado de `i`, es decir `15`. Si cuando uno ingresa el comando `run` el programa a depurar ya estuviese corriendo, `gdb` le avisará que el programa ya ha comenzado y le preguntará si desea volver a correrlo desde el comienzo. Tipee `yes` y oprima Intro. Estos últimos dos comandos encuentran información sobre los puntos de detención en vigencia y los eliminan por número.

MODIFICACIÓN DEL CÓDIGO QUE SE ESTÉ EJECUTANDO

Si uno utiliza los comandos `print` y `whatis` a fin de exhibir el valor de una expresión, y la expresión modifica variables que el programa utiliza, uno está de hecho modificando valores en un programa que se está ejecutando. Esto no es necesariamente algo malo de hacer, pero se necesita comprender que lo que se está llevando a cabo tiene efectos colaterales.

Si uno desea modificar el valor de una variable (teniendo en mente que este cambio afectará el desarrollo del programa en ejecución), el respectivo comando de `gdb` es `(gdb) set variable` *`nombre_de_variable`* `= valor`, donde *`nombre_de_variable`* es obviamente el nombre de la variable que uno desea modificar y `valor` es el nuevo valor que se le desea asignar.

Ejemplo

Elimine todos los puntos de detención y puntos de supervisión que pudiera haber establecido y luego establezca el punto de detención `break 25 if i == 15`. Luego, ejecute el programa. Este detendrá temporariamente su ejecución cuando la variable `i` sea igual a `15`. Después de que el programa se detenga, emita el comando `set variable i = 10` para volver `i` a `10`. Ejecute un comando `print i` a fin de confirmar que el valor de `variable` ha sido restablecido, y luego emita el comando `step` (algo así como *ir de a uno por vez*), que ejecuta una sola sentencia por vez, por tres veces, seguido por otro `print i`. Se verá que el valor de i incrementado en uno luego de cada iteración del lazo `for`.

CONSEJO

No resulta necesario tipear `step` tres veces. `gdb` recuerda el último comando ejecutado, de modo que se puede sencillamente oprimir la tecla Intro y volver a ejecutarlo, una gran contribución a la comodidad. Esto funciona para la mayoría de los comandos de `gdb`. Para obtener más detalles ver la documentación respectiva.

ALCANCE DE LAS VARIABLES Y CONTEXTO

En cualquier momento dado, una variable puede estar visible o no estarlo, lo cual determina las variables a las que uno tiene acceso, puede examinar y manipular. Uno no puede acceder a variables que no se encuentren visibles. Hay algunas reglas que controlan (*vistas desde la óptica del depurador*) el alcance (*la visibilidad*) de una variable, ya sea que ésta esté activa o inactiva:

- Las variables locales a cualquier función están activas si esa función se está ejecutando o si se le ha transferido el control a otra función llamada por la primera. Digamos que la función `foo` llama a la función `bar`; en tanto que `bar` se esté ejecutando, todas las variables locales a `foo` y a `bar` se encontrarán activas. Después que bar haya retornado, sólo seguirán activas las variables de `foo`.
- Las variables globales están siempre activas, independientemente de que el programa esté corriendo o no.
- Las variables no globales están inactivas a menos que el programa esté corriendo.

Lo anterior se refiere al alcance de las variables de un programa de C. ¿Cuál es la idea de `gdb` sobre el contexto de las variables? La complicación surge del empleo de las variables estáticas, que son locales al archivo; es decir, uno puede tener variables estáticas de idéntico nombre en varios archivos, y las mismas no ocasionarán conflictos porque no se encuentran visibles fuera del archivo en el cual están definidas. Afortunadamente, `gdb` tiene una manera de identificar a qué variable se refiere uno. La misma se parece al operador de resolución de alcance de C++. La sintaxis es la siguiente:

```
archivo_o_nombre_de_funcion::nombre_de_variable
```

donde *`nombre_de_variable`* es el nombre de la variable a la cual uno se quiere referir y *`archivo_o_nombre_de_funcion`* es el nombre del archivo o la función en la cual aparece la variable. Así que, por ejemplo, supongamos tener dos archivos de código fuente, `foo.c` y `bar.c`, cada uno de los cuales contiene una variable denominada baz que está declarada como estática. Para referirse a dicha variable en `foo.c`, uno podría escribir lo siguiente:

```
(gdb) print 'foo.c'::baz
```

Las comillas simples en torno del nombre del archivo se requieren para que `gdb` sepa que el lector se está refiriendo a un nombre de archivo. Similarmente, dadas dos funciones, `blat` y `splat`, cada una de ellas incluyendo una variable de tipo `int` denominada `idx`, los siguientes comandos imprimen las direcciones de `idx` en cada función:

```
(gdb) print &blat::idx
(gdb) print &splat::idx>
```

Detección y reparación de problemas de memoria

El tema de este capítulo lo constituye la caza de errores. Luego de los errores lógicos y los de tipeo, el tipo más común de error lo constituyen los que están vinculados con la memoria. En esta sección, el lector aprenderá qué tipos de errores de memoria ocurren habitualmente y conocerá algunas herramientas que lo ayudarán a rastrearlos.

Tipos de fallas de memoria

Los errores de memoria caen dentro de tres categorías generales: filtraciones, corrupción y accesos ilegales.

Las filtraciones de memoria tienen lugar cuando un programa asigna memoria del reservorio (*heap*) de memoria libre y omite retornarla al kernel, ya sea llamando a `free` o empleando las rutinas que definen las APIs, como por ejemplo, la llamada a `endwin` de la API de ncurses, o si lo hacen no tienen éxito en su intento.

✔ La llamada a endwin se halla comentada en "Terminación de ncurses", página 228.

La corrupción de memoria ocurre cuando uno trata de utilizar memoria no inicializada o no asignada (o tal vez incorrectamente asignada), tal como se muestra en el siguiente fragmento de código:

```
char *cadena;
char *mensaje;
strcpy(cadena, "alguna cantidad de texto");        /* Memoria para 'cadena' no
asignada */
printf("%s\n", mensaje);                                   /* 'mensaje' no esta
inicializado */
```

Este fragmento de código ocasiona una falla de segmentación porque, en la primera línea, no se ha asignado memoria adecuadamente para `cadena` por medio de la función `malloc` para que ésta pueda contener algo, y porque, en la cuarta línea, `mensaje` no se encuentra inicializado cuando se lo emplea en la sentencia de `printf`.

Los errores de acceso ilegal de memoria suceden cuando un programa trata de acceder memoria que no le corresponde. Esto sucede habitualmente como determinada variante de un error de tipo "errarle por uno", cuando un programa accede sin proponérselo a la memoria ubicada inmediatamente antes o después de un arreglo.

Ejemplo

El siguiente ejemplo es un programa plagado de errores de memoria, incluyendo los siguientes:

- Tiene una filtración de memoria.
- Se pasa del final de una región de memoria asignada dinámicamente desde el heap.
- Se queda corto con un buffer de memoria.
- Libera el mismo buffer dos veces.
- Accede memoria ya liberada.
- Sobrescribe una pila (*stack*) asignada estáticamente y también sobrescribe memoria global.

```
/* Nombre del programa en Internet: badmem.c
/*
 * mal_uso_memoria.c - Demuestra el empleo de herramientas para depurar memoria
 */
#include <stdlib.h>
#include <stdio.h>
#include <string.h>

char buffer_global[5];  /* Esta es una variable global. Esta declarada antes de
main() */

int main(void)
{
    char *buf;
    char *filtracion;
    char buffer_local[5];

    /* Esta memoria queda asignada pero nunca sera liberada */
    filtracion = malloc(10);

    /* Pasa de largo por poco la longitud de buf */
    buf = malloc(5);
    strcpy(buf, "abcde");
    printf("POR_POCO  : %s\n", buf);
    free(buf);

    /* Esta vez se pasa de largo por mucho el final de buf */
    buf = malloc(5);
```

```
        strcpy(buf, "abcdefgh");
        printf("POR_MUCHO : %s\n", buf);

        /* Se queda corto al escribir a buf */
        *(buf - 2) = '\0';
        printf("SE_QUEDA_CORTO: %s\n", buf);

        /* Libera buf dos veces */
        free(buf);
        free(buf);

        /* Accede a memoria previamente liberada por free()*/
        strcpy(buf, "Buf ya no existe mas");
        printf("LIBERADA    : %s\n", buf);

        /* Demasiado grande para almacenar en la variable global */
        strcpy(buffer_global, "Estallido global");
        printf("GLOBAL    : %s\n", buffer_global);

        /* Demasiado grande para almacenar en la variable local */
        strcpy(buffer_local, "Estallido local");
        printf("LOCAL     : %s\n", buffer_local);

        exit(0);
}
```

SALIDA

`memoflagelo` puede o no correr en el sistema del lector y, en caso de correr, puede terminar en un momento diferente. La salida de `memoflagelo` en mi sistema fue la siguiente:

```
$ ./mal_uso_memoria
POR_POCO : abcde
POR_MUCHO : abcdefgh
SE_QUEDA_CORTO: abcdefgh
Segmentation fault (core dumped)
```

Memoria Debuggers

Dado que los errores de memoria son tan comunes, los programadores han desarrollado diversas herramientas que les permitan encontrarlos. Empleadas en conjunción con un depurador del tipo de `gdb`, estas herramientas han salvado, sin duda, a muchos programadores de que les saliesen canas verdes. Las dos herramientas que se comentan aquí son Electric Fence y `mcheck`.

USING ELECTRIC FENCE

La primera herramienta que consideraremos será Electric Fence (literalmente *"vallado eléctrico"*, programa escrito por Bruce Perens. El mismo no detecta las fugas de memoria, pero realiza un excelente trabajo detectando rebasamientos de *buffer*. Electric Fence se puede descargar desde `ftp://metalab.unc.edu/pub/Linux/devel/lang/c`, aunque muchas distribuciones de Linux lo incluyen dentro de su paquete de software.

Electric Fence emplea el hardware de memoria virtual del CPU para detectar accesos Ilícitos de memoria, y aborta el programa cuando encuentra la primera instrucción que cometa una violación de límites de memoria. El programa logra esto reemplazando la función `malloc` normal con su propia `malloc` y asignando un pequeño tramo de memoria situado inmediatamente después de la asignación normal efectuada, y al cual no se le permite el acceso al proceso que llamó a `malloc`. Como resultado de ello, los rebasamientos de *buffer* ocasionan una violación de acceso de memoria, la cual aborta el programa mediante una señal `SIGSEGV`. Si el sistema del lector está configurado de manera de permitir archivos en memoria (a ese efecto ejecute `ulimit -c` tanto para obtener el tamaño de los archivos permitidos en memoria como para establecer el mismo), el mismo podrá luego utilizar un depurador para aislar la ubicación del rebasamiento.

Para emplear Electric Fence uno debe linkear al código objeto de su programa una biblioteca especial denominada `libefence.a`, y luego simplemente, proceder a correr el programa. A la primera violación de memoria que encuentre, Electric Fence efectuará un volcado de memoria.

Ejemplo

EJEMPLO

Este ejemplo muestra cómo utilizar Electric Fence.

```
$ gcc -g mal_uso_memoria.c -o mal_uso_memoria -lefence
$ ./ mal_uso_memoria
```

SALIDA

```
Electric Fence 2.0.5 Copyright (C) 1987-1995 Bruce Perens.
POR_POCO : abcde
Segmentation fault (core dumped)
$ gdb -q mal_uso_memoria core
(gdb) run
Starting program: /usr/local/newprojects/lpe/14/src/mal_uso_memoria

  Electric Fence 2.0.5 Copyright (C) 1987-1998 Bruce Perens.
POR_POCO  : abcde
Segmentation fault (core dumped)
$ gdb -q mal_uso_memoria
(gdb) run
Starting program: /usr/local/newprojects/lpe/20/src/mal_uso_memoria
  Electric Fence 2.0.5 Copyright (C) 1987-1998 Bruce Perens.
POR_POCO  : abcde
```

```
Program received signal SIGSEGV, Segmentation fault.
strcpy (dest=0x4010aff8 "abcdefgh", src=0x80495fc "abcdefgh")
    at ../sysdeps/generic/strcpy.c:38
../sysdeps/generic/strcpy.c:38: No such file or directory
(gdb) where
#0 strcpy (dest=0x4010aff8 "abcdefgh", src=0x80495fc "abcdefgh")
?At ../sysdeps/generic/ strcpy.c:38
#1 0x8048905 in main() at mal_uso_memoria.c:27
#2 0x40030cb3 in __libc_start_main (main=0x8048890 <main>, argc=1,
   argv=0xbffff944, init=0x8048680 <_init>, fini=0x80495ac <_fini>,
   rtld_fini=0x4000a350 <_dl_fini>, stack_end=0xbffff93c)
   at ../sysdeps/generic/libc-start.c:78

(gdb)
```

El comando de compilación utilizó la opción `-g` para generar símbolos de depuración adicionales. La penúltima lista del listado anterior ([`gdb`] es sólo el símbolo de petición de comandos) deja muy en claro que existe un problema en la línea 27 de la función `main` del código fuente del programa `mal_uso_memoria`. Después de que haya corregido ese problema, recompile y vuelva a correr el programa, linkeando nuevamente al mismo la biblioteca `libefence` y, si el programa volviese a abortar, repita nuevamente la secuencia depuración/corrección/recompilado. Una vez que el programa esté totalmente depurado, recompílelo esta vez sin linkearle la biblioteca de Electric Fence, y el mismo estará listo para ser utilizado.

PERSONALIZACIÓN DE ELECTRIC FENCE

¡Espere!, dirá el lector. Electric Fence detectó el rebasamiento grande de la línea 27, pero no logró detectar el desbordamiento más pequeño. ¿Cómo pudo ser? Este comportamiento peculiar se origina a partir de la manera en que el CPU alinea la memoria asignada. La mayoría de los CPUs modernos requieren que los bloques de memoria estén alineados con respecto a su tamaño natural de palabra. Los CPUs Intel x86, por ejemplo, requieren que las regiones de memoria comiencen en direcciones que sean exactamente divisibles por cuatro, de modo que las llamadas a `malloc` obtienen habitualmente tramos de memoria alineados de manera acorde. Electric Fence hace lo mismo. De modo que un requerimiento de cinco bytes en realidad obtiene una asignación de ocho bytes a fin de satisfacer los requerimientos de alineamiento de memoria. Como resultado, el rebasamiento más pequeño del buffer se deslizó por entre el "vallado". Afortunadamente, Electric Fence le permite a uno controlar el comportamiento de la alineación de la memoria obtenida empleando para ello la variable de entorno `$EF_ALIGNMENT`. El valor predeterminado de la misma es `sizeof(int)`, pero si uno le asigna el valor cero, Electric Fence podrá detectar rebasamientos menores a ocho bytes.

Electric Fence reconoce también otras tres variables de entorno que permiten controlar su comportamiento: `EF_PROTECT_BELOW=1` para detectar escrituras a posiciones de memorias anteriores a donde comienza el buffer (*underruns*), `EF_PROTECT_FREE=1` para detectar accesos a memoria que ha sido previamente liberada, y EF_ALLOW_MALLOC_0=1, que permite que los procesos puedan requerir de malloc cero bytes de memoria.

Ejemplo

Después de asignar a $EF_ALIGNMENT el valor 0, recompilar y volver a correr el programa, Electric Fence detecta esta vez el pequeño rebasamiento de *buffer* presente en el programa.

```
$ export EF_ALIGNMENT=0
$ gcc -g mal_uso_memoria.c -o mal_uso_memoria -lefence
$ ./mal_uso_memoria
Electric Fence 2.0.5 Copyright (C) 1987-1998 Bruce Perens
Segmentation Fault (core dumped)
$ gdb mal_uso_memoria
.
(gdb) run
Starting program: /usr/local/newprojects/lpe/20/src/mal_uso_memoria

  Electric Fence 2.0.5 Copyright (C) 1987-1998 Bruce Perens.

Program received signal SIGSEGV, Segmentation fault.
strcpy (dest=0x4010affb "abcde", src=0x80495e8 "abcde")
    at ../sysdeps/generic/strcpy.c:38
../sysdeps/generic/strcpy.c:38: No such file or directory.
(gdb) where
#0  strcpy (dest=0x4010affb "abcde", src=0x80495e8 "abcde")
    at ../sysdeps/generic/strcpy.c:38
#1  0x80488c2 in main() at mal_uso_memoria.c:21
#2  0x40030cb3 in __libc_start_main (main=0x8048890 <main>, argc=1,
    argv=0xbffff934, init=0x8048680 <_init>, fini=0x80495ac <_fini>,
    rtld_fini=0x4000a350 <_dl_fini>, stack_end=0xbffff92c)
    at ../sysdeps/generic/libc-start.c:78
(gdb)
```

Como se puede apreciar en la salida anterior, Electric Fence ahora detecta el pequeño rebasamiento de buffer. Siempre recomiendo asignar a la variable de entorno EF_ALIGNMENT el valor 0 y utilizar las demás variables comentadas de manera de detectar la mayor cantidad de errores que resulte posible.

CONSEJO

Durante la etapa de desarrollo de un programa, resulta una buena práctica linkear siempre al código objeto del mismo la biblioteca libefence para así poder detectar los errores de memoria que de otro modo tal vez no pudiesen ser detectados, debido precisamente a las cuestiones referentes a la alineación de memoria que acabamos de comentar.

Empleo de `mpr` y `mcheck`

La otra herramienta de depuración de memoria que consideraremos será el paquete de software `mpr` de Taj Khattra, que se puede descargar desde cualquier sitio de imagen Metalab (`ftp://metalab.unc.edu/pub/Linux/devel/lang/c/mpr-1.9.tar.gz`). Este programa puede ser utilizado para localizar fugas de memoria, pero no localiza errores de corrupción. Además, mpr genera también estadísticas y patrones de asignación, aunque estas últimas prestaciones no están cubiertas en esta sección. El método que utiliza `mpr` para llevar a cabo su tarea no recurre a demasiadas sutilezas: el programa registra todos los pedidos de asignación y de liberación de memoria en un archivo apropiado que luego procesa utilizando programas utilitarios que forman parte del paquete.

EMPLEO DE `mpr`

Para utilizar `mpr`, simplemente descárguelo y compílelo. Este paquete de software incluye varios programas utilitarios y una biblioteca estática, `libmpr.a`, que debe ser vinculada al código objeto de su programa. Asegúrese de utilizar el *switch* `-g` con el fin de generar símbolos de depuración, porque algunos de los programas que integran mpr así lo requieren.

Recuerde del capítulo 1, que `-lmpr` linkea al código objeto de `mal_uso_memoria` la biblioteca `libmpr.a`, y que `-L$HOME/lib` adosa al comienzo de la ruta de búsqueda de bibliotecas la expresión `$HOME/lib`. Luego de que el programa sea compilado y linkeado, asigna a la variable de entorno `$MPRPC` el valor `'mprpc mal_uso_memoria'` y a `$MPRFI` el valor "`cat > mal_uso_memoria.log`" Cuando se está ejecutando, `mpr` utiliza `$MPRPC` para recorrer y exhibir la cadena de llamadas para cada pedido de asignación y de liberación, mientras que `$MPRFI` define un pipeline (secuencia de pipes) de comandos para registrar y, opcionalmente, filtrar la salida de `mpr`.

Terminados estos pasos preliminares, proceda a ejecutar el programa. Si todo funciona de acuerdo con lo planeado, se debería terminar con un archivo denominado `mal uso_memoria.log` ubicado en el directorio corriente. El mismo presentará un aspecto similar al siguiente:

```
m:134522506:134516229:134514813:10:134561792
m:134522506:134516229:134514826:5:134565888
f:134522614:134520869:134514880:134565888
m:134522506:134516229:134514890:5:134565888
f:134522614:134520869:134514975:134565888
f:134522614:134520869:134514987:134565888
```

Esta información de registro no es de mucha utilidad tal cual está (la documentación del programa mpr explica el formato, si es que llegase a estar interesado en el mismo); la misma simplemente provee la materia prima para que los programas de utilidad de mpr, que procesan el registro obtenido con el fin de crear información que resulte más inteligible. Para visualizar las fugas de memoria, utilice `mpr` y `mprlk` tal como se ilustra en el siguiente ejemplo.

EJEMPLO

Ejemplo

Este ejemplo compila `mal_uso_memoria` empleando `mpr` a fin de ubicar una fuga de memoria.

SALIDA

```
$ gcc -g mal_uso_memoria.c -o mal_uso_memoria -lmpr -L /usr/local/lib
$ export MPRPC=`mprpc mal_uso_memoria`
$ export MPRFI="cat > mal_uso_memoria.log"
$ ./mal_uso_memoria
POR_POCO  : abcde
mcheck: memory clobbered past end of allocated block
Aborted (core dumped)
$ mpr -f mal_uso_memoria < mal_uso_memoria | mprlk
m:main(mal_uso_memoria.c,18):10:13456992
```

La opción `-f` informa el nombre del archivo y el número de línea donde `mpr` detectó la fuga de memoria. La salida indica que la línea 18 de la función `main` de `mal_uso_memoria.c` requiere de `malloc` 10 bytes memoria que nunca vuelve a liberar con una llamada a `free` (`mpr` y sus utilidades emplean números decimales largos para mantener el registro de cada pedido de asignación y liberación de memoria). Observando el listado de código fuente, uno puede verificar que efectivamente es así.

Usando mcheck

Tal como se mencionó recién, `mpr`, por sí solo, no puede detectar los errores de corrupción de memoria. Si bien esto es así, `mpr` incluye la función `mcheck` de la biblioteca `malloc` de GNU, que le permite a uno detectar rebasamientos de buffer, rebasamientos negativos (escrituras a zonas de memoria anteriores a la ubicación del comienzo del *buffer*) y liberaciones repetitivas del mismo bloque llevadas a cabo por llamadas superfluas a `free`. De hecho, `mpr` compila `mcheck` en `libmpr.a` como opción predeterminada.

Las buenas noticias son, entonces, que los rebasamientos de *buffer*, tanto positivos como negativos, hacen que el programa aborte a menos que uno instruya específicamente a `mpr` de no utilizar `mcheck`. Las malas noticias, a su vez, la constituyen que `mcheck` no es un programa demasiado informativo: se limita a señalar un problema y deja que sea el programador el que determine dónde ha ocurrido el mismo. Compilado junto con `mcheck`, el programa de demostración aborta cada vez que uno castiga demasiado la memoria.

EJEMPLO

Ejemplo

Este ejemplo muestra varias corridas de `mal_uso_memoria`, compilado con `mcheck`, con cada corrida habiéndose corregido el error encontrado en la corrida previa:

SALIDA

```
$ ./mal_uso_memoria
POR_POCO  : abcde
mcheck: memory clobbered past end of allocated block
...
$ ./mal_uso_memoria
POR_POCO  : abcde
```

```
POR_MUCHO     : abcdefgh
SE_QUEDA_CORTO: abcdefgh
mcheck: memory clobbered before allocated block
[...]
$ ./mal_uso_memoria
POR_POCO  : abcde

POR_MUCHO     : abcdefgh
SE_QUEDA_CORTO:
mcheck: block freed twice
```

La corrección del resto de los errores se deja como ejercicio para el lector.

Lo que viene

El lector comenzó en este capítulo a adquirir experiencia con la depuración de programas. En el capítulo siguiente, "Distribución de software", aprenderá un par de métodos para distribuir su software ya libre de errores. En el último capítulo, reunirá todo lo aprendido a fin de encarar el proyecto de programación ya anticipado, una base de datos de CD de música.

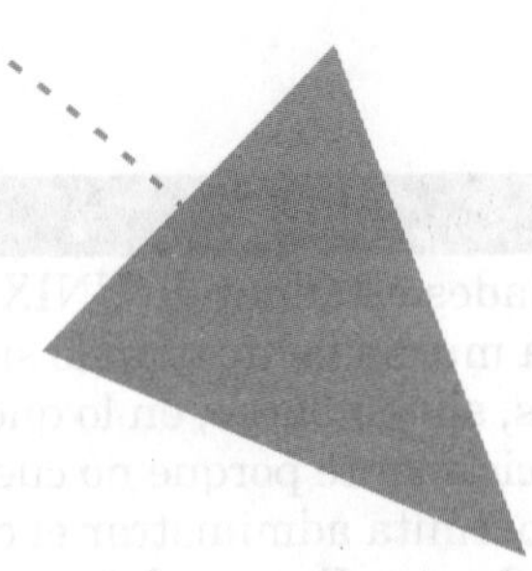

21

Distribución de software

Hasta el mejor y más rápido programa del mundo se volverá inutilizable si resulta extraordinariamente difícil instalarlo o hace que el sistema no pueda volver a ser utilizado una vez que se lo instala. Este tema, habitualmente omitido en los textos sobre programación, cubre el espinoso proceso de la distribución de software.

Este capítulo cubre los siguientes temas:

- Empleo del comando `tar`
- Utilización del comando `gzip`
- Uso del comando `install`
- Empleo del administrador de sistema `RPM` de Red Hat

La distribución de software consiste en la creación, distribución, instalación y actualización de software tanto del código fuente como de los archivos binarios. Este capítulo examina el proyecto tar de GNU, las utilidades `gzip` e `install` y el Administrador de Sistema de Red Hat, `RPM`.

Todos los programas de este capítulo pueden ser encontrados en el sitio Web `http://www.mcp.com/info` bajo el número de ISBN 0789722151.

Empleo de tar y gzip

`tar` y `gzip` fueron durante muchos años las utilidades estándar de UNIX para la creación y distribución de código fuente. Para mucha gente, aún lo siguen siendo. Ambos programas tienen limitaciones, sin embargo, en lo que se refiere a mantener la integridad del sistema, especialmente porque no cuentan con una utilidad integrada a los mismos, que permita administrar el control de versiones o verificar las dependencias de software. Esto no debería ser considerado, sin embargo, como una debilidad de `tar` o de `gzip`. Cuando se distribuye software mediante el empleo de `tar`, `gzip` e `install` se presupone que el usuario o el administrador del sistema respectivo tomará a su cargo la determinación de la versión y de las dependencias de software.

Empleo de tar

`tar`, cuyo nombre proviene de *Tape Archiver* (*archivador en cinta*), crea, administra y extrae los archivos presentes en archivos de empaquetado conocidos como *tarfiles* (*archivos tar*) o, en lenguaje coloquial, como *tarballs* (*bolas de tar*). El comando `tar` es la utilidad tradicionalmente utilizada para crear archivos de empaquetado. El mismo se encuentra munido (o plagado, según cuál sea la óptica con la que se lo considere) con una asombrosa variedad de opciones y switches de línea de comandos.

NOTA

Los usuarios veteranos de UNIX advertirán la ausencia del comando `cpio`. ¿Cuál es la razón? La costumbre en Linux es utilizar, para la creación de los archivos comprimidos de empaquetado empleados en la distribución de software, únicamente `tar` (y `gzip`). cpio, en los contados casos en que se lo emplea, es utilizado para crear y administrar copias de seguridad del sistema. De hecho, en los siete años en los que yo he venido utilizando Linux, nunca me he topado con ningún paquete de software que hubiera sido confeccionado con `cpio`. Esto no quiere decir que ello no suceda, por supuesto. Simplemente, yo no me he encontrado con ello.

Este capítulo intentará abordar la carencia existente de homogeneidad en la materia concentrándose en empleos simples y típicos relacionados con la creación y administración de una distribución de software. La tabla 21.1 lista algunas de las opciones de línea de comandos de `tar`, que los puntos posteriores analizarán en mayor detalle.

Tabla 21.1. *Opciones de línea de comandos de tar.*

Opción	Descripción
`c`	Crea un archivo de empaquetado (archivo *tar, tarfile* o *tarball*)
`f nombre_archivo_tar`	Argumento obligado. Le indica a `tar` el nombre de la `tarball` con la cual trabajar
`r`	Añade archivos a empaquetar al archivo comprimido
`u`	Actualiza archivos existentes en el archivo comprimido
`t`	Lista el contenido del archivo comprimido
`v`	Genera salida "verbosa", plena de comentarios
`z`	Crea un archivo zipeado (comprimido) o trabaja con el mismo (gzip es la utilidad de compresión predeterminada)

INVOCACIÓN DE `tar`

En su forma más simple, el comando necesario para crear un archivo *tar* es:

```
$ tar cf nombre_archivo_tar lista_de_archivos_a_incluir
```

`c` indica que se cree un archivo *tar* a partir de los archivos indicados en `lista_de_archivos_a_incluir`. `f` indica que el archivo `tar` que se crea tenga el nombre `nombre_archivo_tar`. Generalmente se querrá comprimir dicho archivo `tar` para poder ahorrar espacio en disco y disminuir el tiempo necesario para descargarlo. La manera más sencilla de hacerlo, si se emplea el `tar` de GNU, es añadir `z` a la lista de opciones, lo cual hace que tar invoque otra utilidad de GNU, `gzip`, y comprima el respectivo archivo `tar`. En este caso, la correspondiente invocación tendría el siguiente aspecto:

```
$ tar czf nombre_archivo_tar lista_de_archivos_a_incluir
```

EJEMPLO

Ejemplo

1. La siguiente invocación a `tar` crea un archivo `tar` denominado `mi_tar.tar` a partir de todos los archivos presentes en el directorio `/etc` que terminen en `.conf`:

```
$ tar cf mi_tar.tar /etc/*.conf
tar: Cannot add file /etc/amd.conf: Permission denied
```

El mensaje que emite en este caso `tar`, que hasta el presente viene emitido en inglés, informa que el archivo `amd.conf` no se pudo incluir por carecer `tar` de los permisos necesarios para ello.

SALIDA

```
tar: Removing leading `/' from absolute path names in the archive
tar: Cannot add file /etc/quota.conf: Permission denied
tar: Error exit delayed from previous errors
```

Aquí también `tar` informa sobre errores ocurridos por la misma razón, es decir carencia de acceso a ciertos archivos. En este caso `tar` no añadirá el respectivo archivo al archivo `tar` que se cree, pero fuera de ello el archivo `tar` será creado. Los otros dos mensajes de error son de rutina.

2. Para listar el contenido del archivo `tar` creado, utilice el siguiente comando:

EJEMPLO

SALIDA

```
$ tar tf mytar.tar
etc/dosemu.conf
etc/gpm-root.conf
etc/host.conf
etc/inetd.conf
etc/isapnp.conf
etc/ld.so.conf
etc/lilo.conf
etc/logrotate.conf
etc/named.conf
etc/nscd.conf
etc/nsswitch.conf
etc/ntp.conf
```

```
etc/pwdb.conf
etc/resolv.conf
etc/smb.conf
etc/syslog.conf
```

Obsérvese que tar no elimina ninguno de los archivos originales, sino que simplemente crea un nuevo archivo tar.

3. Para crear un archivo comprimido, simplemente añada z a la lista de opciones. Tradicionalmente los archivos tar comprimidos, o *zipeados*, se designan añadiéndoles .gz al final de su nombre. También se les da a menudo la extensión .tgz. Cualquiera de las dos opciones es aceptable. Por razones de coherencia este capítulo añadirá .gz al final del nombre del archivo.

```
$ tar czvf mi_tar.tar.gz /etc/*.conf
```

```
etc/dosemu.conf
etc/gpm-root.conf
etc/host.conf
etc/inetd.conf
etc/isapnp.conf
etc/ld.so.conf
etc/lilo.conf
etc/logrotattar: Cannot add file /etc/quota.conf: Permission denied
tar: Error exit delayed from previous errors
smb.conf
etc/syslog.conf
```

La opción v hace que tar sea verboso, es decir, que liste los archivos que va añadiendo al archivo de empaquetado. Aquí de nuevo, no hay problemas en pasar por alto los errores que se generen debido a violaciones de acceso de los archivos a ser empaquetados.

CONSEJO

La utilización de la opción z para comprimir un archivo tar "ralentiza" de alguna manera la operación de tar, pero ahorra tipeo porque uno no tienen que emitir un segundo comando de interfaz, gzip, para comprimirlo. Por otro lado, la llamada a gzip da como resultado una compresión mucho mejor, pero se debe tipear un comando adicional para hacerlo. Como los programadores son seres perezosos, las makefiles generalmente incluyen un target denominado dist que crea un archivo tar comprimido con gzip. Esto reduce la cantidad de tipeo que uno tiene que efectuar y es conveniente: simplemente se debe tipear make dist para que un paquete de software quede listo para ponerlo en la red de modo que todo el mundo pueda descargarlo.

Asegúrese de comprender la diferencia entre gzip, zip y compress. gzip es la utilidad estándar de compresión en los sistemas Linux. Es también la utilidad estándar de compresión empleada cuando se emplea la opción z de tar. Los archivos comprimidos por medio de gzip generalmente tienen una extensión .gz. A su vez, zip crea archivos de tipo PKZIP, y constituye una alternativa gratuita a las utilidades PKZIP. Los archivos comprimidos empleando `zip` tienen una extensión `.zip`. Finalmente, el programa compress es una de las utilidades originales de UNIX para comprimir archivos. Un archivo comprimido por medio de `compress` generalmente lleva una extensión `.Z`.

ACTUALIZACIÓN DE ARCHIVOS `tar`

A esta altura uno cuenta con un archivo `tar` correctamente empaquetado y comprimido. Pero, súbitamente, se da cuenta que omitió incluir la correspondiente documentación. Porque la escribió, ¿no es así? No se preocupe, se puede fácilmente añadir nuevos archivos a su archivo `tar` (o actualizar las existentes) empleando las opciones de `tar` para agregar o actualizar.

Para agregar su documentación recién escrita al archivo `tar` comprimido que se creó al cabo de la serie de ejemplos anteriores, puede emplear la opción `r` o la opción `u`. La opción `r` (*refresh*) le indica a `tar` que añada los archivos que sean especificados al final del archivo `tar`. La opción `u` (*update*), a su vez, simplemente actualiza un archivo presente en el archivo `tar` con una nueva versión del mismo. Naturalmente, si el archivo original no se encuentra presente, la actualización pasará a constituir dicho original.

Ejemplo

Este comando tar utiliza `u` para actualizar los archivos presentes con copias nuevas.

```
$ tar uvf mi_tar.tar /etc/*.conf
```

La salida es idéntica a la generada cuando se creó el archivo `tar`, de modo que no se la repetirá aquí. Obsérvese que este comando no utilizó la opción de compresión, `z`. Esto se debe a que el tar de GNU, por lo menos hasta la versión 1.12, no puede actualizar archivos tar comprimidos. Como resultado de ello, fue necesario descomprimir primero el archivo tar por medio del comando `gunzip mi_tar.tar`.

ELIMINACIÓN DE ARCHIVOS PRESENTES EN ARCHIVOS `tar`

Para eliminar un archivo presente en un archivo `tar` se debe utilizar la opción `--delete` (con los dos guiones adelante y la palabra completa, cosa que nadie pueda alegar que se equivocó al tipearla) y especificar a continuación el nombre de los archivos que se desea eliminar. Lo mismo que con la opción u de actualización, uno no puede eliminar archivos presentes en un archivo `tar` comprimido.

Ejemplo

Este ejemplo elimina `pnp.conf` y `host.conf` del archivo `tar` creado en ejemplos anteriores.

```
$ tar --delete -f=mi_tar.tar pnp.conf host.conf
```

Obsérvese que la operación de eliminación de archivos, tal como se comentó anteriormente, no posee una opción de una sola letra; uno *debe* utilizar `--delete`.

Empleo del comando install

El comando `install` es una especie de comando `cp` potenciado. Además de copiar archivos, `install` establece sus permisos y, si resulta posible, sus propietarios grupos. Puede también crear directorios de destino si éstos ya no existieran, tal como lo hace el comando xcopy de DOS.

Invocación de install

install se utiliza normalmente en makefiles como parte de una regla que se establece para un target denominado (algo así como) install. Puede ser empleado también en "scripts" de interfaz. La sintaxis del comando install es la siguiente:

```
$ install [opcion[...]] fuente[...] destino
```

donde fuente consiste en uno o más archivos a ser copiados y destino es, ya sea el nombre de un archivo target o, si en fuente se especifican varios archivos, un directorio. opcion puede ser uno o más de los valores listados en la tabla 21.2.

Tabla 21.2. *Opciones de línea de comando de install.*

Opción	Argumento	Descripción
-g	group	Asigna como grupo propietario de los archivos al GID o nombre de grupo especificado en group. El GID predeterminado es el del proceso padre que llama a install.
-o	owner	Asigna como usuario propietario de los archivos al UID o nombre de usuario especificado en owner. El propietario predeterminado es root.
-m	mode	Establece el modo de los archivos (sus permisos de acceso) de acuerdo al valor octal o simbólico especificado in mode. El modo de archivo predeterminado es 755, es decir lectura/escritura/ejecución, para el propietario y lectura/ejecución para el grupo y el resto de los usuarios.

Para especificar destino como directorio se debe emplear la sintaxis siguiente:

```
$ install -d [opcion [...]] dir[...]
```

El switch -d le indica a install que cree el directorio did, incluyendo cualquier directorio padre presente, y le asigne al mismo alguno de los atributos listados en la tabla 21.2 o en su defecto los atributos predeterminados.

Ejemplos

1. Este ejemplo está tomado del makefile de gdbm, la biblioteca de base de datos de GNU. Luego de expandir algunas de las variables de make, el target install es:

```
install: libgdbm.a gdbm.h gdbm.info
install -c -m 644 libgdbm.a $(libdir)/libgdbm.a
install -c -m 644 gdbm.h $(includedir)/gdbm.h
install -c -m 644 $(srcdir)/gdbm.info $(infodir)/gdbm.info
```

Las variables de make libdir, includedir, srcdir y infodir son, respectivamente, /usr/lib, /usr/include, /usr/src/build/info y /usr/info. De modo que libgdbm.a y gdbm.h serán de lectura/escritura para el usuario root y de sólo lectura para todos los demás usuarios. El archivo libgdbm.a es copiado a /usr/lib; a su vez gdbm.h, el archivo de encabezado, termina en /usr/include. El archivo deTexinfo, gdbm.info, es copiado desde /usr/src/build/info to /usr/info/gdbm.info. El comando install sobrescribe los archivos existentes del mismo nombre que encuentre en su camino. La opción `-c` se incluye por razones de compatibilidad con versiones anteriores de `install` en otras versiones de UNIX. El lector debería incluir esta opción en la línea de comandos pero, en la mayoría de los casos, la misma será ignorada.

2. Este ejemplo crea un conjunto de directorios debajo de `/tmp` y asigna algunos modos extraños a los archivos que copia `install`. A menos que el lector tenga permisos no habituales sobre `/tmp`, este programa debería ejecutarse sin mayores problemas. El escrito utiliza algunos de los archivos de la distribución de fuente `fileutils` presente en el sitio Web perteneciente a este libro. Si así lo prefiere, elimine todo el directorio `/tmp/lpe-install` después de haberse completado el programa y se hayan inspeccionado los archivos que fueron almacenados en el mismo.

```
/* Nombre del archivo en Internet: lpe-install.sh. */
#!/bin/sh
# lpe-install.sh - Demonstrate (perverse) install usage
# ######################################################
INSTALL=$(which install)
LPE=/tmp/lpe-install
SRC=./src

for DIR in 10 20 30
do
    $INSTALL -c -d -o $USER $LPE/$DIR
    $INSTALL -c -m 111 -o $USER $SRC/*.c $LPE/$DIR
done
if [ $USER = root ]; then
    for GRP in $(cut -f1 -d: /etc/group)
    do
        $INSTALL -c -d -o $USER -g $GRP $LPE/$GRP
        $INSTALL -c -m 400 -g $GRP *.po $LPE/$GRP
    done
    echo "¡Esta seccion no funcionara si quien la corre no es usuario root!"
fi
```

SALIDA

```
$ ./lpe-install.sh
¡Esta seccion no funcionara si quien la corre no es usuario root!
$ ls -l /tmp/lpe-install/10
total 388
d rwx r-x r-x  2 kurt_wall   users    1024 Jul 20 04:14 ./
d rwx r-x r-x  5 kurt_wall   users    1024 Jul 20 04:14 ../
-  —x  —x  —x  1 kurt_wall   users   15723 Jul 20 04:14 ansi2knr.c*
-  —x  —x  —x  1 kurt_wall   users   10045 Jul 20 04:14 chgrp.c*
-  —x  —x  —x  1 kurt_wall   users    9522 Jul 20 04:14 chmod.c*
-  —x  —x  —x  1 kurt_wall   users   11121 Jul 20 04:14 chown.c*
```

```
-  —x   —x   —x   1 kurt_wall   users        24645 Jul 20 04:14 copy.c*
-  —x   —x   —x   1 kurt_wall   users         6354 Jul 20 04:14 cp-hash.c*
-  —x   —x   —x   1 kurt_wall   users        21121 Jul 20 04:14 cp.c*
-  —x   —x   —x   1 kurt_wall   users        30694 Jul 20 04:14 dd.c*
-  —x   —x   —x   1 kurt_wall   users        20320 Jul 20 04:14 face*
...
$ su -
Password:
# cd /home/kurt_wall/projects/lpe/21/src
# ./lpe-install.sh
# ls -l /tmp/lpe-install
...
d rwx r-x r-x  2 root     xfs            1024 Jul 20 04:21 xfs
# ls -l /tmp/lpe-install/xfs
total 1002
-  r—   —-  —-   1 root     xfs           67312 Jul 20 04:21 cs.po
-  r—   —-  —-   1 root     xfs           75552 Jul 20 04:21 de.po
-  r—   —-  —-   1 root     xfs           74117 Jul 20 04:21 el.po
-  r—   —-  —-   1 root     xfs           99148 Jul 20 04:21 es.po
-  r—   —-  —-   1 root     xfs           77667 Jul 20 04:21 fr.po
-  r—   —-  —-   1 root     xfs           65223 Jul 20 04:21 ko.po
-  r—   —-  —-   1 root     xfs           70329 Jul 20 04:21 nl.po
-  r—   —-  —-   1 root     xfs           67108 Jul 20 04:21 no.po
-  r—   —-  —-   1 root     xfs           67227 Jul 20 04:21 pl.po
-  r—   —-  —-   1 root     xfs           70748 Jul 20 04:21 pt.po
-  r—   —-  —-   1 root     xfs           68834 Jul 20 04:21 ru.po
-  r—   —-  —-   1 root     xfs           68908 Jul 20 04:21 sk.po
-  r—   —-  —-   1 root     xfs           65714 Jul 20 04:21 sl.po
-  r—   —-  —-   1 root     xfs           66882 Jul 20 04:21 sv.po
```

El interés aquí se halla en el comportamiento de `install`, de modo que no pierda su tiempo tratando de comprender la sintaxis de la interfaz. Observe, sin embargo, que el segundo bloque de código fracasará si no es corrido por el usuario root. El primer bloque de código crea tres directorios asentados en `/tmp`: `/tmp/lpe-install/10`, `/tmp/lpe-install/20`, y `/tmp/lpe-install/30`, y copia todos los archivos de código fuente C desde el subdirectorio `src` (*fuente*) del directorio corriente de trabajo a cada uno de los tres subdirectorios. La opción `-o` asigna la propiedad de los usuarios sobre los archivos, que en este caso son repetitivas porque el propietario predeterminado es el usuario que ejecuta el escrito.

El segundo bloque de código crea un conjunto de directorios cuyos nombres corresponden a cada uno de los grupos definidos en su sistema. Cada directorio es propiedad del usuario predeterminado, pero las propiedades asignadas a los grupos son las mismas que el nombre del directorio. Todos los archivos que terminan en `.po` son copiados desde `src` al directorio apropiado, estableciendo nuevamente el grupo propietario según el nombre del directorio y haciendo que los archivos sean sólo de lectura para el propietario/usuario. Ningún otro propietario o grupo tienen algún tipo de privilegio sobre estos archivos.

Este empleo de `install` es extraño, y los modos de archivo, tal como lo muestra el listado, son inusuales, pero el ejemplo ilustra adecuadamente la razón por la cual `install` es un mejor comando que `cp` y cómo se lo debe utilizar.

Empleo de RPM

El software administrador de Red Hat, RPM, es un sistema de empaque de software abierto, general y potente, utilizado por muchas distribuciones de Linux, incluyendo (entre otras) al OpenLinux de Caldera, el S.u.S.E. y, por supuesto, la distribución de Linux de Red Hat. Se lo emplea con mayor frecuencia para Linux, Pero existen versiones disponibles del sistema para varios sistemas operativos afines a UNIX, incluyendo a Solaris, SunOS, HP-UX, SCO, AIX y el Digital UNIX.

El tratamiento que se brinda del RPM en este capítulo se concentra en la creación de paquetes de código fuente. Si el lector se encuentra interesado en cuestiones más triviales tales como por ejemplo instalar, actualizar y eliminar paquetes de RPM, lea el excelente libro de Ed Bailey *Maximum RPM.* Puede también dirigir su navegador hacia el sitio Web `http://www.rpm.org/`, desde donde podrá descargar la última versión de RPM, obtener documentación completa, FAQs y HOWTOs, y hasta descargar una versión digital de dicho libro.

NOTA

Se recomienda enfáticamente adquirir Maximum RPM y recompensar de esa manera tanto al autor como al editor por hacerlo disponible sin cargo. El lector encontrará asimismo que disponer de una copia impresa del libro es mejor que tener que referirse a una versión electrónica.

Requerimientos mínimos

Para crear una RPM el lector necesitará disponer antes que nada del propio RPM, luego del código fuente que desea preparar para ser distribuido, un archivo `rpmrc` en el cual establecer algunas opciones predeterminadas de RPM que controlan su comportamiento, y un archivo de especificaciones para controlar el proceso de construcción del paquete de software. Deberá también contar ya con un entorno de desarrollo plenamente funcional (compiladores, herramientas, editores, bocaditos y gaseosas, café y todo lo demás que necesite para sentirse cómodo), y además su código fuente debe haber podido ser compilado sin problemas.

Antes de continuar, sin embargo, resulta esencial poder transmitir la filosofía a la que responde RPM. Éste siempre debe comenzar con fuentes prístinas. *Prístina,* en este contexto, significa código original, sin ningún parche, tal como provino de quien lo desarrolló. RPM se halla diseñado para permitirle al usuario aplicarle parches al código fuente original. Esta prestación le permite a uno utilizar RPM para personalizar el software a un sistema específico o corregir los errores cuya solución conozca.

El énfasis sobre fuentes sin modificar permite que usted o sus usuarios siempre puedan comenzar una construcción desde una base conocida y personalizarla luego para hacerla adaptar a determinadas circunstancias. Como desarrollador de software, esto le brinda considerable flexibilidad con respecto a la creación de software útil y confiable y además un valioso nivel de control sobre la manera en que su software resulta finalmente compilado e instalado.

Todo esto se puede condensar en dos simples reglas:

1. Siempre comience creando un RPM con archivos de código fuente sin modificar.
2. Aplique parches donde sea necesario para adaptarlo al entorno en que se empleará.

Creación de un paquete RPM

La primera creación que se lleve a cabo de un paquete RPM puede resultar algo desalentadora. Afortunadamente, la mayoría del trabajo a realizar salta a la vista. La parte más importante de la creación de un paquete RPM, la generación de un archivo de especificación, debe ser efectuada una sola vez. Después que haya sido creado el archivo de especificación, uno pasa la mayor parte del tiempo haciendo lo que quiere hacer, mantener el programa. Sólo resultan necesarias pequeñas modificaciones al archivo de especificación.

CONFIGURACIÓN DE UN RPM

El archivo `rpmrc` controla casi todos los elementos que determinan el comportamiento de un paquete RPM. Su administrador de sistemas puede disponer de un archivo rpmrc global en `/etc`. Si usted quisiera alterar uno o más de las configuraciones globales del archivo, cree un `~/.rpmrc` que contenga sus configuraciones preferidas. Antes de comenzar, sin embargo, tal vez desee ver la configuración corriente del RPM. Esto se puede lograr empleando el comando `rpm —showrc`.

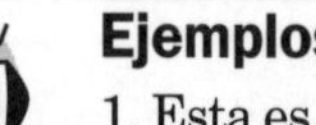

Ejemplos

1. Esta es la configuración predeterminada de RPM versión 3.0.2 en Red Hat 6.0:

```
$rpm —showrc
ARCHITECTURE AND OS:
build arch             : i386
compatible build archs: i686 i586 i486 i386 noarch
build os               : Linux
compatible build os's : Linux
install arch           : i686
install os             : Linux
compatible archs       : i686 i586 i486 i386 noarch
compatible os's        : Linux
RPMRC VALUES:
macrofiles             : /usr/lib/rpm/macros
➥:/usr/lib/rpm/i686-linux/macros:/etc/rpm/macros
➥:/etc/ rpm/i686-linux/macros:~/.rpmmacros
```

```
optflags              : -O2
========================
-14: GNUconfigure(MC:)
  %{__libtoolize} —copy —force
  %{__aclocal}
  %{__autoheader}
  %{__automake}
  %{__autoconf}
  %{-C:_mydir="`pwd`"; %{-M:%{__mkdir} -p %{-C*};} cd %{-C*};}
...
```

Su sistema puede llegar a tener configuraciones ligeramente diferentes. Tal como se puede apreciar, la salida está dividida en dos secciones: arquitectura y configuraciones de sistema operativo, las cuales definen el entorno de construcción e instalación; y valores de `rpmrc`, que controlan el comportamiento de RPM. El archivo de configuración global, `/etc/rpmrc`, debería ser empleado para establecer configuraciones a nivel de sistema. El archivo local, `$HOME/.rpmrc`, contiene valores específicos al usuario que construye un RPM. En la mayoría de los casos, son pocos los valores del archivo `rpmrc` que requieren cambios.

CONSEJO

El valor más común que se cambia en `$HOME/.rpmrc` es el nombre del empaquetador. Sin embargo, como uno puede también hacer eso directamente en el archivo de especificación, no tiene mucho sentido hacerlo aquí. El problema de utilizar un archivo `.rpmrc` personalizado es que uno puede olvidarse de lo que contiene y propagar así información incorrecta sobre construcción del ejecutable a la gente que emplee su RPM. Resulta más conveniente atenerse en `/etc/rpmrc` a las especificaciones globales.

LA ESTRUCTURA DE UN ARCHIVO DE ESPECIFICACIÓN

El archivo de especificación, después del código fuente en sí, constituye el elemento más importante de un RPM porque el mismo define qué es lo que se va a construir, cómo construirlo, dónde instalarlo y los archivos que contiene el paquete. El nombre de cada archivo de especificación que uno crea debería ser asignado de acuerdo con la convención estándar sobre nombres, `pkgname-version-release.spec`, donde pkgname es el nombre del paquete, version es el número de versión, típicamente en formato `x.y.z`, y `release` es el número de edición de la versión corriente.

Por ejemplo, el nombre `ncurses-4.2-18.spec` se puede desglosar en versión 4.2, edición número 18, lo que indica que ésta es la edición o "lanzamiento" número dieciocho de la versión 4.2 de ncurses. Los números de edición son empleados por los productores de software para indicar cuántas veces han construido un paquete específico. Los números de versión, a su vez, son establecidos por el encargado del mantenimiento del paquete. Cada archivo de especificación consta de ocho secciones:

- Encabezado: la sección encabezado contiene información retornada por las interrogaciones del RPM, tales como su descripción, versión, ubicación del código fuente, nombres y ubicaciones de los parches y el nombre de un archivo con íconos.
- Preparación: la sección de preparación consiste de todas las preparaciones previas que tengan que tener lugar antes de que pueda comenzar el proceso efectivo de construcción del ejecutable. Generalmente, esto está limitado al desempaque del código fuente y a la aplicación de cualquier parche que pueda existir.
- Construcción: tal como sería de esperar, la sección sobre construcción lista los comandos necesarios para compilar el software. En la mayoría de los casos, este es un solo comando `make`, pero puede ser tan complejo como uno lo desee.
- Instalación: otra vez, el nombre de la sección habla por sí mismo. La sección de instalación lista el nombre del comando, tal como por ejemplo `make install`, o el nombre del *"script"* de interfaz que lleva a cabo la instalación del software luego que sea completada exitosamente la construcción.
- Escritos de instalación/desinstalación: estos escritos, que son opcionales, son corridos en el sistema del usuario cuando el paquete es instalado o eliminado.
- Escrito de verificación: habitualmente, las rutinas de verificación de RPM son suficientes, pero si ninguna de ellas satisface sus necesidades, esta sección lista todos los comandos o escritos de interfaz que compensan las limitaciones de RPM.
- Prolijamiento: esta sección administra todo prolijamiento post-construcción que deba ser realizado, pero raramente resulta necesaria porque RPM realiza un excelente trabajo de limpieza luego de haber concluido.
- Lista de archivos: componente esencial de la instalación (un RPM no se puede construir sin dicha lista), esta sección contiene una lista de los archivos que forman su paquete, establece sus atributos de archivo e identifica los archivos de configuración y de documentación.

ANÁLISIS DE UN ARCHIVO DE ESPECIFICACIÓN

El siguiente archivo de especificación está tomado del paquete de distribución de software xearth que viene con Red Hat 6.0, `/usr/src/redhat/SPECS/xearth.spec`. La primera parte del archivo de especificación es el encabezado:

```
Summary: An X display of the Earth from space.
Name: xearth
Version: 1.0
Release: 12
Copyright: MIT
Group: Amusements/Graphics
Source: ftp://cag.lcs.mit.edu/pub/tuna/xearth-1.0.tar.gz
Patch: xearth-1.0-redhat.patch
BuildRoot: /var/tmp/xearth-root
```

```
%description
Xearth is an X Window System based graphic that shows a globe of the
➥Earth, including markers for major cities and Red Hat Software.  The
➥Earth is correctly shaded for the current position of the sun, and the
➥displayed image is updated every five minutes.
```

Éste es el final de la sección de encabezado. Tal como se puede apreciar se provee muchísima información, la cual puede ser obtenida desde la base de datos de RPM empleando las potentes capacidades de interrogación de RPM. Tanto la información sobre el nombre como la de los números de versión y edición afectan de manera directa el proceso de construcción.

La siguiente sección de un archivo de especificación es la de preparación. La misma define los pasos necesarios para preparar el paquete a ser construido:

```
%prep
%setup -q
%patch -p0
```

La sección de preparación es bastante simple: la misma aplica un parche, en este caso `/usr/src/redhat/SOURCES/xearth-1.0-redhat.patch`, al código fuente virginal. Eso es todo.

Bueno, la situación es realmente un poco más compleja. La línea `%setup` es un macro de RPM. El mismo lleva a cabo varias tareas, en este caso, efectuar un `cd` al directorio `BUILD`, eliminar los remanentes de previos intentos de construcción (si es que los hubo), descomprimir y extraer el código fuente, que es un archivo `tar` zipeado, `/usr/src/_redhat/SOURCES/xearth-1.0.tar.gz`, efectuar otro cd del directorio extraído y modificar recursivamente las propiedades y los permisos en el directorio extraído y sus correspondientes archivos. Esta es la manera más simple en que puede ser utilizado el macro `%setup`. El mismo acepta una diversidad de argumentos que modifican su comportamiento, aunque en la mayoría de los casos el comportamiento predeterminado es lo que se desea y todo lo que se necesita.

Luego de la sección sobre preparación viene la sección de construcción. La misma detalla cómo construir el paquete de software:

```
%build
xmkmf
make
```

La sección de construcción es relativamente directa. En efecto, los dos comandos son un escrito transferido desde `/bin/sh` para construir el paquete. RPM verifica los códigos retornados para cada paso, abortando la construcción con un mensaje informativo si ocurre algún error.

Después de haber construido el paquete, el lector probablemente quiera instalarlo. La sección sobre instalación provee la información que se requiere para llevar a cabo la misma.

```
%install
rm -rf $RPM_BUILD_ROOT
mkdir -p $RPM_BUILD_ROOT/etc/X11/wmconfig
make DESTDIR=$RPM_BUILD_ROOT install install.man
cat > $RPM_BUILD_ROOT/etc/X11/wmconfig/xearth <<EOF
xearth name "xearth"
xearth description "xearth"
xearth group Amusements
xearth exec "xearth -fork"
EOF
```

Tal como sucede con las secciones de preparación y construcción, RPM transfiere cada línea de la sección instalación a `/bin/sh` para que sea ejecutada como un escrito. El paquete `xearth` de Red Hat contiene targets tanto estándar como para make, así como también `install`, `install.man`, y código personalizado de interfaz que toma a su cargo los detalles que sean específicos de esa instalación en particular.

Después que un paquete de software haya sido construido e instalado exitosamente, RPM eliminará los archivos temporarios y demás elementos transitorios generados por los procesos de construcción e instalación. De esta tarea se hace cargo la sección de prolijamiento.

```
%clean
rm -rf $RPM_BUILD_ROOT
```

Dicho de manera más precisa, la sección de prolijamiento se asegura que el directorio de construcción creado por `xearth` sea totalmente eliminado, lo que sugiere la presencia de un problema con el archivo de especificación (con sus comandos, en realidad) en caso de que hayan surgido problemas. Habitualmente no se requerirá del empleo de esta sección si uno se atiene a los procederes predeterminados de RPM.

La siguiente sección es la de archivos:

```
%files
%defattr(-,root,root)
/usr/X11R6/bin/xearth
/usr/X11R6/man/man1/xearth.1x
%config /etc/X11/wmconfig/xearth
```

Tal como se hizo notar previamente, la sección de archivos consiste de la lista de los archivos que constituyen el paquete. Si algún archivo no estuviera presente en esta lista, el mismo no se halla incluido en el paquete. Sin embargo, debe de todos modos crear la lista de archivos uno mismo. A pesar del poder de RPM, éste no puede leer su mente y crear la lista de archivos. La manera más sencilla de crear la lista es utilizar los archivos que genera su `makefile` y agregar a esa lista todo archivo de documentación o configuración que sea requerido.

Construcción efectiva del paquete RPM

Cuando queda creado el archivo de especificaciones, uno está en condiciones de construir el paquete. Si el lector confía en que el contenido del archivo de especificaciones es correcto, simplemente cambia al directorio que contenga el archivo de especificaciones y emita el comando `rpm -ba`, algo así como "construya todo lo que haya".

EJEMPLO

Ejemplo

El siguiente comando construye tanto el RPM binario como el RPM de código fuente de `xearth`:

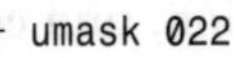

SALIDA

```
$ cd /usr/src/redhat/SPECS
$ rpm -ba xearth-1.0-12.spec
+ umask 022
+ cd Patch #0:
Executing: %build
imake -DUseInstalled -I/usr/X11R6/lib/X11/config
gcc -O2 -fno-strength-reduce -I/usr/X11R6/include
➥ -Dlinux -D__i386__ -D_POSIX_C_SOURCE=199309L
➥-D_POSIX_SOURCE -D_XOPEN_SOURCE=500L -D_BSD_SOURCE
➥-D_SVID_SOURCE   -DFUNCPROTO=15 -DNARROWPROTO
➥-c xearth.c -o xearth.o
...
Processing files: xearth
Finding provides...
Finding requires...
Requires: ld-linux.so.2 libICE.so.6 libSM.so.6
➥libX11.so.6 libXext.so.6 libXt.so.6 libc.so.6
➥libm.so.6 libc.so.6(GLIBC_2.0) libc.so.6(GLIBC_2.1)
➥libm.so.6(GLIBC_2.1)
Wrote: /usr/src/redhat/SRPMS/xearth-1.0-12.src.rpm
Wrote: /usr/src/redhat/RPMS/i386/xearth-1.0-12.i386.rpm
Executing: %clean
```

El listado se encuentra abreviado debido a la extensión de la salida generada.

Si todo anda bien, uno terminará con un paquete binario, `/usr/src/redhat/RPMS/i386/xearth-1.0-12.i386.rpm`, y un nuevo RPM fuente, `/usr/src/redhat/RPMS/i386/xearth-1.0-12.src.rpm`. A llegar aquí, copie el paquete binario a otra computadora (que equivaldría al equipo del usuario), instálelo y compruébelo. Si el paquete se instala y corre adecuadamente, cargue el paquete RPM a su repositorio de software habitual, y el mismo se encontrará en condiciones de ser descargado por los usuarios.

Si, por el contrario, se presenta algún problema, el comando `build` de RPM acepta varias opciones que le permiten a uno recorrer paso a paso el proceso de construcción a fin de identificar y, en principio, solucionar los problemas. El siguiente listado contiene breves descripciones de las opciones disponibles:

- `-bp:` Valida la sección de preparación del archivo de especificaciones.
- `-bl.` Valida la lista de archivos presente en `%files`.
- `-bc:` Lleva a cabo una preparación y una compilación.
- `-bi:` Realiza una preparación, una compilación y una instalación.
- `-bb:` Efectúa una preparación, una compilación, una instalación y construye sólo un paquete binario.
- `—short-circuit:` Añada este argumento a la línea de comandos para encaminar la ejecución directamente al paso de construcción especificado (`p`, `l`, `c`, `i`, `b`).
- `—keep-temps:` Preserva los archivos temporarios y los *scripts* creados durante el proceso de construcción.
- `—test:` Realiza un simulacro de construcción a fin de mostrar qué es lo que se llevaría a cabo (también ejecuta `--keep-temps`).

Después de haber solucionado todos los errores, reconstruya el paquete utilizando la opción `-ba`, cargue su programa al repositorio, y dispóngase a esperar a que vayan apareciendo los errores.

Lo que viene

En este capítulo el lector aprendió dos maneras diferentes de distribuir software: empleando `tar`, `gzip` e `install`, y utilizando el administrador de paquetes de Red Hat. Esto lo conduce hasta el capítulo final del libro. En el mismo el lector ha aprendido cómo compilar programas, ha cubierto diversos temas referentes a programación, conocido numerosas interfaces de programación de aplicaciones y cubierto brevemente la inmensa cuestión de la programación para redes. Le han sido también presentadas algunas utilidades de programación esenciales, tales como RCS y `gdb`. Con el fin de reunir todo este material en una sola aplicación, el próximo capítulo lo conducirá a través de la construcción de una base de datos para CD de música.

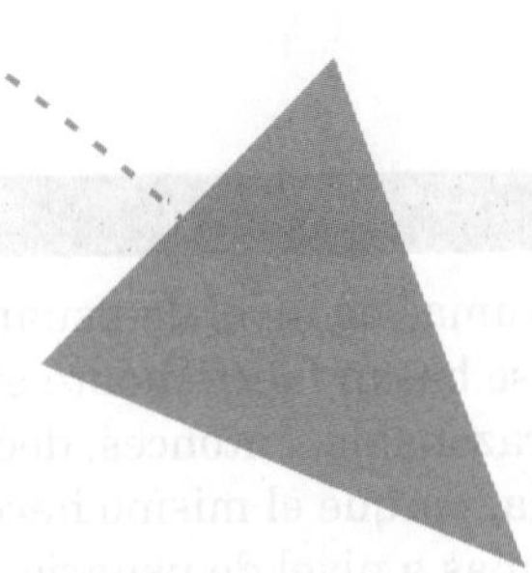

22

Proyecto de programación: una base de datos de CD de música

El capítulo 3, "Acerca del proyecto", le brindó al lector un somero recorrido del proyecto de programación que se completaría al final de este libro. Bueno, ya hemos arribado al mismo. Durante el transcurso de los veintiún capítulos anteriores el lector ha ido aprendiendo mucho sobre la programación en Linux, de modo que ya es tiempo de poner todo ese conocimiento a funcionar. Este capítulo lo conducirá a través de un pequeño programa, una base de datos de CD musicales, que hará tangible (o por lo menos tan tangible como lo pueda ser algo representado únicamente por unos y ceros) mucho de lo que se haya aprendido.

Este capítulo cubre los siguientes temas:

- El código fuente completo de los programas que integran la base de datos de CD musicales.
- Una explicación detallada de dichos programas, modulo por módulo.
- Sugerencias sobre cómo se pueden mejorar y extender estos programas.

Todos los programas de este capítulo pueden ser encontrados en el sitio Web `http://www.mcp.com/info` bajo el número de ISBN 0789722151.

El código, módulo por módulo

Tal como se lo mencionó en el capítulo 3, los programas de nivel de usuario, `cliente_cdm.c` e `interfaz_usuario_cdm.c`, se basan fuertemente en el módulo de ayuda `gestor_db_cdm.c`. Parecería razonable, entonces, dedicarle algún tiempo a examinar el módulo de ayuda, porque el mismo hace posible la funcionalidad de la mayoría de los programas a nivel de usuario. Yo denomino al mismo administrador de base de datos porque administra casi la totalidad de la interacción entre la base de datos y la API de base de datos Berkeley. El archivo de encabezado y el código fuente son los siguientes:

```
/* Nombre del programa en Internet: mcddb.h */
/*
 * gestor_db_cdm.h - Archivo de encabezado para el modulo de base de datos de CD
musicales
 */
#ifndef GESTOR_DB_CDM_H_
#define GESTOR_DB_CDM_H_
#include <db.h>
/*
 * Abrir la base de datos especificada en ruta_acceso_db, o, si esta es NULL,
considerar que
 * deseamos abrir cd_musica.db ubicada en el directorio corriente de trabajo.
Retornar 0 si
 * logramos abrirla, o errno o -1 en caso contrario.
 */
int abrir_db(char *ruta_acceso_db);
/*
 * Sincronizar y cerrar la base de datos  corrientemente abierta. Siempre
retornar 0.
 */
int cerrar_db(void);
/*
 * Añadir el registro cuya clave sea buf_clave y su valor buf_valor a la base de
 * datos corrientemente abierta. Retornar 0 si lo logramos o 1 si dicha clave
 * ya existe, y errno en todos los demas casos.
 */
int añadir_reg(char *buf_clave, char *buf_valor);
/*
 * Eliminar el registro cuya clave sea igual a buf_clave. Si lo logramos,
sincronizar la
 * base de datos con el disco (volcar a disco los registros presentes en la
memoria) y
 * retornar 0; si fracasamos, retornar 1 si no se encontro una clave igual al
valor de
 * buf_clave o errno en todos los demas casos.
 */
```

```
int eliminar_reg(char *buf_clave);
/*
 * Recorrer iterativamente la base de datos, buscando una clave cuyo valor sea
igual al de
 * buf_clave. Si tenemos exito, retornar 0 y almacenar los datos correspondientes
a buf_clave
 * in valor. Si fracasamos, retornar DB_NOTFOUND or errno.
 */
int buscar_reg(char *buf_clave, DBT *valor);

/*
 * Recuperar de la base de datos el registro cuya clave sea igual a la de
buf_clave.
 * Retornar 0 si tenemos exito y almacenar el correspondiente valor en la
variable valor,
 * retornar 1 if  la clave buscada no se encuentra, y errno en todos los demas
casos.
 */
int recuperar_reg(char *buf_clave, DBT *valor);

/*
 * Contar el numero de registros de la base de datos recorriendo la misma
 * con un cursor. Retornar el numero de registros si tenemos exitos o 0 si
 * la base de datos esta vacia o tiene lugar un error.
 */
int contar_regs(void);


/*
 * Recorrer toda la base de datos, listando cada registro de la misma
consecutivamente
 * y alfabeticamente por clave. Si tenemos exito retornar el numero de registros
almacenados
 * en buf_clave y buf_valor. Retornar 0 si no existen registros disponibles. Si
fracasamos,
 * retornar errno.
 */
int listar_regs(char **claves, char **valores);

#endif /* GESTOR_DB_CDM_H_ */
```

Las directivas condicionales `#ifndef`/`#endif` protegen el archivo de encabezado contra inclusiones múltiples de elementos iguales, lo que ocasionaría que `gcc` emitiera advertencias o errores sobre variables o funciones que están siendo redefinidas. El archivo de encabezado declara funciones para la apertura y el cierre de una base de datos y diversas funciones para acceder y manipular los registros de la misma.

Una limitación de esta interfaz, tal como se encuentra corrientemente definida, es que presupone accesos a una base de datos Berkeley DB. Las funciones buscar_reg y recuperar_reg esperan un puntero hacia una estructura de patrón DBT; esta dependencia puede ser resuelta haciendo que estos parámetros sean simples punteros a cadenas de caracteres.

A continuación, la implementación del administrador de la base de datos:

```
/* Nombre del programa en Internet: mcddb.c */
/*
 * gestor_db_cdm.c - Administrador de base de datos para la base de datos de CD
musicales
 */
#include <db.h>
#include <stdlib.h>
#include <stdio.h>
#include <string.h>
#include "gestor_db_cdm.h"

static DB *db;              /* Puntero global de base de datos */

int abrir_db(char *ruta_acceso_db)
{
    int valor_retornado;
    char *ruta_por_defecto = "./cd_musica.db";

    /* Si ruta_acceso_db es NULL, considerar que el directorio es el corriente.
*/
    / *Llamar a la base de datos de CD musicales cd_musica.db */
    if(!ruta_acceso_db) {
       if((ruta_acceso_db = malloc(strlen(ruta_por_defecto) + 1)) != NULL) {
           strcpy(ruta_acceso_db, ruta_por_defecto);
       } else {
           return -1;
       }
    }

    valor_retornado = db_open(ruta_acceso_db, DB_BTREE, DB_CREATE, 0600, NULL,
NULL, &db);
    if(valor_retornado != 0) {
    return valor_retornado; /* Error fatal */
    }
    return 0;
}
```

```
int cerrar_db(void)
{
    /* db->close deberia producir tambien una sincronizacion, pero por las dudas
. . . */
    db->sync(db, 0);
    db->close(db, 0);
    return 0;
}

int añadir_reg(char *buf_clave, char *buf_valor)
{
    DBT clave, valor;
    int valor_retornado;

    /* Inicializar las DBTs */
    memset(&clave, 0, sizeof(DBT));
    memset(&valor, 0, sizeof(DBT));

    /* Esto tiene un aspecto perverso, pero funciona */
    clave.data =  buf_clave;
    clave.size = strlen(buf_clave);
    valor.data =  buf_valor;
    valor.size = strlen(buf_valor);

    /* Almacenar el registro */
    valor_retornado = db->put(db, NULL, &clave, &valor, DB_NOOVERWRITE);
    if(valor_retornado == DB_KEYEXIST)      /* Clave ya existe */
    return 1;
    else if(valor_retornado != 0)        /* Ocurrio algun otro tipo de error */
    return valor_retornado;
    db->sync(db, 0);      /* Sincronizar la base de datos */
    return 0; /* ¡exito! */
}
```

```
int eliminar_reg(char *buf_clave)
{
    int valor_retornado;
    DBT clave;
    memset(&clave, 0, sizeof(DBT));
    clave.data =  buf_clave;
    clave.size = strlen(buf_clave);

    valor_retornado = db->eliminar_reg(db, NULL, &clave, 0);
    if(valor_retornado != 0) {
       if(valor_retornado == DB_NOTFOUND) { /* Clave no encontrada */
           return 1;
       } else {
           return valor_retornado;
          }
    }
    db->sync(db, 0);        /* Sincronizar la base de datos */
    return 0;
}

int buscar_reg(char *buf_clave, DBT *valor)
{
    int valor_retornado;
    DBT clave;                               /* Copiar aqui buf_clave */
    DBC *cursor_db = NULL;          /* Cursor (puntero) de la base de datos */

    /* Crear el cursor */
    valor_retornado = db->cursor(db, NULL, &cursor_db);
    if(valor_retornado != 0) {                  /* Algo anduvo mal */
    return valor_retornado;
    }

    /* Inicializar DBT clave; considerar que 'valor' ya se encuentra inicializado
*/
    memset(&clave, 0, sizeof(DBT));
    clave.data =  buf_clave;
    clave.size = strlen(buf_clave);

    /* Recorrer la base de datos buscando una coincidencia */
    while((valor_retornado = cursor_db->c_recuperar_reg(cursor_db, &clave, valor,
        DB_NEXT)) != DB_NOTFOUND) {
```

```
    /*
     * Esto es delicado. db no almacena cadenas terminadas en null (\0 o cero
binario),
     * de modo que utilice strncmp para limitar los bytes a comparar con la
longitud
     * de la cadena buscada.  Para asegurarse que la coincidencia sea legitima,
     * compare la longitud de la cadena buscada con clave.size. Si son
     * iguales, considere que la coincidencia es correcta.
     */
    if(!strncmp(clave.data, buf_clave, strlen(buf_clave))) {
        if(clave.size == strlen(buf_clave)) {       /* Coincidencia encontrada */
           break;
           }
        }
    }
    /* ¿Seguimos de largo o encontramos una coincidencia? */
    if(valor_retornado == DB_NOTFOUND) {
    return 1;
    }
    return 0;               /* Lo logramos */
}
int recuperar_reg(char *buf_clave, DBT *valor)
{
    int valor_retornado;
    DBT clave;
    /* Inicializar la clave DBT; considerar que valor ya */
    /* ha sido inicializado por quien efectuo la llamada */
    memset(&clave, 0, sizeof(DBT));
    clave.data = buf_clave;
    clave.size = strlen(buf_clave);
    /* Ver si podemos obtener el registro */
    valor_retornado = db->recuperar_reg(db, NULL, &clave, valor, 0);
    switch(valor_retornado) {
    case 0:             /* Ojala */
    return 0;
    case DB_NOTFOUND:         /* Clave no encontrada */
    return 1;
    default:              /* Error no previsto */
    return valor_retornado;
    } /* end switch */
}
```

```
int contar_regs(void) {
    int valor_retornado, contador = 0;
    DBT clave, valor;
    DBC *cursor_db = NULL;

    /* Crear el cursor */
    valor_retornado = db->cursor(db, NULL, &cursor_db);
    if(valor_retornado != 0)
    return valor_retornado;

    /* Inicializar las DBTs */
    memset(&clave, 0, sizeof(DBT));
    memset(&valor, 0, sizeof(DBT));

    while((cursor_db->c_recuperar_reg(cursor_db, &clave, &valor, DB_NEXT)) !=
DB_NOTFOUND) {
    ++contador;
    }
    return contador;
}

int listar_regs(char **claves, char **valores)
{
    int valor_retornado, contador = 0;
    DBT clave, valor;
    DBC *cursor_db = NULL;      /* Cursor de la base de datos */

    /* Crear el cursor */
    valor_retornado = db->cursor(db, NULL, &cursor_db);
    if(valor_retornado != 0) {
    fprintf(stderr, "gestor_db_cdm.c: db->cursor: %s\n", strerror(valor_retornado));
    return 0;
    }

    /* Inicializar las DBTs */
    memset(&clave, 0, sizeof(DBT));
    memset(&valor, 0, sizeof(DBT));
```

```
    /* Desplazarse secuencialmente por la base de datos */
    while((cursor_db->c_recuperar_reg(cursor_db, &clave, &valor, DB_NEXT)) !=
DB_NOTFOUND) {
    db->recuperar_reg(db, NULL, &clave, &valor, DB_DBT_MALLOC);
    memcpy(claves[contador], clave.data, clave.size);
    memcpy(valores[contador], valor.data, valor.size);
        ++contador;
    }
    return contador;
}
```

Este código define la interfaz de base de datos declarada en `gestor_db_cdm.h`. En general, todas las funciones retornan `0` si tienen éxito, un valor entero positivo si tuvo lugar algún tipo de error, o un valor entero negativo (habitualmente `-1`) si ocurrió algún otro tipo de error ajeno al sistema. Las excepciones a esta regla serán informadas.

`abrir_db` abre la base de datos especificada en `ruta_acceso_db`. Si `ruta_acceso_db` es `NULL`, se abre una base de datos predeterminada denominada `cd_musica.db` en el directorio corriente de trabajo. El indicador `DB_CREATE` hace que se cree la base de datos si ésta ya no existiera. Además, la base de datos no se configura para administrar claves duplicadas.

`cerrar_db` cierra la base de datos. Como lo informa el correspondiente comentario, la función `db->close` debería obligar a la base de datos a descargar cualquier dato que mantuviese en memoria hacia el archivo de disco, pero para que estemos seguros de ello `cerrar_db` llama explícitamente a `db->sync` por las dudas. De hecho, como medida de precaución, las dos funciones que verdaderamente modifican los datos de la base de datos, `añadir_reg` y `eliminar_reg`, también llaman a db->sync.

La función `añadir_reg` emplea el indicador `DB_NOOVERWRITE` para prevenir que se sobrescriba un par clave/valor existente. Como resultado de ello, para modificar un registro existente de la base de datos, uno tendría primero que eliminar dicho registro, y luego volverlo a agregar después de efectuarle las modificaciones que fuesen necesarias. Una función que actualizara un registro existente sería una excelente adición a esta interfaz de base de datos.

A pesar de su aparente similitud, `buscar_reg` y `recuperar_reg` son sumamente diferentes. recuperar_reg busca un registro que tenga una clave específica. `buscar_reg`, a su vez, es una función de interrogación. Recorre toda la base de datos para constatar que una clave determinada exista. Es decir, mientras que `recuperar_reg` da por sentado que la clave existe y simplemente recupera el valor correspondiente, `buscar_reg` averigua si existe la clave y retorna el correspondiente valor. `buscar_reg` debe realizar trabajo adicional luego de que se encuentre una posible coincidencia.

La función `strcmp` opera solamente sobre cadenas terminadas en un cero binario (`\0`), pero los valores almacenados en la base de datos no están terminados en un cero binario. Debido a ello, `buscar_reg` utiliza `strncmp` a fin de limitar los caracteres que se comparan. Después de que se encuentra una posible coincidencia, el paso siguiente consiste en comparar la longitud de la cadena de búsqueda con la longitud de los datos presentes en la base de datos, que se encuentra almacenada en el miembro `size` de la estructura de patrón `DBT`. Si estos dos valores son iguales, `buscar_reg` considera que la clave constituye una coincidencia válida.

`contar_regs` simplemente recorre la base de datos e incrementa un contador por cada registro que va encontrando. Es una de las funciones que retorna un entero positivo y distinto de cero cuando tiene éxito. La API de la Berkeley `DB` no mantiene un registro de cuántos registros existen en una base de datos de árbol binario (*B-tree*). `contar_regs` hace mucho más sencillo implementar la función `listar_regs`, porque le permite a uno crear una tabla que contiene el número correcto de punteros a pares clave/valor. Después que han sido creados los punteros de esta tabla, resulta muy sencillo inicializar cada par clave/valor adecuadamente.

Debe mencionarse también el indicador `DB_DBT_MALLOC` que se le transfiere a `db->recuperar_reg`. Normalmente, cuando uno llama a `db->recuperar_reg`, la memoria a la cual apuntan `&clave` y `&valor` es válida hasta la siguiente llamada a cualquier función de Berkeley `DB` que emplee el handle `db`. `DB_DBT_MALLOC`, sin embargo, modifica este comportamiento. Cuando se le transfiere este indicador a `db->recuperar_reg` y `cursor_db->c_get` (la función para el cursor), Berkeley `db` asigna memoria para clave y valor de manera que el almacenamiento de las mismas sea permanente. Por lo tanto, liberar esta memoria mediante una llamada a la función `free` pasa a ser responsabilidad del programador de la aplicación.

`listar_regs` necesita de esta funcionalidad porque, sin `DB_DBT_MALLOC`, el almacenamiento asociado con clave y valor desaparecería después de que terminase la función porque ambas son variables automáticas que dejan de ser visibles (quedan fuera de alcance) cuando termina la función. `listar_regs`, lo mismo que `contar_regs`, retorna cuando tiene éxito un valor entero positivo y distinto de cero.

```
/* Nombre del programa en Internet: mcdutil.h */
/*
 * utilidades_db_cdm.h - Utility functions for music CD database program,
 */
#ifndef UTILIDADES_DB_CDM_H_ /* Proteccion contra multiple inclusion de elementos
iguales */
#define UTILIDADES_DB_CDM_H_

/*
 * Obtener una cadena para asignar a una 'clave' o a un 'valor'
 */
int db_cdm_getstr(char buf[], int longitud);

#endif /* UTILIDADES_DB_CDM_H_ */
```

Este segmento de programa declara una sencilla función para obtener una cadena de caracteres ingresada por el usuario. La definición de la misma se encuentra en `utilidades_db_cdm.c`:

```
/* Nombre del programa en Internet: mcdutil.c */
/*
 * utilidades_db_cdm.c - Funciones utilitarias del programa de base de datos de
CD de musica
 */
```

```
#include <string.h>
#include <stdio.h>
#include <stdlib.h>
#include "utilidades_db_cdm.h"

#define TAMAÑO_BUF 1024

int db_cdm_getstr(char buf[], int longitud)
{
    int c, i = 0;

    while((c = getchar()) != '\n' && i < longitud) {
    buf[i] = c;
    ++i;
    }
    buf[i] = '\0';
    return i;
}
```

En este fragmento de código no sucede nada extraordinario. Yo prefiero redactar mis propias funciones de lectura de caracteres desde el teclado porque el hacerlo me brinda mucho mayor control sobre la manera de procesar la entrada de datos. Por ejemplo, funciones personalizadas de ingreso de datos tales como `db_cdm_getstr` pueden ser sencillamente modificadas para hacerlas rechazar datos inválidos o transformar los datos válidos a un formato que pueda procesar su aplicación. A continuación el programa cliente, `cliente_cdm.c`.

CONSEJO

Las funciones personalizadas de ingreso de datos son candidatas perfectas para ser incluidas en bibliotecas de programación para que puedan ser reutilizadas en diversos proyectos.

✔ La creación de bibliotecas de programación se trata en detalle en el capítulo 14, "Creación y utilización de bibliotecas de programación."

```
/* Nombre del programa en Internet: mcdcli.c */
/*
 * cliente_cdm.c - Controlador para base de datos de CD musicales ejecutable
 * desde linea de comandos.  Adecuado para utilizar en scripts de interfaz.
 */
#include <stdlib.h>          /* Para 'exit' */
#include <unistd.h>
#include <getopt.h>          /* Para 'getopt' */
```

```
#include <string.h>           /* Para 'memcpy' en glibc 2.1.1 */
#include "gestor_db_cdm.h"       /* Administracion de base de datos */

#define TAMAÑO_BUF 1024

void modo_de_empleo(void);

int main(int argc, char **argv)
{
     int valor_retornado, opcion, contador, i;
     extern char *optarg;   /* De <getopt.h> */
     extern int optind;         /* De <getopt.h> */
     DBT valor;
     char **claves, **valores;

     if(argc < 2 || argc > 4) {
     modo_de_empleo();
     }

     opcion = getopt(argc, argv, "a:e:b:r:l");
     if(abrir_db(NULL) == 1) {         /* Abrir la base de datos */
     puts("Error al abrir la base de datos");
     }

     switch(opcion) {
     case 'a':             /* Añadir un registro */
     /* Pero no añadir un registro vacio o una clave de longitud cero */
     if(argc == 4 &&
        (optarg != NULL) &&
        (strlen(optarg) >= 1) &&
        (argv[optind] != NULL)) {
         valor_retornado = añadir_reg(optarg, argv[optind]);
         if(valor_retornado == 1) {
         printf("Clave `%s' existe\n", optarg);
         exit(EXIT_FAILURE);
         } else if (valor_retornado < 0) {
         perror("cliente_cdm.c: añadir_reg");
         exit(EXIT_FAILURE);
         }
```

```
        break;
    } else {
        modo_de_empleo();
    }
    case 'e':               /* Eliminar un registro */
    if(argc == 3) {
        if(optarg != NULL) {
        valor_retornado = eliminar_reg(optarg);
        if(valor_retornado == 1) {
            printf("Clave `%s' no encontrada\n", optarg);
            exit(EXIT_FAILURE);
        } else if(valor_retornado < 0) {
            perror("cliente_cdm.c: eliminar_reg");
            exit(EXIT_FAILURE);
        }
        break;
        }
    } else {
        modo_de_empleo();
    }
    case 'b':               /* Buscar un registro */
    if(argc == 3) {
        if(optarg != NULL) {
        memset(&valor, 0, sizeof(DBT));
        valor_retornado = buscar_reg(optarg, &valor);
        if(valor_retornado == 1) {
            printf("Clave '%s' no encontrada\n", optarg);
            exit(EXIT_FAILURE);
        } else if(valor_retornado < 0) {
            perror("cliente_cdm: buscar_reg");
            exit(EXIT_FAILURE);
        }
        printf("%.*s¦%.*s\n", (int)strlen(optarg), optarg, (int)valor.size,
(char *)valor.data);
        break;
        }
```

```
    } else {
        modo_de_empleo();
    }
    case 'r':              /* Recuperar un registro */
    if(argc == 3) {
        if(optarg != NULL) {
        memset(&valor, 0, sizeof(DBT));
        valor_retornado = recuperar_reg(optarg, &valor);
        if(valor_retornado == 1) {
            printf("Clave `%s' no encontrada\n", optarg);
            exit(EXIT_FAILURE);
        } else if(valor_retornado < 0) {
            perror("cliente_cdm.c: recuperar_reg");
            exit(EXIT_FAILURE);
        }
        printf("%.*s¦%.*s\n", (int)strlen(optarg), optarg, (int)valor.size,
(char *)valor.data);
        break;
        }
    } else {
        modo_de_empleo();
    }
    case 'l':              /* Listar todos los registros */
    if(argc == 2) {
        if((contador = contar_regs()) == 0) {
        puts("No existen registros en esta base de datos");
        exit(EXIT_FAILURE);
        }
        /* Inicializar los punteros del cursor */
        if((claves = malloc(sizeof(DBT *) * contador)) == NULL) {
        puts("cliente_cdm.c: malloc claves");
        exit(EXIT_FAILURE);
        }
        if((valores = malloc(sizeof(DBT *) * contador)) == NULL) {
        puts("cliente_cdm.c: malloc valores");
        exit(EXIT_FAILURE);
        }
```

```
/* Tamaño de cada elemento */
for(i = 0; i < contador; ++i) {
    if((claves[i] = malloc(TAMAÑO_BUF)) == NULL) {
        puts("cliente_cdm: malloc claves[i]");
        exit(EXIT_FAILURE);
    }
    if((valores[i] = malloc(TAMAÑO_BUF)) == NULL) {
        puts("cliente_cdm.c: malloc valores[i]");
        exit(EXIT_FAILURE);
    }
}
valor_retornado = listar_regs(claves, valores);
if(valor_retornado == 0) {
    perror("cliente_cdm.c: listar_regs");
    exit(EXIT_FAILURE);
    }
    for(i = 0; i < contador; ++i) {
        printf("%.*s¦%.*s\n", (int)strlen(claves[i]), claves[i],
(int)strlen(valores[i]), valores[i]);
        }
        break;
} else {
        modo_de_empleo();
}
default:        /* Opcion no valida, mostrar el menu */
modo_de_empleo();
break;
} /* switch */
cerrar_db();    /* Cerrar la base de datos */
exit(EXIT_SUCCESS);
}
void modo_de_empleo(void)
{
    puts("MODO DE EMPLEO: cliente_cdm \
    \n\t{-a <clave> <valor> (Añadir registro)}\
    \n\t{-e <clave>} (Eliminar registro)}\
```

```
        \n\t{-b <clave> (Buscar registro)}\
        \n\t{-o <clave> (obtener registro)}\
        \n\t{-l (Listar todos los registros}");
    exit(EXIT_FAILURE);
}
```

El programa que emplea el usuario, `cliente_cdm.c`, es adecuado para su empleo en *scripts* de interfaz. El mismo espera una de cinco opciones en la línea de comandos: `-a` para añadir un registro, `-e` para eliminar un registro, `-b` para buscar un registro, `-r` para recuperar un registro, y `-l` para listar todos los registros. La opción `-a` requiere dos argumentos, una clave y un valor para añadir a la base de datos. A su vez `-e`, `-b` y `-r` requieren un solo argumento: una clave. Finalmente, la opción `-l` no requiere ningún argumento porque simplemente lista todos los registros de la base de datos.

Una mejora útil a este programa podría ser eliminar el límite establecido para el tamaño del *buffer* estático en el caso de la operación de listado de registros. Tal como está escrito el programa, cada puntero de la tabla de claves y registros está limitado a 1024 bytes. Por conveniencia, el código en cuestión se vuelve a reproducir aquí:

```
/* Tamaño de cada elemento */
for(i = 0; i < contador; ++i) {
if((claves[i] = malloc(TAMAÑO_BUF)) == NULL) {
        puts("cliente_cdm.c: malloc claves[i]");
        exit(EXIT_FAILURE);
    }
    if((valores[i] = malloc(TAMAÑO_BUF)) == NULL) {
        puts("cliente_cdm.c: malloc valores[i]");
        exit(EXIT_FAILURE);
    }
```

Tal como se encuentra redactado, esta porción de código es aceptable porque resulta difícil imaginar el nombre de un intérprete o el título de un CD que pueda exceder el tamaño corriente de `TAMAÑO_BUF` bytes (que está definido por `#define` en 1024 bytes). No obstante, la cuestión de fondo es evitar establecer límites arbitrarios tales como el anterior, sin que importe lo razonable que puedan parecer los mismos para una aplicación determinada.

Para analizar la línea de comandos, el programa utiliza la función definida en POSIX `getopt`, declarada in `<getopt.h>` (también se debe incluir en el código fuente `<unistd.h>`), tal como sigue:

```
int getopt(int argc, char *const argv[], const char *opstring);
```

En esta declaración, `argc` y `argv` son los parámetros `argc` y `argv` que se transfieren a `main`, igual que como se lo hizo en capítulos anteriores. `getopt` espera que cada opción sea precedida por un guión (-). `optstring` contiene una lista de caracteres de opción válidos. Si un carácter presente en `optstring` se halla seguido de un signo de dos puntos (:), el mismo deberá ser seguido en la línea de comandos por un argumento.

Por lo tanto, el parámetro optstring en `cliente_cdm.c`, `"a:e:b:r:l"` significa que las opciones `-a`, `-e`, `-b` y `-r` deben estar seguidas de un argumento, pero no así `-l`, que no va seguida de nada. `getopt` recorre cada opción presente en la línea de comandos y retorna el carácter correspondiente (`a`, `e`, `b`, `r` o `l`) o EOF si no existen más opciones. Si una opción requiere un argumento, el puntero retornado por `optarg` apunta hacia ese argumento.

De modo que `cliente_cdm.c` primero valida el número de argumentos de línea de comandos que recibe y luego utiliza `getopt` para determinar la operación a llevar a cabo y los argumentos correspondientes, si fuesen necesarios, para dicha operación. Cuando termina de realizar la validación de argumentos `cliente_cdm` abre la base de datos y entra luego a un largo bloque de `switch` que es el que en la práctica lleva a cabo la operación requerida.

Cada operación posee su propio código utilizado para validar el número y el valor de los argumentos sobre los que tiene que operar. Si se está añadiendo un registro, por ejemplo, se necesitan dos argumentos, una clave no nula ni vacía y el valor asociado con dicha clave. `eliminar_reg`, a su vez, necesita sólo una clave que no sea nula. Este último requerimiento también se aplica a `buscar_reg` y `recuperar_reg`.

Obsérvese que tres de las sentencias `case` – `b`, `r` y `l` – utilizan una variante inusual de la sentencia `printf`:

```
printf("%.*s, (int) valor_numerico, (char *) cadena);
```

Otra vez, esto resulta necesario porque, cuando se imprimen cadenas, `printf` habitualmente espera cadenas terminadas en un cero binario (`\0`) pero ocurre que la base de datos Berkeley DB no almacena cadenas terminadas en cero binario. Además, resultan necesarios los cambios provisorios (*casts*) de tipo de objeto porque el miembro size de una estructura de patrón DBT está en realidad definido como `ulen32_t`, no como `int`, mientras que el tipo del miembro data de la misma estructura está definido como `void *`.

El especificador de formato `%.*s` significa que:

a) cada cadena a ser impresa lleva otro argumento adicional delante suyo, que indica la cantidad de caracteres de la misma que serán impresos;

b) este especificador de tamaño de campo, a su vez, debe ser una constante numérica entera o una expresión que evalúe a un valor numérico de tipo `int`.

Si el especificador es una constante numérica entera X, el ancho del campo impreso será de X caracteres, como en la siguiente expresión:

```
printf("%.*s\n", 5, cadena);
```

Si, en cambio, el especificador es una expresión que evalúa a un valor numérico de tipo `int, printf` imprimirá en cada caso particular la cantidad de caracteres especificada por el valor que arroje la expresión numérica correspondiente. Por ejemplo, la línea:

```
printf("%.*s\n", (int)strlen(cadena), cadena);
```

imprimirá en éste casi la cadena completa, o cualquier otra cantidad de caracteres si la expresión numérica arrojase un valor distinto.

Finalmente, en esta variante de printf cada grupo `%.*s` se encuentra separado del siguiente, si lo hubiera, no por uno o más espacios sino por el carácter `|`.

cliente_cdm.c realiza una cantidad considerable de operaciones para medir la longitud de los arreglos de cadenas empleados para almacenar y luego imprimir la totalidad de los registros de la base de datos. Después de llamar a contar_regs, el programa primero asigna el número correcto de punteros de tipo char que apunten a los miembros data de las estructuras DBT, y luego mide la longitud de cada una de las cadenas en ellos. La llamada a listar_regs inicializa dichos valores, y luego, utilizando la sintaxis de printf que recién terminamos de comentar, cliente_cdm.c escribe cada par clave/valor a stdout.

Tal como se hizo notar, cliente_cdm.c está diseñado para ser utilizado desde un script de interfaz, de modo que lleva a cabo una sola operación y exhibe su salida de manera sencilla. Se requiere de código adecuado de interfaz para formatear tanto su entrada como su salida. Tenga también en cuenta que todo dato a ingresar que contenga espacios debe estar rodeado de comillas simples o dobles. Por ejemplo, para agregar la clave “Frank Sinatra” y el valor “Grandes éxitos”, la invocación correcta sería:

```
$ ./cliente_cdm -a "Frank Sinatra" "Grandes exitos"
```

Luego de llevar a cabo la operación requerida, cliente_cdm.c cierra la base de datos y sale. La función modo_de_empleo le recuerda al usuario cuál es la manera adecuada de invocar al programa.

Las rutinas de apoyo a la interfaz de usuario basada en ncurses se encuentran definidas en cdm_pantalla.h, cuyo código fuente se lista a continuación:

```
/* Nombre del programa en Internet: mcdscr.h */
/*
 * cdm_pantalla.h - Rutinas de manejo de pantalla para la base de datos de CD
musicales
 */
#ifndef CDM_PANTALLA_H_   /* Proteccion contra multiple inclusion de elementos
iguales */
#define CDM_PANTALLA _H_

#include <curses.h>

/*
 * Inicializar el subsistema de curses. Retornar 0 si
 * se tiene exito o -1 si se produce un error.
 */
int inicializar_pantalla(void);

/*
 * Cerrar el subsistema de curses. No se retorna ningun valor.
 */
void cerrar_ncurses(void);

/*
 * (Re)trazar la pantalla principal. No se retorna ningun valor.
 */
void trazar_pantalla(void);
```

```
/*
 * Exhibir un mensaje en la linea de estado.
 */
void mensaje_a_usuario(char *mensaje);

/*
 * Preparar una ventana para la entrada y la salida de datos.
 */
void preparar_ventana(WINDOW *ventana);

/*
 * Preparar una ventana para ser vuelta a exhibir.
 */
void mostrar_ventana(WINDOW *ventana);

/*
 * Obtener un par clave/valor para añadir a la base de datos.
 */
void añadir_reg(char *buf_clave, char *buf_valor);

/*
 * Obtener la clave de un registro para ser eliminado.
 */
void eliminar_reg(char *buf_clave);

/*
 * Obtener la clave de un registro para buscar.
 */
void buscar_reg(char *buf_clave);

/*
 * Exhibir un par clave/valor
 */
void mostrar_reg(char *buf_clave, char *buf_valor);

/*
 * Recuperar un par clave/valor especificado por usuario
 */
```

```
void recuperar_reg(char *buf_clave);
/*
 * Listar todos los registros presentes en la base de datos
 */
void listar_regs(char *buf_clave, char *buf_valor, int contador);
#endif /* CDM_PANTALLA_H_ */
```

La interfaz definida en `cdm_pantalla.h` es tanto una conveniencia como un esfuerzo por mantener la modularidad del sistema. Como conveniencia, reduce en gran medida la cantidad de código que requiere el programa controlador de pantalla, `interfaz_usuario_cdm.c`. Mejora también la modularidad porque, como ya se mencionó, siempre y cuando la interfaz definida en el archivo de encabezado no cambie, el código que implementa dicha interfaz puede ser rescrito cada vez que sea necesario. Hablando de implementación, es justamente lo que se verá ahora.

```
/* Nombre del programa en Internet: mcdscr.c */
/*
 * cdm_pantalla.c - Implementa el manejo de pantalla para la base de datos de CD
musicales
 */
#include <curses.h>
#include <form.h>
#include "cdm_pantalla.h"

WINDOW *mainwin;          /* Ventana principal */
WINDOW *menuwin;          /* Barra de menu en la parte superior de la ventana
principal */
WINDOW *statuswin;          /* Linea de estado en la parte inferior de la ventana
principal */
WINDOW *ventana_de_trabajo;      /* Zona de entrada/salida de la ventana
principal */

int inicializar_pantalla(void)
{
    int maxy, maxx;

    if((mainwin = initscr()) == NULL) {
    perror("cdm_pantalla.c: mainwin");
    return -1;
    }
    getmaxyx(stdscr, maxy, maxx);
    /* Subventana sobre la cual escribir un "menu" */
    if((menuwin = derwin(stdscr, 1, maxx, 0, 0)) == NULL) {
```

```
    perror("cdm_pantalla.c: menuwin");
    return -1;
    }
    /* Subventana en donde escribir mensajes de estado */
    if((statuswin = derwin(stdscr, 1, maxx, maxy - 1, 0)) == NULL) {
    perror("cdm_pantalla.c: statuswin");
    return -1;
    }
    /* Subventana donde tiene lugar el ingreso y la salida de datos */
    if((ventana_de_trabajo = derwin(stdscr, maxy - 2, maxx, 1, 0)) == NULL) {
    perror("cdm_pantalla.c: ventana_de_trabajo");
    return -1;
    }
    /* Configurar el teclado */
    if(cbreak() == ERR)         /* Procesaremos la entrada de datos nosotros */
    return -1;
    if(keypad(stdscr, TRUE) == ERR) /* Habilitar el empleo de claves-F */
    return -1;
    if(noecho() == ERR)         /* Controlar la salida de datos nosotros */
    return -1;

    return 0;
}

void cerrar_ncurses(void)
{
    nocbreak();         /* Restaurar el modo estandar de ingreso de caracteres
("cocido") */
    delwin(menuwin);        /* Liberar las subventanas */
    delwin(statuswin);
    delwin(ventana_de_trabajo);
    endwin();           /* Restaurar el estado del terminal */
}

void trazar_pantalla(void)
{

    char *menu = "F2-Añadir   F3-Eliminar   F4-Buscar   F5-Recuperar   F6-Listar
F10-Salir";

    mvwprintw(menuwin, 0, 0, "%s", menu);
```

```
        wrefresh(menuwin);
        refresh();
    }

    void mensaje_a_usuario(char *mensaje)
    {
        werase(statuswin);
        mvwprintw(statuswin, 0, 0, "%s", mensaje);
        wrefresh(statuswin);
        refresh();
    }

    void preparar_ventana(WINDOW *ventana)
    {
        werase(ventana);
        echo();
    }

    void mostrar_ventana(WINDOW *ventana)
    {
        noecho();
        wrefresh(ventana);
        refresh();
    }

    void añadir_reg(char *buf_clave, char *buf_valor)
    {
        preparar_ventana(ventana_de_trabajo);
        mvwprintw(ventana_de_trabajo, 1,0, "INTeRPRETE: ");
        mensaje_a_usuario("Ingrese clave");
        wgetstr(ventana_de_trabajo, buf_clave);
        mvwprintw(ventana_de_trabajo, 2, 0, "TiTULO: ");
        mensaje_a_usuario("Ingrese valor");
        wgetstr(ventana_de_trabajo, buf_valor);
        mostrar_ventana(ventana_de_trabajo);
    }
```

```
void eliminar_reg(char *buf_clave)
{
    preparar_ventana(ventana_de_trabajo);
    mvwprintw(ventana_de_trabajo, 1, 0, "INTeRPRETE: ");
    mensaje_a_usuario("Ingrese clave");
    wgetstr(ventana_de_trabajo, buf_clave);
    mostrar_ventana(ventana_de_trabajo);
}

void buscar_reg(char *buf_clave)
{
    preparar_ventana(ventana_de_trabajo);
    mvwprintw(ventana_de_trabajo, 1, 0, "INTeRPRETE: ");
    mensaje_a_usuario("Ingrese clave");
    wgetstr(ventana_de_trabajo, buf_clave);
    mostrar_ventana(ventana_de_trabajo);
}

void mostrar_reg(char *buf_clave, char *buf_valor)
{
    werase(ventana_de_trabajo);
    mvwprintw(ventana_de_trabajo, 1, 0, "INTeRPRETE: %s", buf_clave);
    mvwprintw(ventana_de_trabajo, 2, 0, "TiTULO: %s", buf_valor);
    mostrar_ventana(ventana_de_trabajo);
}

void listar_regs(char *buf_clave, char *buf_valor, int contador)
{
    int maxx, maxy, siguiente_y;

    getmaxyx(ventana_de_trabajo, maxy, maxx);
    if(contador == 0) {
    werase(ventana_de_trabajo);
    mvwhline(ventana_de_trabajo, contador, 0, ACS_HLINE, maxx);
    mvwprintw(ventana_de_trabajo, contador + 1, 0, "INTeRPRETE");
    mvwprintw(ventana_de_trabajo, contador + 1, maxx / 2, "TiTULO");
    mvwhline(ventana_de_trabajo, contador + 2, 0, ACS_HLINE, maxx);
    }
    siguiente_y = contador + 3;
```

```
    mvwprintw(ventana_de_trabajo, siguiente_y, 0, "%s", buf_clave);
    mvwprintw(ventana_de_trabajo, siguiente_y, maxx / 2, "%s", buf_valor);
    mostrar_ventana(ventana_de_trabajo);
}
void recuperar_reg(char *buf_clave)
{
    preparar_ventana(ventana_de_trabajo);
    mvwprintw(ventana_de_trabajo, 1, 0, "INTeRPRETE: ");
    mensaje_a_usuario("Ingrese clave");
    wgetstr(ventana_de_trabajo, buf_clave);
    mostrar_ventana(ventana_de_trabajo);
}
```

En este módulo suceden muchas cosas, pero no tantas como podría parecer a primera vista. `inicializar_pantalla` inicializa el subsistema de ncurses, crea tres subventanas utilizadas a través del programa y establece un estado del teclado que sea amigable con las ncurses. Tal como se lo mencionó en los capítulos 11 y 12, la mayoría de los problemas que emplean ncurses deben interpretar la entrada de teclado de manera directa (sin intervención del kernel), y de ahí surge la razón para llamar a `cbreak`. La llamada a keypad permite interpretar fácilmente las pulsaciones de teclas de cursor y de funciones del teclado. La función `noecho` evita que cualquier tecla mal pulsada sea reflejada en la pantalla, salvo que se lo requiera específicamente. Las subventanas que son creadas simplifican la administración de la pantalla. Como se verá enseguida en el programa controlador de pantalla, el manejo de la entrada y la salida vía dos ventanas separadas hace que el retrazado de la pantalla sea mucho más sencillo.

`cerrar_ncurses` restaura la entrada desde teclado a su modo procesado o "cocido" (*cooked*) y cancela los recursos de memoria otorgados a las tres subventanas. Finalmente, esta función llama a `endwin` para permitir que las ncurses se hagan cargo de prolijar los recursos que emplearon. Estos pasos restauran el estado del terminal a su condición preexistente. `trazar_pantalla` simplemente exhibe la pantalla inicial que verán los usuarios cuando comiencen el programa.

La rutina `mensaje__a_usuario` actualiza una línea de estado mantenida en la parte inferior de la pantalla. Esta línea de estado es empleada para brindar al usuario información adicional y para exhibir mensajes de error. Tanto `mensaje_a_usuario` como otras rutinas utilizan dos rutinas utilitarias, `preparar_ventana` y `mostrar_ventana`, para simplificar la administración de ventanas. preparar_ventana borra una ventana y activa el modo de envío de caracteres a pantalla, haciendo que las pantallas que contengan datos ingresados sean fáciles de leer. La rutina `mostrar_ventana`, por su parte, actualiza la ventana con la que se ha estado trabajando y también stdscr, de modo que cualquier cambio que haya sido efectuado quede reflejado en la pantalla del usuario.

Las funciones `añadir_reg`, `eliminar_reg`, `buscar_reg`, `mostrar_reg` y `recuperar_reg` presentes en `cdm_pantalla.c` implementan la funcionalidad necesaria para añadir, eliminar, buscar, exhibir y recuperar registros individuales, respectivamente. Las mismas transfieren datos recuperados desde la base de datos a la pantalla de ncurses. La función `listar_regs` merece un comentario especial. La misma está diseñada para exhibir todos los registros de la base de datos (comparable a la opción -l de cliente_cdm.c). La misma trata de disponer la salida a pantalla de una manera atractiva. El argumento contador es clave. Cuando contador es 0 ningún registro ha sido exhibido todavía, de modo que listar_regs primero crea un encabezado antes de exhibir cualquier registro. De allí en adelante, listar_regs actualiza la ventana de trabajo, con el registro siguiente. Una mejora útil para esta función sería permitir desplazarse por la ventana de trabajo si el número total de registros a ser exhibidos excede el número de filas que posee la ventana de trabajo.

La parte más sustancial de la interfaz interactiva reside en interfaz_usuario_cdm.c, que se lista a continuación.

```
/* Nombre del programa en Internet: interfaz_usuario_cdm.c */
/*
 * interfaz_usuario_cdm.c - Controlador de  base de datos de CD musicales basado
en ncurses.
 */
#include <stdlib.h>         /* Para 'exit' */
#include <unistd.h>
#include <getopt.h>         /* Para `getopt' */
#include <string.h>         /* Para 'memcpy' en glibc 2.1.1 */
#include "gestor_db_cdm.h"         /* Administracion de base de datos */
#include "mcdscr.h"         /* Manejo de pantalla */

#define TAMAÑO_BUF 1024

void modo_de_empleo(void);

int main(int argc, char **argv)
{
    int valor_retornado, opcion, fkey, contador, i;
    extern char *optarg;    /* De <getopt.h> */
    char buf_clave[TAMAÑO_BUF], buf_valor[TAMAÑO_BUF];
    char **claves, **valores;
    DBT valor;

    /* Analizar la linea de comandos */
    switch(argc) {
    case 3:             /* Utilizar la base de datos especificada */
    opcion = getopt(argc, argv, "a:");
    if(opcion == 'a') {
        if(optarg == NULL) {
        modo_de_empleo();
        } else {
```

```
                if(abrir_db(optarg)) {
                    fprintf(stderr, "Error al abrir la base de datos %s\n", optarg);
                    exit(EXIT_FAILURE);
                }
            }
        }
        break;
        case 1:             /* Utilizar la base de datos predeterminada */
        if(abrir_db(NULL)) {
            puts("Error al abrir la base de datos predeterminada");
            exit(EXIT_FAILURE);
        }
        break;
        default:            /* Linea de comandos mal redactada */
        modo_de_empleo();
        break;
        } /* Final de bloque de switch */

        /* Comenzar ncurses */
        if(inicializar_pantalla() < 0) {    /* Las ncurses no arrancaron */
        puts("Error al inicializar ncurses");
        cerrar_db();
        exit(EXIT_FAILURE);
        }
        /* Trazar la pantalla inicial */
        trazar_pantalla();

        /* El lazo principal de comandos */
        while((fkey = getch()) != KEY_F(10)) {
        switch(fkey) {
        case KEY_F(2) :         /* F2: Añadir un registro */
            añadir_reg(buf_clave, buf_valor);
            valor_retornado = añadir_reg(buf_clave, buf_valor);
            if(valor_retornado > 0)
            mensaje_a_usuario("Clave ya existe");
            else if(valor_retornado < 0)
            mensaje_a_usuario("Tuvo lugar error no previsto");
```

```
else
    mensaje_a_usuario("El registro ha sido añadido");
    break;
case KEY_F(3) :      /* F3: Eliminar un registro */
    eliminar_reg(buf_clave);
    valor_retornado = eliminar_reg(buf_clave);
    if(valor_retornado > 0)
    mensaje_a_usuario("Clave no encontrada");
    else if(valor_retornado < 0)
    mensaje_a_usuario("Tuvo lugar error no previsto");
    else
    mensaje_a_usuario("El registro ha sido eliminado");
    break;
case KEY_F(4) :          /* F4: Buscar un registro */
    buscar_reg(buf_clave);
    memset(&valor, 0, sizeof(DBT));
    valor_retornado = buscar_reg(buf_clave, &valor);
    if(valor_retornado > 0)
    mensaje_a_usuario("Clave no encontrada");
    else if(valor_retornado < 0)
    mensaje_a_usuario("Tuvo lugar error no previsto");
    else {
    mensaje_a_usuario("El registro ha sido ubicado");
    sprintf(buf_valor, "%.*s", (int)valor.size, (char *)valor.data);
    mostrar_reg(buf_clave, buf_valor);
    }
    break;
case KEY_F(5) :          /* F5:- Recuperar un registro */
    recuperar_reg(buf_clave);
    memset(&valor, 0, sizeof(DBT));
    valor_retornado = recuperar_reg(buf_clave, &valor);
    if(valor_retornado > 0)
    mensaje_a_usuario("Clave no encontrada");
    else if(valor_retornado < 0)
    mensaje_a_usuario("Tuvo lugar error no previsto");
    else
    mensaje_a_usuario("El registro ha sido ubicado");
```

```
            sprintf(buf_valor, "%.*s", (int)valor.size, (char *)valor.data);
            mostrar_reg(buf_clave, buf_valor);
            break;
        case KEY_F(6):          /* F6: Listar todos los registros */
            if((contador = contar_regs()) == 0) {
            mensaje_a_usuario("No existen registros en esta base de datos");
            break;
            }

            /* Establecer una tabla de punteros */
            if((claves = malloc(sizeof(DBT *) * contador)) == NULL)
               mensaje_a_usuario("Error de memoria");
               if((valores = malloc(sizeof(DBT *) * contador)) == NULL)
                   mensaje_a_usuario("Error de memoria");

            /* Asignarle valor a cada puntero */
            for(i = 0; i < contador; ++i) {
               if((claves[i] = malloc(TAMAÑO_BUF)) == NULL) {
                mensaje_a_usuario("Error de memoria");
                break;
               }
               if((valores[i] = malloc(TAMAÑO_BUF)) == NULL) {
                  mensaje_a_usuario("Error de memoria");
                  break;
               }
            }
            /* Recuperar todos los registros */
            valor_retornado = listar_regs(claves, valores);
            if(valor_retornado == 0) {
            mensaje_a_usuario("Problema con el administrador de base de datos");
            break;
            }
            /* Exhibir los registros recuperados en pantalla */
            for(i = 0; i < contador; ++i) {
               sprintf(buf_clave, "%.*s", (int)strlen(claves[i]), claves[i]);
               sprintf(buf_valor, "%.*s", (int)strlen(valores[i]), valores[i]);
               listar_regs(buf_clave, buf_valor, i);
            }
            mensaje_a_usuario("Este es el ultimo registro");
```

```
        break;
    default:        /* Clave incorrecta, informar a usuario */
        mensaje_a_usuario("Clave sin definir");
        break;
    } /* End switch(fkey) */
    }

    cerrar_db();              /* Cerrar la base de datos */
    cerrar_ncurses();         /* Cerrar el subsistema de curses */
    exit(EXIT_SUCCESS);
}

/*
 * Instrucciones de uso del programa
 */
void modo_de_empleo(void)
{
    puts("MODO DE EMPLEO: interfaz_usuario_cdm [-a base de datos]");
    exit(EXIT_FAILURE);
}
```

`interfaz_usuario_cdm.c` debería resultarle familiar al lector. El flujo de este programa, y gran parte de su código, se asemejan mucho al código de `cliente_cdm.c`. Ello es deliberado. El diseño de la interfaz de base de datos es tal que la única diferencia verdadera entre el cliente de línea de comandos y el programa interactivo es que los datos recuperados de la base de datos debe ser formateado de una manera que resulte adecuada para las ncurses.

Por supuesto, existen ciertas diferencias. `interfaz_usuario_cdm.c` es mucho más sencillo de invocar. El programa acepta una opción de línea de comandos, `-a` (*archivo*), que le permite a uno utilizar una base de datos diferente a la predeterminada, `cd_musica.db`. Los argumentos u opciones inválidas producen un mensaje con instrucciones de uso, del cual se muestra a continuación un ejemplo:

```
$ interfaz_usuario_cdm -a alguna base de datos
MODO DE EMPLEO: interfaz_usuario_cdm [-a nombre_base_de_datos]
```

EJEMPLO

Los siguientes bloques de código abren la base de datos, comienzan el subsistema de ncurses y trazan la pantalla inicial. La pantalla que crean `inicializar_pantalla` y `trazar_pantalla` se muestra en la figura 22-1.

SALIDA

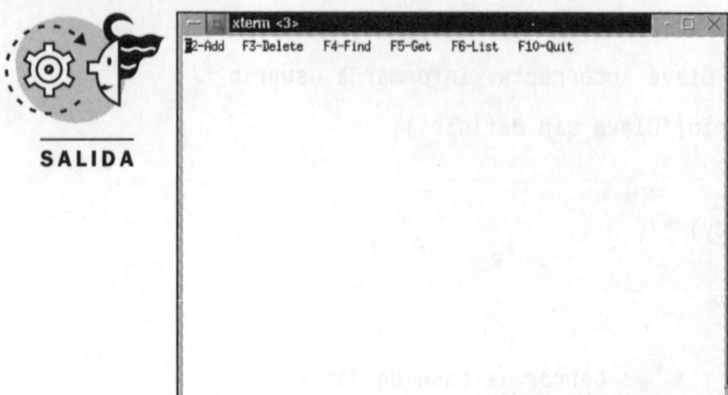

***Figura 22.1.** La pantalla principal de* `interfaz_usuario_cdm`.

Toda la acción tiene lugar en el lazo `while` loop. La sentencia `switch` procesa las pulsaciones de teclas del usuario, procediendo entonces a llamar a la rutina adecuada. El usuario puede pulsar una de las siguientes teclas válidas:

- `F2:` Añadir un registro
- `F3:` Eliminar un registro
- `F4:` Buscar un registro
- `F5:` Recuperar un registro
- `F6:` Listar todos los registros
- `F10:` Salir del programa

Si se comete un error de tipeo aparecerá en la pantalla el mensaje `Clave no definida` exhibido en la línea de estado. El éxito o fracaso de cada operación se muestra en la línea de estado por medio de la función `mensaje_a_usuario`. Uno puede hacer fácilmente que el programa acepte otras pulsaciones de tecla como alias de los comandos actualmente definidos. Por ejemplo, el tipear `a` o `A` le permitiría al usuario añadir un registro, y si tipeara l o L podría obtener un listado de todos los registros presentes en la base de datos.

Cuando se oprime F2, primero el programa le solicita que ingrese el nombre del intérprete y luego el título del CD. En la figura 22-2 se muestra la apariencia de la pantalla después de haberse añadido un registro.

Si la clave ingresada ya existe en la base de datos, se exhibe en pantalla el correspondiente mensaje de error.

Para eliminar un registro de la base de datos, Oprima F3. La pantalla que aparece cuando se elimina un registro se muestra en la figura 22-3.

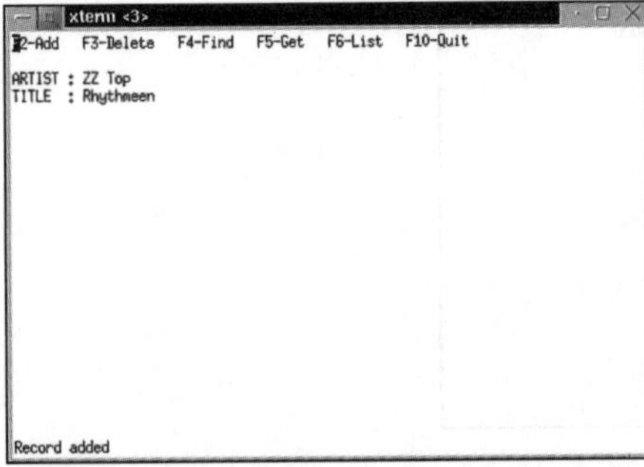

Figura 22.2. *`interfaz_usuario_cdm` después de haber añadido un nuevo CD a la base de datos.*

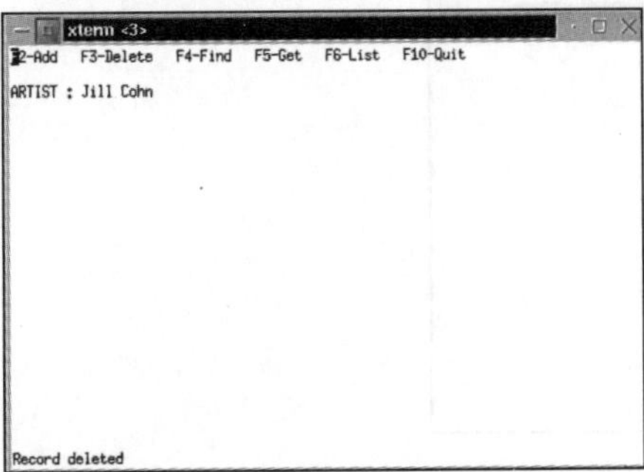

Figura 22.3. *`interfaz_usuario_cdm` después de haber eliminado un CD de la base de datos.*

La rutina `buscar_reg`, invocada cuando el usuario oprime F4, recorre la base de datos buscando una clave que coincida con la clave que ingresó el usuario. La figura 22-4 muestra la pantalla después de haber ingresado la clave a buscar, y la figura 22-5 muestra la pantalla luego de una búsqueda exitosa. `interfaz_usuario_cdm` utiliza la función `mostrar_reg` para exhibir el registro que encontró. La figura 22-6 ilustra el aspecto de la pantalla cuando la búsqueda no arroja resultados positivos.

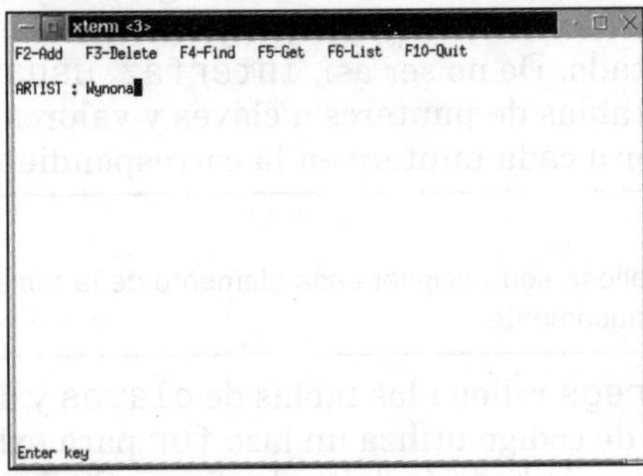

Figura 22.4. *`interfaz_usuario_cdm` luego de haberse ingresado una clave para buscar.*

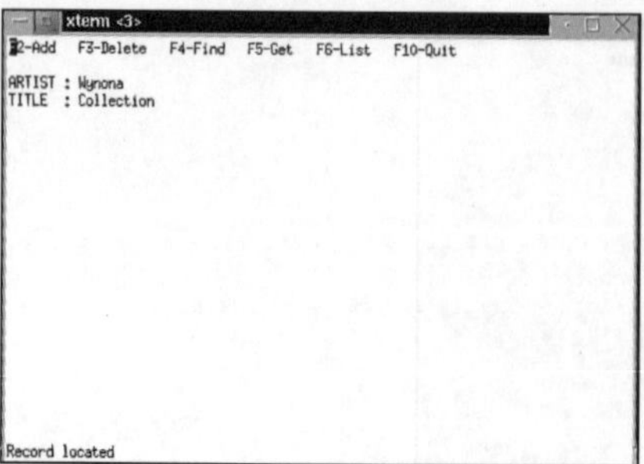

Figura 22.5. `interfaz_usuario_cdm` *exhibiendo el resultado de una búsqueda exitosa.*

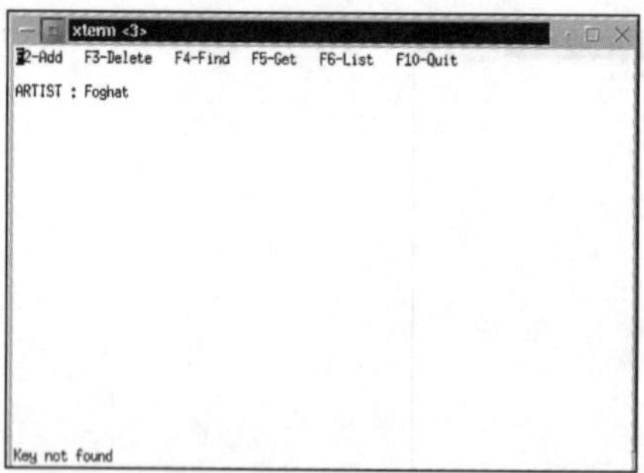

Figura 22.6. *Apariencia de la pantalla luego de una búsqueda infructuosa de* `interfaz_usuario_cdm`.

Lo mismo que la rutina `cliente_cdm`, la operación de `recuperar_reg` busca una clave específica en lugar de recorrer toda la base de datos en busca de una coincidencia. Desde el punto de vista del usuario, el aspecto resultante de la pantalla es idéntico.

El código más interesante de `interfaz_usuario_cdm.c` es el empleado para listar todos los registros de la base de datos. Otra vez, su funcionalidad en la aplicación interactiva es casi idéntica a la de su primo de la línea de comandos. Comienza por obtener el número de registros presentes en la base de datos. Si el valor obtenido es cero, el programa exhibe un mensaje a tal efecto en la línea de estado. De no ser así, `interfaz_usuario_cdm.c` comienza por establecer tablas de punteros a claves y valores y luego le asigna el correspondiente valor a cada puntero en la correspondiente tabla.

CONSEJO

Insistimos, una mejora valiosa sería asignar cada elemento de la tabla dinámicamente en lugar de asignarlo estáticamente.

La llamada a `listar_regs` rellena las tablas de `claves` y de `valores`. El correspondiente bloque de código utiliza un lazo `for` para exhibir en pantalla todos los CDs presentes en la base de datos. La figura 22-7 muestra la apariencia de la pantalla después que `listar_regs` ha actualizado la línea de estado para indicar que ha sido exhibido el último registro de la base de datos.

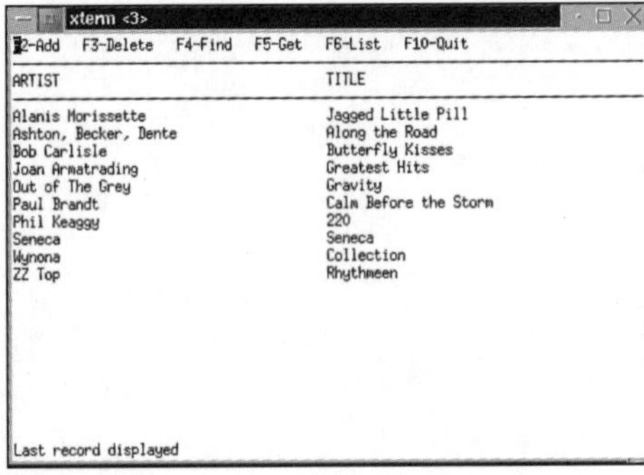

Figura 22.7. *Listado de todos los registros presentes en la base de datos de CD musicales.*

La rutina de listado de registros de `interfaz_usuario_cdm.c` realiza un buen trabajo listando todos los CDs presentes en la base de datos. Si el lector desea mejorar su funcionalidad, modifíquela de modo que el usuario pueda desplazarse por la lista de un extremo a otro.

Lo que viene

¿Qué es lo que viene ahora? ¡Bueno, cerrar el libro y convertirse en un famoso programador de Linux, por supuesto! Hablando en serio, el lector ha cubierto en este libro una gran cantidad de material y posee una sólida base para seguir programando. Lo que resta es simplemente escribir pilas de programas que utilicen lo que haya aprendido. No existe realmente otra manera de convertirse en un programador competente de Linux que la práctica. Aunque un libro le pueda mostrar los principios y modalidades básicas, la experiencia es el mejor maestro. ¡Siga adelante y programe!

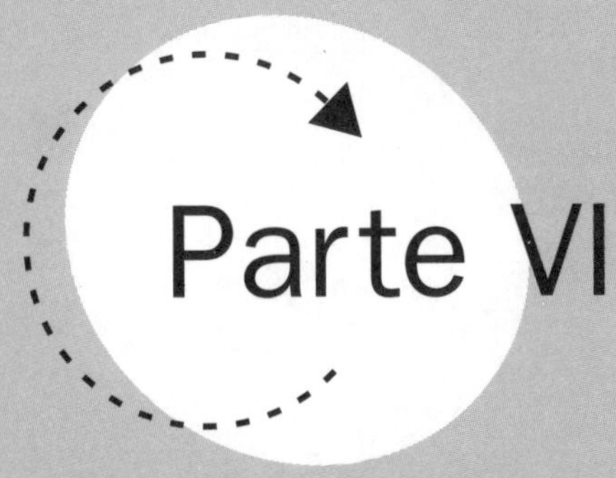

Apéndices

A. Recursos adicionales

B. Herramientas adicionales de programación

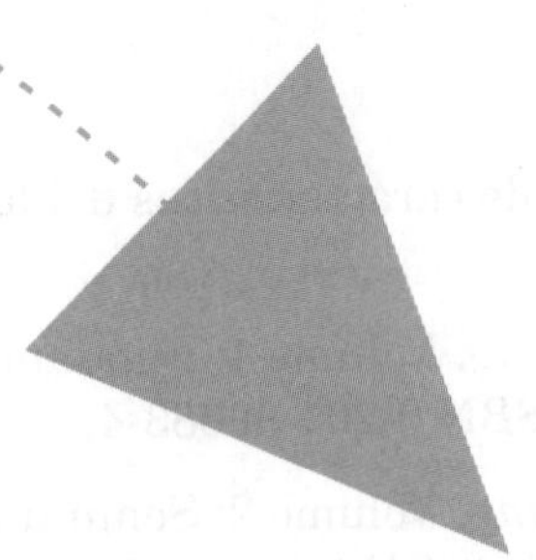

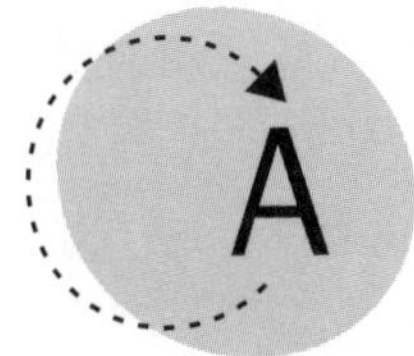

Recursos adicionales

Bibliografía comentada

ALLESANDRO RUBINI, *Linux Device Drivers*, O'Reilly, 1998, ISBN 56592-292-1. Este es el libro que trata sobre cómo escribir controladores de dispositivos para Linux; contiene varios ejemplos completos y útiles.

ATTHIAS KALLE DALHEIMER, *Programming with Qt,* O'Reilly, 1999, ISBN 1-56592-588-2. Por el momento, éste es el único libro publicado sobre la programación con Qt. Si uno pretende realizar programación formal con el toolkit Qt, este libro es de empleo obligado.

BILL ROSENBLATT, *Learning the Korn Shell,* O'Reilly, 1993, ISBN 1-56592-054-6. Una introducción tutorial a la interfaz de Korn, contiene varios capítulos dedicados a la programación de scripts para esta interfaz. Todo su contenido debería poder ser aplicado a `pdksh`, la versión de dominio publico de la interfaz de Korn.

BRENT B. WELCH, *Practical Programming in Tcl and Tk,* 2da edición, Prentice Hall, 1997, ISBN 0-13-616830-2. Tcl/Tk es el lenguaje UNIX/Linux de scripts que cuenta con más prestaciones. Tcl es la sección de modo texto y Tk añade una interfaz X Window. Este libro es el texto recomendado para aprender Tcl/Tk.

BRIAN W. KERNIGHAN, DENNIS M. RITCHIE, *The C Programming Language,* 2da edición, Prentice Hall, 1988, ISBN 0-393-96945-2. Conciso pero completo manual sobre el lenguaje C de programación, tal como se encuentra normalizado por ANSI e ISO, escrito por las dos personas que crearon el C.

CAMERON NEWHAM, BILL ROSENBLATT, *Learning the bash Shell,* 2da edición, O'Reilly, 1998, ISBN 1-56592-347-2. Una introducción tutorial a la interfaz `bash`, contiene varios capítulos dedicados a la programación de scripts para esta interfaz.

CLOVIS L. TONDO, SCOTT E. GIMPEL, *The C Answer Book: Solutions to Exercises in the C Programming Language,* 2da edición, Prentice Hall, 1989, ISBN 0-13-109653-2. Este libro contiene soluciones para cada ejercicio que Kernighan y Ritchie ponen en su libro, *The C Programming Language.* Lamentablemente, las soluciones suponen conocimientos de características del lenguaje todavía no presentadas.

Donald Knuth, *The Art of Computer Programming,* Volume 1: Fundamental Algorithms, 3ra edición, Addison-Wesley, 1997, ISBN 0-201-89683-4.

Donald Knuth, *The Art of Computer Programming,* Volume 2: Seminumerical Algorithms, 3ra edición, Addison-Wesley, 1998, ISBN 0-201-89684-2.

Donald Knuth, *The Art of Computer Programming,* Volume 3: Sorting and Searching, 3ra edición, Addison-Wesley, 1998, ISBN 0-201-89685-0. Estos tres volúmenes son las obras clásicas sobre desarrollo de software. Son neutrales en cuanto a herramientas y lenguajes, pero el conocimiento destilado de 30 años de programación, así como miles de algoritmos, justifican absolutamente la inversión (el conjunto de los tres volúmenes cuesta más de u$s125.00).

Eric Harlow, *Developing Linux Applications with GTK+ and GDK,* New Riders, 1999, ISBN 0-7357-0021-4. GTK+ and GDK proveen los toolkits y bibliotecas que brindan soporte a GNOME, el administrador de ventanas de Enlightenment, y al popular programa de manipulación de imágenes GIMP, un clon de Adobe PhotoShop.

James D. Foley, Andries van Dam, Steven K. Feiner, John F. Hughes, Richard L. Phillips, *Introduction to Computer Graphics,* Addison-Wesley, 1993, ISBN 0-201-60921-5. La obra clásica sobre gráficos para computadoras. Esta versión es en verdad una versión compendiada de *Computer Graphics: Principles and Practice.* Si uno quiere comprender gráficos de computación, este libro, o su primo más grande, es el que debe agenciarse.

K. N. King, *C Programming: A Modern Approach,* W. W. Norton and Company, 1996. El libro de King es generalmente recomendado como la introducción tutorial a C para aquellos que encuentran el lenguaje C de programación demasiado lacónico.

Kurt Wall, Mark Watson, Mark Whitis, *Linux Programming Unleashed,* Macmillan Computer Publishing, 1999, ISBN 0-672-31607-2. Este es un libro de nivel intermedio a avanzado que cubre muchos aspectos de la programación para Linux.

Larry Wall, Tom Christiansen, Randal L. Schwartz, *Programming Perl,* 2da edición, O'Reilly, 1996), ISBN 1-56592-149-6. Escrito por tres luminarias de Perl, incluyendo al creador del lenguaje, Larry Wall, cubre toda la gama de programación con Perl, versión 5.

Michael Beck, Harald Böhme, Mirko Dziadzka, Ulrich Kunitz, Robert Magnus, Dirk Verworner, *Linux Kernel Internals,* 2da edición, Addison-Wesley, 1998, ISBN 0-201-33143-8. De un tercio del tamaño de The Linux Kernel Book, Beck y compañía brindan al lector una mucho mejor introducción al kernel de Linux.

Michael K. Johnson, Erik W. Troan, *Linux Application Development,* Addison-Wesley, 1998, 0-201-30821-5. Escrito por dos de los mejores programadores de aplicaciones de Red Hat Software, este libro realiza un excelente trabajo en explicar las sutilezas de escribir aplicaciones para Linux. No cubre *kernel hacking,* sin embargo.

Mike Loukides, Andy Oram, *Programming with GNU Software,* O'Reilly, 1997, ISBN 1-56592-112-7. Escrito por integrantes de Cygnus Solutions, proveedores de apoyo técnico y de la versión comercial de las herramientas GNU, este es un excelente libro sobre el empleo de herramientas de desarrollo GNU tales como `gcc`, `Emacs`, `make` y `gdb`, el depurador (debugger) de GNU.

Neil Matthews y Rick Stones, *Beginning Linux Programming,* Wrox Press, 1996. Este libro, aunque desactualizado a esta altura, cubre técnicas básicas de programación en Linux/UNIX. Está mal titulado, además, ya que también cubre programación en UNIX.

Patrick Volkerding, Eric Foster-Johnson, Kevin Reichard, *Linux Programming,* MIS Press, 1997, ISBN 1-55828-507-5. Volkerding, creador de la popular distribución de software Slackware, recorre el amplio panorama de la programación para Linux, cubriendo mucho terreno en un breve lapso de tiempo.

Randall L. Schwartz y Tom Christiansen, *Learning Perl,* 2da edición, O'Reilly, 1997, ISBN 1-56592-284-0. Si se desea aprender Perl, este es el libro que se debe leer.

Remy Card, Eric Dumas, Franck Mével, *The Linux Kernel Book,* John Wiley and Sons, 1998, ISBN 0-471-98141-0. Traducido del francés al inglés. Card y sus coautores explican casi cada línea de código de la kernel 2.0.x. Está desactualizado actualmente, por supuesto, debido al lanzamiento de la kernel 2.2, pero sigue siendo aún una excelente introducción. La traducción del francés es tosca y despareja. Este libro no puede ver el bosque por mirar los árboles.

Richard M. Stallman y Roland McGrath, *GNU Make: A Program for Directing Recompilation,* Free Software Foundation, 1998, ISBN 1-882114-80-9. Escrito por los creadores de GNU `make`, este libro cubre `make` de adelante para atrás y de arriba para abajo. Todo lo que no se encuentre cubierto en este libro, se lo deberá buscar en el código fuente.

Warren W. Gay, *Sams Teach Yourself Linux Programming in 24 Hours,* Macmillan Computer Publishing, 1999, ISBN 0-672-31582-3. Buena introducción a la programación para Linux.

W. Richard Stevens, *Advanced Programming in the UNIX Environment,* Addison-Wesley, 1993, ISBN 0-201-56317. La obra clásica sobre programación en UNIX. Aunque no es específica de Linux (ni siquiera menciona a Linux, de hecho), cubre completamente todas las cuestiones referentes al acatamiento a POSIX. Como Linux es un clon de UNIX, la mayoría de las técnicas mencionadas también tienen vigencia en Linux. Stevens se encuentra actualmente revisando APUE, como es sabido.

Recursos de Internet

La Internet desborda de información sobre Linux. Este apéndice apenas alcanza a rozar la superficie de lo que hay disponible.

Sitios Web

GENERAL

The Association of Computing Machinery (Asociación de Máquinas de Computación)
`http://www.acm.org/`

The Free Software Foundation (Fundación de software gratuito)
`http://www.fsf.org/`

The GNU Project (El proyecto GNU)
`http://www.gnu.org/`

Institute of Electrical and Electronics Engineers (Instituto de Ingenieros Electricistas y Electrónicos)
`http://www.ieee.org/`

Linux.com
`http://www.linux.com/`

The Linux Documentation Project (Proyecto de documentación de Linux)
`http://metalab.unc.edu/LDP`

The Linux Gazette (La gaceta de Linux)
`http://www.ssc.com/lg/`

The Linux Journal (El periódico de Linux)
`http://www.linuxjournal.com/`

The Linux Kernel (El kernel de Linux)
`http://www.kernel.org/`
`http://www.linuxhq.com/guides/TLK/index.html`

The Linux Kernel Hacker's Guide (La guía del kernel de Linux para hackers)
`http://www.redhat.com:8080/HyperNews/get/khg.html`

Linux Online (Linux en línea)
`http://www.linux.org/`

The Linux Programmer's Bounce Point (El iluminador de los programadores de Linux)
`http://www.ee.mu.oz.au/linux/programming/`

The Linux Programmer's Guide (La guía de programación de Linux)

http://linuxwww.db.erau.edu/LPG/

Linux Magazine (Revista de Linux)

http://www.linux-mag.com/

LinuxToday (Linux Hoy)

http://www.linuxtoday.com/

Linux Weekly News (Noticiero semanal de Linux)

http://www.lwn.net/

LinuxWorld (Mundo de Linux)

http://www.linuxworld.com/

Linux WWW Mailing List Archives (Archivos de lista de correo WWW de Linux)

http://linuxwww.db.erau.edu/mail_archives

Mailing List Archives (Archivos de lista de correo)

http://www.mail-archive.com/

The UNIX Programming FAQ (las FAQ [*Preguntas Frecuentemente Formuladas*] sobre programación UNIX)

http://www.landfield.com/faqs/unix-faq/programmer/faq/

Usenet FAQs (FAQ [*Preguntas Frecuentemente Formuladas*] de Usenet)

http://www.landfield.com/faqs/
http://www.faq.org/

Usenix - The Advanced Computing Systems Association (Usenix – La Asociación de Sistemas Avanzados de Computación)

http://www.usenix.org/

Linux Center: Development (Centro Linux: Desarrollo)

http://www.linux-center.org/en/development/

JUEGOS

The Linux Game Developers Web Ring (El Cuadrilátero de los programadores de juegos para Linux)

http://www.kc.net/~mack-10/LGDRing.htm

Linux GSDK

http://sunsite.auc.dk/penguinplay/index.html

GRÁFICOS

Formatos de archivos gráficos

http://www.cis.ohio-state.edu/hypertext/faq/usenet/graphics/

âfileformats-faq/top.html

Mesa

http://www.ssec.wisc.edu/~brianp/Mesa.html

PROGRAMACIÓN PARA REDES

Beej's Guide to Network Programming (Guía de Beej de programación para redes)

http://www.ecst.csuchico.edu/~beej/guide/net/

Spencer's Socket Site (Sitio de sockets de Spencer)

http://www.lowtek.com/sockets/

The UNIX Socket FAQs (Las FAQ [Preguntas Frecuentemente Formuladas] sobre sockets UNIX)

http://www.landfield.com/faqs/unix-faq/socket/

DESARROLLO DE SISTEMAS OPERATIVOS

The OS Development Web Page (La página Web de desarrollo de sistemas operativos)

http://www.effect.net.au/os-dev/osdev/index.html

Writing Linux Device Drivers (Redacción de controladores de dispositivos para Linux)

http://www.redhat.com/~johnsonm/devices.html

SEGURIDAD

Diseño de software seguro

http://www.sun.com/sunworldonline/swol-04-1998/swol-04-security.html?040198i

The Secure UNIX Programming FAQ (Las FAQ [Preguntas Frecuentemente Formuladas] sobre programación segura en Unix)

http://www.whitefang.com/sup/

DISTRIBUCIÓN DE SOFTWARE

Construcción de paquetes RPM

http://www.rpm.org/

MULTIMEDIA

Programación en Linux de controladores para CD-ROM

http://www.ee.mu.oz.au/linux/cdrom/

Guía para programadores de sistemas abiertos de sonido

http://www.4front-tech.com/pguide/

TOOLKITS PARA GUI

GTK

http://www.gtk.org/

Tutorial de GTK

http://levien.com/~slow/gtk/

Centro de desarrolladores de KDE

`http://www.ph.unimelb.edu.au/~ssk/kde/devel/`

LessTif Project (Proyecto LessTif)

`http://www.lesstif.org/`

Troll Tech's Qt (Qt de Troll Tech)

`http://www.troll.no/`

Página principal de Xforms

`http://bragg.phys.uwm.edu/xform/`

PROGRAMACIÓN UNIX

Sun Developer's Connection (Conexión para programadores de Sun

`http://www.sun.com/developers/developers.html`

PROGRAMACIÓN X WINDOW

The Open Group (El Grupo Abierto) (anteriormente X Consortium)

`http://www.opengroup.org/`

Technical X Window System Sites (Sitios técnicos de sistemas X Window)

`http://www.rahul.net/kenton/xsites.html`

X Image Extension info (Información sobre extensión de X Image)

`http://www.users.cts.com/crash/s/slogan/`

XPM format and library (Formatos y bibliotecas de XPM)

`http://www.inria.fr/koala/lehors/xpm.html`

DISTRIBUIDORES

Caldera Systems

`http://www.calderasystems.com/`

Debian

`http://www.debian.org/`

Red Hat Software

`http://www.redhat.com/`

Slackware

`http://www.slackware.com`

`http://www.cdrom.com`

Stampede

`http://www.stampede.org/`

S.u.S.E

`http://www.suse.com/`

USENET

`comp.admin.policy` - Políticas de administración de sitios.

`comp.lang.c` - Cubre programación con ANSI/ISO C.

`comp.os.linux.development.apps` - Cubre los detalles de programación de aplicaciones bajo Linux.

`comp.os.linux.development.system` - Cubre todo lo que uno siempre quiso saber sobre la programación de sistemas con Linux, pero no se atrevió a preguntar.

`comp.os.linux.setup` - Establecimiento y administración de un sistema Linux.

`comp.shell.programmer` - Cubre programación de interfaces.

`comp.unix.admin` - Administración de un sistema UNIX.

`comp.unix.programmer` - Analiza la programación en el entorno UNIX.

Listas de correo

Las siguientes listas de correo son accesibles con Majordomo. Para suscribirse a una lista, envíe un mensaje a `majordomo@vger.rutgers.edu` con la palabra `suscribe` seguida por el nombre de la lista de correo en el cuerpo del mensaje. Los comandos presentes en la línea de "asunto" no son procesados.

`linux-apps` - Aplicaciones de software

linux-c-programming-Programación y desarrollo con C

`linux-config` - Configuración de sistemas

`linux-doc` - Proyectos de documentación

`linux-fsf` - Fundación de software gratuito

`linux-gcc` - Asuntos importantes para aquellos que programan en Linux

`linux-kernel` - Debates generales sobre el kernel

`linux-kernel-announce` - Anuncios sobre kernel

`linux-kernel-digest` - Compendio de kernel de Linux

`linux-kernel-patch` - Parches de kernel

`linux-linuxss` - Desarrollo Linux Mach de servidores únicos

`linux-oi` - Empleo del toolkit de interfaz de objeto

`linux-opengl` - Programación con OpenGL en Linux

`linux-pkg` - Para facilitar la instalación de paquetes

`linux-raid` - Desarrollo y empleo de software y hardware RAID

`linux-scsi` - Desarrollo y empleo de controladores SCSI

`linux-smp` - Linux en máquinas multiproceso simétricas

`linux-sound` - Utilización de tarjetas y utilidades de sonido bajo Linux

`linux-svgalib` - Debates sobre bibliotecas SVGA

`linux-tape` - Utilización de dispositivos de almacenamiento en cintabajo Linux

`linux-term` - Utilización de la suite term de programas

`linux-x11` - Utilización del sistema X Window bajo Linux

Lista de Desarrollos de Software para Linux, para desarrolladores de software- Para suscribirse, enviar un mensaje a `lsd-list-request@cannonexpress.com` con nada en el cuerpo del mensaje excepto `SUBSCRIBE`.

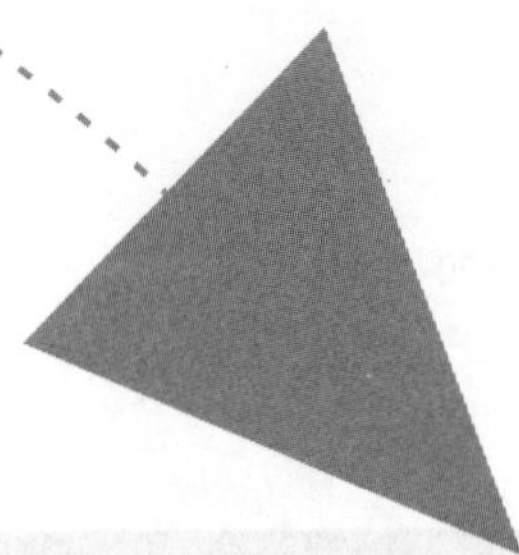

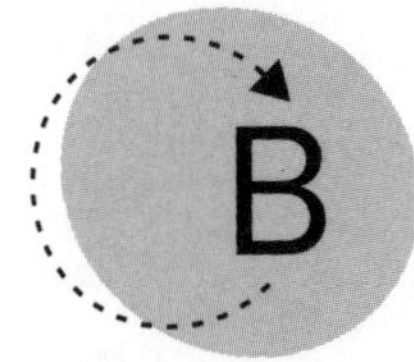

Herramientas adicionales de programación

Bastidores de aplicaciones

- JX, esqueleto de aplicaciones
  `http://www.coo.caltech.edu/~jafl/jx/`
- Lesstif, un clon de Motif
  `http://www.lesstif.org`
- Xforms, un toolkit de X Windows de alto nivel
  `http://bragg.phys.uwm.edu/xforms/`
- Crystal Space, un motor 3D escrito en C++
  `http://crystal.linuxgames.com/`

Bibliotecas

- Epeios, una encapsulación C++ de la mayoría de las API de UNIX
  `http://www.epeios.org/`
- LibWWW, una biblioteca general de Web para clientes y servidores
  `http://www.w3.org/pub/WWW/Distribution.html`
- Sfio, una implementación robusta de la Biblioteca Estándar de E/S
  `http://www.research.att.com/sw/tools/sfio/`

Certificación

- Caldera Systems Linux Training
  `http://www.calderasystems.com/education/`
- Linux Professional Institute
  `http://www.lpi.org/`

- Red Hat Software Developer Training

  http://www.redhat.com/about/1999/press_dev_training.html

- Red Hat Software Linux Certification

  http://www.redhat.com/products/training.html

Compiladores y lenguajes

- Allegro CL, un sistema de desarrollo rápido de aplicaciones LISP/Common LISP

  http://www.franz.com/dload/dload.html

- CINT, un intérprete C/C++

  http://root.cern.ch/root/Cint.html

- EGCS

  http://egcs.cygnus.com/

- FORTRAN90

  http://www.tools.fujitsu.com/download/index.html

- FreeBuilder, un IDE basado en Java

  http://members.xoom.com/_XOOM/ivelin/FreeBuilder/index.html

- JDK, el Kit de desarrollo de Java V.1.2

  http://www.blackdown.org/java-linux/mirrors.html

- PGCC, el GCC para Pentium

  http://www.gcc.ml.org/

- PGCC, estación de trabajo

  http://www.pgroup.com/

- Tcl/TK

  http://www.scriptics.com/products/tcltk/index.html

Distribución de software

- Página principal de Red Hat Package Manager

  http://www.rpm.org/

Editores

- Cforge, un entorno integrado de desarrollo C/C++

  http://www.codeforge.com/cgi-bin/Custom/NevinKaplan/Register.cgi?Register=Free

- C Meister, una plataforma/compilador IDE independiente

  http://www.cmeister.com/

- Code Crusader

  `http://www.coo.caltech.edu/~jafl/jcc/`

- GNUPro, una versión comercial de las herramientas de desarrollo GNU

  `http://www.cygnus.com/gnupro`

- Jessie, una IDE de plataforma cruzada desarrollada por Silicon Graphics

  `http://oss.sgi.com/projects/jessie/`

Gráficos

- General Graphics Interface, un sistema gráfico de plataforma cruzada

  `http://www.ggi-project.org/`

- MESA, un clon del toolkit OpenGL de SGI

  `http://www.mesa3d.org/`

Herramientas

- LCLint, una herramienta estática de verificación de código

  `http://www.sds.lcs.mit.edu/lclint`

- Checker, para localizar errores de memoria en tiempo de ejecución

  `http://www.gnu.org/software/checker/checker.html`

- CCMalloc, otro perfilador de memoria

  `http://iseran.ira.uka.de/~armin/ccmalloc/`

Misceláneas

- Insure++, una herramienta estática de validación de código (como LCLint)

  `http://www.parasoft.com/products/insure/index.htm`

- PowerRPC, una herramienta de desarrollo rápido para llamadas a procedimientos remotos

  `http://www.netbula.com/products/powerrpc/download/v11port.html`

- Xaudio SDK, un toolkit para construir software MP3

  `http://www.xaudio.com/downloads/#linux`

- Wotsit's Format, un recurso para cientos de formatos de archivo

  `http://www.wotsit.org/`

- Willows API, para transportar aplicaciones de Windows a Linux

  `http://www.willows.com/`

- Code Medic, una interfaz basada en X al GBU depurado (gdb)

  http://www.its.caltech.edu/~glenn/medic.html

- Referencia en línea a biblioteca de C

  http://www.dinkumware.com/htm_cl/index.html

Software científico y matemático

- Trazado de datos (Data Plotting) DISLIN

  (LIBC5/GLIBC1)

  http://www.linmpi.mpg.de/dislin/libc5.html

  (LIBC6/GLIBC2)

  http://www.linmpi.mpg.de/dislin/libc6.html

- PV-WAVE/JWAVE, herramientas de análisis visual de datos

  http://www/vni.com/products/wave/wave621register.html

- VARKON, bibliotecas de ingeniería y CAD

  http://www.microform.se/sources.htm

Software de base de datos

- DISAM96, bases de datos ISAM (Método de Acceso Secuencial Indexado)

  http://www.bytedesigns.com/disam/register.htm

- Informix

  http://www.informix.com/linux/

- MySQL, una popular base de datos SQL para Linux

  http://www.mysql.com/

- Oracle

  http://platforms.oracle.com/linux/

- PostgreSQL

  http://www.postgresql.org/

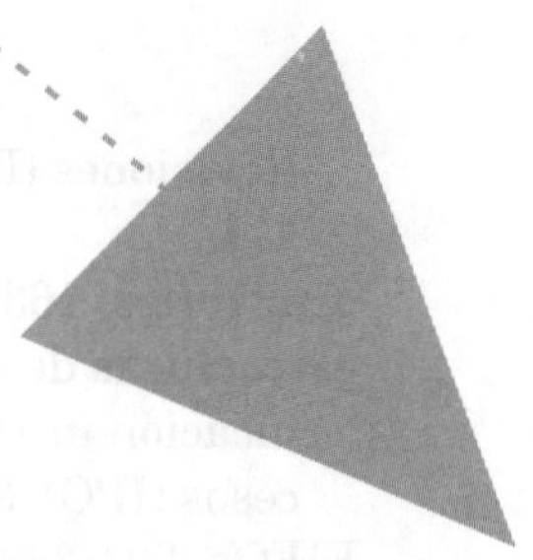

Símbolos

O

P

Gracias por confiar en nosotros.

Quisiéramos acercarnos más a nuestros lectores.
Por favor, complete y envíe por correo o fax esta tarjeta.

Título del libro: ____________________

Autor: ____________________

Adquirido en: ____________________

Comentarios: ____________________

____

Seleccione los temas sobre los que le interesaría recibir información

- [ ] Administración
- [ ] Marketing
- [ ] Computación
- [ ] Textos Universitarios
- [ ] Management
- [ ] Enseñanza del idioma Inglés
- [ ] Diccionarios
- [ ] Salud
- [ ] Interés General
- [ ] Contabilidad
- [ ] Divulgación Científica
- [ ] Economía
- [ ] Electrónica
- [ ] Negocios
- [ ] Otros

Otros: ____________________

____

Nombre: ____________________

Ocupación: ____________________

Empresa/Institución: ____________________ Puesto: ____________________

Domicilio: ____________________ C.P.: ____________________

Teléfono: ____________________ Fax: ____________________

E-mail: ____________________

Pearson Educación Cono Sur
Av. Regimiento de los Patricios 1959
(1266) Capital federal
Tel. (54-11) 4309-6100
Fax (54-11) 4309-6199
E-mail: info@pearsoned.com.ar

Pearson Education S.A.
Casa Juana de América
Av. 8 de Octubre 3061
11600, Montevideo, Uruguay
Tel./Fax (02) 486-1617

Pearson Education Caribbean
Monte Mall, suite 21-B
Muñoz Rivera Avenue
Hato Rey, Puerto Rico 00918
Tel. (787) 751-4830
Fax (787) 751-1677
E-mail: awlcarib@caribe.net y
awlphpr5@caribe.net

Pearson Educación Centroamérica y Panamá
Barrio La Guaria, Moravia
75 metros norte,
Del Portón Norte del Club La Guaria
San José, Costa Rica
Tel. (506) 235 72 76
Fax. (506) 280 65 69
E-mail: envwong@sol.racsa.co.cr

Pearson Educación de Chile
Av Manuel Montt 1452, Providencia
Tel. (562) 269 2089
Fax (562) 274 6158
E-mail: infopear@pearsoned.cl

Pearson Educación de Colombia
Carrera 68 # 22-55
Santa Fé de Bogotá D.C., Colombia
Tel. (571) 405-9300
Fax (571) 405-9011

Pearson Educación España
120 Nuñez de Balboa, Madrid 28006, España
Tel. (3491) 590-3432
Fax (3491) 590-3448

Pearson Educación México
Calle Cuatro No. 25 2do Piso
Fracc. Industrial Alce Blanco
53370, Naucalpan de Juárez,
Estado de México, México
Tel. (52) 53870700
Fax. (52) 53870813

Pearson Educaçao do Brasil
Rua Emilio Goeldi 747, Lapa
05065-110 São Paulo - SP, Brasil
Tel. (011) 861-0201
Fax (011) 861-0654